PASSE *a* NOITE COMIGO

MEGAN MAXWELL
PASSE *a* NOITE COMIGO

Tradução
Sandra Martha Dolinsky

Copyright © Megan Maxwell, 2016
Copyright © Editoral Planeta, S.A., 2016
Copyright © Editora Planeta do Brasil, 2017
Todos os direitos reservados.
Título original: *Pasa la noche commigo*

Preparação: Roberta Pantoja
Revisão: Isabela Talarico e Alice Camargo
Diagramação: Abreu's System
Capa: departamento criação Grupo Planeta
Imagem de capa: Helga Chirk / Shutterstock

CIP-BRASIL. CATALOGAÇÃO NA PUBLICAÇÃO
SINDICATO NACIONAL DOS EDITORES DE LIVROS, RJ

M418p
    Maxwell, Megan
        Passe a noite comigo / Megan Maxwell; tradução Sandra Martha Dolinsky. – 1. ed. – São Paulo: Planeta, 2017.

        Tradução de: *Pasa la noche conmigo*
        ISBN: 978-85-422-0986-0

    1. Ficção espanhola. I. Dolinsky, Sandra Martha. II. Título.

17-40263   CDD: 863
                                                  CDU: 821.134.2-3

2017
Todos os direitos desta edição reservados à
EDITORA PLANETA DO BRASIL LTDA.
Rua Padre João Manuel, 100 – 21º andar
Ed. Horsa II – Cerqueira César
01411-000 – São Paulo-SP
www.planetadelivros.com.br
atendimento@editoraplaneta.com.br

Esta é uma obra de ficção. Os nomes, personagens, lugares e acontecimentos que aparecem são fruto da imaginação da autora, ou usados no âmbito da ficção. Qualquer semelhança com pessoas reais (vivas ou mortas), empresas, eventos ou lugares é mera coincidência.

Guerreiras e guerreiros, como diz o incrível escritor Paulo Coelho, o difícil atrai, o impossível seduz e o extremamente complicado apaixona.
    Mil beijos,
        MEGAN

Capítulo 1

A agitação no aeroporto do Galeão, no Rio de Janeiro, como sempre era frenética. Depois de descer do táxi que o havia levado até o terminal, Dennis, um brasileiro alto e atraente, despediu-se do taxista com gentileza e foi fazer o check-in. Diante dos balcões de atendimento da companhia Iberia, procurou Tainara, amiga de sua irmã Wenda. Quando ela o viu, fez um sinal para que ele passasse em seu guichê. Ela poderia lhe facilitar muito os trâmites da viagem.

Enquanto esperava pacientemente na fila, mascando chiclete de cereja e com fones de ouvido escutando a música que vinha do iPhone, Dennis pensou na família e sorriu. Ter passado aqueles dias com eles antes de começar o novo trabalho em Londres havia sido maravilhoso.

Olhou ao redor. Todos pareciam felizes. Normalmente, viajar deixava as pessoas alegres. Então reparou em duas mulheres com perucas extravagantes cor-de-rosa e verde esperando na mesma fila que ele, e o movimento das duas lhe chamou a atenção.

Não aparentavam estar muito felizes. Pareciam discutir; enquanto a de cabelo rosa tentava sair da fila para se encontrar com um moreno que as observava, a de peruca verde a segurava pelo braço e resmungava em inglês:

— Priscilla, faça o favor de ter juízo. Não esqueça que a sensata sempre foi você.

— Mas, Lola...

— As nossas férias acabam hoje e temos que pegar o avião.

A de peruca rosa suspirou e, apontando para o morenaço que as observava a poucos metros, respondeu:

— Lola, olhe para ele... É tão gato! Dá até para lavar roupa naquele tanquinho!

— É, você tem razão — riu a outra.

— Pelo amor de Deus, Lola, eu mereço, depois do que Conrad fez comigo!

Doeu em Lola ouvir o nome do ex-cunhado.

— Conrad... — repetiu Priscilla, contrariada. — Não sei por que toco no nome dele.

Com pena, Lola olhou para a irmã. Pobrezinha, estava sofrendo. Mas, então, Priscilla insistiu:

— Vou continuar de férias mais um dia, com minha peruca rosa, mesmo que você fique brava.

Lola observou João, o brasileiro que a irmã havia conhecido na breve estadia no país e, então, a ouviu suplicar:

— Só mais um dia.

— Não.

— Lolaaaaaaaaaaaaaaa...

— Priscilla Simmons... não!

— Lola Simmons, por favor!

— Priscilla, você vai tirar essa peruca e vamos pegar esse maldito avião. Depois acomodaremos nossas lindas bundas nas poltronas macias da classe executiva, onde dormiremos e veremos filmes e aterrissaremos em Munique para depois decolar com destino a Londres. E não se fala mais nisso — reclamou a de cabelo verde, sem se dar conta de que Dennis as observava.

Ao ouvir a irmã ranger os dentes, Priscilla sorriu e, sem se importar com o tom ameaçador, respondeu:

— Pode me odiar, ranger os dentes, mas não pretendo enfiar minha bunda nesse avião. Vou trocar outra vez a passagem.

Lola abriu a boca e, fitando Priscilla, protestou:

— Outra vez? Ficou louca?!

— Talvez, mas...

Contrariada, a de cabelo verde se aproximou da irmã.

— Sem mas... Você vai pegar o avião comigo de qualquer jeito. Vai dizer adeus a esse brasileiro bonito e gostoso que fez seu corpo sambar e vamos voltar para casa.

— Não posso... Meu corpo pede... samba ardente!

Sem poder evitar, Lola sorriu.

— Priscilla, pense na mamãe...

— Não meta a mamãe no meio, é golpe baixo!

— Priscilla!

— Lola... Lola... Lola...

— Ai, meu Deus... você vai gastar meu nome! — reclamou Lola.

— Por favor, não faça isso comigo — interrompeu a irmã. — O próximo avião para Londres sai daqui a dez horas. O que são dez horas se meu corpo viajar saciado?

— Priscilla, já adiamos a viagem duas vezes, e você sabe que preciso voltar porque tenho uma infinidade de coisas para organizar antes de começar a trabalhar. Não posso adiar nem mais um dia.

— Eu sei... Eu sei.

— Então?

— Vá você, eu entendo! — A de cabelo rosa sorriu. — Mas não fique brava comigo por causa da minha impulsividade em relação ao João. Afinal de contas, não tenho ninguém me esperando em casa.

Sem poder acreditar na teimosia da irmã, Lola cobriu o rosto com as mãos e soltou um gritinho fofo de frustração.

— Ah, também não é para tanto — reclamou Priscilla.

— A mamãe vai ficar chateada.

— Lola... quem dera a mamãe ficasse chateada quando soubesse, mas não vai. Portanto, não me venha com essa.

A cada segundo mais desconcertada, Lola perguntou, olhando para Priscilla:

— Mas como vou voltar para casa sem você?

— Se o papai perguntar, diga que eu insisti. Ou simplesmente que comprei uma peruca rosa, enlouqueci e cismei de transar mais algumas vezes com um brasileiro que conheci antes de voltar para minha vida fria e chata em Londres.

— Priscilla...

— Por favor... Por favor... — insistiu Priscilla.

Por fim, ver a irmã piscando de forma forçada fez Lola sorrir. Resignada, a jovem deu de ombros e murmurou, absorta em pensamentos:

— Tudo bem. Você sabe o que faz.

Aquela viagem era delas. A viagem de irmãs que faziam todos os anos. Antes sempre eram acompanhadas pelo irmão, Daryl, até que ele começou a trabalhar como piloto de uma companhia aérea e a agenda atribulada não permitia mais que ele se juntasse a elas.

Lola era irmã de Priscilla e Daryl por parte de pai. Um homem complicado, chamado Colin Gabriel Simmons, que se casou com Elora Seford obrigado pelo pai. Ela era historiadora e se conheceram quando Elora começou a dar aulas no colégio do pai de Colin. Um ano depois, fruto dessa união, nasceu Priscilla, uma menina linda, loura como a mãe.

Elora adorava o trabalho. Era uma excelente e aclamada historiadora londrina, e, para o pai de Colin, também historiador, ela era seu xodó – uma cumplicidade que o filho não suportava. Não só tivera que se casar com a mulher que o pai lhe havia imposto, como também tinha que aguentar que ele sentisse mais orgulho dela que dele. Isso fizera com que o casal se distanciasse. Colin voltara à vida de mulherengo e, com os amigos, curtia a noite com discrição.

Ele e Elora viviam na mesma casa, mas não dormiam no mesmo quarto. Era a maneira de Colin castigar a mulher por ela ter uma relação melhor com seu pai que com ele. Elora conversou com ele, tentou fazê-lo ver que ele era o herdeiro daquela instituição, e não ela, mas foi impossível. Colin estava ressentido com o pai e com o mundo inteiro, e, por amor, Elora decidiu aceitar e calar.

Assim viveram por nove anos. Nove anos, durante os quais ninguém suspeitou da verdadeira vida que os dois levavam por trás das portas de seu lar.

Nesse longo tempo de distanciamento, certa noite, Colin saiu para jantar com os amigos e conheceu María, uma garota hippie, filha de mãe espanhola e pai irlandês, que o tirou do sério. A loucura e impulsividade da moça o deixaram perdidamente apaixonado em apenas quinze dias.

Dessa relação clandestina nasceu Lola, uma linda menina ruiva de olhos verdes como os do pai, que, assim como a irmã Priscilla, que já tinha nove anos, roubou o coração de Colin.

Mas María era um espírito livre, e, quando decidiu ir embora com Lola, Colin não pôde fazer nada, pois não queria que as pessoas soubessem de sua infidelidade. No mundo elitista em que vivia não seria bem-visto o fato de ter tido uma filha fora do casamento. Desesperado, ele as deixou partir.

Elora, que o observava em silêncio, sentiu compaixão ao ver sua dor e, apesar de saber da existência daquela menina e do amor que Colin sentia por aquela mulher, o aceitou em sua cama e o consolou.

Nove meses depois Elora deu à luz um menino, Daryl Michael Simmons, que rapidamente se transformou no orgulho do pai.

Certa tarde, quatro anos depois, uma mulher excêntrica chamada Diana bateu à porta dos Simmons em Wimbledon Park. Quando Colin viu a menina ruiva de olhos verdes que se escondia atrás dela, imediatamente soube que se tratava de Lola.

Elora, que valia mais pelo que calava do que pelo que dizia, se compadeceu da criança. Por que os filhos sempre tinham que pagar pelos erros dos pais? E, mais uma vez, esquecendo-se de si mesma, permitiu que aquela mulher e a menina entrassem em sua casa em busca de ajuda.

Nesse dia, Colin soube, com amargura, que María estava morando em uma comunidade nas Bahamas e que, querendo se livrar da menina, ligara para a mãe, que morava em Londres, e lhe oferecera a criança em troca de uma substancial quantia em dinheiro. Se a mulher não a quisesse, que encontrasse alguém para criá-la.

Elora e Colin ficaram escandalizados com a história. Como uma mãe podia fazer isso?

Diana, a mãe de María, foi imediatamente buscar a neta, mas a viagem e o dinheiro que havia entregado à filha em troca da menina abalaram suas finanças. Quando a filha lhe confessou quem era o pai, a mulher não hesitou e foi à casa dele em busca de ajuda. Afinal, o senhor Simmons gostando ou não, a menina era filha dele, e ele tinha que ajudar a criá-la.

Enquanto escutava Diana atônito, Colin observava Elora, que sorria para a menina, e esta, feliz, correspondia. Então, querendo ajudar, chegou a um acordo com Diana: a menina ficaria na casa da avó e todos os meses Colin pagaria uma pensão, além de uma boa escola. Não faltaria nada a Lola.

Durante quatro meses, Elora visitou Lola quase diariamente. A menina era um encanto, e a mulher se afeiçoou a ela. Nas tardes ou noites em que Diana trabalhava, Elora cuidava de Lola. A menina buscava constantemente carinho em seus braços e, sem hesitar, Elora lhe dava.

Cinco meses depois de Lola aparecer em suas vidas, o pai de Colin morreu, e ele herdou o colégio. Mas, no dia em que foi nomeado diretor, uma ligação de um hospital estragou a festa. Diana, a avó de Lola, havia sido atropelada.

Elora e Colin foram ao hospital. Diana estava bem e lhes pediu que a ajudassem com Lola. Na salinha ao lado, uma assistente social estava com a menina. O hospital a havia chamado, e ela pretendia levá-la a um lar temporário enquanto Diana se recuperava.

Ao ouvir isso, Elora tomou uma decisão, com a qual Diana concordou: Colin tinha que reconhecer a paternidade de Lola para que a menina pudesse viver com eles e em paz.

No início, ele ficou aflito. Quando as pessoas soubessem daquele deslize, sua reputação ficaria abalada. Mas Elora insistira. Para defender a menina, revelou a personalidade forte que nunca havia mostrado e o ameaçou dizendo que, se Lola não fosse viver debaixo do mesmo teto que os irmãos, ela mesma faria um escândalo. Diana a apoiou.

Vendo que o escândalo seria pior se partisse delas, Colin aceitou e, embora Londres tenha se agitado quando todos souberam da existência da menina, no fim, como costuma acontecer com essas coisas, tudo voltou ao normal.

Lola foi criada como uma filha por Elora e Colin. E Daryl e Priscilla ganharam uma irmã e uma avó. Diana tirava Colin do sério porque ganhava a vida como cartomante, tirava tarô e lia bola de cristal e as mãos de seus clientes. Mas juntos formavam uma família feliz.

María, filha de Diana, infelizmente aparecia de tempos em tempos em busca de dinheiro, o que sempre conseguia de Colin ou de sua mãe. Cada vez que ela aparecia, Elora desmoronava. Não pela menina, mas pelo marido. Colin fazia tudo por María; a mulher o manipulava. Ela o deixava bobo, fazia com ele tudo que queria. Sem dúvida, o amor que Colin sentia por ela ainda estava latente, e isso foi partindo o coração de Elora.

Os anos se passaram. Lola sabia do sofrimento de Elora por causa de María. Sua mãe biológica só levava desgraça para sua vida quando aparecia, pois nem a avó nem o pai eram capazes de dizer não a seus caprichos.

Assim, Lola tomou uma decisão drástica em relação à vida. Queria afastar qualquer coisa que fizesse mal a Elora ou a sua família — e María era uma dessas coisas.

Diana tentava ser o elo entre Lola e María, mas a cada dia isso ficava mais difícil. A passividade da filha não ajudava, muito menos o comportamento de Lola. Mesmo assim, não desistia. Elas eram a sua família.

Com o passar dos anos, a saúde de Elora piorou. De repente, a grande professora de história que deixava todos de queixo caído começou a se comportar de um jeito estranho, e a família passou a se preocupar. Ela esquecia coisas, o humor mudava constantemente, ficava desorientada... Por fim, os filhos, preocupados com seu comportamento, a levaram ao melhor médico de Londres. Depois de vários exames, foi diagnosticada com Alzheimer.

Saber da doença fora um grande choque para Elora. Como podia estar passando por isso?

Os filhos, assustados, rapidamente buscaram ajuda, pois tudo que pudessem fazer pela mãe ainda era pouco. No entanto, o frio Colin continuava impassível: os filhos e o dinheiro cuidariam de Elora.

E foi assim durante muito tempo, até que Elora perdeu totalmente a memória e a consciência e, com toda a dor do mundo, tiveram que interná-la em uma clínica, pois era impossível mantê-la em casa. Nesse dia,

Colin, o duro Colin, desabou. Os filhos exigiram o melhor para a mãe, e ele não negaria isso a ela. Elora merecia.

Nesse mesmo ano, na ceia de Natal, Colin apresentou aos filhos Rose, uma mulher um pouco mais nova que Elora e que já fazia parte de sua vida havia algum tempo. De início, Rose não foi bem-recebida. Nas festas e aniversários, no começo ou final do ano letivo, Rose assumia o papel de mãe, e os filhos de Colin não gostavam nada disso. Mas, no fim, ela conquistou a todos. Era inevitável amá-la.

— Lola... Lola... — chamou Priscilla.
A jovem olhou para a irmã. Priscilla perguntou, sorrindo:
— Já estava no Lolamundo?
Lola sorriu também. Sempre que ficava pensando em alguma coisa, os irmãos brincavam dizendo que ela estava em um lugar chamado Lolamundo.
— Muito bem, chega de enrolar. Eu vou — declarou Priscilla, apressada. — Nos vemos daqui a alguns dias em Londres.
Em seguida, abraçou a irmã, deu-lhe um beijo e se afastou. Ao passar por Dennis, trocaram sorrisos. Priscilla correu para João, que a abraçou. Beijaram-se, deram as mãos e foram para a saída do aeroporto, enquanto Lola os observava.
Dez minutos depois, Lola despachou a mala no balcão da companhia na qual seu irmão trabalhava. Quando a bagagem seguiu pela esteira rolante, saiu andando, sozinha, com as mãos nos bolsos da calça, sem notar que um par de olhos escuros, vivos e curiosos não parava de observá-la.
Quando Dennis chegou ao balcão, cumprimentou uma moça com um de seus olhares insinuantes.
— Olá, Tainara.
Corando, a garota retribuiu o cumprimento. Aquele era o irmão de sua melhor amiga, o pedaço de mau caminho que havia enlouquecido muitas mulheres durante os dias que passara no Brasil.
— Olá, Dennis — respondeu ela, nervosa.
Durante um tempo falaram de coisas triviais. Se havia algo que Dennis sabia fazer muito bem era conseguir que as mulheres se rendessem a seus encantos. E, quando ela já estava no ponto, perguntou:
— Você poderia me fazer um favor, Tainara?
Ela assentiu, encantada. Nada lhe agradaria mais que fazer o que ele quisesse.
— Claro... Será um prazer.

Satisfeito ao notar como ela o encarava, Dennis murmurou, com o sorriso doce:

— Uma amiga minha está no meu voo. O nome dela é Lola Simmons, e, como eu, está na classe executiva. Você poderia me colocar ao lado dela?

Rapidamente Tainara consultou a lista de passageiros e afirmou, sorrindo:

— Resolvido. Já coloquei você ao lado dela.

Dennis cravou os olhos escuros nos dela e, sorrindo de novo, sussurrou:

— Obrigado. Eu lhe devo um drinque!

Tainara sentiu o coração acelerar. Tomar um drinque com ele seria incrível, e já queria contar às amigas.

Depois de despachar sua mala, Dennis pegou o cartão de embarque que a garota lhe entregou, deu uma piscadinha com cumplicidade e se dirigiu à área de embarque.

Esperou a vez de passar pelo raio X. Deixou a mochila de couro preta e o celular em uma bandeja branca e o iPad em outra. Sorriu para a agente de polícia. Ela lhe fez um sinal com a cabeça e Dennis passou. Recolheu suas coisas e caminhou um tempo pelas lojas do aeroporto, observando certos produtos com curiosidade. Quando viu o perfume que usava, pegou-o e passou um pouco; gostava muito de sua fragrância.

Depois de passear pelas lojas, dirigiu-se a um dos painéis de informação do terminal e, quando localizou o voo, viu qual era o portão de embarque e foi até um Starbucks que havia em frente a ele.

Pediu um *caffè latte* e se sentou a uma das mesas. Deu uma olhada em volta em busca da garota de cabelo verde, mas não a viu. Abriu a mochila, pegou o iPad, clicou a playlist e escolheu "Por qué llorar"*, interpretada por Pastora Soler. Enquanto cantarolava, Dennis checou e-mails e depois entrou em um site de notícias. Tinha tempo de lê-lo.

Estava absorto, lendo, quando o celular tocou. Sorriu ao ver o nome na tela e atendeu em português:

— Oi, mamãe.

Enquanto falava com a mãe, Dennis viu a mulher que andara procurando, mas, em vez de uma peruca verde, dessa vez ostentava um lindo cabelo vermelho. Era ruiva! Observou-a se dirigir às cadeiras perto do portão de embarque e se sentar. Com curiosidade, viu como ela prendeu o lindo

---

* "Por qué llorar" ("Pra que chorar"), Vinicius de Moraes, Baden Powell; Polydor, 1962; WM Spain, 2005. (N.E.)

cabelo em um rabo de cavalo alto, e ficou bobo contemplando o pescoço esbelto e tentador. Ela era muito sexy!

Ela terminou de arrumar o cabelo, pegou o celular no bolso da saia longa que usava e viu algo nele que a fez sorrir. Depois o guardou, abriu uma bolsa enorme, pegou um livro e começou a ler.

Minutos depois, Dennis se despediu da mãe, mas não se mexeu. Continuou sentado na cadeira do Starbucks observando disfarçadamente a mulher que estaria sentada ao seu lado nas próximas treze horas, enquanto no iPad tocava "Insensatez"*, cantada por Mónica Naranjo.

Aquele cabelo vermelho preso descontraidamente lhe dava um ar especial. Então, a jovem tirou a jaqueta que vestia e Dennis pôde ver um pouco mais de seu corpo, em especial os seios. Não eram grandes e nem pequenos. Eram, sim, tentadores. Sentiu a boca secar. Imaginar aquela mulher nua sobre suas pernas o deixou excitado; sorrindo, ele decidiu pensar em outra coisa. Não era hora de ficar excitado.

Assim passou mais de uma hora e, quando anunciaram o embarque, Dennis guardou o iPad na mochila, levantou-se da cadeira e ficou bem atrás da ruiva, para continuar sua marcação cerrada àquela bela mulher.

O perfume que ela exalava era agradável, realmente um cheiro muito bom. Mas Dennis gostou ainda mais de como ela mexia o pescoço e o coçava devagar. Por cima do ombro dela leu o título do livro de capa preta e sorriu. Ele o havia lido meses antes, recomendado pela amiga Judith.

Depois que a ruiva mostrou o cartão de embarque à mulher da companhia aérea, Dennis a observou caminhar. Ela andava com confiança, e segurança e sensualidade. Depois de também mostrar o cartão à jovem do balcão, que sorriu para ele, o brasileiro continuou caminhando atrás de Lola. Mas diminuiu o passo para que, quando chegasse ao seu lugar, ela já estivesse acomodada e o visse chegando.

Lola seguia para o avião um tanto chateada por ter deixado a irmã no Brasil. Cumprimentou a comissária de bordo com um movimento de cabeça e se dirigiu a sua poltrona, na fila central da classe executiva. Para alguma coisa servia ter um irmão piloto.

Enquanto se acomodava e ouvia pelos alto-falantes do avião a suave canção "Garota de Ipanema"**, interpretada por João Gilberto, notou que

---

* "Insensatez" ("Insensatez"), Vinicius de Moraes, Antonio Carlos Jobim; Odeon, 1961; WM Spain, 2005. (N.E.)
** "Garota de Ipanema", Vinicius de Moraes, Tom Jobim; Verve Records, 1963. (N.E.)

alguém parava do outro lado do amplo corredor. Ao erguer os olhos, encontrou um homem alto, moreno e terrivelmente atraente, que sorriu e a cumprimentou em inglês.
— Olá.
Lola cravou os olhos nele e o observou por alguns segundos. Aquele homem tinha um olhar perturbador. Mas logo voltou a si, colocou uma mecha vermelha atrás da orelha e retribuiu secamente o cumprimento:
— Olá.
Durante alguns segundos ficou cada um na sua, até que Dennis, fitando-a, ouviu-a cantarolar a canção e comentou:
— Linda canção, "Garota de Ipanema".
Lola assentiu.
— Sim. Muito bonita.
Sem se dar por vencido, o gato brasileiro sorriu e insistiu:
— Parece que viajaremos juntos.
— É o que parece — ela se limitou a responder enquanto abria o livro.
Sem dizer mais nada, ele deixou a mochila ao lado da poltrona da jovem, e, rapidamente, uma das comissárias de bordo foi ajudá-lo. Dennis foi amável com ela – que sorria para ele, encantada –, enquanto observava de soslaio a moça ruiva mergulhar em seu livro.
Quando a comissária de bordo se afastou, ele abriu a mochila preta, pegou o iPad e o deixou na poltrona. Então, colocou a mochila junto com a jaqueta e, depois de se sentar, observou a companheira de viagem e perguntou:
— Quer um chiclete?
Ela olhou para ele e, ao ver que o chiclete era de cereja, respondeu, sorrindo:
— Não, obrigada.
Dennis guardou o pacote de chiclete e, como ela não parecia estar a fim de conversar, começou a mexer na tela de tevê a sua frente para ver os filmes disponíveis.
Disfarçadamente, Lola observava como ele mexia com grande habilidade no controle remoto acoplado ao braço da poltrona. Sem dúvida, não era a primeira vez que o utilizava. Esquecendo o livro, observou os filmes que apareciam na tela. Pelo menos três deles não havia visto, mas com certeza os veria.
Nesse instante, ouviram pelos alto-falantes:
— Boa tarde, senhores passageiros. Em nome do comandante e da tripulação, bem-vindos, e obrigada por escolher o voo da companhia Iberia com destino a Londres, com escala em Munique...

Enquanto a voz da comissária de bordo continuava soando pelos alto-falantes, suas colegas passavam perguntando gentilmente se os passageiros queriam beber alguma coisa. Tanto Lola quanto Dennis pediram uma taça de vinho branco, o que fez com que se olhassem e sorrissem. Então, aproveitando a ocasião, ele murmurou:
— Não é o melhor vinho do mundo, mas não é ruim.
Lola fez que sim com a cabeça, e ele prosseguiu:
— Odeio andar de avião, mas, depois das férias em minha terra, tenho que voltar para Munique. E um vinho é sempre bom para acalmar.
A jovem sorriu e, baixando o livro, comentou:
— Para quem não gosta de avião... Tem um voo de mais de treze horas pela frente.
Dennis assentiu. E, sorrindo como só ele sabia, afirmou:
— Valeu a pena, só por ter visto minha família.
A jovem sorriu de novo, então ele estendeu a mão e se apresentou:
— Meu nome é Dennis. Dennis Alves.
Lola sorriu. Certamente teria uma boa viagem com aquela companhia. Pegou a mão dele e disse, enquanto a apertava:
— Keira. Keira McCarty.
— Irlandesa?
Ela concordou. Gostava de usar o nome e o sobrenome da bisavó materna. Passando a mão pelo cabelo vermelho, ela brincou:
— Meu cabelo não nega.
Dennis se surpreendeu ao ouvir o nome com que ela se apresentara, pois sabia muito bem que se chamava Lola, especificamente Lola Simmons. Não obstante, como não queria revelar o que sabia, sem soltar-lhe a mão levou-a aos lábios, beijou-a e murmurou:
— Muito prazer, Keira.
A jovem balançou a cabeça. Na certa aquele homem era um predador sexual, como ela mesma quando desejava alguém. Disposta a não se deixar amedrontar nem por ele nem por ninguém, sorriu e, pegando de novo o livro, prosseguiu com a leitura. Ainda faltava muito tempo de viagem.
Quinze minutos depois o avião começou a se movimentar e de novo ouviram pelos alto-falantes:
— Senhores passageiros, seguindo as normas internacionais da aviação civil, faremos uma demonstração sobre o uso do cinto de segurança, o colete salva-vidas, a localização das saídas de emergência e as máscaras de oxigênio. Por favor, é muito importante que prestem atenção. O cinto de segurança deve...

Dennis reparou na comissária de bordo, que no corredor fazia movimentos com um cinto de segurança na mão, e se alegrou ao ver que ela o olhava com um sorrisinho. Prestou atenção em tudo que ela fazia e, quando acabou, soube que o avião decolaria em alguns segundos.

Pouco depois, o avião taxiava na pista de decolagem e os motores rangiam no máximo, Lola observou disfarçadamente o brasileiro, que se segurava com força na poltrona.

Achou engraçado aquilo. Como um sujeito daquele tamanho, que parecia tão seguro de si, podia ter medo de avião?

A aeronave começou a acelerar, acelerar, acelerar, e Dennis fechou os olhos.

— Calma... Está tudo bem — ouviu ele de repente. — Está tudo indo bem.

Ao ouvir a voz da jovem, ele abriu os olhos e, olhando para ela, totalmente tenso, replicou:

— Passo muito mal quando decolo ou aterrisso, porque sei que são os momentos mais perigosos.

— E os mais divertidos! — brincou ela.

— Lamento, mas não posso nem sorrir — sussurrou ele, com os nós dos dedos brancos quando o avião começou a subir.

Sem pensar, Lola entrelaçou os dedos nos dele e, fitando-o, começou a falar para distraí-lo. Quando a decolagem terminou e o avião se estabilizou, ela soltou a mão dele e afirmou, otimista:

— Pronto! Estamos no ar. Agora vamos ter um voo maravilhoso até Munique.

Encantado, o brasileiro relaxou. Sentia-se ridículo, mas abriu um sorriso fantástico para lhe agradecer e disse:

— Muito obrigado pela ajuda.

— Não foi nada. É para isso que servem os companheiros de viagem.

Ele ficou seduzido pelo sorriso da garota no momento em que ela pegou de novo o livro e tornou a mergulhar na leitura.

Uma hora depois a comissária de bordo entregou-lhes bebidas, amendoins e azeitonas, que comeram em silêncio, cada um concentrado nos próprios pensamentos. Mas, quando chegou a hora da refeição, enquanto degustavam o que as comissárias de bordo haviam servido, Dennis olhou para Lola e perguntou:

— Keira, você estava no Brasil trabalhando ou passeando?

Depois de engolir o pedaço de frango que tinha na boca, ela respondeu:

— Passeando. Estava de férias com minha irmã.
Ele assentiu e a seguir perguntou, fazendo-se de bobo:
— Sua irmã mora no Rio e você foi vê-la?
— Não — Lola sorriu —, ela não é do Rio. Mas ela conheceu alguém lá e preferiu adiar a viagem de volta por mais um dia.
— Uau... Que legal! — Dennis também sorriu.
— Sim — respondeu ela, rindo. — Sem dúvida, para ela é legal, mas para mim não será quando meu pai me vir voltando sozinha.
— Mas não é culpa sua. Como você disse, sua irmã decidiu adiar a viagem.
Lola assentiu. Sabia que ele tinha razão.
— Eu sei — respondeu.
E, tentando mudar de assunto, acrescentou:
— Imagino que você também estava no Brasil passeando.
— Aproveitando minhas férias, vim visitar minha família — disse Dennis.
— O que um brasileiro faz vivendo em Munique?
— Trabalho — respondeu ele sorrindo, encantado.
Continuaram comendo em silêncio, até que Dennis disse:
— Esse livro erótico que você está lendo eu já li há algum tempo.
Lola olhou para o livro que estava na lateral da poltrona. Ele acrescentou:
— É interessante.
Ela assentiu. Era um livro com alto teor de erotismo e fantasia. Baixando a voz, afirmou:
— E muito instigante.
Ambos riram; como sempre, o sexo causava risos. Então, o brasileiro perguntou, sem rodeios:
— E o que acha do que está lendo?
— O que quer dizer?
Sabendo da atração que exercia sobre as mulheres, Dennis se aproximou um pouco mais e murmurou:
— Quero dizer se acha que é possível, ou se você é dessas que se assustam com esses assuntos.
Durante vários segundos eles se olharam. Estava claro, sem sombra de dúvida, o que pensavam em relação ao que havia naquele livro. Então, deixando-se levar pelo momento, e ciente de que com certeza nunca mais veria aquele moreno gato na vida, Lola aproximou a cabeça da dele e a apenas dois centímetros de sua boca respondeu, olhando-o nos olhos:

— Gosto do que leio. Acho que todo mundo tem fantasias, e sexo não me assusta.

Sem se afastar dela, sabendo que a tinha onde queria, o brasileiro sorriu ao ouvi-la acrescentar:

— E, embora você pense que conseguiu o que queria de mim, devo ser sincera e dizer que fui eu que consegui.

Dennis, que não estava entendendo nada, franziu o cenho. Ela prosseguiu:

— Eu o vi na sala de embarque e rapidamente senti que estava me observando. Você estava sentado no Starbucks, bebendo algo e mexendo no iPad, mas olhar para mim o entretinha muito mais. Depois, durante o embarque, enquanto estávamos na fila, senti você atrás de mim, o que me agradou. E adorei seu perfume. Qual é?

— Loewe 7.

Lola balançou a cabeça, sorrindo por dentro ao ver o brasileiro tão aturdido.

Ela adorava desarmar os homens, e, quanto mais metidos e seguros de si eram, mais curtia. De modo que prosseguiu:

— Você pode não acreditar, mas continuei meu jogo e fiquei excitada ao saber que você me olhava enquanto eu andava a sua frente. Não via seu rosto, mas sabia que você observava o movimento dos meus quadris e o acentuei para fazê-lo ver como me sinto segura como mulher. Você nem imagina como me surpreendi ao descobrir que íamos sentar juntos. Portanto, não pense que sucumbi aos seus encantos. Digamos que você sucumbiu aos meus a partir do momento em que essa foi minha intenção.

Surpreso, estupefato, pasmo, Dennis pestanejou quando ela, sem um pingo de vergonha, pousou os lábios sobre os dele e, roçando-os, murmurou:

— Você é sexy, tentador, e algo me diz que é muito quente na cama, mas estou cansada e quero chegar logo em casa.

Boquiaberto, Dennis não se mexeu. Em termos de sexo, sempre havia sido o predador, mas com certeza aquela ruiva de olhos verdes e descarados não ficava atrás.

Quando abriu a boca, disposto a aceitar a sugestiva língua dela, Lola sorriu e, dando-lhe um leve beijinho na ponta do nariz, murmurou, voltando para a poltrona:

— Agora que pusemos as cartas na mesa, o que acha de cada um ver um filme para dar uma esfriada?

Dennis assentiu. Na vida já havia conhecido diversos tipos de mulheres: divertidas, malucas, tímidas, sorridentes, medrosas, entregues... Mas esse tipo de mulher, tão clara, tão direta, tão segura de si, era algo novo para ele.

— Vamos ver um filme — murmurou ele por fim. — É melhor.

Lola sorriu e se acomodou em sua poltrona. Se havia aprendido algo desde pequena, era estar sempre um passo à frente. E assim agira com ele.

Capítulo 2

Com a poltrona do avião reclinada, Dennis tentava dormir enquanto tudo ao redor estava escuro.

Estavam no ar havia umas dez horas e durante várias delas não tornara a trocar uma palavra com a vizinha de assento. Ela, depois de ver um filme, reclinou a poltrona até quase transformá-la em uma cama e adormeceu.

Dennis olhava para o teto do avião quando viu passarem as comissárias de bordo, sérias, indo em direção à cabine do piloto. Isso chamou sua atenção. Acionando os botões da poltrona, subiu o encosto e, ao ver que a comissária de bordo olhava para ele, levantou-se e perguntou:

— Está acontecendo alguma coisa?

A garota sorriu e fez que não com a cabeça.

— Volte para seu assento, por favor, e coloque o cinto.

Dennis não se mexeu; insistiu:

— Mas está acontecendo alguma coisa?

Nesse instante, o avião deu um solavanco que acordou todo mundo que estava dormindo. Olhando para a comissária de bordo, o brasileiro ia repetir a pergunta quando ela, sorridente, mas pálida como cera de vela, ao ver as colegas reaparecerem, voltou a insistir:

— Por favor, senhor, volte ao seu assento.

Naquele instante, Dennis entendeu que estavam com problemas. Quando voltou ao seu lugar, Lola, que havia acordado como os demais passageiros, olhou para ele e, enquanto colocava a poltrona na posição vertical, perguntou:

— O que está acontecendo?

Dennis rapidamente colocou o cinto de segurança, olhou para ela e disse:

— Não sei, mas com certeza alguma coisa está errada.

Lola sentiu o coração acelerar, ainda mais quando o avião sacudiu de novo e os passageiros começaram a gritar. Ouviram pelos alto-falantes:

— Senhores passageiros, se houver a bordo do avião algum médico, bombeiro ou funcionário de qualquer outra companhia aérea, por favor, identifique-se. Obrigado.

O coração de Lola acelerou de novo. Se estavam dizendo isso pelos alto-falantes, algo estava errado!

Nesse momento, uma comissária de bordo se aproximou de Dennis e, tocando-lhe o ombro, pediu:

— Por favor, cavalheiro, poderia me acompanhar?

Surpreso, ele se levantou, mas então sentiu que a jovem ao lado pegava sua mão de forma brusca e, com olhos assustados, murmurava:

— Não vá.

— Tenho que...

— Nem pense em me deixar aqui sozinha.

A intensidade do olhar de Lola e o medo que ele percebeu em sua voz fizeram Dennis esquecer o próprio nervosismo. Dirigindo-se a ela, respondeu:

— Prometo que voltarei em dois segundos. Fique tranquila.

Quando ele foi, o avião deu outra sacudida, e Lola, sozinha naquela enorme poltrona da classe executiva, segurou-se com força, murmurando:

— Não... Não... Isto não pode estar acontecendo...

Depois de reunir um grupo de pessoas, as comissárias de bordo explicaram que estavam com um problema no motor direito do avião, mas que tudo ia dar certo. A seguir, pediram-lhes colaboração para proceder à evacuação da aeronave assim que aterrissassem.

Assim, todos voltaram aos seus assentos. Quando Dennis chegou a Lola, sentou-se ao seu lado, travou o cinto de segurança e, pegando sua mão sem pedir licença, declarou:

— Calma. Está tudo sob controle.

— Não acredito, mas soa bem. O que está acontecendo?

Tão angustiado quanto ela, embora não demonstrasse, Dennis murmurou:

— Houve um problema no motor direito e vamos fazer um pouso de emergência.

— Ai, meu Deus... Nós vamos...

Lola não pôde terminar a frase, porque o brasileiro, ao se dar conta do que ela ia gritar, puxou-a para si e a beijou. Foi um beijo curto, mas sensual, e quando a afastou, murmurou, encarando-a:

— Como você me disse quando decolamos, vai dar tudo certo!
— Mas...
— Vai dar tudo certo. Você vai chegar em casa e descansar.
Lola não respondeu. Não podia. Não estava para joguinhos bestas. Estava aterrorizada, e ouvia umas mulheres gritando, assustadas.
— Keira, olhe para mim! — insistiu Dennis.
Do jeito que pôde, ela olhou para ele, que disse:
— Não vai acontecer nada. Confie em mim.
Lola, que apertava a mão dele até cortar a circulação dos dois, assentiu. E, apesar do medo que sentia, conseguiu dizer:
— Tudo bem. Confio em você.
Dennis sorriu no exato momento em que o avião sacudiu de novo, e as máscaras de oxigênio caíram sobre eles.
A coisa estava cada vez mais feia!
A tripulação acalmava os passageiros como podia e pelos alto-falantes explicava que, por um problema em um dos motores, teriam que fazer um pouso de emergência na Espanha. Especificamente, no aeroporto Adolfo Suárez, em Madri.
Todos se olharam, assustados. Ouvir uma coisa dessas em pleno voo era, no mínimo, aterrador. Mas a tripulação os tranquilizou com profissionalismo e explicou como deveriam se posicionar durante o pouso e proceder quando fosse dado o sinal de evacuação.
Lola, assim como os demais passageiros, estava alterada. Podia ver o medo nos olhos de todo mundo. Mas, tentando não perder a sensatez, olhou para Dennis bem no momento em que o comandante disse algo pelo alto-falante e a tripulação começou a gritar em vários idiomas:
— Proteção! Cabeças abaixadas!
Agarrada em Dennis e inclinada para a frente como ele, Lola sentiu o avião se movimentar de um jeito estranho e, depois de tocar o solo, continuar avançando sem parar, enquanto celulares, óculos e um monte de objetos voavam pelos ares e um terrível cheiro de queimado inundava seu nariz.
As pessoas gritando, o imenso barulho do avião, o cheiro de queimado e o medo que sentia mal a deixavam respirar, até que, por fim, a aeronave parou e as comissárias de bordo gritaram:
— Evacuação!
Dennis soltou a mão de Lola, abriu o cinto e, puxando-a, pegou a bolsa dela, que havia caído sobre suas pernas. Então disse:
— Vamos, tire o cinto. Temos que sair daqui.

A partir desse momento, tudo foi muito rápido. A tripulação abriu a porta, estendeu uma rampa e Dennis e outras pessoas ajudaram a evacuar os passageiros o mais rapidamente possível. Quando Lola tocou os pés no solo da pista do aeroporto de Madri, as pernas falharam e, se um bombeiro não a segurasse, teria caído feio.

Atarantada pelo ocorrido, ela olhou para trás em busca do brasileiro, mas não o viu. Tentou voltar ao avião para procurá-lo, mas não a deixaram. As pessoas choravam, assustadas, e corriam. No fim, junto com outros passageiros, Lola foi colocada em um micro-ônibus e levada dali.

Era noite quando Lola entrou no enorme terminal T4, onde não havia ninguém. Em um dos relógios informativos viu que eram duas e cinco da madrugada.

Os passageiros não tinham sofrido dano algum, mas médicos avaliaram o estado de todos. Não havia acontecido nada grave.

Ainda assustada, Lola olhou ao redor, agarrando a bolsa. Precisava localizar Dennis, mas não o encontrava. A última vez que o vira foi quando ele a colocou na rampa e a empurrou para que descesse. Depois, o bombeiro a pegou e então estava ali.

Chegaram mais dois micro-ônibus com outros passageiros assustados. Uns riam, outros choravam, outros ainda estavam em estado de choque. E, a cada segundo que passava, Lola se conscientizava do que tinha ocorrido: não havia acontecido nada e estava ali, vivinha da silva.

Angustiada, observava as pessoas que constantemente entravam naquela área, até que, por fim, o viu. Ali estava o morenaço que procurava. Lola sentiu um grande alívio. Sem tirar os olhos dele, viu quando ele parou, olhou ao redor e, ao vê-la, sorriu.

Sem se mover, olharam-se durante alguns segundos, até que os dois, como se fossem atraídos por um ímã, começaram a andar na direção um do outro.

— Viu? — disse ele quando já estavam frente a frente. — Deu tudo certo.

Lola sorriu. Supostamente era ele quem tinha medo de avião. Então ela se jogou no pescoço dele, abraçou-o e murmurou enquanto fechava os olhos:

— Obrigada... Obrigada por ter ficado ao meu lado.

Feliz, Dennis a apertou em seus braços, afundou o nariz no pescoço dela e respondeu, aliviado por ter sido capaz de conter o medo e não ficar paralisado:

— Digo o mesmo.

Ficaram assim durante alguns minutos, até que um senhor de barba branca se apresentou como responsável da companhia aérea e, enquanto entregava a todos uns papéis, informou sobre o ocorrido e sobre as medidas que podiam tomar.

Vinte minutos mais tarde, o mesmo homem, depois de responder a tudo que lhe haviam perguntado, deu-lhes três opções: a primeira, levá-los a um hotel para que passassem a noite e pegassem um voo no dia seguinte até Munique ou Londres; a segunda, que pegassem voos diretos a Munique ou a Londres naquela mesma madrugada; e a terceira, se alguém que fosse para Munique não quisesse ir de avião, a companhia estava disposta a pagar uma passagem de trem ou de ônibus até o destino final.

— Nossa... Ainda estou assustada — murmurou Lola.

Dennis a entendeu. Ele sentia o mesmo, mas disse, otimista:

— Fique tranquila, chegaremos bem em casa, e sem problemas.

— Assim espero.

Ele sorriu. E, querendo saber mais sobre ela, perguntou:

— Alguém especial vai buscá-la no aeroporto?

Lola pensou e por fim respondeu:

— Se o táxi que vou pegar até minha casa for especial, então, sim.

Dennis balançou a cabeça. Gostou de saber disso.

Minutos depois, Lola escolheu a segunda opção. O voo sairia dali a cinco horas e não teria que fazer escala em Munique.

Dennis optou por um voo direto a Munique, que saía uma hora depois que o de Lola.

Sentaram-se no solitário terminal para esperar. Passada uma hora, uns funcionários chegaram com vários carrinhos lotados de bolsas, maletas, jaquetas e celulares e informaram aos passageiros que ali estava tudo que encontraram na cabine.

Todos se aglomeraram em busca de seus pertences. Dennis, feliz, pegou a mochila preta de couro e o casaco. Lola recuperou a jaqueta, e, por sorte, haviam localizado também os celulares dos dois. Reencontrar suas coisas era maravilhoso.

Durante esse tempo, Lola e Dennis não se separaram nem um segundo. Eles precisavam um do outro. Um sentia que o outro era o ponto de apoio, mas também notaram que surgia entre eles uma poderosa atração que aumentava a cada segundo, embora tentassem controlá-la.

Não era hora nem lugar.

Duas horas depois, foram levados a outra sala de embarque, tão solitária quanto a primeira. Lola olhou o relógio de parede e viu que eram quatro e doze da madrugada. Ainda faltavam quase três horas para o voo, de modo que ela e Dennis decidiram ir a uma das lanchonetes abertas e tomar um café. Continuaram conversando. Nenhum dos dois se aprofundou sobre sua vida; falavam de coisas banais, como viagens. De repente, ele se levantou e disse:

— Vou ao banheiro, Keira. Já volto.

Lola sorriu. Sentia-se culpada por ter mentido sobre seu nome, mas decidiu não sanar o erro. Para quê?

Enquanto ele se afastava, ela o observava. Além de ser um sujeito imensamente atraente, era também encantador. Pensou no olhar dele, aquele olhar que a havia tranquilizado em um momento de estresse máximo, e sorriu ao recordar como ele tremia quando o avião decolou no Rio de Janeiro.

Era impossível não pensar nele. Deixando-se levar pelo que desejava naquele instante, Lola se levantou e, sem hesitar, dirigiu-se ao banheiro disposta a fazer uma loucura. Sua loucura.

No caminho, observou disfarçadamente se alguém a olhava. Quando abriu a porta do banheiro masculino e encontrou Dennis, que saía naquele momento, não hesitou. Aproximando-se dele, empurrou-o, fez que entrasse de novo e murmurou:

— Você me deseja. Isto é parte de nossas fantasias, e não me vá dizer que não.

O brasileiro, surpreso, sorriu e a beijou. Aquela ruiva era doce e sensual. Disposto a aproveitar aquilo que ela lhe oferecia, principalmente depois de saber que ninguém especial a esperaria no aeroporto, passou com luxúria os lábios pelo pescoço dela e sussurrou:

— Você não imagina quanto eu desejava fazer isto.

Contente por ele a aceitar, Lola tornou a beijá-lo. Gostou de sentir a língua sedosa brincando com a dela dentro de sua boca. O sabor dele, unido a seu desejo, a enlouqueceu. Dennis não só a beijava; com a boca, demonstrava quanto a desejava e quanto iriam se divertir juntos.

Nas nuvens, sem pensar que poderiam pegá-los fazendo algo incomum no banheiro do aeroporto, Lola levou com urgência os dedos ao cinto e ao zíper da calça dele e começou a abri-los. Então, introduziu as mãos dentro da cueca escura e, quando ouviu o grunhido de satisfação dele, murmurou, repetindo as palavras de Dennis:

— Você não imagina o quanto eu desejava fazer isto.

Dennis sorriu. Mulheres descaradas o deixavam louco, especialmente aquela ruiva de olhos verdes que o olhava com desejo. Pousou uma das mãos grandes sobre os seios dela e os tocou, possessivo.

Porém, estavam em um lugar público, e não podiam demorar. Tinham que ser rápidos na satisfação do desejo. Alguém podia entrar no banheiro e pegá-los, e por nada neste mundo queriam deixar pela metade aquilo que haviam começado. Então, Dennis rapidamente tirou um preservativo da carteira, colocou-o com maestria enquanto beijava aquela mulher tentadora e, quando acabou, virou-a, levantou-lhe a saia longa e, puxando-lhe a calcinha para baixo, perguntou em seu ouvido, em um tom cheio de sensualidade:

— Tem certeza... Keira?

Com a adrenalina a mil, Lola assentiu. Dennis, encantado com aquilo, afastou-lhe as pernas, murmurando enquanto introduzia o membro duro e quente no sexo úmido dela:

— Fazer isto em um banheiro público é perigoso, e excitante.

Lola arfou ao sentir o pênis enorme e duro dentro de si. Ele, dando-lhe um tapinha possessivo, começou a entrar e sair de dentro dela com ferocidade, enquanto sussurrava em seu ouvido:

— Você é linda — disse ele em sua língua.

Lola adorou ouvi-lo falar em português. Estava curtindo mais do que a princípio poderia ter imaginado. Dennis prosseguia enquanto o corpo dela tremia de prazer:

— Temos que ser rápidos, ruiva, apesar de que eu adoraria...

Não pôde concluir a frase. O prazer era intenso, muito intenso. Lola sussurrou, abrindo-se para ele, feliz:

— Eu sei... Eu sei...

Como Lola havia imaginado, o brasileiro era muito bem-dotado e, especialmente, sabia como se mover. O movimento dos quadris ao penetrá-la era maravilhoso.

Lola estava disposta a desfrutar de tudo aquilo sem se importar com as consequências, de modo que suplicou, pondo uma das mãos nas pernas dele:

— Não pare, quero tudo.

Excitado por ela ter ido atrás dele e por estar transando em um lugar impróprio, Dennis deu-lhe tudo, entrando e saindo dela ritmicamente, sem descanso. Depois de um grito abafado de extremo prazer dos dois, que indicava que o clímax havia chegado, tudo acabou antes do que teriam desejado.

— Delícia... — murmurou Dennis, novamente em português, beijando-lhe o pescoço.

Essa simples palavra, dita do jeito que ele a dissera, deixara Lola excitada. Aquilo havia sido uma loucura, mas adorou tê-lo feito.

Ele saiu de dentro dela e, enquanto se dirigia a uma cabine para tirar o preservativo e se limpar com papel higiênico, ela saiu do banheiro e entrou no das mulheres. Olhou-se no espelho e, ao ver o rosto vermelho e quente por causa do que havia acontecido, murmurou, fechando os olhos:

— Caralho!

Segundos depois abriu-os e, olhando-se de novo no espelho, acrescentou com certa indiferença:

— Mas foi fenomenal.

Dito isso, sorriu, abriu a torneira e jogou água no rosto e no pescoço. Soltou o cabelo e prendeu-o de novo. Os cabelos bagunçados a delatavam.

Depois, entrou em uma cabine, pegou umas toalhinhas umedecidas na bolsa e limpou um pouco as partes íntimas. Quando acabou, foi se olhar de novo no espelho. Ao sair do banheiro, encontrou Dennis, que a esperava com a peruca verde na mão.

— Acho que isto caiu de sua bolsa.

Ela sorriu e, pegando-a, guardou-a e afirmou:

— Adoro verde.

Ele não disse nada. Queria lhe perguntar por que usava aquela peruca absurda, mas se calou. Por fim, ela o olhou nos olhos e disse:

— Desculpe por tê-lo abordado assim, mas...

Não pôde dizer mais nada. Dennis a beijou. Introduziu a língua naquela boca tentadora e, quando acabou, declarou:

— Faça sempre que quiser.

Lola sorriu, e ele, pegando-lhe a mão com força, disse, enquanto saíam andando:

— Vamos beber alguma coisa, estamos morrendo de sede.

A partir desse instante a relação dos dois mudou. Comportavam-se como um casal, com intimidade, trocando centenas de carinhos e beijinhos. Era óbvio que os dois queriam aproveitar as horas que lhes restavam juntos. O que havia acontecido naquele avião os tinha feito perceber que a vida era feita de momentos. E, sem dúvida, aquele era o momento deles.

O aeroporto havia posto à disposição de todos um serviço de bufê, pois queria ver todo mundo satisfeito. Observando o que havia disponível, enquanto Dennis pegava um sanduíche, Lola escolheu apenas um iogurte e murmurou com um sorriso maroto:

— Não consigo comer nada, mas sou incapaz de resistir a um iogurte de baunilha.

Ele sorriu e, pegando outro do mesmo sabor, afirmou:

— Espero que coma os dois.

Quando acabaram de comer, levantaram-se e se afastaram um pouco do resto das pessoas, momento em que Dennis pegou o iPad na mochila preta, ligou-o, procurou a pasta "Minhas músicas" e, abrindo outra dentro dessa, pôs uma melodia relaxante.

— Michael Bublé... Adoro!

— É relaxante para mim — disse Dennis.

— Ele é ótimo — afirmou Lola. — Tenho todos os CDs dele, e todas as vezes que se apresentou em Londres fui vê-lo. Para mim, a música dele é pura sensualidade.

— Você o definiu perfeitamente!

Ambos riram. Então, Lola comentou que sabia ler as linhas da mão.

— Você é uma bruxa irlandesa?

Ela, brincando, deu-lhe um soco no braço e grunhiu, rindo de novo:

— Não, claro que não sou uma bruxa! É só uma coisa que vem de família. — E, cravando o olhar no dele, murmurou: — Você tem uns olhos fascinantes e misteriosos. Se minha avó o conhecesse, sem dúvida diria algo sobre eles.

Sorrindo, Dennis perguntou:

— Algo tipo o quê?

Sem conseguir parar de olhar para ele, ela acrescentou:

— Acho que diria que você é bom com esportes, que guarda um segredo obscuro e que poderia ser um bom líder.

Dennis riu: adorava fazer esportes. Sem tirar os olhos dela, perguntou:

— E a você, com esse olhões verdes, o que ela costuma dizer?

Ao ouvi-lo, Lola sorriu.

— Ela diz que sou imprevisível, desafiadora e cabeça-dura.

— Cabeça-dura?!

Divertindo-se com a expressão engraçada dele, a jovem afirmou, tocando o cabelo vermelho:

— Sou o retrato vivo de minha bisavó materna. Uma irlandesa cabeça-dura.

Ambos riram. Então, Dennis pôs na boca um chiclete. Lola prosseguiu:

— Minha avó é vidente, lê a mão, bola de cristal e joga tarô, entre outras coisas. Ela me ensinou um pouco da arte da quiromancia.

Ao ver a cara de deboche do brasileiro, ela explicou:

— A quiromancia é um procedimento divinatório realizado mediante a interpretação das linhas das mãos. — E, pegando as dele, disse: — Mesmo que não acredite, suas mãos estão cheias de informações. A esquerda nos dá informação sobre o passado, e a direita sobre o futuro.

Dennis olhava para ela cético. Lola, observando a palma da mão dele enquanto a tocava com delicadeza, continuou:

— Esta é a linha da vida. Esta outra, da cabeça. Aqui está a do coração. Isto — disse, passando o dedo na linha com carinho — é o anel de Vênus. Aqui está a linha do Sol. Aqui, a linha de Mercúrio, e, por último, mas não menos importante, a linha da sorte.

Divertindo-se, ele soltou uma gargalhada, e Lola perguntou:

— Você gosta de dançar, não é?

Surpreso pela pergunta dela, ele assentiu. Lola sussurrou:

— Sua mão me disse.

Perceber o ar travesso naqueles olhos verdes fez Dennis soltar uma gargalhada.

— Além de dar aula de capoeira, também dou de lambada e forró. Sabe o que é isso?

Dessa vez, quem abriu a boca sem acreditar foi ela. Nos dias que passou de férias com a irmã no Brasil havia ido a lugares especializados nesses dois gêneros musicais e os conheceu melhor.

— Quando quiser, posso dar aulas grátis e ilimitadas, só para você — acrescentou ele.

Lola fez que sim com a cabeça, divertindo-se, e sussurrou:

— E se eu disser que sou professora de balé clássico, e que duas vezes por semana dou aulas de zumba e salsa em uma escola em Londres?

— Como é que é? — exclamou Dennis, espantado.

Ela assentiu. A dança era sua vida. E, sorrindo, afirmou:

— Não acredito. Nós dois somos professores de dança!

Admirado, maravilhado com o que estava descobrindo dela, Dennis a beijou. Aquela garota poderia ser algo mais que uma rapidinha em um aeroporto.

Felizes, durante um tempo conversaram sobre música, paixão de ambos, apesar de suas diferenças, até que o assunto voltou para o sexo. Sem frescura, falaram disso e sorriram ao ver que os dois gostavam de sexo atrevido e sem limitações.

— Em Munique há várias casas de swing, mas eu frequento uma chamada Sensations — disse ele. — Lá quase todo mundo se conhece, e sabemos muito bem o que queremos.

— Em Londres também tem.

— E você vai sozinha ou acompanhada?

Ao ouvir essa pergunta-pegadinha, Lola sorriu.

— Depende do dia — respondeu.

A resposta enigmática fez Dennis sorrir também. Olhando-a com desejo, murmurou:

— Estive em Londres e conheci várias delas. Mas, você que é de lá, qual me recomendaria?

Adorando o olhar dele para ela, Lola respondeu:

— Uma chamada Delirium.

O brasileiro assentiu. Gostava de saber que ela, assim como ele, curtia sexo sem tabus. Achava um tédio mulheres puritanas e assustadiças em relação ao sexo. Embora houvesse conhecido algumas que, como aquela, adoravam sexo, a ruiva que lia a mão e era professora de balé, sem sombra de dúvida, havia chamado por completo sua atenção.

— Você realiza suas fantasias lá? — perguntou Dennis.

Lola suspirou. Mais que realizar as fantasias naquele local, Lola descarregava a tensão.

— Acho que sim — disse.

— Acha?

— Sim. E chega desse assunto.

Dennis sorriu e deixou para lá. Ela tinha razão.

Enquanto conversavam, ouviam a voz de Michael Bublé que saía do iPad do brasileiro.

— Adoro esta canção — comentou Lola.

— "You don't know me"*. Sim, é ótima.

Durante alguns segundos ambos escutaram a canção, até que Lola sussurrou, fechando os olhos:

— É tão romântica...

Ele concordou. Sem dúvida ela tinha razão.

— Você é romântica? — perguntou, então.

---

* "You don't know me", Cindy Walker, Eddy Arnold; 143/Reprise, 2005. (N.E.)

Ela olhou para ele. Foi durante a adolescência, mas o dia a dia a havia feito ver que o romantismo era supervalorizado, de modo que respondeu, dando de ombros:

— Não. E você?

Dennis sorriu e, seguro do que dizia, afirmou:

— Eu sou mais prático.

— Faz bem — respondeu Lola.

Conversaram, conversaram e conversaram, e Dennis a provocou com a esperança de que ela desse o primeiro passo e lhe pedisse seu telefone. Mas isso não aconteceu, o que avivou o interesse por ela.

As mulheres que conhecia não tardavam a pedir ou dar o telefone, mas Lola não. Sem dúvida, eram parecidos. Quando anunciaram pelos alto-falantes o embarque do voo de Lola, ambos ficaram tensos. O momento deles havia acabado, e teriam que se separar.

— Puxa... estou nervosa por entrar de novo em um avião.

Imaginando como ela se sentia depois do que havia acontecido, Dennis olhou para Lola e, segurando seu rosto nas mãos, disse, cravando os olhos escuros nos dela:

— Fique tranquila. Tudo vai dar certo.

Lola assentiu, levantou-se e pegou a bolsa. Dennis se levantou para acompanhá-la até o portão de embarque. Segurou-lhe a mão.

— O que acha de nos vermos de novo e... — começou Dennis.

Porém, Lola pôs o dedo sobre os lábios dele para que se calasse. A proposta dele não era uma boa ideia. O que havia acontecido fora mágico, mas Lola olhou para ele e murmurou:

— Foi tudo muito intenso e bonito. Vamos deixar assim.

Mas Dennis não queria isso. Queria vê-la de novo, e insistiu:

— Keira, ouça...

— Moramos longe demais um do outro, e não acredito em relacionamentos a distância.

— Vamos repetir — propôs ele, sem deixar de olhá-la nos olhos.

Arrebatada pela sensualidade dele, por fim ela cedeu, e, com tanto desejo quanto ele, disse:

— Dê-me seu telefone. Vou tentar ir a Munique e ligo para você.

O brasileiro sorriu e, abraçando-a para aproximá-la de seu corpo, disse:

— Para minha sorte e a sua, daqui a alguns dias vou me mudar para Londres por causa do trabalho.

— Sério?

— Totalmente sério — afirmou ele.

Isso mudava radicalmente as coisas.

— Então, acho que é melhor eu lhe dar meu telefone — respondeu Lola com um sorriso.

Encantado, o brasileiro logo assentiu.

Então, Lola tirou da bolsa uma agenda e uma caneta. Anotou algo depressa e, depois de arrancar a folha e dobrá-la, ficou na ponta dos pés, deu um beijo na boca daquele morenaço – um beijo com sabor de puro sexo – e, enfiando o papel no bolso da camisa dele, sussurrou:

— Foi um prazer conhecê-lo. E lembre-se: quando o avião decolar ou aterrissar, não fique nervoso. Tudo vai dar certo.

Dennis sorriu e, sem sair do lugar, observou aquela ruiva se afastar e embarcar. Assim que ela se virou para dar adeus com a mão, ele gritou:

— Vou te ligar!

Ela abriu um lindo sorriso. Ficou olhando para ele durante alguns segundos, jogou-lhe um beijo com a mão e desapareceu por trás de uma porta.

Quando Dennis ficou sozinho, não se mexeu até o portão de embarque se fechar. Então, jogando a mochila de couro preto nas costas, caminhou até o vidro. Estava amanhecendo, o céu estava alaranjado, e o brasileiro observou o avião de Lola dar marcha a ré e se dirigir a uma das pistas.

Sem tirar os olhos dele, viu aquele pássaro de aço decolar e se perder no laranja do céu.

Sozinho, sentindo como se lhe houvessem arrancado algo, Dennis andou pelo terminal até chegar a umas poltronas e se sentou. Em breve embarcaria rumo a Munique.

O que acontecera nas últimas horas havia sido, no mínimo, alucinante. Ciente de sua grande sorte, e não só por sair ileso do acidente, o brasileiro sorriu. Recordar aquela mulher o fazia sorrir como um bobo. Rapidamente tirou o celular da calça jeans. Tinha que gravar o telefone dela. Pegou o papel no bolso da camisa e, ao lê-lo, o coração quase parou:

Como eu disse, foi intenso e bonito. Quando escutar "You don't know me", de Michael Bublé, vou me lembrar de você. Adeus, Brasil.

Keira

Dennis praguejou, estupefato. Desde quando uma mulher o enganava?

E, guardando de novo o papel no bolso, enfurecido, levantou-se, voltou ao vidro e olhou para o céu alaranjado onde ela havia se perdido dentro de um avião.

Capítulo 3

Vários dias depois, em Munique, antes do almoço, Dennis guardava os pertences em caixas.

Viajar pelo mundo era apaixonante para ele. A cada dois ou três anos mudava de país, e nesse momento queria muito fazer isso. Sempre ansiou por viver em Londres, uma cidade que havia visitado várias vezes e que, em cada ocasião, o deixara encantado.

Bebeu um gole de cerveja. Quando ia fechar uma caixa, ouviu a campainha tocar. Olhou o relógio: era meio-dia e vinte. Quem poderia ser?

Às quatro e meia havia marcado com uns amigos para se despedir, e depois, às sete, com outros para jantar e ir à Sensations.

Vestindo uma calça jeans de cintura baixa e uma camiseta vermelha, ele se encaminhou para a porta. Ao abri-la, encontrou Corinna que, com uma garrafa de champanhe e duas taças nas mãos, perguntou:

— Como está o brasileiro mais sexy da Alemanha?

Dennis deu passagem e ela entrou.

Corinna e ele divertiam-se muito sempre que se viam, com ou sem o marido dela. Ambos gostavam de sexo. Um sexo abrasador e um tanto bruto que os deixava esgotados cada vez que se encontravam.

Quando ela entrou, Dennis fechou a porta e se encostou nela para olhar para Corinna.

— A que se deve esta incrível visita? — perguntou.

Ela deixou a garrafa e as taças em cima da mesa, ao lado da bolsa e, depois de olhar as caixas que havia ao redor, respondeu:

— Não queria que você fosse embora sem me despedir.

Dennis assentiu e, ao ver que Corinna começava a desabotoar a blusa que usava, replicou:

— Vocês não vão hoje à noite à Sensations?

A blusa dela caiu no chão. Desabotoando a saia, que caiu também, Corinna respondeu, satisfeita por lhe mostrar a lingerie insinuante:

— Minha sogra chega em casa daqui a umas quatro horas e será impossível fugirmos esta noite, querido. Por isso, Folker me ligou e disse que tenho duas horas para me despedir de você em nome de nós dois.

Depois de dizer isso, Corinna mostrou a Dennis um saquinho azul que tirou do bolso. Sabendo o que havia dentro dele, Dennis sorriu. Então, tirou a camiseta vermelha pela cabeça e jogou-a em cima de uma das caixas. Aproximando-se da mulher, pegou-a pela cintura e murmurou com sensualidade:

— Será um prazer me despedir dos dois. — E, travesso, acrescentou: — Quer que eu chame Helmut?

Corinna sorriu também. Helmut era um vizinho aposentado de Dennis que, curiosamente, havia brincado em outras ocasiões com ela e o marido. O homem tinha uma particularidade: só gostava de tocar, pôr a mão e olhar, mais nada. Era isso que o excitava.

— Seria ótimo — respondeu ela.

Adorando a ideia, Dennis pegou o celular e enviou uma mensagem. Quinze segundos depois ele abria a porta para Helmut, um viúvo de uns sessenta anos que, ao entrar e ver Corinna de lingerie, declarou:

— Maravilhosa, como sempre.

Dennis sorriu, e Corinna afirmou, encantada:

— Vai ser divertido.

Então, a loura se esfregou no brasileiro. Dennis era ardente, vivo, fogoso e apaixonado. Fazer sexo com ele era uma das coisas de que mais gostava, e iria sentir muito... muito sua falta quando ele fosse embora. Por isso, decidida a não perder nem mais um segundo, sugeriu enquanto programava o alarme do celular:

— Que tal irmos para a cama?

Dennis e Helmut se olharam, e este último, pegando a garrafa e as taças, murmurou:

— Champanhe de dia... Vou pegar mais uma taça!

Ao entrar no quarto, Corinna deixou o celular no criado-mudo e se sentou na beira da cama, ao lado do saquinho azul. Instantes depois, Helmut entrou também com as três taças e a garrafa.

— Vou pôr uma música — disse Dennis.

A mulher rapidamente abriu o saquinho e tirou dele vários brinquedinhos de diversas cores, que espalhou pela cama. Helmut abriu a garrafa de champanhe, enquanto Dennis fechava as cortinas para que os vizinhos da frente não os vissem e colocava uma música.

Imediatamente começou a tocar "Thunderstruck"*, do AC/DC.

Sexo com Corinna nunca era romântico. Com ela, sexo era exaltado, abrasador e brutal.

Fitando-a, Dennis sorriu, enquanto ela, no meio da cama, já havia tirado a calcinha e de pernas abertas perguntava, contemplando Helmut:

— Qual você prefere?

O homem, com uma taça de champanhe na mão, bebeu um gole e depois se aproximou dela. Acariciou aquelas lindas pernas e, quando sentiu que ela estremecia, olhou para um consolo de cabeça dupla azul e murmurou:

— Este...

Ao ver o que ele indicava, Corinna sorriu.

Instantes depois, Helmut abriu um pote de lubrificante e, com ousadia, quando o gel caiu em seus dedos, começou a passá-lo na vagina e no ânus dela, murmurando:

— Assim, linda... Quietinha, que eu vou prepará-la.

Excitada, Corinna fechou os olhos, pronta para curtir. Adorava ser tocada daquela maneira tão possessiva. Enquanto isso, Dennis tirava a calça e a cueca.

Vários minutos depois, quando Helmut julgou oportuno, entregou o consolo azul de cabeça dupla à mulher e, encarando-a, pediu:

— Agora, linda, enfie-o para nós.

A cada instante mais excitada, sentindo-se o centro dos olhares dos dois homens, ela pegou o que ele lhe entregava e pouco a pouco, com facilidade, introduziu uma das cabeças no ânus, depois a outra na vagina, sendo duplamente penetrada pelo grande consolo flexível.

— Que linda paisagem — murmurou Helmut, pegando-o para introduzi-lo um pouco mais enquanto ela arfava, imóvel, na cama.

Foi a vez de Dennis tocá-la como antes havia feito Helmut. Mexeu o consolo e Corinna tornou a arfar.

— Gosta?

A loura assentiu, encantada. Dennis voltou a mexê-lo com mais determinação quando Helmut pegou o celular e, posicionando-se em frente a ela, disse:

---

* "Thunderstruck", Angus Young, Malcolm Young; Columbia, 1990. (N.E.)

— Vamos mandar uma foto para Folker. Certamente ele vai gostar de ver como Dennis e eu a tratamos.

Feliz, ela permitiu que o homem tirasse várias fotografias para o marido. Sem dúvida, Folker enlouqueceria ao vê-las.

Assim que o homem as enviou, Dennis subiu na cama e murmurou:
— Abra a boca.

Corinna, extasiada, olhava o duro membro viril de Dennis e sentia água na boca. Desejava chupá-lo, lambê-lo, mamá-lo. Quando Dennis o introduziu entre os lábios dela, ela tremeu, ardorosa. Helmut, que os observava, pegou outro brinquedinho. Ele abriu a vagina dela com os dedos, procurou o clitóris e, quando encontrou aquele botãozinho feminino que tanto prazer proporcionava, apoiou o brinquedo em cima.

Instantes depois, o vibrador começou a ronronar, e Corinna se sacudiu, como se estivesse eletrizada.
— Quietinha... não se mexa — exigiu Helmut, segurando-a.

Enlouquecida por se sentir totalmente dominada por dois homens, a loura se deixou levar, enquanto Dennis mexia os quadris com o pênis em sua boca, e ela, frenética, segurava-o pelo traseiro para que entrasse mais e mais nela.

Assim ficaram um bom tempo, curtindo cada um do seu jeito. Se havia algo claro ali era do que cada um gostava, e faziam tudo sem tabus. Até que Dennis gozou na boca de Corinna e ela engoliu tudo. Era o que queria.

Quando acabou, o brasileiro desceu da cama. Queria beber um pouco de champanhe. Estava morrendo de sede. Depois, aproximou-se de novo dela, que continuava deitada na cama de pernas abertas. Estendendo-lhe uma taça, disse:
— Beba um pouco.

Ela bebeu com avidez, até que o champanhe escorreu pelos lábios quando ela sentiu um prazer intenso devido ao que Helmut continuava fazendo no clitóris.

Durante alguns minutos Dennis os observou. Corinna desejava aquilo, e Helmut, que adorava proporcionar prazer, não parava. Duplamente penetrada pelo consolo e com o vibrador no clitóris, a loura gemia e se arqueava enlouquecida, enquanto o aposentado dizia palavras ardentes que excitavam os três.

Quando o membro viril de Dennis ficou de novo duro e pronto para entrar no jogo, Corinna pediu:
— Eu quero... quero todo para mim.

Dennis sorriu. Olhou para o companheiro de travessuras, e os dois juntos colocaram a mulher de lado na cama. Então, Helmut liberou-a de todos os brinquedinhos, e Dennis, pondo um preservativo, posicionou-se atrás dela e murmurou em seu ouvido:

— Vamos foder você do jeito que gosta, linda.

E, dizendo isso, introduziu o pênis até o fundo, e a loura gritou de prazer.

Sem parar, Dennis entrava e saía com ferocidade de dentro dela, enquanto ela arfava enlouquecida e pedia, exigia mais, e o brasileiro lhe dava. Assim ficaram vários minutos, até que Helmut pegou de volta um dos brinquedos que havia tirado da vagina de Corinna e introduziu-o de novo junto ao pênis de Dennis. Ela voltou a gritar. Adorou sentir-se totalmente preenchida.

O prazer tornou-se extremo para todos. Dennis estava dentro dela e sentia no pênis o movimento do consolo que Helmut mexia, roçando-o, enquanto no ânus dela continuava a outra cabeça, deixando o canal vaginal mais apertado.

Os três gemiam enquanto o prazer que sentiam aumentava mais e mais. Durante cerca de duas horas desfrutaram o sexo de mil maneiras; até que tocou o alarme do celular de Corinna e todos souberam que a brincadeira teria que acabar.

Vinte minutos depois, Dennis se despediu da loura — que deixou cair algumas lágrimas —, e tanto ela quanto o vizinho foram embora. Em seguida, o brasileiro, depois de pôr um chiclete de cereja na boca, tomou um banho com um largo sorriso ao pensar que ainda tinha uma grande festa aquela noite na Sensations.

Capítulo 4

Às quatro e meia Dennis chegou a um lindo café. Ali, em meio a risadas, ele se despediu dos amigos e colegas com quem havia compartilhado cinemas, danças e gargalhadas. Despedir-se deles era sempre difícil, mas se havia algo que aprendera com os anos era que nem a maior distância rompe uma boa amizade.

Depois de passar duas horas com eles, às seis e meia dirigiu-se a um restaurante onde iria encontrar aqueles com quem, além de cinemas, danças e gargalhadas, havia compartilhado o sexo.

Ao entrar no restaurante do pai de um deles, Klaus, o dono, o cumprimentou. Dennis ia muito lá com o filho de Klaus, Björn, ou a nora, Mel. Ao vê-lo, Klaus disse, feliz:

— Ora, rapaz, que pena que vai embora de Munique! Mas fico feliz em saber que é porque quer, não por obrigação. Só espero que se lembre de nós e venha nos visitar.

Dennis sorriu. Klaus era um homem maravilhoso. Abraçou-o com carinho e murmurou:

— Não tenha dúvida. Virei sempre que puder, porque, além de sentir saudades de todos, acho que ninguém cozinha melhor que você.

Klaus, que facilmente se emocionava, apressou-se em dizer:

— Ande, vá para o salão do fundo. Björn, Eric e todos os outros o esperam.

Alegre, Dennis se dirigiu ao salão e, ao abrir a porta, sorriu quando todos os presentes aplaudiram ao vê-lo entrar. Ali estavam as pessoas que haviam aberto completamente as portas de sua vida: Judith, Eric, Björn, Mel, Olaf, Stella, Damaris, Frank e Stefan. A maioria deles havia entrado em sua vida por sexo, mas, naquele momento, todos estavam em seu coração.

Dennis era um homem carinhoso, afetuoso, mas sabia diferenciar muito bem o carinho de amigos daquele que às vezes algumas mulheres lhe exigiam. Fazia mais de dois anos que não namorava ninguém. A última mulher com quem se relacionara, e com quem só ficara seis meses, sufocara-o de tal maneira que ele prometeu a si mesmo que nunca mais se comprometeria com alguém.

Por essa razão, curtia as mulheres que conhecia na Sensations. Todas elas sabiam o que Dennis ia fazer ali, então não esperavam romantismo, jantares posteriores com velinhas nem passeios românticos à luz da lua.

O brasileiro tinha consciência de que sua vida era perfeita. Viajava, curtia o que queria e nunca tinha que dar explicações a ninguém. Não sabia quanto tempo ficaria assim, mas, em algumas ocasiões, quando via a ligação entre Eric e Jud ou entre Björn e Mel, pensava se isso um dia aconteceria com ele. Conseguiria encontrar o par perfeito?

Assim que se sentou, Dennis contou aos amigos o que havia acontecido dias antes com o avião em que viajava do Brasil a Munique. Ficaram todos estarrecidos. Sem dúvida, poderia ter sido uma tragédia.

— A destreza do piloto salvou a vida de vocês — comentou Mel.

— Pois é! — afirmou Olaf, impressionado.

Dennis prosseguiu contando passo a passo como tudo acontecera, evitando mencionar a jovem ruiva que havia conhecido. Em várias ocasiões encontrara-se olhando o bilhete que ela havia deixado no lugar do número de telefone, mas preferia não pensar nela. Para quê?

Enquanto brindava com os amigos o final feliz da história, a ruiva ocupou de novo sua mente. Adoraria tornar a vê-la, mas, depois do fora que ela havia lhe dado, nem louco a procuraria, mesmo morando em Londres. Assunto encerrado.

Sentado ao lado de Björn, um bom amigo e advogado, Dennis ria enquanto o outro dizia:

— Lembre-se: música. É disso que elas gostam, e se digo isso é porque as inglesas são complicadinhas. Conhece Marvin Gaye?

Dennis assentiu, com alegria:

— "Let's get it on"*... adoro essa canção!

— Ohhhh, meu amigo, excelente canção! Essa vai deixá-las loucas. — disse Björn, batendo um *high five* com Dennis.

Eric, que estava ao lado deles divertindo-se ao escutar, disse:

---

* "Let's get it on", Ed Townsend, Marvin Gaye; Motown, 1973. (N.E.)

— Vou lhe dar um conselho: deixe a música de que você gosta de verdade para curtir sozinho ou com alguém especial.

— Bom conselho, amigo — disse Björn, fazendo dessa vez um *high five* com o melhor amigo.

Dennis olhava para os dois e sorria. Quantas saudades sentiria deles!

Como sempre, o resto do jantar foi divertido. Quando acabaram, decidiram ir para a Sensations, como haviam planejado.

Na porta do restaurante, Dennis se despedia de Klaus, pai de Björn, enquanto este e Mel, junto com os demais amigos – exceto Eric e Jud –, se dirigiam aos carros. Iam se encontrar na Sensations.

O brasileiro terminou de falar com Klaus, e Eric, Judith e ele foram buscar as motos. Estavam caminhando quando Eric, brincalhão, pegou Jud no colo e a jogou sobre o ombro. Os três riram, mas ela, notando Dennis mais cabisbaixo que outras vezes, perguntou:

— Que foi? Não me diga que não é nada, pois notei que hoje você está mais calado que de costume. E não... não é por causa da mudança. Nem adianta dizer isso, porque não vou acreditar. Não me venha com essa, não estou gostando da sua cara.

Deixando a mulher no chão e abrindo o baú da BMW para pegar os capacetes, Eric olhou para o jovem que estava diante dela e o advertiu com um sorriso:

— Amigo, é melhor lhe dizer, senão nem você nem eu vamos nos divertir esta noite.

Achando graça, Dennis sorriu. Dentre todos os amigos com quem havia jantado, tinha uma ligação mais especial com esse casal. Inúmeras vezes haviam contado uns aos outros uma infinidade de coisas. Suspirando, por fim Dennis confessou:

— Conheci uma irlandesa há alguns dias.

Judith, ao ouvir isso, olhou para o marido. A seguir, sorriu e insistiu:

— Como é que é? Ande... Desembuche agora mesmo.

Eric trocou um olhar com aquele moreno por quem tinha tanto apreço. Apoiando-se na moto, murmurou:

— Agora não pare. Continue, ou não conseguiremos tirá-la daqui.

Jud sorriu de novo. Eric lhe deu um tapinha carinhoso no traseiro. Ela olhou para o brasileiro e repetiu:

— Ande, conte... conte.

— Não há nada para contar, de verdade, Judith.

— Cara... nada disso — brincou ela. — Se está pensando nessa mulher é porque ela tem algo de especial, não acha?

Dennis sorriu, e Judith insistiu:

— Vamos, conte.

O brasileiro, então, olhou para Eric e, ao vê-lo dar de ombros, explicou-lhe o pouco que sabia da ruiva, incluindo a loucura que haviam feito no banheiro do aeroporto e como ela o enganara fazendo-o crer que havia lhe dado seu telefone.

— O que o incomoda é o fato de ela não ter caído a seus pés — brincou Judith, que estava acostumada a ver as mães do colégio dos filhos, onde Dennis dava aulas, ficarem loucas por ele.

— Não... não é isso. É só que...

— Até parece! — interrompeu Jud com o desembaraço peculiar, fazendo seu marido rir. — Você e Eric são homens que, graças a esse rostinho bonito, esse corpão de macho e esse olharzinho enigmático, conseguem tudo. Vocês estão acostumados a ver as mulheres babando ao vê-los passar.

— Meu amor — brincou Eric —, isso, em meu caso, é passado. Agora, só tenho olhos para você.

— Eu sei, Iceman. E, para seu próprio bem, é melhor que seja assim — disse ela, olhando para ele com carinho. — Mas o que quero dizer é que aconteceu com Dennis o que acontece com a maioria dos homens bonitos e convencidos. De repente, uma mulher os faz ver que não são especiais, e sua masculinidade se sente ferida, não é?

Dennis e Eric se entreolharam. Ambos entendiam perfeitamente o que ela estava dizendo. Como não estava a fim de contrariá-la, o brasileiro respondeu:

— Tudo bem, eu assumo. Você tem razão. Nenhuma mulher fez o que essa...

— E por isso, meu amigo, você continua pensando nela! — riu Judith.

A seguir, olhou para o belo marido, que estava junto a ela, e acrescentou:

— Quando eu conheci este gato aqui ao meu lado, nada era como é agora. Ele se achava o rei do mundo, e tive que fazê-lo descer do pedestal.

Eric sorriu ao recordar.

— Ora, pequena... eu...

— Eric — interrompeu ela, com uma cara engraçada que o fez rir de novo. — Por acaso vai me dizer que quando nos conhecemos você não se achava o todo-poderoso senhor de tudo, e nesse tudo me incluía?

Ele assentiu, sorridente.

— Embora eu não goste de admitir, ela tem razão — reconheceu Eric, dirigindo-se a Dennis. — E sabe de uma coisa? O que mais me chamou a atenção em Judith foi o jeito como me tratava. Ela me deixava pasmo: se eu dizia branco, ela dizia preto; ela me tirava do sério com a mania de sempre me contrariar. Mas, sem dúvida, isso fez eu me apaixonar. Fiquei louco por ela, e não pude parar até tê-la ao meu lado, só para mim.

Feliz, Judith abraçou o homem que adorava. Olhando-o, sussurrou:

— Oh, sr. Zimmerman, fico toda boba quando você fala assim...

Eric a beijou. Quando separou os lábios dos do marido, Judith olhou para Dennis, que, divertindo-se, os observava, e disse:

— Se essa garota o abalou, você deve ir atrás dela!

— Nem louco! Essa ruiva seria uma grande fonte de problemas.

Eric soltou uma gargalhada. Judith, dando um tapa carinhoso no marido, insistiu:

— Faça isso. Encontre-a.

— Como se fosse fácil!

— Pelo amor de Deus, Dennis — grunhiu ela. — Você sabe o nome e o sobrenome dela. Sabe que é professora de balé e que às vezes vai a uma casa de swing chamada Delirium. Porra, meu filho, você tem informação. Use-a!

Dennis balançou a cabeça. Na verdade, não pretendia fazer isso, mas, olhando para Eric e entendendo o que estava pensando, disse para que Judith se calasse:

— Tudo bem. Vou pensar.

— Ótimo! — aplaudiu ela.

Judith tirou o capacete das mãos do marido e acrescentou:

— Agora, vamos nos divertir. Amor, me dê a chave da moto, eu levo você.

Eric negou com a cabeça e, sorrindo, beijou a mulher e disse:

— Nem pensar, pequena. Agora eu levo você, e daqui a uma hora você me leva aonde quiser...

E, sem dizer mais nada, o casal subiu em sua BMW 1200 RT, Dennis em sua Suzuki M 1800 R preta e foram todos para a Sensations se divertir.

Capítulo 5

Entrar na Sensations era sempre sinônimo de diversão. Animado, Dennis cumprimentou vários conhecidos, enquanto Eric e Jud se dirigiam aos outros amigos.

No caminho, o brasileiro cumprimentou várias mulheres. No tempo em que estivera ali, muitas já estavam loucas para estar com ele em um quarto escuro, em cima de uma cama ou em qualquer sala do local. Dennis era um homem cobiçado e muito requerido para um *ménage à trois*. Quando estava falando com duas mulheres, Judith se aproximou e disse no ouvido de Dennis, enquanto ao fundo se ouvia a voz de Beyoncé cantando "Love on top"*:

— Viu? Elas morrem de vontade de estar com você, gatinho!

Dennis sorriu e, olhando para a amiga, que saía da sala central com o resto do grupo para ir a um quarto, pensou no que ela havia dito. Sem dúvida, qualquer uma daquelas duas mulheres que tinha diante de si desejava que ele a despisse e a fizesse gemer.

Dez minutos depois dirigiu-se ao balcão, onde pediu uma bebida. Então, ouviu ao seu lado:

— Olá.

Ao olhar, encontrou um casal que já conhecia: Ava e Blaz. Ela era um mulherão, loura, de um metro e oitenta, com uns mamilos rosados incríveis e umas pernas intermináveis, que, sem lhe dar tempo de responder, disse:

— Você me deseja?

Dennis a observou. Ava era tentadora, extremamente ardente e entregue na cama. Entendeu que a brincadeira que eles ofereciam seria divertida. Ele assentiu e, olhando para o marido, perguntou:

---

* "Love on top", Beyoncé Knowles, Shea Taylor, Terius Nash; Parkwood Entertainment/Columbia, 2011. (N.E.)

— Quantos?

— No começo, você e eu, e depois... — Blaz não acabou a frase. Não era necessário.

O brasileiro tornou a examinar a mulher. O minivestido de látex vermelho que usava caía-lhe muito bem. Ele sabia que durante a brincadeira ela se excitava ao ouvi-lo falar em português; gostava que lhe dissesse palavras que em sua vida normal nunca diria a uma mulher, por respeito.

Depois de percorrer o corpo dela com um olhar lascivo, respondeu:

— Será um prazer.

Sem dizer mais nada, Dennis pegou a bebida e os três se dirigiram ao corredor do fundo. Uma vez que passaram pela porta, começaram a ouvir os gemidos e gritos de prazer de outras pessoas.

No caminho, ao passar em frente a um quarto, cujas portas estavam abertas, Dennis sorriu ao ver os amigos Eric, Jud, Björn e Mel curtindo com outros um momento ardente de paixão; mas não parou, prosseguiu até onde aqueles dois o levavam.

Entraram em um quarto azul, escuro, com apenas uma cama de lençóis vermelhos. Blaz, o marido, fechou a porta, enquanto a mulher tirava o vestido de látex, deixando-o cair no chão e ficando totalmente nua diante deles.

Dennis não se mexeu. Os dois, como eram um casal, deviam começar a brincadeira. Ele sorriu quando ela, *caliente* e requintada, se sentou na cama, abriu as pernas com descaro para mostrar-lhes a intimidade e exigiu:

— Blaz, em meus peitos; e você, em meu sexo.

O brasileiro assentiu. Sem dúvida, ela comandava o jogo. Quando viu que o marido se sentava na cama e dirigia a boca aos seios dela, Dennis não hesitou. Pegou uma garrafa de água e um pano limpo e, depois de lavá-la, ajoelhou-se entre as pernas dela, abriu-lhe as coxas e chupou aquele manjar que a mulher lhe oferecia, totalmente entregue.

Suspiros... Prazer... Luxúria... e tesão. Muito tesão.

Dennis a lambeu e com a língua poderosa sugou o clitóris com deleite, para depois introduzi-la na vagina molhada e sentir Ava se contorcer entre convulsões.

Mas ela queria mais. Desejava que a boca sinuosa e quente de Dennis estivesse sobre a sua. Ela pediu, e ele, satisfeito por tomar a iniciativa no jogo, concordou. Enlouquecida, ela devorou a boca, os lábios de Dennis; saboreou-o sob o olhar atento do marido, que curtia o que via.

Ele sempre gostara de contemplar a mulher naquela situação tão excitante e selvagem. Decidiu se levantar da cama para observá-los de outra posição. Entusiasmado, viu Dennis beliscar os mamilos duros e rosados dela, enquanto, entre um beijo e outro, murmuravam coisas picantes e urgentes, o que os provocava mais e mais.

Animado pelo fogo da mulher, Blaz pegou um dos pés dela, pôs o nariz sob os dedos e aspirou, extasiado. Adorava os pés e o cheiro da amada.

Com os olhos no que Dennis e Ava faziam, e agitado pelas obscenidades que se diziam, Blaz começou a lamber devagar a sola do pé da mulher. Era suave, flexível, maravilhosa. Rapidamente, o sabor salgado o deixou louco. Sem se despir, apenas tirando a ereção de dentro da calça, ele começou a se masturbar, enquanto introduzia o dedão do pé dela na boca e chupava com desespero.

Ao ver o que ele fazia, Dennis sorriu: Blaz tinha fetiche por pés. Então, olhou para Ava, ardente e entregue, e murmurou em português a poucos centímetros de sua boca, introduzindo um dos dedos no sexo dela:

— Putinha.

Ela tremeu. Adorava que ele a chamasse assim nesses momentos. Ava adorava ouvir palavras ordinárias, como "putinha" – que, ditas em outro momento, eram insultos –, enquanto faziam sexo luxurioso e selvagem, e frequentemente as exigia. Queria ser a "putinha" do marido e, nesse momento, também de Dennis. Queria curtir suas fantasias. Abriu as coxas com descaramento e sussurrou, enquanto o corpo tremia enlouquecido:

— Adoro ser sua putinha, use-me!

Animado pela luxúria, Dennis assentiu, pois era o que mais queria. Levantando-se da cama, despiu-se com movimentos rápidos, enquanto Blaz se masturbava com os olhos fechados e cara de puro deleite.

Já nu, o brasileiro abriu um preservativo. Ava o tirou das mãos dele e murmurou, extasiada, antes de levá-lo à boca:

— Eu coloco.

Dennis assentiu:

— Sim, curta, goze...

Ele sabia que Ava era capaz disso e de muito mais. Quando a mulher começou a colocar-lhe o preservativo com a boca enquanto o segurava pelas nádegas, Dennis suspirou. Segurou-a pelo cabelo e puxou. Enlouquecida e entregue, ela observava o pau duro, de cabeça vermelha, quente, que se erguia a sua frente. Desejava loucamente tê-lo dentro de si. Desejava que a quebrasse ao meio. Desejava o brasileiro *caliente*. Depois de colocar-lhe o preservativo, ela afastou as coxas e se abandonou aos mais obscuros desejos na companhia daquele macho moreno.

Sabendo o que fazia, e sem atrapalhar Blaz, que continuava com a própria brincadeira, Dennis subiu na cama, posicionou-se sobre Ava e, pondo uma das pernas dela sobre o ombro, tocou a vagina encharcada. Abrindo-a com os dedos, murmurou, enquanto esfregava o pênis duro em seu clitóris:

— Diga quanto me deseja.

Agitada, acesa, a alemã se mexia e arfava, tremendo:

— Muito... muito...

E antes que ela pudesse dizer mais alguma coisa, com um movimento rápido, Dennis a penetrou, com uma estocada seca e contundente.

Ava tornou a arfar. Gritou. E, quando abriu os olhos para olhar para ele, Dennis sussurrou em sua língua:

— *Quero comer você toda, minha putinha.*

A alemã gemeu e tremeu. O idioma de Dennis, as duras investidas, sua voz profunda cheia de sensualidade, ser chamada de "putinha" naquele momento eram puro gozo e complacência.

Estocada a estocada, os gritos de prazer de Ava iam aumentando. O brasileiro era uma máquina de puro e duro prazer. Todas as que haviam passado pelas mãos dele sabiam disso. Não era só um bom amante, educado e gentil, mas também um homem que não pensava somente em seu prazer. E as mulheres eram gratas por isso.

Blaz os observava de onde estava, e no fim chegou ao próprio clímax. Assim que acabou, sem hesitar, pôs a outra perna da mulher sobre o ombro de Dennis e, fitando-o, sussurrou:

— Forte e intenso... Você sabe que ela gosta assim.

Se havia algo de que Dennis gostava era de ter nas mãos as rédeas do jogo no que se referia a sexo. Odiava que decidissem por ele. E, embora em certos momentos o permitisse, quase sempre dava um jeito e conseguia dominar a situação.

Segurando com força a cintura de Ava, Dennis se deixou levar, enquanto o corpo maravilhoso dela o fazia curtir sem reservas.

— Beije-me! — pediu Blaz nesse instante, aproximando-se da mulher.

Ava o beijou.

O brasileiro olhou para eles. O beijo era uma coisa erótica, estimulante, e, embora gostasse de beijar quando fazia sexo, considerava-o privado. Se alguma coisa havia chamado a atenção dele nos amigos Eric e Judith quando os conhecera fora que reservavam os beijos só e exclusivamente para eles. Coisa que, de certo modo, Dennis admirou desde o primeiro momento e entendeu perfeitamente.

Agitado pelos gritos ardentes de Ava e pelo próprio corpo, que tremia de excitação, ele fechou os olhos, jogou a cabeça para trás e inconscientemente deixou que a imagem da mulher que havia conhecido dias antes naquele avião inundasse sua mente. Recordar o medo nos olhos dela, ou o sorriso que abrira em seguida, excitou-o demais. Quando imaginou que a mulher que tinha nas mãos era a outra, seu corpo reagiu e, como um louco, possuiu Ava, entrando e saindo dela de tal forma que ela se segurou na cama, enlouquecida de prazer. Até que, por fim, ambos atingiram o clímax.

Quando o brasileiro abriu os olhos, esgotado e suado, encontrou o rosto úmido dela, que, sorrindo, murmurou:

— Deus, Dennis, que saudades vamos sentir de você!

Isso fez todos sorrirem. Então Blaz, que havia sido testemunha de tudo aquilo, murmurou, beijando a mulher:

— Deseja mais prazer?

Ela assentiu, encantada:

— Com você, sempre.

Dennis saiu do corpo dela e desceu da cama. A primeira coisa que fez foi lavar Ava. Com certeza, a brincadeira ia continuar. Segundos depois, quando ele também se lavava, Blaz se dirigiu à porta, entreabriu-a e murmurou para fora:

— Você vai ser o primeiro a entrar.

Não haviam se passado nem três segundos quando a porta se abriu totalmente. Um homem barrigudinho, já maduro, entrou nu. Blaz, que de novo tomava as rédeas, pediu-lhe com um sorriso:

— Foda minha mulher.

O recém-chegado, adorando entrar no jogo, subiu na cama e, afastando as coxas de Ava, que continuava nua, sorriu. Sem hesitar, introduziu dois dedos naquela vagina úmida e, ao senti-la tão encharcada, disse:

— Vire-se e fique de quatro para mim.

Sem relutar, Ava obedeceu, diante do olhar de Dennis.

Quando ela estava como o homem desejava, o brasileiro também subiu na cama e, pondo-se diante dela, murmurou:

— Abra a boca.

Ava abriu e, instantes depois, deliciava-se de novo com o pau duro do brasileiro, enquanto o marido olhava. O desconhecido, que ela nunca havia visto na vida, depois de colocar um preservativo, abriu as dobras do sexo de Ava com a mão e a comeu.

Às quatro da madrugada, esgotado depois de uma noite de sexo intenso e selvagem com Ava, o marido e todos os que quiseram entrar naquele quarto, Dennis estava no balcão bebendo algo quando os amigos Eric e Jud se aproximaram.

Como Dennis conhecia os gostos deles, pediu as bebidas. Enquanto bebiam, ele olhou ao redor e murmurou:

— Vou sentir falta deste lugar.

Abraçando a mulher, Eric sorriu. E, pousando a mão no ombro do amigo, disse:

— Lembre que sempre será bem-recebido aqui. E nunca esqueça que, em Munique, nossa casa é sua casa. Esperamos que venha nos visitar.

— Mas claro! — afirmou Judith. — Nossos filhos o adoram. Você sabe que Flyn gosta muito de você.

Dennis sorriu. No ano anterior havia sido tutor de Flyn no colégio. No começo o garoto havia dado muitos problemas, mas a mudança para melhor era notável. Levantou o copo e disse:

— Tê-los conhecido é a melhor coisa que vou levar da Alemanha. Vocês, seus filhos e Mel e Björn foram minha família aqui, e espero que, apesar da distância, continuem sendo.

Emocionada, Judith balançou a cabeça. No tempo que estava na Alemanha, não era a primeira vez que tinha que dizer adeus a algum amigo. Abraçando-o, disse:

— Nunca duvide disso. Estaremos sempre aqui.

Eric e Dennis se olharam. A amizade deles havia começado ali um dia, durante uma brincadeira ardente, mas transpassara as portas do local.

— Espero receber a visita de vocês em Londres — disse o brasileiro.

Eric assentiu. Com a adorada mulher de volta em seus braços, afirmou:

— Eu prometo, amigo. Sem dúvida, nós nos veremos de novo.

Nessa noite, quando Dennis voltou àquele que havia sido seu lar nos últimos anos, olhou ao seu redor e suspirou ao ver as caixas que no dia seguinte seriam recolhidas por um caminhão de mudança e levadas para a nova casa. Sem vontade de pensar em mais nada, foi se deitar. No dia seguinte se mudaria definitivamente para Londres, onde começaria uma nova vida.

Capítulo 6

Os primeiros dias em uma nova cidade eram sempre interessantes. Dennis, que com prazer havia se mudado para vários países por causa do trabalho, curtia descobrir novos lugares, novas comidas, novas pessoas.

Como pudera ver nas vezes em que visitou a cidade, Londres era uma capital sedutora, e ele estava curtindo muito. Especialmente à noite, quando ia a uma casa exclusiva chamada Essence, onde, graças aos amigos Eric e Björn, tinha entrada livre.

Certa tarde, enquanto arrumava o apartamento no bairro de Covent Garden, bateram à porta. Dennis abriu e sorriu. Ali estava o amigo José, que, abrindo os braços, disse com o peculiar sotaque brasileiro:

— Bem-vindo a Londres!

Felizes, abraçaram-se. José e Dennis haviam se conhecido na faculdade, no Brasil. Enquanto Dennis fazia pedagogia, José havia optado por jornalismo e, quando se formou, deixou o Rio de Janeiro para trabalhar fora do país, especificamente em Londres.

Dennis, feliz, convidou o amigo para entrar. Assim que fechou a porta, José disse:

— Lamento não ter vindo antes, mas estava em Bruxelas cobrindo uma notícia.

— Não se preocupe, eu sei.

— O que acha do lugar que Rosanna, minha mulher, arranjou para você?

Dennis balançou a cabeça. O apartamento, com duas suítes, cozinha americana e sala, era bom. Especialmente porque era reformado. Tinha uma linda cama de madeira escura com dossel no quarto principal e tudo era novo e moderno.

— É maravilhoso. Mas não gosto muito do carpete.

José sorriu. A maioria das casas inglesas tinha carpete.

— Amigo — sussurrou José —, eu entendo, mas há certas coisas com as quais você vai ter que aprender a viver, como, por exemplo, o carpete! Os ingleses adoram. Para mim não é prático, mas...

Os dois riram. Então, José apontou para uns interruptores que havia na cozinha e disse:

— Aqui as tomadas têm a opção de desligar. Digo isso porque você não seria o primeiro a ligar o barbeador elétrico e pensar que está quebrado. Não, amigo, não... É que é preciso ligar a tomada para que funcione.

Dennis soltou uma gargalhada. José prosseguiu:

— Outra coisa: a maioria das casas não tem persianas!

Dennis olhou para a janela. José continuou:

— Sim, amigo, sim. Em Londres chove muito, mas às cinco da manhã a luz é ofuscante. Os donos deste apartamento, que, aliás, são amigos meus, entenderam e puseram essas cortinas que têm a mesma função de uma persiana. Assim você vai poder dormir.

— Maravilha! — riu Dennis, tirando do bolso um pacote de chiclete de cereja.

— Quanto a beijar ou tocar as pessoas, como estamos acostumados, esqueça! Os ingleses não costumam dar beijos nem se tocar quando são apresentados; portanto, se puder evitar, evite, porque muitos ficam constrangidos. Outra coisa: sempre ouvimos dizer que os ingleses são corretos e educados, e é verdade verdadeira! Nas férias, claro, perdem a compostura! Mas no dia a dia e no trabalho são inacreditáveis.

Dennis abriu a geladeira, onde ao chegar havia encontrado várias cervejas. José pegou uma e disse, de um jeito divertido:

— Não é uma Skol ou uma Bohemia da nossa terra, mas garanto que a Foster's é bem boa.

Dennis abriu rapidamente uma garrafa e, depois de dar um gole, declarou:

— Sem dúvida, é boa!

Entre risos e confidências, passaram a manhã abrindo caixas. Até que o jornalista comentou:

— Eu ia levar você para almoçar no restaurante de Rosanna, mas hoje ela está lotada com um grupo de turistas. Está a fim de ir a outro lugar?

Dennis assentiu e, esquecendo as caixas que estavam pelo apartamento, disse:

— Vamos. Estou morrendo de fome.

Saíram do apartamento, e José comentou que muita gente chamava aquela área de "bairro da alegria", por causa do seu histórico. Explicou que, nos anos 1970, Covent Garden era um lugar de atacadistas de verduras e frutas, mas que havia se transformado em um dos bairros mais animados de Londres, com o Apple Market, cheio de bancas de artesanato e impressionantes espetáculos de rua.

Encantado, Dennis olhava ao redor. Era um bom bairro para se viver. Gostava de lá!

— Venha — José apontou para um restaurante —, vamos almoçar aqui.

Ao entrar, Dennis se viu em um restaurante não muito grande e imediatamente entendeu que os proprietários eram amigos de José e donos do apartamento que havia alugado. Estavam todos conversando quando chegou Bibi, filha dos donos, uma loura não muito alta, mas com um belo corpo, que se sentou para comer com Dennis e José. Pelas caixas de som do restaurante soava a voz de Adele cantando "Someone like you"*.

Entre risos, Dennis provou o *sunday roast*, um refogado com arroz, verduras e frango, entre outras coisas, com um molhinho marrom que lhe dava um gosto muito especial.

— Está muito bom — afirmou, faminto.

Bibi, encantada com o rosto tão sensual daquele brasileiro, respondeu:

— Minha mãe é uma excelente cozinheira.

José, que havia notado que o amigo, mesmo sem intenção, já havia feito a moça cair na sua rede, trocou um olhar com ele e disse, levantando-se:

— Com licença, vou ao banheiro.

Quando Dennis e Bibi ficaram a sós, a jovem perguntou, sorrindo:

— O que achou do apartamento?

— Maravilhoso... É exatamente o que necessito.

Ela assentiu. Sabia que era um bom lugar. Cravando o olhar nele, disse:

— Antes o apartamento era um lixo. Foi uma herança de minha mãe, e durante anos ficou fechado. Até que eu me mudei para lá e fiz uma reforma.

— E por que não mora mais lá?

Adorando o jeito como ele olhava para ela, Bibi baixou a voz e murmurou:

— Fica perto demais dos meus pais, e minha mãe aparecia o tempo todo. Então decidi me afastar deles para proteger minha privacidade. — E, com uma careta, acrescentou: — Mas reconheço que minha namorada e

---

* "Someone like you", Adele Adkins, Dan Wilson; XL Recordings, 2011. (N.E.)

eu sentimos falta daquela cama enorme com dossel que deixei lá. Era fantástica para certos momentos.

Ao ouvir isso, Dennis sorriu. Aquela mulher falava a mesma língua que ele. Ele a fitou e respondeu, baixando a voz:

— Vocês duas serão muito bem-recebidas nela.

Dito isso, não voltaram a tocar no assunto. José voltou à mesa e, quando acabaram de almoçar, decidiram ir embora. Antes de sair, Dennis contemplou Bibi de novo. As palavras não eram necessárias.

Durante um bom tempo os dois amigos brasileiros caminharam pelas ruas de Londres, até que chegaram a um lugar chamado A Loucura, em português.

— A Loucura? — Dennis riu e olhou para o amigo.

José assentiu. Abrindo a velha porta do estabelecimento, disse:

— Esta escola de dança foi montada por uns amigos de São Paulo, Iracema e o marido. Mas pouco depois o marido morreu, e Iracema tocou o negócio com o filho, Maycon. Você não me pediu, mas eu falei de você com eles, e adorariam que você desse aulas de forró e lambada.

Dennis parou. Adorava dançar, especialmente forró. Olhando para o amigo, disse:

— José, não sei se terei muito tempo quando...

— Terá — interrompeu José. — As aulas no colégio acabam cedo, e serão só duas vezes por semana. Vamos, diga que sim. Não conheço ninguém tão bom quanto você, e o pessoal aqui quer muito aprender. Além do mais, garanto que mais de uma vai ficar louca com seu jeito sensual de mexer os quadris.

Sorrindo, Dennis deu um empurrão no amigo e entraram no local, onde, instantes depois, uma morena alta, de traços perfilados, cumprimentou-os. Era Iracema, amiga de José, que, ao saber de quem se tratava, disse:

— Vamos para o escritório. Lá poderemos conversar com tranquilidade.

Ficaram conversando durante mais de meia hora, mas Dennis estava reticente a aceitar. Ficou de pensar no assunto.

Quando saíram do escritório, Dennis perguntou onde ficava o banheiro e, quando lhe indicaram, encaminhou-se para lá. Ao passar por uma das salas pouco iluminadas, viu uma jovem de cabelo castanho dançando sozinha ao som de "Magalenha"*, com Sérgio Mendes.

---

* "Magalenha", Carlinhos Brown; Elektra, 1992. (N.E.)

Contente por ouvir música da sua terra, Dennis parou para observá-la. A garota sambava muito bem. Quando ela o viu pelo espelho, parou, desligou a música e disse:

— Estou preparando minha aula. Deseja alguma coisa?

Sorrindo, Dennis se aproximou.

— Você dança muito bem.

A jovem balançou a cabeça.

— Obrigada. Sou professora de samba.

— Você é brasileira?

Ao ouvi-lo, ela sorriu e respondeu, negando com a cabeça:

— Não, sou inglesa. Mas minha avó era da Bahia e me ensinou a sambar.

— Imaginei — disse Dennis, meio brincalhão.

Ambos riram. Ele foi até o aparelho de som. Deu uma olhada nos CDs, pegou um e perguntou:

— Posso?

A garota assentiu, e começaram a soar os primeiros acordes de "Dançando lambada"*, do Kaoma. Então, Dennis estendeu as mãos para ela e pediu:

— Vamos, dance comigo.

Sem hesitar, ela se posicionou. Quando começaram a se movimentar, ele afirmou:

— A lambada é uma dança muito sensual.

— Eu sei.

— Meu nome é Dennis, e o seu?

— Georgina.

Não precisavam falar, pois ambos sabiam como se movimentar. Mexiam os quadris ao compasso da música enquanto riam e se compenetravam maravilhosamente bem.

— Nossa, como você dança bem — comentou ela.

Dennis replicou, de modo divertido:

— Eu sei. Sou brasileiro, professor de lambada e forró.

Georgina o acompanhava, encantada. Sem dúvida ele era um dançarino experiente.

Quando a canção acabou, soltaram-se, e, quando Dennis ia dizer algo, aplausos os fizeram olhar para trás. Viram Maycon, José e Iracema.

---

* "Dançando Lambada", Zé Maria; CBS, 1989. (N.E.)

Georgina e Dennis agradeceram os aplausos sorrindo, e então ele, fitando a jovem que se abanava, declarou:

— Aceito dar as aulas, desde que Georgina queira dar as de lambada comigo.

A jovem olhou para ele, surpresa.

— Meu lance é o samba, Dennis — respondeu ela.

— Mas você dança lambada muito bem, e pode ajudar bastante.

Georgina, então, olhou para os outros e pediu:

— Podem nos dar um minuto?

Todos assentiram. A garota pegou Dennis pela mão, afastou-o alguns passos do grupo e disse:

— Se está fazendo isto para ir para a cama comigo, a resposta é não. Eu gosto de mulheres.

— Ora — brincou ele —, como eu!

Ambos riram. Georgina, depois de ter deixado tudo esclarecido, voltou-se para Iracema e afirmou:

— Tudo bem. Eu darei as aulas com Dennis.

Todos aplaudiram. Ele a pegou pela cintura e murmurou:

— Será um prazer dar aulas com você.

Capítulo 7

Na segunda-feira, depois de um fim de semana superanimado, Dennis pegou o capacete em sua moto e se dirigiu ao colégio onde ia lecionar.

Assim que chegou ao endereço em Wembley, estacionou a moto e, tirando o capacete, olhou para o edifício de pedra cinzenta. Gostou. Não tinha nada a ver com o colégio moderno onde havia trabalhado na Alemanha. Aquele lugar certamente tinha história.

Depois de deixar a moto bem estacionada, com o capacete debaixo do braço subiu a escada do edifício emblemático. Ao abrir o grande portão, encontrou um enorme corredor vazio. Seguindo as placas que diziam RECEPÇÃO, chegou a um lugar onde duas mulheres de meia-idade pareciam discutir.

— Não, não, não, o diretor não quer que ninguém tenha a chave da sala, exceto ele. Ele deixou isso bem claro.

— Guarde uma e não lhe diga nada — resmungou a de cabelo mais escuro. — No dia em que ele perder a dele e nós tivermos outra, ele vai nos agradecer!

— Não, Marian. Não seja teimosa. Vamos fazer as coisas direito desde o início.

— Não seja teimosa você, Cornelia — protestou a outra.

E, ao ver que havia alguém parado à porta, grunhiu:

— O colégio está fechado. Por acaso não viu?

Ao notar que olhavam para ele, Dennis se apressou em esclarecer:

— Bom dia, senhoras. Tenho hora marcada com o diretor Simmons. Meu nome é Dennis Alves, e...

— O professor de matemática? — perguntaram as duas em uníssono.

— Sim, isso mesmo.

As duas se entreolharam, surpresas. Aquele homem tão alto, tão bonito e com aqueles olhões impressionantes ia causar uma revolução.

— Bem-vindo, professor Alves — respondeu a de cabelo mais claro.

— É um prazer, professor. Esta é Cornelia, e eu sou Marian. Qualquer coisa que necessitar...

— Não hesite em nos pedir — completou a colega, tocando o cabelo.

Dennis sorriu. Sabia muito bem lidar com esse tipo de mulher. Aproximando-se delas com cavalheirismo, pegou-lhes as mãos, beijou-as e disse:

— O prazer é meu. Senhoras ou senhoritas?

Ambas sorriram, pavoneando-se, e, entreolhando-se de novo, responderam:

— Senhoras.

Nesse instante abriu-se uma portinha marrom no fundo da sala e um homem de terno, cabelo grisalho e expressão séria disse:

— Marian, preciso que arquive as fichas dos alunos do ensino médio...

— Diretor Simmons — interrompeu a mulher, para chamar sua atenção.

Então, o homem olhou para ela, que acrescentou:

— O professor Alves tem um horário com o senhor.

O homem de terno, que não era muito alto, olhou-o de cima a baixo. Deixando umas fichas no balcão, aproximou-se dele e estendeu-lhe a mão, sério.

— Professor Alves. Tenho muito boas referências suas.

Dennis apertou-lhe a mão com segurança e disse:

— É um prazer conhecê-lo, agradeço suas palavras.

Quando soltaram as mãos, o homem grisalho balançou a cabeça e disse:

— Gosto de homens que olham nos olhos quando cumprimentam e apertam a mão. Transmitem segurança.

Ambos sorriram. O diretor acrescentou:

— Vamos para minha sala conversar.

Quando desapareceram de vista, as mulheres se olharam. Marian comentou:

— Que homem atraente!

— E que bunda! — sussurrou Cornelia.

E, sem poder evitar, começaram a rir. Com a presença daquele novo professor atraente, o ano seria interessante.

Nessa manhã, durante mais de uma hora, Dennis manteve uma conversa agradável com aquele que seria seu chefe. Com diligência e profissionalismo, o diretor Simmons o informou sobre as normas do colégio Saint Thomas. Quando a reunião acabou, disse:

— Todos os anos, no início e no fim do ano letivo, organizo um jantar no hotel The Goring, na Beeston Place 15. É uma tradição. O jantar é hoje, e seria um prazer poder contar com sua presença e lhe apresentar o resto do corpo docente e dos funcionários da escola.

— Será um prazer.

Satisfeito depois da reunião com Dennis, o diretor Simmons anotou em um papel o endereço que havia mencionado. Entregando-o, disse, depois de olhar para a calça jeans dele:

— Vai precisar ir de terno, algum problema?

Dennis pegou o papel e afirmou, sorrindo:

— Nenhum, diretor.

Quando Dennis saiu da sala, Cornelia e Marian olharam para ele, que, dando uma piscadinha, disse antes de desaparecer de vista:

— Até a noite, senhoras. Estejam mais bonitas, se é que isso é possível!

As mulheres olharam para ele e, sorrindo, afirmaram:

— Sem dúvida, vai ser um ano interessante.

Capítulo 8

De camisa branca e terno e gravata pretos, Dennis chegou de moto ao hotel.

Estacionou e tirou o capacete. Enquanto fechava o botão do paletó, viu outras pessoas, vestidas com elegância, chegando ao belo e majestoso estabelecimento, e imaginou que deviam ser funcionários do Saint Thomas como ele.

Instantes depois, entrou no hotel com firmeza. Cornelia, ao vê-lo, rapidamente foi ao seu encontro.

— Professor Alves, por aqui.

Dennis sorriu. Disse, galante:

— Cornelia, eu gostaria que me chamasse pelo meu nome: Dennis.

A mulher corou. Feliz por ele ter se lembrado de seu nome, disse:

— Está bem, Dennis, será um prazer.

Estavam rindo quando Marian chegou. Dennis olhou para as duas e declarou:

— Estão lindas, senhoras. Se eu fosse marido de vocês, ficaria muito preocupado.

— Oh, que galante — comentou Marian.

— Ai, Dennis, não diga isso.

Ao ouvir a amiga, Marian ia dizer algo, quando ele falou:

— Marian, peço-lhe o mesmo que pedi a Cornelia: por favor, pode me chamar de Dennis.

A mulher assentiu, encantada. E, olhando para Cornelia, disse:

— Será um prazer, Dennis.

De braços dados com as duas, o brasileiro entrou em um enorme salão. Logo avistou o diretor, vestido impecavelmente com um terno escuro e conversando com alguns homens.

Nesse momento, Dennis se sentiu observado, mas não se importou. Já estava acostumado a ser o novato nos lugares de tempos em tempos.

O diretor Simmons, ao vê-lo parado ali com as duas secretárias, pediu licença aos homens com quem falava e se dirigiu a ele. As duas mulheres, ao vê-lo, rapidamente soltaram o braço do brasileiro e foram embora.

— Bem-vindo, professor Alves — cumprimentou o homem grisalho, estendendo a mão.

— É um prazer estar aqui, diretor Simmons.

Um garçom passou ao seu lado com uma bandeja cheia de taças e o diretor pegou uma para o recém-chegado e a entregou.

Durante alguns segundos conversaram sobre aquele belo hotel, até que se aproximou uma mulher não muito alta, de cabelos louros e olhos azuis como o mar, que disse, com um lindo sorriso:

— Colin, querido, em quinze minutos entraremos para o jantar.

— Perfeito, querida — respondeu ele, e, olhando para o homem ao seu lado, acrescentou: — Esta é Rose, minha companheira. Rose, este é o novo professor de matemática, sr. Alves.

A mulher tornou a sorrir.

— É um prazer conhecê-lo, professor Alves.

Ele pegou-lhe a mão, beijou-a com satisfação e respondeu:

— Rose, seria um prazer se pudesse me chamar por meu nome.

Depois de olhar para o homem que a apresentara como sua companheira, ela afirmou:

— Se Colin não se opuser, será um prazer.

Continuaram conversando. Rose era adorável. Sabia que Dennis vinha de um colégio de Munique e, com curiosidade, fez algumas perguntas, às quais ele respondeu com prazer. Assim ficaram um tempo, até que ela, advertida por um garçom, saiu. Nesse momento, aproximou-se um homem grisalho de uns cinquenta anos, e o diretor disse:

— Professor Alves, este é o professor Justin Robinson.

— O novo professor de matemática? — perguntou o recém-chegado, surpreso.

— Em pessoa — afirmou Dennis, sorrindo.

— Bem-vindo — cumprimentou o outro, satisfeito. — É um prazer tê-lo aqui.

Dennis gostou da recepção que lhe dedicou. Gostou do sorriso sincero e da vivacidade do olhar dele. Então, um garçom disse algo ao diretor, e o homem se aproximou do brasileiro e sussurrou:

— Não gosto de formalidades. Pode me chamar de Justin quando e onde quiser.

— Dennis.
Justin sorriu, bem no momento em que o diretor olhava para eles outra vez e dizia:
— O professor Robinson, além de meu genro, é um renomado professor de física e química. Tenho certeza de que se dará bem com ele.
Robinson sorriu e afirmou, satisfeito:
— Não duvido.
Quando Rose tornou a se aproximar de Colin para perguntar algo, Justin, que havia notado como as mulheres os olhavam, sussurrou:
— Sua presença as perturbou. E permita-me dizer que por aqui, sob essa aparência de decência, há muita loba solta.
Dennis sorriu com o comentário. Aproximando-se, afirmou:
— Tenho certeza de que você saberá me alertar.
— *Oh, yeah*! — brincou Justin, fazendo os dois gargalharem.
O brasileiro e ele se olharam com cumplicidade, e ambos souberam que iam se dar bem. Muito bem.
— Justin — comentou então o diretor —, tenho que resolver uma coisa com Rose. Por favor, filho, seja o anfitrião e apresente o professor Alves aos demais convidados.
Depois que Simmons saiu acompanhado da mulher, Justin, que era tão alto quanto o brasileiro, observou-o, brincalhão, e perguntou:
— Preparado?
— Preparado — afirmou Dennis.
— Prometo alertá-lo.
— Serei grato! — exclamou o outro, rindo.
Como bom anfitrião, Justin foi apresentando todas e todos que passavam em seu caminho. Os homens apertavam a mão do recém-chegado encantados, enquanto as mulheres coravam em sua presença, mas o olhavam com curiosidade. Quando acabaram as apresentações, afastaram-se de todos os grupos e Justin pegou uma bebida.
— Cuidado com Bruna Belman e Shonda Rides — advertiu, indicando duas mulheres que os observavam ao fundo. — Sei por outros professores que não fazem rodeios, elas são bem diretas.
— É bom saber — brincou Dennis.
Justin, cujo sorriso não se apagava do rosto, disse com cumplicidade:
— Está advertido. E lembre-se: meu sogro não tolera esse tipo de relacionamento entre os funcionários, portanto, seja discreto! A instituição Saint Thomas em primeiro lugar.

Dennis sorriu e, quando ia responder, de repente uma jovem se aproximou de seu acompanhante e comentou:

— Você não vai acreditar no que aconteceu.

Ao ouvir sua voz, Dennis se voltou para ela e ficou sem palavras quando encontrou a mulher que não esperava tornar a ver na vida. A ruiva irlandesa, a que havia conhecido em um aeroporto e depois em um avião, que usava um elegante vestido verde e tinha o cabelo preso em um coque alto. O que ela estava fazendo ali?

Sem se dar conta da presença do brasileiro, que olhava para ela sem acreditar, ela prosseguiu à meia-voz:

— Justin, você nem imagina a confusão que Priscilla armou na cozinha. Parece que a chef que está preparando o jantar é a mulher com quem Conrad tem um caso e, ao vê-la, minha irmã, sem cerimônia, jogou nela tudo que encontrou no caminho. Olá, Shonda! — cumprimentou, então, uma mulher que passava ao seu lado.

Justin sorriu e, pegando a jovem pela cintura, disse:

— Lola, este é o novo professor de matemática. É o professor Alves, mas pode chamá-lo simplesmente de Dennis.

Sorrindo ainda, Lola olhou para o homem parado ao seu lado e o sorriso se apagou ao reconhecê-lo. O que ele estava fazendo ali?

Fez o possível para disfarçar e, forçando um sorriso, estendeu-lhe a mão.

— É um prazer, sr. Alves.

— O prazer é meu — respondeu Dennis, surpreso.

Justin, que não havia notado nada, murmurou, olhando para a mulher:

— Pequena, não seja formal. Dennis tem sua idade, com certeza vai lhe agradecer.

O brasileiro, que havia ficado petrificado ao encontrá-la ali, ia dizer algo quando o diretor chegou acompanhado da mulher e da filha Priscilla e, disfarçando o problemão que haviam acabado de resolver na cozinha, comentou:

— Ah... Vejo que Justin já lhe apresentou sua mulher. É minha filha Lola.

Boquiaberto e desconcertado, Dennis olhou para ela. Não só estava ali, como também era filha do diretor do colégio, e ainda por cima casada com aquele homem. Tentava não deixar que notassem o desconcerto que sentia quando Justin disse:

— Acho que fez uma boa escolha, sogro.

Lola começou a sentir o salão girar e tinha vontade de sumir.

— Priscilla, querida — disse Rose com uma expressão mais séria do que a de minutos antes. — Quero lhe apresentar o novo professor de matemática, professor Alves.

Priscilla, que até esse momento permanecera emburrada, ao ver aquele homem jovem – e não um coroa como os que o pai costumava contratar –, sorriu e disse, estendendo a mão:

— É um prazer conhecê-lo, professor.

— Digo o mesmo — ele conseguiu articular ao ver que aquela era a de peruca rosa que havia visto aquele dia no aeroporto.

— Professor Alves — acrescentou o diretor Simmons —, minha filha Priscilla é historiadora. Por sorte para todos e para meu orgulho, seguiu os passos da mãe e de meu pai, e atualmente tenho a honra de tê-la dando aulas de história no colégio.

— Que interessante! — afirmou ele, alucinado. E, olhando para Rose, perguntou: — Você é historiadora?

A aludida pestanejou e, antes que pudesse responder, Priscilla esclareceu:

— Rose não é minha mãe.

O comentário fez com que todos ficassem calados, até que Rose pontuou, sem perder o sorriso:

— Sou companheira de Colin, não a mãe de seus filhos maravilhosos.

Dennis balançou a cabeça. De repente, Lola, que havia permanecido calada, ao ver como o pai olhava para a irmã, disse:

— Priscilla é o orgulho de meu pai e, embora ele não mencione, eu lhe direi, professor Alves, que também existimos, meu irmão Daryl, que é um incrível piloto da aviação civil, e eu, que dou aulas de balé.

Ao ver o clima constrangedor que se formava, Dennis simplesmente assentiu. Então, o pai da garota resmungou:

— Pelo amor de Deus, Lola, você vai comparar pilotar avião ou dançar na ponta dos pés com ser historiadora?

— Colin! — protestou Rose ao ouvi-lo.

Às vezes ele a tirava do sério. O homem tinha três filhos maravilhosos que faziam tudo pela mãe e que o amavam – amavam a ela própria também –, e Colin não parava de lhes fazer desfeita.

— Papai, não comece — murmurou Priscilla, segurando o riso que lhe causava o que a irmã havia dito.

— Dançar na ponta dos pés não é fácil — brincou Lola, olhando para o pai.

— Lola! — recriminou-a o marido.

Colin grunhiu:

— Sua irmã é a única que seguiu a tradição da família e...

— Estou com sede, e dispenso continuar discutindo pela mesma coisa de sempre — interrompeu Lola.

E desapareceu de cena, enquanto Priscilla olhava para o outro lado e sorria.

Ao ver a mulher se afastar, Justin foi atrás dela e murmurou:

— Que está fazendo?

Lola suspirou.

— Lembrando a meu pai que Daryl e eu existimos.

Ele sorriu. Adorava a impetuosidade da esposa. Aproximando a boca do ouvido dela, perguntou:

— Lembra com quem tenho um encontro hoje à noite em minha cama?

Lola sorriu e replicou:

— Como poderia esquecer?

Em seguida, sob o olhar atento de Dennis, Justin beijou o pescoço da mulher e se afastou dela. Sem dúvida, uma noite excelente o esperava.

Com um sorriso nos lábios, Justin se aproximou de novo do brasileiro e comentou de bom humor:

— Desculpe minha mulher. Ela é impetuosa demais às vezes, e o pai não gosta muito disso.

Dennis balançou a cabeça, mas não disse nada. Era melhor.

Enquanto isso, Lola se afastava do grupo sem querer pensar no brasileiro, enquanto amaldiçoava o pai. "Sempre igual!"

Ele nunca perdoaria nem a ela nem a Daryl por não terem seguido a carreira que ele havia escolhido para eles. Priscilla havia estudado história porque adorava; era sua paixão! Mas nem Daryl gostava de economia nem Lola de filosofia, e, no dia em que decidiram enfrentar o pai e fazer o que queriam, algo se rompeu entre eles.

Justin se afastou conversando com o sogro bem no momento em que Rose, com cara de paisagem diante do ocorrido, mas tentando dar o melhor sorriso, disse, erguendo a voz:

— Vamos jantar. Todos para o salão!

Ao ouvi-la, os presentes começaram a andar. Dennis tentou localizar Lola com o olhar, mas ela havia desaparecido. Então, Rose o pegou pelo braço e disse:

— Dennis, seria um prazer se você se sentasse ao meu lado.

— O prazer será meu, Rose — respondeu ele, galante, enquanto caminhava guiado por ela.

Perturbada, e não só pela insolência do pai, Lola foi até um salão contíguo, onde havia uma grande janela, e, sem pensar, abriu-a. Precisava de ar.

Espantada, paralisada, pensou em Dennis. O que ele estava fazendo ali? Recordou que ele havia dito que era professor de forró e lambada. Como podia ser professor de matemática?

Nesse momento, a bolsa vibrou. E, ao tirar o celular dela, sorriu ao ver uma mensagem do irmão, Daryl:

Não dê bola para o Smurf Ranzinza. Te amo. Beijos de Tóquio.

Ao ler isso, Lola imaginou que Priscilla já havia dado com a língua nos dentes. Estava sorrindo quando ouviu ao seu lado:

— Você é minha heroína.

Ao olhar para a irmã, Lola sorriu. Priscilla prosseguiu:

— Não ligue. Você sabe que papai é...

— O Smurf Ranzinza.

Ambas sorriram. Elas se adoravam. Tentando mudar de assunto, Priscilla sussurrou:

— Quando eu vi aquela lagarta nojenta saindo da cozinha, juro, Lola, que tive que me segurar, porque, por mim, eu teria pegado a...

— Calma... Eu entendo.

— Papai fez um escândalo na cozinha que nem lhe conto, sem parar para pensar em meus sentimentos. Pelo amor de Deus, Lola, a mulher que está ali dentro é a que tinha, ou tem, um caso com Conrad.

— Papai não tem jeito — murmurou Lola.

Ainda recordava como a irmã chorara diante do pai ao lhe contar o ocorrido, e como a única coisa com que ele se preocupou foi que não se separasse do marido para evitar um escândalo que pudesse afetar o Saint Thomas.

Priscilla, que não convivia com Conrad fazia uns seis meses, olhou para a irmã com os olhos cheios de lágrimas e murmurou:

— Estou com os papéis do divórcio em casa, mas não posso...

Lola pegou as mãos da irmã.

— Para o seu próprio bem, você tem que acabar com essa situação ridícula imediatamente, querida — disse.

Priscilla se agitou. Estava fora de si. Olhou para Lola, sussurrando:

— A última vez que falei com Conrad ele me criticou por coisas absurdas, como por gostar de comida chinesa ou querer ver o filme *Orgulho, preconceito e zumbis*. Segundo ele, é uma aberração, uma ofensa a Jane Austen... Você acha que é uma aberração?

Lola suspirou. O cunhado era um idiota. Observou a pobre irmã e respondeu:

— O que é uma aberração é você não assinar esses malditos papéis.

Priscilla suspirou e, ao ver que ninguém podia ouvi-las, murmurou:

— Preciso que Conrad pense em mim, que deseje me beijar, e quero que só eu exista para ele.

Lola suspirou de novo. O que a irmã queria era o ideal, o que a maioria das pessoas aspirava ter. Mesmo assim, sussurrou:

— Priscilla, chega! Não é hora de falar nisso.

O silêncio fez as duas mergulharem nos próprios pensamentos durante alguns segundos, até que Priscilla disse:

— Há um ditado que diz que quem faz uma primeira vez, faz uma segunda, uma terceira...

— Também há outro que diz "Um é pouco, dois é bom, três é demais!".

Ambas sorriram. Lola disse:

— Pobre Rose. Não sei como aguenta papai.

— É que ela o ama — afirmou Priscilla.

A irmã assentiu e, baixando a voz, sussurrou:

— Às vezes, amar não deveria bastar. — E, mudando de assunto, disse:

— Hoje liguei para a clínica e me disseram que mamãe passou bem o dia.

Ambas sorriram. Adoravam Elora, e se preocupavam com ela e seu bem-estar.

— Anteontem fui vê-la e estava agitada — disse Priscilla. — Você sabe como ela fica quando pensa que é uma superprofessora. Deixou todo mundo louco na clínica! Mas, com a ajuda daquele auxiliar bonito que mamãe adora, conseguimos acalmá-la.

De novo sorriram com tristeza. Priscilla, não querendo mais falar desse assunto, perguntou:

— O que achou do novo professor?

— Legal.

— Tem um cheiro fenomenal.

— Ele usa Loewe 7.

— E como você sabe? — inquiriu Priscilla ao ouvir a resposta da irmã.

Ao notar que havia se entregado, Lola rapidamente respondeu:

— Justin adora esse perfume. E sei identificá-lo muito bem.

Priscilla balançou a cabeça. Esquecendo o assunto, disse:

— Ele é muito gato.
— E dá para lavar roupa naquele tanquinho — brincou Lola.
— Exatamente! — riu Priscilla.
Lola assentiu. Devia contar a Priscilla que aquele era o sujeito de quem lhe havia falado depois da viagem ao Brasil. O sujeito com quem ela havia cometido a loucura no banheiro do aeroporto de Madri, o mesmo que lhe vinha roubando o sono ultimamente. Mas calou-se. Se contasse, Priscilla lhe encheria o saco, e Lola já tinha encheção suficiente.
— Até que não é ruim — Lola se limitou a responder. — Tenho certeza de que Bruna e Shonda já o estão sorteando.
— Até que não é ruim?! Ruim?! Pelo amor de Deus, Lola, o sujeito é incrivelmente atraente. Tudo bem, sei que seu marido está muito bem para a idade que tem, ainda tem o seu valor, mas...
— Priscilla... — protestou Lola.
— Meu Deus, você viu que corpo, que cabelo, que olhos e... e... que tudo desse brasileiro gostoso?
Lola sorriu. A irmã prosseguiu:
— Aceito o desafio! O Brasil me deixou um sabor tão gostoso na boca que acho que vou ter que competir com Shonda e Bruna.
Lola não gostou de ouvir isso. Olhou a irmã com o cenho franzido. Priscilla, ao ver a expressão de Lola, acrescentou:
— Não me diga que você também quer um pedaço do bolo...
— Nem pensar! Não quero confusão.
Nesse instante o estômago de Priscilla rugiu. Pegando a irmã pelo braço, disse:
— Vamos jantar, que a fera está acordando. Se bem que, sabendo quem é a chef, não sei se não vou vomitar.
Com um sorriso, ambas se dirigiram ao salão. Mas Lola ficou sem palavras ao ver que Dennis, o novo professor, estava sentado à mesa na qual ela ia jantar. Já Priscilla sorriu ao notar e sussurrou:
— Por enquanto, o gatinho está em nossa mesa. Que maravilha!
— Ótimo! — murmurou Lola disfarçadamente.
Durante o jantar, ela tentou evitar Dennis. Olhar para ele a deixava perturbada, porque cada vez que seus olhos se encontravam ou ela olhava para seus doces lábios, algo nela se acendia.
Quando acabaram de comer, todos os convidados passaram para um salão, onde o diretor fez um pequeno discurso falando do novo curso e do muito que esperava dos ali presentes.

Apoiada em uma janela com Priscilla, Lola escutava o pai. E ouviu a irmã dizer:

— Dennis, por ora, o que acha do que viu?

Então, Lola viu que ele se aproximava e, com um sorriso, respondeu:

— Por enquanto, achei maravilhoso o que vi, e as pessoas, encantadoras. Agora, só espero que meus alunos não me façam mudar de opinião.

Os três sorriram, e ele acrescentou:

— Uma vez, conheci uma irlandesa louca que adorava usar uma peruca verde. Ela era muito parecida com você.

Debochada, Lola olhou para ele e perguntou:

— Sério?

Dennis assentiu e, ignorando Priscilla, disse:

— Sim. É incrível como duas pessoas podem se parecer. Se eu não soubesse que seu nome é Lola, pensaria que você é Keira.

Ela ficou imediatamente alerta. Sem dúvida o brasileiro queria provocá-la. Mas o pior foi sentir o olhar da irmã.

Priscilla, que conhecia certas intimidades de Lola, entre elas a peruca verde e o fato de que ela usava o nome Keira para suas aventuras sexuais, e que de boba não tinha nem um fio de cabelo, deu uma desculpa antes de se afastar:

— Vou buscar uma bebida.

Quando Priscilla saiu, deixando os dois a sós, o olhar de Dennis endureceu.

— Lola?! — inquiriu.

— Sim.

— Casada?!

— Sim — respondeu ela laconicamente.

Então, Dennis olhou para Justin, que estava conversando com outros casais, e sibilou disfarçadamente:

— Você joga sujo. Muito sujo.

— Não.

Contrariado pelo que havia descoberto e pelo descaramento da moça, o brasileiro se voltou e perguntou discretamente:

— Por que não me disse que era casada?

Constrangida com a conversa, ela o fitou.

— Porque não era da sua conta. O que houve simplesmente aconteceu e...

Não pôde terminar. Incomodado com o atrevimento dela, Dennis deu meia-volta e se afastou. Nesse exato momento, Priscilla voltava com uma bebida. Olhando para a irmã, murmurou:

— Sei que a descendente de bruxa é você, mas somei dois mais dois e acho que Loewe 7 é...
— Não se atreva a dizer.
— Lola... Lola... — brincou Priscilla. — É quem eu acho que é?
Contrariada, a jovem suspirou.
— Sim, é ele. E agora cale-se.
Inevitavelmente, Priscilla passou os olhos pelo corpo daquele homem, que nesse momento sorria para outros professores enquanto falava com eles. Murmurou:
— Mãe do céu... mãe do céu... Não me espanta que você tenha perdido a peruca e o juízo no banheiro do aeroporto de Madri, querida Keira.
Lola bufou. A presença de Dennis ali poderia complicar as coisas.

Capítulo 9

Depois da festa, Lola e Justin retornavam para a bela residência no conversível vermelho dele.

Ele estava nervoso. A mulher notava pelo jeito acelerado como falava, enquanto ela mesma tentava não pensar no professor Alves e no que sua presença poderia gerar no colégio e no dia a dia.

O celular de Justin tocou. Havia recebido uma mensagem. Lola a leu e disse:

— Aris já está esperando na porta de casa.

Justin gostou de ouvir isso. Sorriu.

Dez minutos depois, ele estacionou o veículo e caminharam de mãos dadas até a casa. Ao chegar, viram um homem louro da idade de Lola.

Os três se cumprimentaram com gentileza e, assim que entraram e fecharam as portas, Justin agarrou o jovem, esquecendo a cordialidade, encostou-o na parede e, antes de enfiar-lhe a língua na boca, sussurrou:

— Estou excitado há horas pensando em você.

Para Lola, aquilo era seu pão de cada dia. Foi até a cozinha e disse:

— Meninos, vou deixá-los a sós. Tenham uma boa noite.

Sem olhar para trás, desapareceu. Entrou na cozinha, abriu a geladeira e se serviu um copo de leite, enquanto sua mente recriava sem parar o olhar do professor Alves, ainda perplexa por causa do encontro surpreendente. Estava pensando nisso quando a porta da cozinha se abriu e apareceram Aris e Justin. Lola olhou para eles:

— Que foi?

Com um sorriso divertido, o marido se aproximou dela e, sentando-se ao seu lado, sussurrou:

— Aris propôs um *ménage à trois* com você. O que acha?

Lola o contemplou. Isso era novo. Nunca havia feito um *ménage à trois* nem havia dividido a cama com o marido, exceto quando um dos dois estava doente.

— Você, ele e eu?! — perguntou, fitando-o.
— Sim — afirmou Aris. — Pode ser divertido.
Lola observou o marido, espantada. Nos doze anos em que estava casada com ele, ele nunca havia lhe proposto algo assim. Ao entendê-la, ele se apressou em esclarecer:
— Pequena, Aris dará prazer a você e eu a ele. O que acha?
Lola pensou. Nunca havia visto o marido em ação com outros homens, então negou com a cabeça e respondeu:
— Não... não acho uma boa ideia.
Aris fez um muxoxo, e Justin, a fim de sexo, insistiu:
— Lola, ele, você e eu. Tesão em estado puro.
— Vamos, Lola. Você gosta de sexo — disse Aris, beijando-lhe o pescoço. — Será um presente de despedida para mim antes de eu voltar para o Canadá.
Ao sentir aqueles beijos, Lola pensou melhor. As opções eram sexo ou ler sozinha na cama, de modo que se deixou levar pelo momento e assentiu:
— Tudo bem.
Ao chegar ao quarto de Justin, enquanto ele colocava uma música, Aris se aproximou de Lola e murmurou:
— Deixe-me tirar seu vestido.
De onde estava, Justin os observava enquanto começava a soar a voz de Mónica Naranjo cantando "Europa"*.
O vestido caiu a seus pés. Ao vê-la só de calcinha e um sutiã preto, Aris comentou:
— Que sexy!
Justin queria ser o centro das atenções do jovem, de modo que caminhou até eles, aproximou a boca da dele e o beijou, reclamando-o para si. Aris, encantado, passou as mãos pela cintura de Justin e o aproximou de seu corpo, enquanto Lola dava um passo para trás e se sentava na poltrona.
Com certo pudor, Lola observou os dois se beijarem, se tocarem, se esfregarem.
Sem afastar os olhos, viu Justin sentar Aris na cama e, depois de tirar a camisa cinza perolado dele, empurrá-lo para trás com carinho para que se deitasse. Sem resistir, o jovem obedeceu e, com prazer, Justin começou a passar a língua úmida e quente pelo abdome duro do outro enquanto lhe beliscava os mamilos.

---

* "Europa", Cristóbal Sansano, Iván Torrent, Jordi Garrido, José Manuel Navarro, Mónica Naranjo; Ariola, 2008. (N.E.)

Acalorada, Lola observou a mão de Justin descer pela cintura de Aris até chegar ao zíper da calça e abri-lo. E uma vez lá dentro, tocando a seu bel-prazer aquela dura ereção, ouviu-o dizer sem um pingo de vergonha:

— Quero esse pau inteiro para mim.

O jovem sorriu e, levantando-se da cama, beijou-o. Sem delicadeza, abriu-lhe o cinto da calça, depois o botão, o zíper e, quando a calça de Justin deslizou por suas pernas, Aris disse:

— Vire-se.

Com a respiração acelerada, Justin obedeceu, enquanto Lola os contemplava. Aris, então, pôs um preservativo e, a seguir, pousou a mão no pescoço de Justin e desceu-a lentamente pelas costas até chegar à cueca. O homem arfou. Aris pegou a cueca e a baixou até os tornozelos de Justin, para depois enfiar a mão entre as coxas dele.

— Abaixe-se — exigiu com rudeza.

A respiração de Justin era sibilante e entrecortada enquanto se agachava para Aris. Desejava o que o jovem estava prestes a fazer, desejava muito. E, ao sentir o pênis duro dele na entrada do ânus, murmurou, trêmulo:

— Enfie tudo.

Sem hesitar, Aris enfiou. Introduziu o membro com uma estocada certeira, o que fez Justin gritar de prazer e exigir mais profundidade. Durante alguns segundos ambos curtiram aquilo quase sem se mexer, até que o jovem começou a bombear no ânus do outro com movimentos rudes e tapinhas que agradavam muito a Justin.

Quase sem pestanejar, Lola observava o que eles faziam. Uma coisa era imaginar, outra muito diferente era ver. Afogueada, ela umedeceu os lábios, sem saber realmente o que pensar.

Justin tremia de prazer. Em dado momento, olhou para Lola. Ela, ao ver seus olhos cheios de prazer e luxúria, sorriu. Nunca havia questionado a sexualidade do marido, como ele nunca havia questionado a dela. Era a intimidade de cada um e, como tal, respeitavam-na.

O coito durou vários minutos, até que os dois homens, com suspiros broncos, fizeram-na notar que haviam chegado ao clímax.

Depois desse primeiro assalto, os dois se dirigiram ao banheiro do quarto, suados e sorridentes. Quando Justin saiu, aproximou-se da mulher e murmurou:

— Fiquei excitado vendo você olhar.

Lola sorriu.

Segundos depois, Aris também saiu do banheiro. Esquecendo a mulher, Justin se agachou ao lado da cama. Ao intuir o que ele queria, o jovem perguntou:
— Que quer, taradinho?
Justin não respondeu: seu olhar dizia tudo. Limitou-se a abrir a boca, e Aris, aproximando-se, enfiou o pênis flácido nela.

Com uma cara de tesão que Lola nunca havia visto nele, o marido chupava, lambia, sugava, enquanto Aris enroscava os dedos no cabelo de Justin e o incitava a continuar. E ele continuou. Chupar aquilo, que era para ele a bala mais deliciosa do mundo, deixava-o louco, e não parou.

O prazer fez Aris tremer. Vendo que Lola os observava, ele a convidou com o olhar para degustar a bala também. Porém, ela não se mexeu. Não queria participar.

Mesmo assim, não conseguia afastar os olhos deles. Aquele homem que sugava enlouquecido, ávido de sexo, era seu marido. Aquele homem que diante de todo mundo se fazia passar por um heterossexual insaciável estava ali, desfrutando como um louco o prazer que outro homem podia lhe proporcionar.

Justin o lambia inteiro, delirante, até chegar aos testículos. Aris murmurou:
— Isso... engula inteiro.

Ouvir isso e ver o que eles faziam deixou Lola a mil. Ela pôs a mão entre as pernas, levou-a até o sexo e, afastando a calcinha para a direita, introduziu um dedo e se masturbou. Apoiou a cabeça no encosto da poltrona e, ao fechar os olhos, o olhar do professor Alves a possuiu.

Não sabia quanto tempo havia se passado quando abriu os olhos e ouviu Justin pedir a Aris:
— Deite na cama e fique de lado.

O jovem obedeceu e, ao entender a finalidade daquilo, disse:
— Dê-me um preservativo.

Justin, que estava colocando um, entregou outro a ele. Assim que o pôs, Aris olhou para a mulher que se masturbava na poltrona e a chamou:
— Lola, venha.

Seduzida pelo momento, ela se levantou e foi até a cama. Olhou para o marido, que lhe sorriu, mas não a tocou. Aris a pegou pela mão e a deitou de frente para ele.

Os três estavam agora deitados na cama. Justin, que não havia tirado as mãos do jovem, começou a mordiscar e beijar-lhe a bunda, enquanto Aris beliscava os seios de Lola para depois virá-la e colar as costas dela contra seu corpo.

Gozo... Deleite... Complacência... Lola curtia tudo de olhos fechados, até que Aris, sem tirar a calcinha dela, tocou-lhe a vagina úmida e sussurrou:

— Levante a perna.

Lola obedeceu. Ele, espantado com os movimentos dela, murmurou:

— É incrível a flexibilidade que você tem.

Ao ouvir isso Lola sorriu e, ao senti-lo introduzir o pênis duro em seu sexo encharcado, respondeu com um fio de voz:

— É o que acontece quando se é professora de balé.

Os movimentos de Aris cresciam dentro dela enquanto Justin brincava com o ânus dele, até que o ouviram dizer, com a voz cheia de tensão:

— Não se mexam.

Aris parou, enquanto Lola arfava. Então, Justin colocou a ponta do pênis sobre o trêmulo ânus do jovem e, sem esforço, mas com prazer, penetrou-o.

Justin empurrava dentro de Aris... enquanto Aris se mexia dentro de Lola...

O prazer estava garantido. Os corpos trêmulos remexiam-se na cama.

O momento era ardente...

O momento era delirante...

Lola ouvia os suspiros e vozes dos dois homens atrás dela. Arfavam, gemiam, diziam-se coisas brutais, mas ela preferia ignorá-los. Decidiu entregar-se à fantasia, olhar para a frente e pensar que o marido não estava ali, penetrando o homem que bombeava dentro dela e a fazia gemer.

Depois de uma última investida, Lola notou que Aris havia chegado ao clímax. Então ela gozou, trêmula, enquanto Justin continuava, transpirando, afundando no traseiro do jovem. De repente, Justin parou, olhou para a mulher e pediu:

— Pequena, levante-se da cama.

Ainda arfante, Lola se levantou. Então, Justin, ainda dentro de Aris, moveu-o com habilidade, desejo e posse, até deixá-lo de quatro.

Segurando-o pelos quadris, deu-lhe um tapa que ecoou no quarto e começou a bombear com força dentro do ânus de Aris.

Lola observava a rudeza do ato que eles pareciam curtir. Aris gritava de prazer, remexia-se na cama de Justin, agarrando os lençóis, enquanto Justin, suado, com o olhar perdido, entrava nele a golpes secos, até que inevitavelmente atingiu o clímax.

Cinco minutos depois, Lola saiu do quarto. O que ocorrera havia sido um tesão, mas duvidava que tornasse a acontecer. E menos ainda com Justin.

Capítulo 10

O ano letivo começou. Os três primeiros dias foram caóticos, mas no quarto tudo já funcionava com certa normalidade. A turma que coubera a Dennis, como sempre, estava cheia de adolescentes de uns catorze anos cheios de hormônios enlouquecidos e, rapidamente, os olhares das garotas revelavam o que imaginavam.

Nesses dias, sempre que podia, Justin procurava pelo brasileiro, e logo estavam se dando muito bem, apesar de o primeiro ser marido de Lola.

Quando Dennis encontrava Justin e Lola na sala dos professores, disfarçava. Tentava não olhar muito para ela, embora, às vezes, sem perceber, se pegasse observando-a.

O que estava acontecendo? Por que reagia assim? Mulheres casadas sempre haviam sido coisa proibida para ele. Por que não podia simplesmente ignorá-la?

Quando se encontravam no refeitório, Dennis nunca se sentava perto dela, coisa que começou a inquietar Lola. E mais ainda ao ver que o resto das mulheres disputava para ver quem se sentaria perto do novo professor gato.

Certo dia, Lola estava na fila do refeitório enquanto, disfarçadamente, observava Dennis e as mulheres que o cercavam. Todas estavam rendidas diante dele e, de certo modo, Lola as entendia. Ela também havia caído em seu encanto.

Afastando o olhar, procurou o balcão onde ficavam as sobremesas e viu que só restava um iogurte de baunilha.

Depois que o cozinheiro serviu a comida em sua bandeja, Lola se dirigiu à área das sobremesas, mas, então, alguém se antecipou. Era Dennis, que, abrindo a geladeira onde ficavam os laticínios, pegou o único iogurte de baunilha que havia. Fitando-a, disse:

— Não é o sabor de que mais gosto, mas é melhor que nada.

Lola quis dar com a bandeja na cabeça dele. Ele havia feito isso para irritá-la, pois sabia que era o sabor preferido dela. Contudo, não queria demonstrar o quanto a irritara, e replicou:

— Faça bom proveito.

Dennis sorriu e voltou à mesa dos professores, à qual segundos depois Lola se sentou, longe dele, e o viu incentivar Shonda a comer o maldito iogurte.

Sem dizer nada, Lola acabou a comida, levantou-se e foi embora. Era o melhor que podia fazer.

No dia seguinte, ao entrar no colégio, estava lendo um livro quando deu de cara com Dennis. Era como se um ímã os atraísse. Ele murmurou, olhando-a com ar de deboche:

— Mais que uma fantasia, você é um pesadelo. E desta vez vou dizer não.

Ela não gostou de ouvir isso. Lola havia dito essa mesma frase, mas com sentido contrário, no dia em que o agarrou no banheiro do aeroporto de Madri. Olhou-o furiosa e, sem responder, fechou o livro, deu meia-volta e seguiu seu caminho.

Nessa mesma manhã, na hora do intervalo, quando Dennis estava indo para a sala dos professores, viu Lola parada diante de uma máquina de refrigerante. Absorta, ela dançava, mexendo os quadris de olhos fechados. O brasileiro sorriu.

Sem que Lola notasse, enquanto ela curtia dançando diante da máquina, ele chegou e viu que os fones de ouvido dela estavam conectados ao celular, que sobressaía do bolso de trás da calça jeans. Então, querendo saber que música a fazia dançar com tanta sensualidade, puxou o cabo. Ao ouvir Shakira e Carlos Vives cantando "La bicicleta"*, disse:

— Muito boa a canção, mas você vai ficar surda.

Ao perceber que a música soava fora dos fones a todo volume, Lola rapidamente conectou o cabo de novo. Quando a música parou, disse:

— O que acha de controlar suas patas e não mexer no que não é seu?

Dennis sorriu e, sem responder, prosseguiu até a sala dos professores. Assim que entrou, ouviu o professor Emerson grunhir:

— Não podemos permitir isso. No ano passado já aconteceu, este ano vai continuar igual?

Vários dos presentes assentiram. Dennis perguntou:

— Que foi?

---

* "La bicicleta", Sony Music Latin, interpretada por Carlos Vives e Shakira. (N. E.)

Ao vê-lo, Bruna sorriu e explicou:

— Alguém entra nesta sala e leva o que não lhe pertence. Já aconteceu no ano passado, e neste também começou a acontecer.

— Levaram minha *nécessaire* com minha maquiagem — reclamou Shonda.

— Achei que só os professores tivessem acesso a esta sala — disse Dennis, servindo-se um café.

— Supostamente, sim — afirmou o professor Emerson.

Nesse instante, a porta da sala se abriu de novo. Lola tinha a intenção de dizer poucas e boas a Dennis por causa do que havia feito, mas Shonda olhou para ela e reclamou:

— Aconteceu de novo. O rato ladrão agiu outra vez.

Lola suspirou. Isso representava um grande problema. Quando ia dizer algo, Bruna se aproximou e perguntou:

— Ano passado seu pai não quis contratar vigilância. Acha que ele ainda não mudou de ideia?

Lola deu de ombros e respondeu, sentindo o olhar de Dennis sobre si:

— Não sei. Vocês vão ter que perguntar a ele.

Os professores continuaram reclamando durante um tempo, até que, um a um, foram desaparecendo e só ficaram Lola, que lia um livro, e Bruna, que olhava para o brasileiro. Esta última disse:

— Dennis, por favor, sente-se comigo, vamos bater um papo.

Ao ouvir isso, Lola não se mexeu e continuou lendo o livro: tinha que disfarçar. Para não fazer desfeita à mulher, Dennis pegou a xícara de café e se sentou com ela.

Durante um tempo falaram do clima, da Alemanha, do colégio anterior dele, até que Bruna, mudando o tom de voz, começou a indagar coisas mais pessoais. Lola escutava disfarçadamente.

— E, em Munique, deixou alguém especial? — perguntou Bruna.

Dennis sorriu. Dando uma piscadinha travessa, respondeu:

— Não seja tão curiosa...

A resposta evasiva fez Bruna se animar. Insistiu:

— Vamos... conte-me.

Ele bebeu um gole de café e, ignorando Lola, que lia, disse, cravando o olhar inquietante em Bruna:

— Nunca me faltaram amigas com quem me divertir.

Para um bom entendedor, meia palavra basta. Divertindo-se pelo jeito como Lola disfarçava, o brasileiro acrescentou:

— Sou prático, Bruna, não quero confusão que complique minha vida.

A cada segundo mais animada pela conversa, Bruna levou a mão aos cabelos.

— Eu conheço um restaurante incrível, caso um dia queira jantar comigo.

Ao ouvir isso, Lola a fitou. Como podia ser tão descarada? Porém, ficou ainda mais alucinada quando a mulher acrescentou:

— Sou como você, Dennis: prática. Por que ficar só com uma pessoa quando se pode ter várias para curtir o sexo?

Isso fez o brasileiro rir. Estava mais que claro o que aquela mulher queria. Apoiando os cotovelos na mesa, ele se aproximou mais e, ignorando Lola, respondeu:

— Acho que você e eu vamos nos entender muito bem.

Contrariada pelo comentário dele, Lola parou de ler, olhou para os dois e disse:

— Eu não vou dizer nada, mas meu pai não gosta que os professores tenham casinhos.

Dennis sorriu e murmurou:

— Fique tranquila, Lola. Como disse Bruna, ambos somos práticos.

E, ignorando a cara de mau humor dela, pôs o celular diante de Bruna e disse:

— Digite seu número, vou ligar para você.

Sem hesitar, Bruna começou a digitar no iPhone de Dennis, enquanto os olhos de Lola o perfuravam. Ele, zombador diante da cara de desconcerto dela, declarou:

— Não vou pedir o seu. Eu respeito as mulheres casadas.

Lola engoliu o que teria gostado de dizer. Sorrindo diante do olhar de Bruna, disse:

— Faz bem.

O brasileiro concordou e, sorrindo com maldade, acrescentou:

— Casamento implica fidelidade. Nunca vou entender as pessoas que são infiéis e continuam casadas. Você entende?

Lola praguejou internamente. Com certa aspereza, replicou:

— Eu reservo minha opinião para mim mesma.

Durante alguns instantes, enquanto Bruna continuava mexendo no celular de Dennis, Lola e ele se olharam. Quando o brasileiro julgou oportuno, disse:

— Se um dia você e seu marido estiverem a fim, podemos sair nós quatro. Bruna, você, Justin e eu.

Bruna, emocionada, levantou a vista do teclado e disse:

— Podemos marcar um jantar para sábado?

— Acho que não — sibilou Lola, com vontade de estrangular Dennis pela provocação.

Nem louca pretendia fazer isso.

Então, a porta se abriu e apareceu Justin. Olhou para todos e perguntou:

— É verdade que roubaram de novo?

Bruna se apressou a assentir.

— Sim. Levaram a *nécessaire* de maquiagem de Shonda.

Justin praguejou. Esse problema estava dando dor de cabeça, e o sogro se negava a resolvê-lo. Estava pensando nisso quando Dennis perguntou:

— Justin, você e Lola gostariam de jantar comigo e Bruna no sábado à noite?

O recém-chegado olhou para a mulher de Justin com um sorriso e, esquecendo o problema, respondeu:

— Seria maravilhoso! O que acha, pequena?

Bruna, radiante pelo encontro que havia conseguido, pegou o braço de Lola e insistiu:

— Diga que sim! Vai ser divertido.

Lola, que parecia ter perdido a língua, tentou sorrir. Ao ver o entusiasmo no rosto do marido, respondeu:

— Tudo bem.

Justin bateu palmas e se dirigiu à cafeteira, e Bruna, levantando-se, começou a explicar onde ficava o restaurante.

Incapaz de permanecer mais um segundo sentada ao lado de Dennis, Lola se levantou, se dirigiu à janela, a abriu e se apoiou nela. Ele, que estava a fim de continuar a comprometendo, foi atrás dela. Apoiando-se também na janela, perguntou:

— O livro que está lendo é interessante?

— Melhor que escutar idiotices, posso garantir.

Dennis sorriu e sussurrou:

— Keira... mude essa atitude ou...

Lola olhou para onde estavam o marido e Bruna e, apertando os dentes, respondeu:

— Você sabe muito bem que meu nome é Lola, não Keira.

— Sério? — debochou ele. — Morro de vontade de saber o que você e sua irmã estavam fazendo com aquelas perucas coloridas no Brasil. Turismo sexual? Seu pai conhece essa vida louca de vocês?

Terrivelmente incomodada com o sorrisinho dele, Lola sussurrou:

— Se você ousar comentar esse assunto, juro que vai se arrepender.

Dennis continuou sorrindo. Lola, cada vez mais irritada, perguntou:

— Que diabos você está fazendo?

O brasileiro, que disfarçava a irritação, respondeu:

— Estou marcando um jantar com colegas de trabalho e com uma mulher que simplesmente está a fim de acabar nua em minha cama. — E, ao ver a cara de Lola, esclareceu, com certa ironia: — Nem preciso dizer que essa mulher é a Bruna, e não você.

— Idiota — murmurou ela, sem mal mover os lábios.

— Infiel.

Ao ouvir isso, Lola se remexeu. Odiava o fato de ele a rotular de forma equivocada, mas, bem quando ia responder, Justin e Bruna foram para a janela também.

— Resolvido — anunciou Bruna. — Jantaremos no sábado!

Então, Justin pegou a mulher pela cintura e, dando-lhe um beijo carinhoso no pescoço, disse:

— Vamos jantar onde Bruna sugeriu e depois tomar um drinque. Vai ser divertido!

— Divertidíssimo! — afirmou Lola, fazendo Dennis sorrir enquanto enfiava um chiclete na boca.

Capítulo 11

No sábado à noite, em frente ao espelho do quarto, Lola não podia parar de pensar em Dennis e no tsunami de emoções que sua presença lhe provocava, enquanto escutava Michael Bublé cantando "Everything"*.

Como podia ter chegado a essa situação? E, acima de tudo, por que não havia contado a Justin o que acontecera com o brasileiro?

Estava angustiada por causa do jantar, quando o marido entrou no quarto e disse, fitando-a:

— Nada. Seu pai continua tão cabeça-dura quanto no ano passado. Falei com ele sobre pôr sistema de vigilância no colégio, mas ele se recusa. Pelo amor de Deus! Às vezes não o entendo.

Lola balançou a cabeça.

— Eu disse antes de você ir à casa dele. Avisei que ele ia se recusar.

Então, sentando-se em frente a ela, ele comentou:

— Hoje de manhã falei com Henry pelo telefone.

Ao ouvir esse nome, Lola olhou para Justin e sorriu. Henry era um antigo colega da escola de dança que havia conseguido um lugar em uma prestigiosa companhia de balé de Nova York. Além disso, era alguém especial para Justin, por mais que ele insistisse em negar.

— Como vão as coisas em Nova York? — perguntou ela.

Ele sorriu e, juntando as pontas dos dedos, respondeu:

— Bem. Continua muito enrolado de trabalho, mas está indo bem. Mandou lembranças para você.

Lola sorriu, feliz.

— Quando você vai vê-lo? — perguntou.

— Não sei. Ando muito enrolado também.

---

* "Everything", Alan Chang, Michael Bublé; WEA, 2007. (N.E.)

Ambos assentiram. Justin, querendo mudar de assunto, pois lhe doía pensar em Henry, olhou a calça preta e a blusa de seda branca que a esposa vestia e comentou:

— Você está lindíssima, pequena, mas achei que ia se vestir de um jeito mais sexy.

— Está ruim? — perguntou ela, olhando-se no espelho.

Ele sorriu e murmurou com carinho:

— Está linda, mas, conhecendo Bruna, com certeza ela estará vestida literalmente para "matar".

A jovem riu. Ambos conheciam Bruna muito bem.

— Não pretendo competir com ninguém — respondeu Lola.

Justin se aproximou e, beijando-lhe o pescoço enquanto ela fazia um coque no lindo cabelo vermelho, afirmou:

— Adoro você.

Lola voltou a sorrir.

— Não falamos sobre o que aconteceu com Aris — disse ele, então.

— E o que você quer falar? — replicou Lola.

— O que achou? — murmurou Justin com ar cúmplice.

Lola, que não havia pensado muito naquilo, respondeu:

— Bom. Uma experiência nova.

— E gostou? — insistiu ele.

Ao ver a cara dele, ela sorriu.

— Para ser sincera, foi excitante, mas não morro de vontade de repetir. Prefiro o que eu faço a isso que nós três fizemos.

Justin assentiu e, olhando-a nos olhos, disse:

— Posso lhe perguntar uma coisa?

— E quando você não pôde me perguntar o que quisesse?

Ela tinha razão. Então, ele soltou de supetão:

— Você sente atração pelo professor Alves?

— Não!

— Nossa, que "não" mais categórico! — brincou ele.

Contrariada pela cara de deboche do marido, Lola desligou a música no instante em que a voz de Michael começava a interpretar "You don't know me"*.

— Por que me perguntou isso?

Justin sorriu. Convidando-a a se sentar ao seu lado na cama, explicou:

---

* "You don't know me", Cindy Walker, Eddy Arnold; WEA, 2005. (N.E.)

— Pergunto porque esse homem me hipnotiza! Ele exala sensualidade e tesão por todos os poros, e eu adoraria tê-lo em minha cama, nu, como Aris.

Isso era a última coisa que Lola queria ouvir. E, ao ver como ele sorria, murmurou:

— Não diga bobagens.

Justin suspirou. Pensou no brasileiro e insistiu:

— Você tem que reconhecer que é difícil não reparar nele.

Lola se inquietou. Conhecia o marido e seus gostos.

— Justin, não complique as coisas — recomendou.

— Eu sei, querida, eu sei. Mas aquele olhar inquietante do brasileiro me excita, e muito. Cada vez que cruzo com ele tenho vontade de tocá-lo, de beijá-lo, de entrar na calça dele.

Lola bufou. Pegando-o pelos pulsos, disse:

— Mantenha suas mãos quietas. Não conhecemos Dennis, mas algo me diz que ele não curte homens.

Ele sorriu.

— Talvez você tenha razão. Mas sabe de uma coisa? Acho que ele gosta de você. Já o peguei olhando para você quando acha que ninguém está observando. E ele a olha muito... muito interessado.

Descobrir isso despertou em Lola sentimentos contraditórios. Por um lado, a ideia lhe era horripilante, mas, por outro, adorava saber que ele a observava, e isso a excitava. Mesmo assim, replicou para disfarçar:

— Não diga bobagem!

— Pequena, eu tenho olhos.

Enquanto ela coçava o pescoço com delicadeza, Justin acrescentou:

— E você sabe o que é mais alucinante?

— O quê?

— Acho que você também gosta dele.

— Não!!!

Justin sorriu. Baixando a voz, sussurrou, afastando o cabelo do rosto:

— Basta ver como você foge quando o vê por perto. E isso, pequena, me deixa excitado!

Lola praguejou. Antes que ele dissesse o que ela lia em seu olhar, replicou:

— Não.

— Você está me devendo.

— Já disse que não.

Justin, pegando as mãos dela, insistiu:

— Quando você quis ficar com Kenan, quem foi que preparou o terreno?

— Justin... não me venha com essa agora.

— Vamos... responda.

— Chantagista!

— Lamento, querida — brincou ele. — Mas devo recordá-la de que depois daquela excelente noite de sexo você me disse em alto e bom som que...

— Não.

— Mas você disse!

— Justin, esqueça Dennis.

— Por quê?

— Porque sim.

— Impossível. Gosto dele... tanto quanto de seus chicletes de cereja.

Levantando-se da cama, Lola olhou para o marido. Disposta a ser sincera como sempre havia sido, declarou:

— Tive um rolo com ele.

Boquiaberto, ele se levantou também e perguntou:

— Quando, onde? E por que não me contou?

Lola tirou um fio de cabelo do rosto e, fitando-o, explicou:

— Eu o conheci no voo de volta do Brasil.

— Vocês transaram no avião?

Ela sorriu. Quem os ouvisse falando assim pensaria que estavam malucos. Negando com a cabeça, ela lhe contou o ocorrido passo a passo. Quando acabou, acrescentou:

— E quando o vi no jantar do colégio fiquei tão travada que não soube nem o que dizer.

— E ele, o que lhe disse?

Lola não queria ser cem por cento sincera, então, respondeu:

— Logicamente, ele ficou tão surpreso quanto eu. Mas, depois de trocarmos meia dúzia de palavras, ficou mais que claro que o que aconteceu não vai se repetir.

Justin assentiu. Surpreendido com a história, agora entendia o comportamento da mulher nos últimos tempos. Contudo, não lhe importava o que havia acontecido entre eles, de modo que insistiu:

— Você sabe que não sou ciumento.

Contrariada com a insistência dele, Lola ergueu as mãos para o teto.

— Justin, pelo amor de Deus! Dennis é professor do colégio, e a última coisa que eu quero é que alguém que trabalha para meu pai saiba que...
— Você gosta dele.
Ao ouvir isso, Lola ficou paralisada. E, sem querer admitir o que o marido havia acabado de dizer, protestou:
— O que está dizendo?
— Pequena, eu a conheço — insistiu Justin, pondo-se ao lado dela. — Sou seu marido. Você gosta desse professor tanto quanto eu.
Negar o evidente, e especialmente diante de Justin, teria sido um erro. Então, Lola declarou:
— Ouça, meu amor, reconheço que Dennis é um homem atraente, mas...
— Lola... você e eu nunca mentimos um para o outro.
Ela suspirou. Era verdade. A relação conjugal deles era diferente da do resto do mundo porque ele para ela era um grande amigo, não seu marido. Por fim, dando-se por vencida, afirmou:
— Tudo bem. Gosto dele. Esse homem me atrai muito. Nunca pensei que tornaria a vê-lo, mas agora o vejo e... e ele me provoca um sem-fim de emoções que...
— Pense, pequena — interrompeu Justin, encostando um dedo nos lábios dela. — Ele. Você. E eu.
— Não!
Sem se dar por vencido, ele insistiu:
— Você acabou de me contar que ele também frequentava casas de swing na Alemanha. Quem disse que ele não teve alguma relação com homens?
Lola negou com a cabeça. Um estranho sentimento de possessividade embargou seu coração. Respondeu:
— Não sei... Eu...
— Pense.
— Nem pensar, Justin. Eu me recuso a pensar nisso.
— Ele vai curtir você, e você e eu vamos curti-lo.
Lola ficou inquieta com o sorriso divertido de Justin. A fim de dar o assunto por encerrado por ora, replicou:
— Cale-se, seu chato!
— Tudo bem, sou um chato. Vou esquecer o assunto, mas só em troca de algo.
— Em troca do quê?

Justin sorriu e, dando uma piscadinha à mulher de quem tanto gostava, sussurrou:

— Esqueça-o. Não pense nele. Não quero que nada atrapalhe esta nossa vida confortável.

— O quê?!

— Isso mesmo.

— Mas, Justin...

— Sem mas — debochou ele. — E, antes que você continue, lembre-se do que eu fiz com Henry.

Lola olhou para ele.

— Justin, eu nunca disse para você deixar de ver Henry. Eu até o incentivei a ir para Nova York com ele.

— Pequena, foi dificílimo não ir com ele, mas, se não fui, foi por nós.

— Nada disso. Se não foi, foi por você. Porque não quer que ninguém saiba que você é gay... Não me venha com essa.

O marido de Lola balançou a cabeça. De certo modo, ela tinha razão. Se alguém ao redor soubesse que ele era homossexual, seu mundo perfeito como professor do colégio Saint Thomas desmoronaria.

Justin abraçou Lola e afirmou:

— Com você estou bem, e estar com você é o certo.

— Mas, Justin...

Para calá-la, ele lhe deu uma mordidinha carinhosa no pescoço que a fez sorrir. Soltando-a, olhou o relógio e disse:

— Temos que ir, linda. Marcamos com Dennis e Bruna às sete e meia no Chorses.

Capítulo 12

Uma hora depois, quando chegaram ao Chorses, o coração de Lola batia forte. Não era fácil saber que iria passar horas com o homem que Bruna adorava e que hipnotizava o marido. Mas respirou fundo e entrou no restaurante, sorrindo ao vê-los no balcão.

De calça jeans escura e camisa verde cáqui, Dennis estava imponente.

Desde a adolescência tinha consciência de seu porte e conhecia muito bem a linguagem corporal das mulheres. O jeito de olhar e de sorrir de Bruna indicavam que ela estava a fim de ir para a cama com ele. E com certeza ele lhe daria esse prazer.

Quando Justin e Lola chegaram, cumprimentaram-nos animados. Ela sentiu que Dennis a ignorava por completo e se concentrava única e exclusivamente em Bruna, que, emocionada por causa da atenção, sentia-se a rainha de Sabá.

Durante o jantar, Lola falou só o necessário. Não estava à vontade. E seu mal-estar aumentava a cada segundo que via a intimidade entre Bruna e Dennis crescer e o marido a observar.

Como sempre, Justin foi atencioso com a mulher. Para ele, não havia mulher melhor que Lola. Dennis pôde comprovar o relacionamento perfeito dos dois. Mas, sem saber por quê, isso o incomodou. O que estava acontecendo com ele?

Mas o que ele não sabia era a verdade daquela relação tão especial.

Justin e Lola haviam se conhecido graças à amizade que unia os pais. O afeto entre eles crescera quando Justin começara a dar aulas no Saint Thomas.

Aos dezoito anos, Lola deixara claro que sua intenção era continuar com as aulas de balé clássico e que não queria fazer a faculdade que o pai lhe impunha – o que fora um grande desgosto para ele. Colin Simmons, diretor do Saint Thomas, havia planejado para ela um futuro diferente.

E, embora as discussões se sucedessem dia sim, dia também, a garota, que tinha personalidade forte como o pai, conseguira o que queria e continuara estudando o que gostava. Sua meta era, depois de alguns anos, fazer o teste no Royal Ballet de Londres, ser uma primeira bailarina e viajar pelo mundo.

Justin era professor do Saint Thomas. Mas, depois de uma noite louca, seu pai, um renomado catedrático de línguas, o pegou na cama com um dos amigos e, horrorizado por ter um filho homossexual, ameaçou contar sobre a sexualidade do filho a Colin Simmons, diretor do colégio, se ele não encontrasse uma mulher e se casasse em menos de seis meses.

Justin ficou angustiado. O pai não só tinha vergonha dele, como também, como castigo, queria arruinar-lhe a vida. Na sociedade em que viviam, ser homossexual não era bem-visto.

Para ele e para Lola as coisas eram complicadas no que se referia aos pais. Certa noite, depois de se encontrarem em um bar e passar horas conversando diante de uma garrafa de tequila, decidiram somar forças para cada um atingir seus propósitos. Decidiram se casar! Cientes de que essa era a melhor opção para ambos, Lola e Justin falaram com o pai dele, que aceitou o enlace com uma condição: nunca se separariam, e a vergonha do filho ficaria oculta por trás desse casamento. Para se assegurar disso, o pai de Justin escreveu uma carta na qual falava da homossexualidade do filho e a entregou a um advogado, para que, caso ele já não estivesse mais aqui e eles se separassem, o documento fosse entregue ao diretor do Saint Thomas e Justin fosse expulso da instituição.

Com exceção do pai de Justin, todo mundo achou estranho o casamento repentino dos dois. E Colin gostou. Pelo menos assim a filha irreverente seria nora de um catedrático de línguas e mulher de um conceituado professor.

Elora, por sua vez, conversou com Lola. Por que se casaria com um homem como Justin? Ela tinha vinte anos, era jovem, dinâmica, adorava viajar, dançar, se divertir. Ao passo que Justin tinha trinta e cinco anos e, pelo que sabia dele, pouco tinha a ver com a filha. Tentou fazê-la ver que ela era jovem demais para iniciar uma vida em comum com aquele homem, mas tudo foi inútil. Lola insistiu e não foi possível fazer nada a respeito.

Uma vez casados, a garota já não tinha mais que dar explicações ao pai amargurado. Mas quando Justin aceitou, sem consultá-la, que se mudassem para o Japão, no início Lola não o entendeu. Aquilo não estava no trato!

No fim, depois de muito conversarem, Lola viu o lado positivo da coisa e aceitou a proposta. Seria bom se afastar de Londres e prosseguir com as aulas de balé em outro lugar; inclusive tentar aprender outro idioma, como acabou fazendo.

Durante anos demonstraram diante de todo mundo como estavam apaixonados, mas Elora nunca engoliu. Conhecia Lola. Conhecia suas expressões, e nunca viu amor nelas quando Lola se referia a Justin. Mas, entendendo que a filha havia tomado sua decisão, limitou-se a respeitá-la.

Só três pessoas sabiam da verdade do relacionamento: Priscilla, Carol, amiga de Lola, e Akihiko, um homem que haviam conhecido durante o tempo em que viveram no Japão.

Quanto a Carol e Akihiko, foi Lola quem lhes contara. No caso de Priscilla, ela viu, certa noite, a irmã e o cunhado depois que haviam voltado do Japão. Estavam acompanhados por um terceiro homem em um carro, e a jovem ficou sem palavras ao presenciar o desconhecido e Justin se beijando, enquanto Lola permanecia impassível.

Durante dias Priscilla não soube o que fazer. Estava desconcertada. Mas, no fim, procurou a irmã, e, depois de encurralá-la, Lola se abriu, fazendo-a prometer que o segredo de sua estranha relação ficaria guardado também por ela.

Justin e Lola compartilhavam casa, férias, eventos familiares e profissionais. Beijavam-se castamente em público, conheciam perfeitamente seus gostos, mas em particular e a sós tratavam-se como dois bons amigos. Cada um tinha o próprio quarto, mas, aos olhos do mundo, o dormitório do casal era o que Justin ocupava, pois era mais luxuoso. Para Lola, era suficiente o que tinha.

Chegou o dia em que Lola prestou os exames para o Royal Ballet. Embora houvesse passado no primeiro e segundo exames, no terceiro foi reprovada. Seu nível era bom, mas o de outras era melhor. Foi um golpe para ela. E Elora, ao ver a tristeza em seus olhos, propôs que ela começasse a dar aulas de balé no Saint Thomas.

De início, a proposta deixou o pai de Lola horrorizado. Balé no colégio? As discussões começaram de novo na casa da família, até que, um dia, Lola viu Colin aceitar sem reclamar a proposta da mãe dela, e nunca mais falaram no assunto. Lola perguntou a Elora como o havia convencido, e ela, sorrindo, apenas murmurou: "Armas de mulher".

Armas das quais Lola sentia saudades todos os dias desde que a mãe havia se perdido pelo caminho e não a reconhecia quando ia vê-la.

— Pequena — chamou Justin. — Já estava no Lolamundo?

Ao ouvir isso e ver como todos a olhavam, ela sorriu e não respondeu.

Depois do jantar, Justin propôs esticar a noite indo a um bar chamado Severite. Não estava disposto a deixar que Dennis, aquele brasileiro moreno que o fazia sorrir como um bobo, fosse para onde sabiam que ia acabar: na cama de Bruna.

No Severite, Bruna causou sensação. Justin sabia que isso aconteceria, por isso havia proposto que fossem para lá. Bruna era uma mulher alta, de curvas perfeitas, e com o vestido preto que usava, que se ajustava ao corpo sugestivo como uma luva, estava impressionante. Os homens reconheciam isso com olhares ardentes, coisa que lhe agradava, especialmente vendo como Dennis a observava.

Por sua vez, depois de vários drinques, Lola conseguiu superar o desconforto e o sorriso apareceu enquanto dançava ao compasso de Taylor Swift, que cantava "Shake it off"*. Como sempre, a música a ajudava a se desinibir. O marido dançava com ela.

Animado e sentindo-se atraído pelo brasileiro, depois de pagar uma nova rodada de cuba-libre, Justin olhou para Dennis e disse:

— É verdade que você é professor de lambada?

Dennis soltou uma gargalhada e afirmou:

— E de forró.

Surpresa com o que o professor de matemática havia acabado de dizer, Bruna ia falar quando Justin acrescentou:

— Sabia que minha mulher dá aula de salsa fora do colégio?

Lola olhou para Dennis. Claro que sabia; ela mesma lhe havia contado naquele dia fatídico.

Dennis a contemplou, interessado, e então perguntou:

— Onde você dá aula?

Tentando não ser grossa, Lola apoiou os cotovelos no balcão do bar e respondeu secamente:

— Em uma academia. Nada importante.

Mas Dennis, que queria saber mais sobre ela, ia perguntar de novo quando Justin disse:

— Ela dá aula em uma academia maravilhosa chamada Enjoy Dancing, na Waterloo.

Lola olhou para o marido. Por que estava dando essa informação?

---

* "Shake it off", Max Martin, Shellback, Taylor Swift; Big Machine Records/LLC, 2014. (N.E.)

E Bruna, que estava mais que animada, ao ouvir isso exclamou:

— Ora, temos aqui dois dançarinos experientes! Justin, vamos pedir que toquem salsa para que eles dancem.

— Não! — protestou Lola.

— Por quê? — perguntou Bruna, animada.

Tentando encontrar o que dizer, Lola olhou para a mulher, que não largava o braço do brasileiro, e disse:

— Dennis não dança salsa.

O sujeito soltou uma gargalhada e, desvencilhando-se de Bruna, afirmou:

— Danço salsa, lambada... Eu não me intimido com nada!

Justin olhou para Bruna e, ambos bem-humorados, foram até o responsável pela música.

Ao ver a cara de Lola, Dennis suspirou e comentou, ciente de que estava mentindo:

— Tenho tão pouca vontade de dançar com você quanto você comigo.

Ela o fitou, mas, de repente, começou a tocar "Valió la pena"*, na versão salsa de Marc Anthony.

Ao ouvi-la, o brasileiro exclamou, sorrindo:

— Uau... Escolheram o mestre!

Sorridente, Justin voltou a se aproximar da mulher, pegou-a pela cintura e, dando-lhe um beijo rápido no pescoço, disse:

— Pequena, você nunca diz não a Marc Anthony!

Lola assentiu. Adorava esse cantor. Quando Dennis a pegou pela mão, deixou-se levar até uma pequena pista onde não havia ninguém dançando. Uma vez ali, o brasileiro a soltou, olhou-a com cara de deboche e perguntou:

— Pequena?!

— Vá para o inferno — murmurou ela disfarçadamente.

Dennis sorriu e, sem lhe dar trégua, murmurou:

— Vamos ver o que você sabe fazer.

Ao ouvir isso, Lola sorriu com maldade. Sabia de seu grande potencial dançando salsa. Aproximando-se dele, soltou o coque, deixando o cabelo vermelho se espalhar sobre os ombros, e o desafiou, dizendo:

— Acompanhe-me, se for capaz.

Desafiado, Dennis pegou a mão dela e começou a se movimentar, disposto a mostrar o excelente dançarino que era.

---

* "Valió la pena", Estéfano, Marc Anthony; Sony Music, 2004. (N.E.)

Pouco a pouco, o ritmo da música foi acelerando e as pessoas ao redor começaram a incentivá-los. Isso os animou.

Dennis estava gostando daquilo, e ela ria, curtia e saboreava o que fazia. Ao vê-la dançar, sorrir e girar entre suas mãos, o brasileiro, sem poder evitar, foi à loucura. Lola, sabendo de seu magnetismo na pista, observava-o. Em um dos giros, murmurou, no momento em que seus olhos se encontraram:

— Você dança muito bem.

Ele sorriu e, quando ela deu dois passos para trás e mexeu no cabelo com sensualidade, para em seguida descer as mãos acariciando o corpo enquanto mexia os quadris com erotismo, ele quase morreu do coração.

Encantada ao ver que Dennis a acompanhava tão bem, Lola se atreveu a fazer certos passos que só usava com os alunos mais avançados. E quando ela sorriu pela primeira vez com aquela doçura que pouco tempo atrás o havia nocauteado, ele murmurou, segurando-a:

— Você é incrível.

Lola não respondeu. Não podia.

Dennis curtia o olhar dela; aquele olhar selvagem, desafiador e tentador que o enlouquecia enquanto dançavam. A sensualidade que aquela mulher exalava com cada movimento o fazia perder a razão. Beijá-la na frente de todos era impossível. Teria sido uma loucura. O marido dela estava ali, e, pelo bem de todos, Dennis se conteve, ciente de que tinha que parar com aquilo e esquecê-la. Lola era casada, e ele nunca interferia em um relacionamento.

De onde estava, Justin os observava com curiosidade. Já sabia o que havia acontecido entre eles e notava que se desejavam. Seus olhares, seus movimentos e a forma como se tocavam gritavam isso aos quatro ventos, embora tentassem disfarçar.

Ele sempre havia gostado de ver a mulher dançar. Lola era incrível. Mas ver Dennis se mover e notar a excitação que ela lhe causava fez o desejo de Justin aumentar. Queria o brasileiro em sua cama de qualquer maneira.

Quando a canção acabou, Lola e Dennis estavam esgotados. Enquanto todos ao redor aplaudiam e os ovacionavam, eles sorriam. Adoraram o que haviam feito. Então, Lola, esquecendo a rivalidade que havia entre eles, murmurou, no momento em que Dennis pegava sua mão, levava-a aos lábios e a beijava:

— Você realmente dança muito bem.

Ele balançou a cabeça. Soltando-lhe a mão, pegou-a pela cintura e foram para onde estavam Justin e Bruna, que aplaudiam.

— Você é que dança bem — respondeu ele.

Ao chegar onde estavam os outros, foram recebidos com um sorriso incrível. Enquanto Bruna se jogava nos braços de Dennis, Justin pegou a mão da mulher e, abraçando-a, beijou-a nos lábios, diante do olhar disfarçado do brasileiro.

— Minha diva da salsa — murmurou Justin. — Você me deixa louco.

Lola sorriu.

Nessa madrugada, quando Justin e ela voltaram para casa, entraram e subiram a escada de mãos dadas, até chegar diante dos respectivos quartos. Quando Lola ia soltar-lhe a mão, o marido a puxou e murmurou:

— Pense. Ele a deseja; você e eu o desejamos. Por favor, dê-me esse prazer, mesmo que seja só uma vez.

E, sem mais, deu-lhe um beijo no rosto e desapareceu, deixando Lola sozinha no corredor, confusa e sem saber o que fazer.

Capítulo 13

Em outubro era o aniversário de setenta e nove anos de Diana, avó de Lola, que com a irmã, Priscilla, decidiu ir à casa dela para cumprimentá-la.

A relação de Lola com a avó era magnífica. Até os irmãos, Priscilla e Daryl, adoravam-na, apesar do horror que Colin tinha do fato de essa mulher trabalhar com leitura de cartas e adivinhação do futuro.

Quando Lola estacionou o carro no distrito de Camberwell, Priscilla, que estava no banco do passageiro, disse:

— Quando o vejo, embora o odeie, não consigo resistir, e ontem à noite acabei outra vez na cama dele.

Lola sorriu. O caso da irmã com o ex-marido era um verdadeiro Arquivo X.

— Já estou vendo... você vai acabar voltando com ele.

— Não sei — sussurrou Priscilla. — No fim, acabamos discutindo, como sempre.

Lola suspirou. Olhando para Priscilla, disse:

— O que está esperando para assinar os malditos papéis do divórcio?

Priscilla se desesperou. Precisava de tempo. Sem saber por quê, respondeu:

— Papai não quer que eu me divorcie.

— Papai que se dane!

— Lola!

Lola a olhou com ar de reprovação e, quando ia dizer algo, Priscilla acrescentou:

— Tudo bem, eu reconheço: sou uma idiota. Meu ex-marido me chifra com outra, papai quer que eu o perdoe e estou considerando a possibilidade. Como posso ser tão idiota?

— Porque você é, e ponto. Você não tem jeito.

— Lola...

Enquanto saíam do veículo e Lola apertava o botão do controle para fechar as portas, acrescentou:

— Você o pegou com outra. Ele tinha um relacionamento com ela fazia tempo. Como pode perdoá-lo?

Então, olhou para Priscilla, que não respondia, pegou-a pelo braço e, aproximando-se, sussurrou:

— Você é minha irmã e eu te amo. Se mamãe pudesse aconselhá-la, depois do que aconteceu, ela diria para você dar um pontapé na bunda desse idiota, porque você vale muito, Priscilla. Vale mais do que você mesma acredita.

Ela continuava sem dizer nada; Lola prosseguiu:

— Você tem que pensar em si mesma e seguir em frente. Ou por acaso quer ser uma infeliz, como foi mamãe por continuar com papai?

Tocar nesse assunto sempre a feria, de modo que Priscilla exclamou:

— Cala a boca! Cala a boca!

— Não, senhora, lindinha — protestou Lola. — Sou sua irmã e...

— Estou ultrapassada... Sou um tédio... Sou uma professora de história chata que deixou o marido entediado, e por isso ele procurou outra.

— O que está dizendo?

— A verdade. A pura verdade. Eu nem sequer depilo a virilha.

— Priscilla! — Lola riu ao ouvi-la.

Priscilla balançou a cabeça e, fitando Lola, esclareceu:

— Hoje em dia as mulheres fazem depilação brasileira, ou francesa... Mas eu sou clássica, muito clássica, e tenho certeza de que foi isso que fez Conrad perder a paixão. O fato de eu ser tão clássica.

Lola, ao olhar para a irmã e ver a tristeza em seus olhos, murmurou:

— Nada disso. Você é uma mulher jovem, está na flor da idade, e se o imbecil do Conrad não soube ver como você é divertida, inteligente e maravilhosa, é porque não a merece. Quanto à depilação...

— Odeio pensar em depilação francesa, americana ou brasileira.

— Pois devia pensar no assunto... Renovar-se ou morrer!

— Por outro lado, me dá uma preguiça horrorosa me separar, ter que conhecer outro homem e tudo que isso implica.

— Pare com isso! Do jeito que você é romântica, iria adorar.

Priscilla suspirou. O romance que havia tido com Conrad fora lindo.

— Papai continua adorando Conrad — murmurou. — Ele é tão advogado, tão de boa família que...

— Ouça, papai que se dane!

— Lola, não diga isso.

Priscilla sorriu. O pai sempre havia sido um grande elitista. Então, a irmã baixou a voz e sussurrou enquanto caminhavam:

— Pense no que você quer, e não no que papai quer. Garanto que sua decisão é a única coisa que a fará feliz, porque papai vive a vida dele, e você tem que viver a sua.

Não era a primeira vez que tinham essa conversa, e estavam convencidas de que também não seria a última. Continuaram caminhando em direção à casa de Diana. Então, Priscilla perguntou:

— E você? Pretende passar o ano fugindo do professor de matemática? Porque, ouça o que eu digo, até agora ninguém percebeu, mas eu sou sua irmã e a conheço, e, no fim, vão começar as fofocas, e papai...

— Repito: papai que se dane.

Priscilla sorriu. Segurando o braço da irmã, continuou:

— Você sabe que eu amo o Justin. Ele é um sujeito fantástico, e não preciso repetir que o segredo de vocês está a salvo comigo, mas...

— Não há mas, Priscilla...

— Há, sim, Lola. E há porque você não é feliz.

— O que está dizendo?

— Estou dizendo que Justin não lhe dá o que você necessita. Digo que, em nossas viagens, você se solta usando o nome de Keira e uma peruca verde para conhecer homens, com o único objetivo de ir para a cama com eles.

— Ei... você fez eu lhe comprar uma peruca rosa!

Relembrando, Priscilla sorriu, mas insistiu:

— Só fica com eles pelo sexo.

— É que não quero outra coisa — debochou Lola.

— Estou dizendo — continuou Priscilla — que você precisa conhecer o amor e encontrar uma pessoa especial que faça seu coração parar quando o vir. Quero que você seja feliz, e não uma mulher fria que só fica com homens por sexo.

Lola não respondeu; sabia que a irmã tinha razão. Priscilla prosseguiu:

— Pense, Lola. Vocês estão casados há doze anos. Você tem trinta e dois anos, e Justin, quarenta e sete, e acho que ambos deveriam refazer a vida. Por que continuar com esse jogo?

Lola não respondeu. Ela mesma se perguntava isso muitas vezes.

— Estamos bem assim — disse, por fim.

— Como bem? Por Deus, Justin e você não...

Lola se voltou para a irmã, pôs um dedo sobre os lábios dela e, calando-a, sibilou:

— Justin e eu somos felizes vivendo como vivemos. Que parte disso você não entende?

Priscilla mordeu-lhe o dedo e, quando ela foi reclamar, disse:

— Não diga bobagens, porque a mim você não convence. Pretendem mesmo continuar a vida toda nessa mentira?

Abalada pela realidade que a irmã lhe mostrava, Lola sussurrou:

— Priscilla, se papai ler a carta que o maldito pai de Justin escreveu, vai mandá-lo embora do colégio, e você sabe que dar aula no Saint Thomas é tudo para ele. Ele adora cada parede, venera cada sala de aula, idolatra cada degrau. Não posso deixá-lo. Se nosso casamento acabar, o castelo de areia dele ruirá...

— Mas você não quer ser feliz nunca?

Lola não respondeu, e a irmã insistiu:

— Ouça, eu a conheço tão bem quanto você a mim. E ainda recordo seu sorriso e seu olhar quando cheguei do Brasil e você me contou o que havia acontecido no aeroporto com aquele desconhecido. Pelo amor de Deus, Lola, você me contou mil vezes, e falava dele como nunca me falou de ninguém. E acabou que aquele desconhecido é o professor Alves e que apareceu de novo em sua vida inesperadamente... Isso, como diria vovó, não é por acaso! E quer você queira, quer não, vejo como ele olha para você e você para ele. Mesmo se evitando. E cedo ou tarde isso vai explodir. E explodirá porque seu marido não preenche uma parte muito importante de sua vida que deveria preencher, apesar dessas licenças sexuais que vocês se concedem.

Lola suspirou. Se a irmã soubesse que Justin queria que ela o ajudasse a levá-lo para a cama de Dennis, a mataria. E, de novo, ouviu-a dizer:

— Tudo bem... Justin gosta de homens, já sabemos disso, e o respeitamos. Mas, Lola, por Deus, você é uma mulher jovem, e está desperdiçando sua vida com ele. Você precisa de alguém que a abrace à noite, que a mime, que lhe ensine o que é romantismo, que...

— Justin faz isso.

— Lola, não me irrite. Vocês dormem em quartos separados e ele nunca pôs a mão na sua bunda na vida. O que isso tem de romântico?

Lola balançou a cabeça. Priscilla sabia demais.

— Para mim é suficiente — respondeu por fim. — É suficiente.

— Lola...

— Priscilla, estou bem, faço o que quero, e você sabe que todo dia quinze e trinta eu me encontro com Beckett e...

— Lalalalala... Lalalala... — cantarolou Priscilla. — Não quero ouvir.

Lola sorriu, mas Priscilla se exasperou. Falar com Lola daquela estranha relação com o marido sempre a desesperava. Prosseguiu:

— Ter a cama inteira para você às vezes é um prazer, mas, Lola... embora às vezes as coisas que você me conta me deixem escandalizada, tenho que dizer que...

— Justin está a fim de Dennis.

— O quê?!

Lola praguejou. Por que havia lhe contado? Olhando para a irmã, murmurou:

— Ah, Priscilla, não sei por que lhe contei isso.

Priscilla ficou paralisada. Às vezes, ouvir as coisas que a irmã lhe contava deixavam-na sem fala. Mas Lola precisava falar, e continuou:

— Sei que você está chocada, eu sei. Mas preciso falar disso com alguém, e esse alguém é você. Justin não para de falar em Dennis e está me deixando louca.

— Lola... o que é que você está dizendo?

Horrorizada pelo que havia deixado escapar, a jovem afastou a franja ruiva do rosto e sussurrou:

— Já lhe contei que Justin me ajudou a conhecer Kenan, não é?

— Sim. Se bem que preferiria não saber.

— E também lhe contei que...

— O que acontece é que seu marido é um descarado — disse Priscilla.

Desesperada, Lola inclinou a cabeça.

— Às vezes, juro que penso que minha vida é uma merda. Uma grande merda.

Com os olhos arregalados, Priscilla balbuciou:

— Lola...

— O quê?!

— Você não está considerando esse negócio de eles dois e você, não é?

Lola suspirou. Abanando-se com a mão, respondeu:

— Eu sei... Eu sei... é uma loucura. Mas Dennis me contou aquele dia no aeroporto que costumava frequentar certas casas de troca de casais na Alemanha, e talvez a ideia não seja tão absurda...

— Você ficou louca!

A cara de Lola dizia tudo. Quando pararam diante de uma casa, ela respondeu:

— Acho que sim.

— Mas você me disse que não gosta de ir a essas casas. Ou gosta?

Empolgada pela situação em que estava se metendo, Lola respondeu:

— Vou em busca de sexo, nada mais. Lá é fácil encontrar o alívio que procuro. E quanto a Dennis, sinto como se um ímã poderoso me levasse a ele, e tenho medo de...

— Lola... pense bem no que você vai fazer. Esse joguinho pode...

— Joguinho? Que joguinho?

Ao ouvir uma voz, as duas se calaram, olharam para trás e encontraram Diana, a avó, que, observando-as com os olhos de gata cor de ametista e o lenço verde com moedinhas prateadas em volta da cabeça, perguntou:

— Do que minha inglesa e minha irlandesa estão falando?

Lola e Priscilla se entreolharam e sorriram. Diana sempre as havia chamado assim. Enquanto Lola permanecia calada, Priscilla exclamou, gesticulando:

— Feliz aniversário, vovó!

— Feliz aniversário, vovó! — repetiu a irmã.

Diana cravou os olhos impactantes nelas e, sorrindo, murmurou:

— Obrigada, meus amores. — E curiosa pela cara da neta Lola, perguntou: — De que joguinho estavam falando?

Ao ouvi-la, Lola rapidamente se agachou para ficar à altura da avó e murmurou:

— Não seja fofoqueira, vovó. Era uma conversa entre mim e Priscilla.

A mulher assentiu, observou as jovens e, vendo que não iam dizer nada, sussurrou, olhando para Lola:

— Ah, irlandesa, você e seus segredinhos.

Rindo, Lola pegou a sacola de frutas que Diana carregava, enquanto a velha dizia:

— Vamos... vamos entrar. Daqui a dez minutos vem uma mulher para eu ler a bola de cristal, preciso deixar tudo preparado.

As duas irmãs sorriram e a seguiram. O hall cheirava a especiarias. Ao entrar na casa, Diana perguntou:

— Como está minha Elora maravilhosa?

As garotas gostavam do fato de a avó se preocupar com ela. Elora e Diana se adoravam, apesar dos problemas que Colin criara.

— Está bem, vovó — respondeu Priscilla.

A velha assentiu. Ia duas vezes por semana à clínica. Disse:

— Semana passada, quando fui vê-la, achei-a muito magra.

Lola sorriu. Dando-lhe um beijo, afirmou:

— Vovó, fique tranquila, ela está bem.

Diana suspirou. Nunca entenderia as adversidades que a maldita vida dava às boas pessoas. Não queria mais falar do assunto, então disse:

— Vão para a sala. Vou retocar a maquiagem. Já volto.

As irmãs obedeceram. Ao entrar, Priscilla sussurrou:

— Pelo menos desta vez ela não perguntou: "Como está a namorada sorridente do seu pai?".

— Eu ouvi, inglesa — disse Diana. — E não perguntei porque imagino que ande sorridente como sempre.

As duas irmãs riram. Então, Priscilla apontou para o fundo da sala, onde Diana mantinha a bola de cristal coberta com veludo preto em cima de uma mesinha.

— Nossa, eu já vim aqui milhares de vezes, mas essa bendita bolinha me chama tanto a atenção... — murmurou.

Lola sorriu. Ela adorava tudo aquilo. Ao ver que a irmã se aproximava da mesa onde estava a bola, advertiu:

— Não toque nela. Só vovó pode tocá-la, senão, perderá os poderes.

Nesse instante, ouviram a campainha da casa. Diana apareceu colocando um lenço vermelho com moedinhas douradas em volta da cabeça. Olhou para elas e disse:

— Agora, caladinhas.

Instantes depois, abriu a porta da rua e entrou uma mulher alta, que, por seu jeito de vestir, parecia rica. Dirigiu-se a Diana e disse:

— Você vale seu peso em ouro. Várias das coisas que previu aconteceram!

— É que eu sou boa demais — afirmou Diana com segurança.

As duas jovens assentiram. Então, ela disse, indicando-as:

— Minhas netas.

A mulher as cumprimentou. Sabia quem eram. E, olhando para Lola, sussurrou:

— Sua avó me disse que você também possui certos poderes.

Lola sorriu. Poderes, poderes, não tinha.

— Sangue espanhol, inglês e irlandês — declarou Diana. — Minha menina não pode fugir de seu dom.

Lola deu de ombros. A avó dizia sempre a mesma coisa.

— Se ela está dizendo... — replicou.

A mulher sorriu, feliz. E, sabendo onde tinha que se sentar, acomodou-se em uma cadeira em frente à mesinha. Lola e Priscilla dirigiram-se ao corredor. Tinham que desaparecer da sala durante a sessão para não interromper.

Sem olhar para elas, Diana fechou as cortinas da janela e a sala deixou de estar banhada pela luz do sol, ficando iluminada por uma vela que ela acendeu. A seguir, tirou o telefone da tomada e, por último, cortou a eletricidade, para que nada interferisse na conexão entre ela e a bola de cristal.

— Ela faz toda a *mise-en-scène* — murmurou Priscilla.

— Sshhh... Cale-se — sussurrou Lola.

Como sempre que lia a bola, Diana realizava certos rituais antes. Pegou um incenso e disse, fitando a mulher que a observava curiosa:

— O incenso purifica a sala antes de começarmos.

A seguir, ela retirou o veludo preto que cobria a bola e, tocando-a, perguntou à mulher:

— Diga, Kathleen, o que quer saber?

Assim que ouviu isso, Lola pegou o braço da irmã e, juntas, entraram na cozinha. Esperariam ali até que a avó terminasse.

Quarenta minutos depois, as jovens ouviram a porta da rua se fechar. Ao sair da cozinha, encontraram Diana sentada ainda no escuro, mas com a bola de cristal de novo coberta.

Aproximaram-se. A avó, indicando um baralho aberto sobre a mesa, disse, olhando para Priscilla:

— Escolha três cartas e entregue-as para mim.

Priscilla sorriu e fez o que ela pedia. Pegando-as, Diana virou as duas e disse, colocando-as sobre a mesa:

— Você está confusa e não vê um palmo diante do nariz. — Virando a última carta, acrescentou: — Mas no dia em que der o primeiro passinho, tudo vai dar certo, porque você vai querer viver e curtir a vida com o homem que aparecerá em sua vida.

Priscilla deu de ombros. Lola deu-lhe um tapa, brincando, e ouviu a avó dizer:

— Irlandesa, agora você, pegue três cartas e entregue-as a mim.

Assim como segundos antes havia feito a irmã, ela pegou as cartas. Virando duas delas, Diana as dispôs sobre a mesa e disse:

— Problemas.

Lola sorriu. Apoiando o peso do corpo no outro pé, murmurou:

— Pelo amor de Deus, vovó. E sabe se esses problemas serão pessoais ou profissionais?

Diana olhou para a neta. Levantando a terceira carta, afirmou:

— O feitiço de um homem vai mudar sua vida. E, lamento dizer, querida, mas esse homem romântico não é o Justin. Acorde!

Lola franziu o cenho. Se a avó o qualificava como "romântico", também não era quem ela imaginava. De modo que protestou antes que Diana começasse a dar suas indiretas:

— Vovó... não comece!

Levantando-se, Diana abriu as cortinas para que o sol entrasse pela janela e replicou em um tom mais jovial:

— Eu não começo, querida. As cartas disseram.

Priscilla, que havia permanecido calada ao lado de Lola, sussurrou, quando a avó se dirigiu ao interruptor para ligar a luz:

— Ora, ora, vovó atira para matar.

— Feche o bico!

— Acha que devo escolher a depilação... brasileira?

Lola olhou para a irmã e sussurrou:

— Feche essa boquinha, inglesa, só falta a vovó te ouvir. E, sim, você devia fazer a depilação brasileira, mas na língua.

Priscilla soltou uma gargalhada.

Meia hora depois, as três comiam as delícias que Diana havia preparado quando tocou o celular da velha. Ela atendeu, e então exclamou:

— Oh, meu lindo *highlander*, muito obrigada!

Ao ouvi-la, Lola e Priscilla perguntaram rapidamente:

— É Daryl?

A mulher assentiu e, ao ver as intenções das duas, replicou:

— Meninas, depois eu passo o telefone, mas agora o irmão ligou para me dar parabéns. Esperem a vez de vocês.

Lola sorriu. A avó continuou falando com Daryl, e Priscilla, pondo-se ao lado da irmã, murmurou:

— Acho que Diana sabe mais do que diz sobre seu relacionamento com Justin.

— Não diga bobagens! — sussurrou Lola, olhando para ela.

Porém, ela também suspeitava disso. Apesar de a velha se dar bem com Justin, ela sempre soltava indiretas que a faziam duvidar.

— Você acha que o homem romântico pode ser Dennis? — insistiu Priscilla.

Lola negou com a cabeça. Recordando algo que ele lhe havia dito, afirmou:

— Ele não é romântico.
— E como você sabe com tanta certeza?
Lola sorriu e, cochichando, disse:
— Porque ele sempre diz que é prático, não romântico.
Um tempo depois, quando a avó e Priscilla já haviam falado com Daryl, foi a vez de Lola, que o cumprimentou, feliz:
— Olá, piloto.
Ele sorriu. Adorava as irmãs, as duas.
— Comandante — respondeu ele. — Sou comandante, irlandesa.
Então, Daryl perguntou como estava Priscilla depois do que havia acontecido com o marido. Lola respondeu disfarçadamente, pois não queria que a irmã notasse que estavam falando dela. Quando Daryl começou a soltar os cachorros contra Conrad, ela sussurrou:
— Já chega.
Ele concordou. Priscilla sempre havia se deixado manipular pelo pai.
— Só espero que desta vez ela pense em si e mande o idiota do Conrad passear — sussurrou Lola.
— Onde você está que faz tanto barulho?
Daryl olhou ao redor. Os amigos estavam na piscina.
— Estou na casa de Dylan Ferrasa. Hoje é aniversário da mulher dele e ela está comemorando com amigos e a família — respondeu ele.
Sabendo quem eram e onde estava o irmão, Lola sorriu e perguntou, surpresa:
— Você está na casa de Yanira, a cantora?
Enquanto dava uma piscadinha para a linda morena com quem havia passado a noite, Daryl afirmou:
— Sim, irmãzinha, sim...
— Meu Deus... você tem que me apresentar. Adoro a música dela.
— Ela e o marido também querem conhecer você — afirmou ele. — Desde que lhes disse que tenho uma irmã que é professora de salsa, você nem imagina a vontade deles de conhecê-la!
Ambos riram. Então, ele perguntou:
— Como está mamãe? E não diga "bem", como Priscilla. Diga a verdade.
Lola suspirou. Falar da mãe era sempre complicado.
— A situação é delicada, Daryl. Mas ela come bem e já não fica brava quando tem que ir ao pátio tomar um pouco de ar. É verdade, acredite. Ela está bem; magrinha, mas bem. E mesmo que não nos reconheça, você sabe, os médicos disseram que nossas visitas fazem bem para ela.

Ele concordou. Sentia na alma a doença da mãe. Lola, que sabia disso, perguntou, mudando de assunto:

— Foi comer hambúrguer naquele lugar em Los Angeles de que lhe falei?

Daryl sorriu.

— Sim. E posso dizer que não comi só um hambúrguer excelente...

Lola soltou uma gargalhada. O irmão, fitando a morena que caminhava diante dele se exibindo com um incrível triquíni amarelo, murmurou:

— Tenho que desligar, irmãzinha. Há uma preciosidade aqui me olhando com vontade de me levar para a piscina e ter minha atenção.

Lola sorriu. O irmão fazia sucesso com as mulheres. Baixando a voz, sussurrou:

— Daryl, você já tem quase trinta e dois anos. Quando vai sossegar?

Brincalhão, ele deu uma piscadinha para a morena e respondeu:

— Talvez um dia, irmãzinha...

— Duvido. Do jeito que é exigente com as mulheres, acho difícil.

— Também não peço tanto — brincou ele.

Dessa vez, quem soltou uma gargalhada foi Lola. Balançando a cabeça, afirmou:

— Não, imagine!

Dez minutos depois, enquanto a irmã e a avó estavam conversando, Lola olhou as cartas que Diana havia deixado sobre a mesa e, sem saber por quê, pensou no homem dos olhos fascinantes e sorriu. Depois, viu as sacolas com os presentes que haviam levado para a aniversariante e, esquecendo tudo, exclamou:

— Vovó, agora é hora de abrir os presentes!

Capítulo 14

Chegou novembro e, apesar da atração que sentiam um pelo outro, Dennis e Lola evitavam se olhar para seguir com suas vidas. Mas, às vezes, a gentileza de Justin para com o brasileiro dificultava as coisas.

Durante esse tempo, Lola ia sendo testemunha de como o marido criava uma amizade com o brasileiro. Uma amizade que com certeza Dennis não estava encarando da mesma maneira. Isso a deixava inquieta. O que aconteceria se Justin se equivocasse e desse um passo em falso?

Por sua vez, depois da noite em que havia saído com o casal e acabara na cama de Bruna, Dennis decidiu mudar de atitude em relação a Lola. Quando a via pelo colégio já não a provocava. Resolvera manter distância, apesar de todos os dias, na hora do almoço, Justin se sentar com ele à mesa, e depois chegar sua mulher.

Justin parecia um bom sujeito. Como não queria fazer aos outros o que não gostaria que lhe fizessem, Dennis suprimira por completo as olhadinhas para Lola. Mas a verdade é que isso lhe custava horrores.

Depois da noite que havia passado com Dennis, Bruna relaxara e deixara o brasileiro em paz, e ele foi grato por isso. Porém, sabendo o que havia acontecido entre eles, Shonda também queria sua parte do bolo. Mas Dennis sorria e não dava bola. O trabalho era importante, e não queria confusão.

Certa tarde, depois de terminar a aula, Dennis ficou na sala corrigindo uns exercícios. Normalmente, ele costumava ir embora do colégio junto com as crianças, mas nessa tarde queria acabar o trabalho para ir para casa, tomar um banho e relaxar.

Durante uma hora se dedicou a isso e, quando acabou, sorriu e guardou os exercícios na gaveta da mesa. Recolheu os pertences e, ao sair da classe, encontrou o diretor. Acelerou o passo e o chamou:

— Diretor Simmons, tem um segundo?

Colin assentiu e, juntos, foram até a sala dele. Uma vez ali, sentaram-se. O diretor perguntou:

— Pois não?

Deixando em cima da mesa a pasta que carregava, Dennis disse:

— Quero lhe pedir permissão para fazer umas mudanças em minhas aulas de matemática.

— Mudanças? O que quer dizer, professor Alves?

— Há alguns anos venho notando que, quando o aluno encontra alguma conexão com o professor e deixa de vê-lo como o torturador que manda dever de casa e só fala de números e fórmulas, tudo funciona melhor.

Colin pestanejou. Dennis continuou:

— Nos dois últimos anos que estive no colégio de Munique, uma vez por semana eu trocava minha aula de matemática por outra atividade.

— Outra atividade?

— Sim — afirmou Dennis. — Talvez o que estou propondo pareça uma loucura, pois o senhor gosta que o colégio continue sendo regido por normas estritas, mas garanto que funciona. Trata-se apenas de trocar uma aula por semana de minha matéria por um bate-papo com os alunos, um filme a que possamos assistir juntos em sala de aula, ou...

— Nem pensar! — protestou Colin. — Essas coisas já são feitas durante as atividades extraescolares.

— Desculpe, mas o senhor está muito equivocado — corrigiu Dennis. — O fato de o aluno poder relaxar conosco faz com que seu nível de confiança seja maior e, então, durante as aulas, quando não entende algo, ele consegue perguntar. Pense nisso, diretor, é...

— Não — repetiu Colin, levantando a voz.

Mas Dennis, que não aceitava um não porque não, insistiu, levantando a voz também:

— Permita que eu lhe mostre no trimestre que vem. Se vir que os resultados não são bons, se meus alunos forem mal nas provas, pode me mandar embora! Mas permita-me provar que há outras formas de chegar às crianças e conseguir bons resultados.

Colin o observava sério. Nenhum dos professores jamais havia se atrevido a levantar a voz para ele. Limpando a garganta, apoiou as mãos na mesa e disse:

— Tudo bem. Tente no próximo trimestre. Se algum professor perguntar, diremos que é um novo projeto. Se eu vir que não funciona, não o mandarei embora, mas o experimento acabará, entendido?

Dennis assentiu. E, sorrindo, disse, enquanto se levantava da cadeira:
— O senhor não vai se arrepender!

Quando o brasileiro saiu da sala, inexplicavelmente, Colin sorriu. Gostava de Dennis e da paixão que ele punha no trabalho.

Contente, o brasileiro caminhava para a saída da escola quando o som de uma música doce, procedente do andar de baixo, chamou sua atenção. Com passo decidido, seguiu o som e, quando chegou diante de uma porta entreaberta, o coração acelerou.

Ali estava Lola, vestindo um *collant* preto em uma sala cercada de espelhos, sorrindo para umas meninas pequenas. Semiescondido, observou-a se despedir delas com um lindo sorriso e dizer:

— Amélie, lembre que o braço na segunda posição deve ficar curvado diante de você, levemente à frente de sua cabeça.

— Assim, prô?

Sorrindo, Lola olhou a pequena, que fez um movimento gracioso. Então, murmurou, passando a mão no rosto da menina com carinho:

— Muito bem! Muito... muito bem. Até amanhã, Amélie.

Quando a menina saiu com as colegas pela outra porta, Lola se virou, olhou-se no espelho e ajeitou o cabelo com rapidez. Dennis gostou de vê-la nesse momento íntimo. Sorrindo, observou-a prender a linda cabeleira com grampos enquanto dizia:

— Vamos... vamos, meninas. Não percam tempo.

De imediato, a sala se encheu de mocinhas. De onde estava, Dennis viu que havia duas jovens de sua classe. Então, uma delas disse:

— Professora, podemos fazer a dança que fizemos no último dia de aula para ver se lembramos?

Lola sorriu. Adorava recordar essas coisas com as alunas. Então, caminhou até um aparelho de som, procurou entre os CDs e, quando encontrou o que queria, anunciou:

— Muito bem, mocinhas. Em suas posições.

Quando as garotas já estavam posicionadas, começou a tocar a "Dança húngara nº 5"[*], de Brahms, e as meninas começaram a dançar junto com a professora.

De onde estava, Dennis observava boquiaberto Lola dançar entre aquelas mocinhas, com uma graciosidade que o deixou arrepiado. Não importava o que dançasse, aquela mulher era pura sensualidade. O rosto,

---

[*] "Dança húngara nº 5", Johannes Brahms; Digital Natives, 2011. (N.E.)

as mãos, o olhar... tudo era perfeito. E, gostando ou não de reconhecer, Lola o excitava. Ele a adorava. Ela o atraía demais e ele desejava ser parte de suas fantasias sexuais.

Sem sair do lugar, Dennis continuou contemplando-a. Quando a música acabou e todas aplaudiram, Lola sorriu. Olhando para as meninas, disse:

— Vocês foram ótimas, mas, agora, vamos começar a aula.

Com a boca seca, sentindo-se um intruso olhando pela fresta da porta, o brasileiro decidiu ir. Se o vissem ali espiando poderiam pensar algo que não era. E, sem olhar para trás, foi embora.

Capítulo 15

Quando Dennis falou com os alunos e propôs que durante o trimestre seguinte trocassem uma aula de matemática por um filme ou um bate-papo uma vez por semana, todos aplaudiram.

O que o professor estava propondo era genial. Enquanto os meninos conversavam animados sobre o assunto, as meninas suspiravam olhando para o lindo professor.

Os dias se passaram, e Lola e Dennis continuavam tentando não se aproximar um do outro. Porém, quanto mais tentavam, mais se encontravam casualmente. E os dois fugiam de imediato, pois não queriam problemas.

Certa tarde, quando ele saía da escola, ouviu alguém o chamar. Ao se virar, encontrou Justin, que, se aproximando, perguntou:

— Como foi seu dia?

— Bom — Dennis sorriu. — Dei uma prova surpresa, e acho que peguei os alunos despreparados.

Ambos riram. Então, Justin disse:

— Colin comentou comigo o que você propôs fazer em suas aulas.

Dennis assentiu.

— Você também acha uma loucura?

Justin balançou a cabeça.

— Para ser sincero, sim. Não sei o que pode mudar na relação entre os alunos e você por verem um filme juntos e comentarem-no.

Dennis inclinou cabeça, travesso, e afirmou:

— Você se surpreenderia com os bons resultados que isso dá.

— Bem... você é a cobaia. Se com você funcionar, talvez os demais professores se atrevam ano que vem.

Ambos riram. Então, Justin perguntou:

— Está com pressa?

— Não. Hoje não tenho aula.

— Vamos tomar uma cerveja. Por minha conta.

Eles saíram andando e, de repente, Dennis perguntou:

— E sua mulher?

— Hoje ela dá aula de salsa na escola de dança. — E, recordando algo mais, Justin sorriu e disse: — E quando acabar, ela tem que ir a outro lugar.

No bar, pediram uma rodada de cervejas; depois, uma segunda. De repente, Justin olhou nos olhos de Dennis e disse:

— Sei que o que vou lhe perguntar é uma indiscrição, mas você sai com seus amigos por Londres para se divertir?

Entendendo o que Justin queria dizer, Dennis simplesmente afirmou:

— Claro que sim. Tenho amigos excelentes para sair.

— E aonde vocês vão?

O brasileiro tomou um gole da bebida e respondeu, sem dar mais informação do que queria:

— Eu não saberia dizer. Eles é que conhecem a cidade e me levam a bons restaurantes e bares.

Justin assentiu. Pousando a mão na coxa do brasileiro, disse:

— Se um dia quiser se divertir muito... não hesite em me dizer. Sei aonde levá-lo para que sua noite seja prazerosa e única.

Dennis entendeu de imediato do que ele estava falando. Mas, olhando para a mão do outro em sua coxa, questionou:

— Quando você diz prazerosa... quer dizer o quê?

Justin sorriu. Sabia que aquilo atrairia a atenção de Dennis. Respondeu, baixando a voz:

— Sexo ardente.

O brasileiro acenou com a cabeça e, ao ver que a mão do outro continuava em sua perna, esclareceu:

— Gosto de sexo, mas só com mulheres.

Justin retirou a mão rapidamente, e Dennis concluiu:

— Mesmo assim, obrigado pelo convite.

O outro praguejou em silêncio. Estava mais que claro que conseguir o brasileiro seria complicado. Mas não queria jogar a toalha, então sorriu e continuou falando de Londres e de locais pitorescos.

Naquela noite, quando Lola acabou a aula de salsa, tomou uma chuveirada rápida na escola e se vestiu, mas não pôs roupa de baixo. Aonde ia, quanto menos roupa usasse, melhor. Antes de sair, olhou a mensagem no celular:

Keira, Hotel Tugal, às sete. Quarto 523.
Lola respondeu simplesmente:
Sim.
Saiu da escola despedindo-se dos alunos. Entrou em um táxi e deu o endereço ao motorista. Sabia perfeitamente onde ficava o Hotel Tugal.

Quando o carro parou, vinte minutos depois, Lola pagou, desceu e se dirigiu a um pequeno hotel. Lá, o recepcionista olhou para ela. Sem dizer nada, foi direto para o elevador. Apertou com segurança o botão do quinto andar e, uma vez lá em cima, caminhou até o quarto 523. Como sempre, Beckett havia deixado a porta entreaberta. Sem hesitar, Lola entrou no quarto, onde logo viu um homem de meia-idade sentado, bebendo um uísque.

— Olá, Beckett.

— Olá, Keira — cumprimentou ele.

Lola deixou a bolsa. Na cama, havia uma peruca verde, parecida com a sua, e uma calcinha minúscula prateada.

Sem falar, diante do olhar do homem, ela se despiu, pôs a calcinha e a peruca. Depois, procurou uma música no celular. Quando começou a tocar "Animals"*, do Maroon 5, anunciou:

— Beckett, hoje eu é que vou brincar com você.

Ele sorriu. Levantou-se, tirou a calça e a cueca e, depois de colocar um preservativo em sua mais que dura ereção, esperou.

Sem dizer nada, Lola o sentou em uma cadeira e montou nele. Então, pegou-lhe o pênis duro, colocou-o na entrada da vagina molhada, afastando para o lado a calcinha, e, lentamente, se deixou cair sobre ele, proporcionando a ambos um grande prazer.

Um suspiro saiu de sua boca. Segurando-se no pescoço dele, começou a mexer os quadris, enquanto o homem chupava seus mamilos e a segurava pela cintura para ajudá-la a se movimentar.

Prazer frio... Prazer vulgar... Prazer impessoal...

De olhos fechados, Lola se permitiu pensar em Dennis, imaginar que era ele quem a cravava sobre o corpo, e não o homem que na realidade tinha diante de si. Soltar a fantasia a excitou, e, em busca de nada além do próprio prazer, ela acelerou os movimentos, deixando o sujeito louco, arfando debaixo dela enquanto dizia:

---

* "Animals", Adam Levine, Benjamin Levin, Shellback; Universal Music Spain, 2014. (N.E.)

— Assim... mexa assim, Keira... assim.

Trêmula com aquilo que sua imaginação estava conseguindo, ela acelerou os movimentos, enquanto Beckett, animado, entrava e saía sem parar, abrindo-a ainda mais e dando-lhe um imenso prazer. Durante aproximadamente duas horas Lola usufruiu do sexo, primeiro na cadeira, depois na cama e, uma última vez, de costas no sofá.

Em seus encontros em hotéis nos dias quinze e trinta de cada mês, havia mais de seis anos, nunca houvera beijos sensuais, nunca houvera doces carícias nem mimos. Ambos buscavam sexo. Só sexo, sem perguntas nem compromissos.

Às dez da noite, quando Lola entrou em um táxi, deixou-se cair no encosto do banco. Estava esgotada. O sexo havia sido bom. Ao chegar em casa, viu Justin falando ao telefone e, pelo tom, soube que era com Henry.

Cansada, sentou-se ao seu lado e, aconchegando-se nele, escutou como falava e ria, curtindo a conversa. Passados dez minutos, em um tom íntimo de voz, Justin se despediu do amigo e, quando desligou, disse:

— Henry mandou beijos.

Lola sorriu. Dando uma piscadinha, Justin perguntou:

— Como foi com Beckett?

— Bom — respondeu ela. — Nada mau.

Alegre, Justin balançou a cabeça. Deu-lhe um beijo no rosto e disse, levantando-se:

— Deixei um sanduíche de peru com ovo e alface na geladeira. Vou para a cama. Como você ouviu, combinei com Henry de fazer sexo pelo Skype. Até amanhã, pequena.

— Até amanhã.

Uma vez a sós, Lola foi para a cozinha. Pegou o sanduíche que o marido havia preparado para ela, suspirou e, dando uma mordida, recusou-se a pensar em algo mais.

Capítulo 16

A clínica onde Elora estava internada era um lugar agradável. Quando chegara o momento, Lola, Daryl e Priscilla haviam procurado sem descanso um lugar que não se parecesse em nada com um hospital. Queriam o melhor para a mãe e, quando encontraram a clínica Robinson, tão cheia de luz e de alegria, não pensaram duas vezes e a internaram lá.

Visitá-la significava sempre um choque de emoções. Daryl ia vê-la quando voltava de viagem, mas ficava de coração partido quando via o estado em que a mãe se encontrava. Mais de uma vez saíra de lá com lágrimas nos olhos pelo desespero causado por ela não o haver reconhecido.

Diana, avó de Lola, também ia visitá-la duas vezes por semana. Elora e ela haviam formado uma boa dupla para que Lola se sentisse uma menina querida por todos. E isso Diana não esquecera. Assim ia à clínica e se sentava ao lado daquela mulher que tanto amor havia dado à neta e lhe fazia companhia.

Certa tarde, quando Lola e Priscilla chegaram para ver a mãe, encontraram-na conversando com um dos auxiliares e comendo uns biscoitos. Elora adorava biscoitos de laranja.

Ao vê-las, o jovem se levantou e as cumprimentou com um sorriso:

— Boa tarde.

Priscilla deu um beijo na mãe. Lola, olhando para ele, retribuiu o cumprimento:

— Olá, Aidan. Como está a mamãe hoje?

Ele, um jovem de cabelo castanho e um belo sorriso, observou Priscilla, que abraçava a mãe, e respondeu:

— Contente e falante.

Priscilla sorriu. Observando a mulher que comia biscoitos, comentou:

— Ora, mamãe... hoje você está feliz.

A mulher parou de comer, olhou para a filha e, levando as mãos ao cabelo dela, tirou-lhe a presilha. Quando o cabelo louro de Priscilla caiu sobre os ombros, ela o tocou e disse:

— Você fica muito mais bonita assim.

Lola sorriu. Aidan, que as observava, afirmou:

— Você tem razão, Elora. Está muito mais bonita assim.

Priscilla, sorrindo, não prendeu o cabelo. Deixou que a mãe o tocasse e curtiu o momento de contato com ela. Durante um tempo, ela, Lola e Aidan falaram sobre o estado de saúde de Elora, enquanto esta voltava a comer biscoitos de laranja e olhava ao redor.

— Se ela come bem, por que perde peso? — quis saber Priscilla.

Aidan, que entendia a pergunta, desejoso de ficar ao lado daquela mulher inalcançável que o deixava bobo, respondeu:

— Segundo os estudos médicos, a perda de peso pode ter relação com a atrofia do lobo temporal. Isso gera um estresse que a faz emagrecer.

Lola suspirou. E, ao ver o sofrimento da irmã, ia dizer algo quando Elora se antecipou:

— Lola...

Ao ouvir seu nome, Lola olhou para a mãe. Sentindo o coração quase sair do peito, ela se levantou da cadeira, ajoelhou-se diante de Elora e murmurou:

— Mamãe... Olá, mamãe...

Priscilla imediatamente se colocou ao lado da irmã e sussurrou:

— Olá, mamãe.

— Priscilla... — murmurou a mulher.

Durante alguns segundos, Elora olhou para elas como se as reconhecesse. Elas, emocionadas, sorriam, pegando-lhe as mãos. Nenhuma delas disse nada. Nenhuma delas queria quebrar aquele momento mágico que havia se repetido em outras ocasiões, mas que, do jeito que chegava, desaparecia. Então, Lola começou a entoar uma canção que a mãe sempre havia adorado. Era um hit do repertório de Marvin Gaye, chamado "Ain't no mountain high enough"[*], e, rapidamente, Priscilla a acompanhou.

Com um olhar doce, Elora observava enquanto as filhas cantavam a canção, até que sua expressão mudou e, olhando para a frente, perguntou:

---

[*] "Ain't no mountain high enough", Nick Ashford, Valerie Simpson; Motown Records, 1967. (N.E.)

— Onde está meu irmão, Jesse? Se mamãe souber que ele fugiu de novo, vai castigá-lo.

Com tristeza, as meninas pararam de cantar e se levantaram do chão. Quando se sentaram nas cadeiras, Aidan olhou para elas e, compreendendo sua frustração, não falou nada, limitando-se a lhes dar tempo.

Aqueles momentos eram especiais para os familiares, mas também dolorosos. Ter diante deles pessoas que amavam e que não os reconheciam por causa daquela maldita doença não devia ser fácil. Então, dirigiu-se a uma mesa onde havia limonada e serviu dois copos. Aproximou-se delas e, entregando-os, disse:

— Bebam. Vai lhes fazer bem.

Ambas pegaram os copos. Lola, ignorando o rapaz, olhou para a irmã e perguntou:

— Você está bem?

Priscilla assentiu e, tentando sorrir, murmurou:

— Como disseram os médicos, temos que nos alegrar, porque esses instantes são um presente para nós.

Engolindo o nó de emoções que sentia depois do ocorrido, Lola abraçou a irmã. E enquanto olhava para a mãe, que continuava comendo biscoitos de laranja, afirmou:

— Exato. É um lindo presente de mamãe.

Duas horas depois, quando Lola e Priscilla saíam da clínica de mãos dadas, Aidan as observava de uma janela. Seu dia se alegrava cada vez que Priscilla ia ver a mãe, e se tornava escuro quando ela partia. Depois disso, ele só pensava na próxima vez que ela voltaria.

Capítulo 17

Lola e Dennis continuavam evitando se olhar quando se cruzavam pelo colégio. Até que certa tarde, assim que os alunos do brasileiro saíram pela porta, ele recolheu suas coisas e, atraído como um ímã pela mulher de cabelo vermelho, foi direto para o lugar onde sabia que ela possivelmente estaria.

No andar inferior tudo estava muito tranquilo. Mas, conforme se aproximava da sala onde ela dava aula, Dennis começou a ouvir a canção de Ed Sheeran, "Thinking out loud"*, e, quando se aproximou, viu Lola dançando sozinha diante dos espelhos da sala.

Lola saltava, dançava, rodopiava pelo chão e tornava a se levantar com uma desenvoltura e uma delicadeza que deixaram Dennis excitado de novo. Senti-la unida de corpo e alma à canção o fez ver sua fragilidade e delicadeza. Incapaz de tirar os olhos dela, seguiu-a em todos os movimentos, até que, de repente, em um dos giros ela parou e, fitando-o, disse:

— O que faz aqui?

Antes que ele pudesse responder, Lola já havia ido até o aparelho de som, desligado a linda canção e, caminhando para ele, disse:

— Eu fiz uma pergunta: o que faz aqui?

Ao ver a irritação dela, Dennis levantou os braços.

— Só estava olhando você dançar. Por que está assim?

Lola fechou os olhos. Os dias não estavam sendo nada fáceis com o brasileiro por perto, ainda mais ouvindo o marido falar o tempo todo nele. Mas, quando ia dizer algo, ele a interrompeu:

— Acho que precisamos conversar... Keira.

Ao ouvir esse nome, ela praguejou:

— Vá à merda com Keira...

---

* "Thinking out loud", Amy Wadge, Ed Sheeran; Atlantic Records, 2014. (N.E.)

Dennis tinha vontade de sorrir, mas, sem mexer um músculo, disse:

— Odeio que mintam para mim. Não suporto que as pessoas enganem os outros, e abomino...

Não pôde dizer mais nada. Lola o pegou pela mão, o fez entrar na sala e, depois de fechar a porta, murmurou:

— Tudo bem... Eu menti dizendo que me chamava Keira, mas o que você queria?

— Como assim, o que eu queria? Por acaso eu menti em relação ao meu nome?

Lola pensou.

— Não. Você não mentiu.

Olharam-se em silêncio, enquanto a respiração dos dois acelerava inexplicavelmente.

Embora não se mexessem nem se tocassem, a tensão que existia entre eles era evidente. E quando Lola se rendeu e se aproximou mais dele, Dennis deu um passo para trás.

— Não — disse ele. — Você é casada.

— O quê?!

Inclinando a cabeça, Dennis explicou:

— Seu marido é um bom sujeito. É a pessoa que mais está me ajudando a me integrar neste colégio, e, sinto muito, mas eu não jogo sujo com casais.

Lola assentiu. Entendia perfeitamente o que ele estava dizendo. Então, dando um passo para trás, disse com segurança:

— Você tem razão. Justin é um bom sujeito.

— Posso ser sincero com você a respeito de um assunto bastante indiscreto?

Sem saber sobre o que ele falava, Lola assentiu. Dennis baixou a voz e disse:

— Gosto do Justin. Acho que ele é muito gente boa, e, claro, minha relação com ele não vai mudar. Espero que esta conversa fique entre nós, mas, outro dia, ele fez uma coisa que me deu o que pensar...

— O que ele fez? — perguntou Lola, com um fio de voz.

Aproximando-se mais, o brasileiro prosseguiu:

— Ele me disse que quando quisesse me divertir, ele conhecia lugares especiais para um bom sexo. E percebi em seu olhar e no jeito como pousou a mão em minha perna algo que eu não havia visto até então.

— O que quer dizer com isso? — perguntou Lola, agitada.

— Você sabe muito bem o que quero dizer — declarou ele, sem levantar a voz.

Acalorada e assustada, ela não sabia o que responder. Ele perguntou:

— Seu marido gosta de homens?

Então, Lola o olhou boquiaberta e, negando com a cabeça, grunhiu:

— Que bobagem você está dizendo? — E, agitando-se, acrescentou: — Não sei o que o idiota do meu marido fez outro dia, mas você está enganado. — E, tentando mudar de assunto, disse: — Não gosto desse jogo sujo.

Como não queria enfiar mais o dedo na ferida, Dennis simplesmente replicou:

— Eu não jogo sujo! Seu marido sabe o que aconteceu entre nós?

Sem vontade de ser sincera, Lola respondeu:

— Não.

— E isso não é jogar sujo? — protestou ele, franzindo o cenho.

Lola o fitou. Teria adorado contar-lhe a verdade sobre o casamento, mas não podia. Não devia. Justin não merecia. Então, no fim, dando de ombros, respondeu:

— Você tem razão. É jogar sujo. — E, dando meia-volta, murmurou: — E agora, por favor, saia da minha sala.

Dennis a observou, surpreso. Havia algo em seu olhar que o deixava desconcertado. Então, caminhou até ela, pegou-lhe a mão e, quando ela se voltou, perguntou:

— Qual é o problema, Lola? Ou prefere que a chame de Keira?

Ela sorriu com tristeza. Controlando a vontade que tinha de beijar aqueles lábios tentadores, replicou friamente:

— Me chame de Lola. Só uso Keira quando sou infiel.

Dennis sentiu uma pontada no coração diante da sinceridade descarada dela. Sem dizer mais nada, soltou-a, virou-se e saiu, deixando Lola aturdida olhando para a porta.

O brasileiro se afastou com pressa. Doeu ouvi-la dizer aquilo. E, inexplicavelmente, a dor havia atingido seu coração.

Uma vez a sós na sala de aula, Lola caminhou para a barra e se olhou no espelho. Os olhos estavam encharcados, mas ela respirou fundo e, ao conseguir segurar as lágrimas, suspirou.

Quando notou que controlava o corpo de novo, agachou-se. Bem no momento em que a porta da sala se abria de novo e se fechava bruscamente em seguida. Sério, calado, Dennis deixou em cima de uma mesa os livros que carregava, caminhou até ela e, levantando-a do chão, beijou-a.

Sentou Lola sobre a barra de madeira e, sem lhe dar tempo de respirar, enfiou a língua em sua boca e a beijou como havia semanas imaginava, ansiava.

A intensidade do beijo foi aumentando a cada segundo. A língua de Dennis afundava em Lola com tal posse que a deixou louca.

Interrompiam os beijos o tempo todo, pois, além de precisarem respirar, sabiam que aquele não era o melhor lugar para aquilo: qualquer um poderia abrir a porta e vê-los. Mas isso parecia não importar muito para eles, até que a risada de uma menina os devolveu à realidade.

Com cuidado, Dennis deixou Lola no chão. Sem salto, só com as sapatilhas de balé, ela parecia pequena, indefesa. Sem entender o que acontecia com ele só de olhar para ela, Dennis murmurou:

— Odeio o que estou fazendo, mas a desejo. Só ver você quando nos cruzamos pelo colégio não é o suficiente, estou ficando louco.

Lola não se mexeu. Não podia. Os lábios ainda queimavam pelos beijos ardentes recebidos.

— Não sei se tenho mais raiva de você por saber que é casada ou se pelo jeito como desapareceu de minha vida — prosseguiu ele —, mas o que sei é que preciso falar com você fora das paredes deste colégio.

— Lamento. Eu...

— Não — interrompeu ele, passando um dedo pelos lábios dela com doçura. — Aqui não.

Afastou-se dela, caminhou até a mesa onde havia deixado os livros e, tirando uma caneta do bolso da camisa, anotou algo em um papel.

Enfiou-o no livro que Lola costumava carregar e, olhando para ela, disse:

— Meu telefone e o endereço da minha casa. Estarei lá se quiser conversar.

Então, virou-se e saiu, deixando-a sozinha na sala observando a porta com ar desolado.

Quando ela conseguiu se mexer, foi até onde estava o livro. Abriu-o e, pegando o papel que Dennis havia deixado, leu o endereço e hesitou. Devia ir ou não?

Capítulo 18

Quando as aulas de balé de Lola no colégio acabaram, ela olhou inquieta para o relógio. Sabia que Justin não estava em casa. Tinha ido jantar com Colin e dois professores, como faziam uma vez por semana.

Depois de trocar de roupa e vestir um jeans e uma camiseta, saiu do colégio sem saber o que fazer. Uma parte de seu corpo gritava que fosse ao endereço de Dennis, mas outra lhe pedia que fosse racional e agisse com serenidade.

Titubeou enquanto caminhava até o ponto de ônibus e prendia o cabelo ruivo em um rabo de cavalo alto. Quando o ônibus chegou, deixou-o passar. Não conseguia se mexer. Então, levantando a mão, parou um táxi e, depois de dar o endereço ao motorista, gravou o telefone de Dennis no celular e suspirou.

Quando chegou ao destino, Lola hesitou. Sabia que entrar no edifício poderia complicar tudo. Como não estava a fim de pensar mais, entrou e subiu os degraus até chegar diante da porta dele.

O som de Stevie Wonder invadiu seus ouvidos. Como um robô, ela pousou o dedo na campainha e apertou. Dois segundos depois, Dennis abria a porta vestindo uma camisa branca aberta e uma calça preta.

Olhou-a com um sorriso agradável e declarou:

— Achei que você não viria.

Sem dizer nada, Lola entrou no apartamento e o ouviu fechar a porta. Não se mexeu. Esperou que Dennis a abraçasse, que fizesse algo. Mas, passados alguns segundos, como não sentia as mãos dele ao redor do corpo, voltou-se e disse:

— Não quero falar de Justin.

— Eu também não, mas é inevitável.

A tensão era palpável. Então, começaram os acordes de uma canção de Stevie Wonder que Lola adorava. Era "Ribbon in the sky"*.
— Linda canção — murmurou.
Dennis assentiu. Tirou o chiclete da boca, jogou-o em um cinzeiro e desligou o aparelho de som. Lola perguntou, surpresa:
— Por que tirou a música?
O brasileiro balançou, mas recordando o conselho de Eric, respondeu:
— Porque guardo a música de que eu gosto para escutar com alguém especial.
Isso fez Lola sorrir. Olhando-o ironicamente, insistiu:
— Eu sou especial.
Dennis sorriu também.
Derretia-se diante do sorriso daquela mulher. Ligou de novo o aparelho de som e a canção recomeçou a tocar. Durante alguns segundos ambos se olharam com intensidade, até que ele não aguentou mais e, arriscando, murmurou:
— Tire a roupa.
A voz dele...
O olhar...
A canção...
Tudo isso, somado ao desejo que Lola sentia por aquele homem, não lhe permitiu hesitar.
Soltou no chão a grande bolsa que tinha no ombro e, sem afastar o olhar dele, primeiro tirou o casaco, depois se livrou do moletom vermelho e, deixando o celular em cima da mesinha em frente ao sofá, tirou também as botas e a calça. Em seguida, de lingerie, sentindo a boca seca, pediu:
— Agora você. Tire a roupa.
Dennis sorriu. Aquilo ia ser um duelo de titãs.
Mas, enfeitiçado por ela...
Pela música...
Pelo momento...
Dennis tirou a camisa, que caiu no chão, e a calça, ficando somente de cueca azul.
— Quero que saiba que... — começou a murmurar.
Mas Lola se aproximou de Dennis, pôs a mão sobre a boca dele para que se calasse e sussurrou, desejando carinho:
— Agora, dance comigo, só isso.

---

* "Ribbon in the sky", Stevie Wonder; Tamla/Motown, 1982. (N.E.)

E, sem mais, Dennis a abraçou. Aproximou-a de si e aspirou o aroma de seu cabelo, de sua pele. Quase sem sair do lugar, dançaram juntos aquela canção incrível, lenta e sensual. Os corpos, ansiando a proximidade um do outro, encaixavam-se. Os dois tinham consciência de que essa intimidade complicaria tudo ainda mais.

Assim ficaram durante os minutos que durou a canção romântica. Quando acabou, Dennis pegou Lola no colo e ela enroscou as pernas na cintura dele. Ele mergulhou os dedos no cabelo dela, soltou o rabo de cavalo e disse:

— Vou levar você para o quarto.

Carregando-a no colo, Dennis caminhou até o quarto. Ao chegar, quando Lola viu a cama linda e romântica, com dossel, disse, sorrindo:

— Nunca imaginei você dormindo em uma cama assim.

Dennis não respondeu. Não podia. Aquela mulher o cativava totalmente. Sem dúvida, se nesse momento ela houvesse pedido que ele se jogasse pela janela, ele teria se jogado! O que estava acontecendo com ele?

Tentando controlar a situação, como sempre fazia quando estava com uma mulher, ele abriu o sutiã de Lola com maestria e, no momento em que a peça caiu no chão, deitou-a na cama e pediu, com a voz rouca:

— Me conte suas fantasias.

Lola sorriu.

— O que você quer saber?

Enfeitiçado pelo cheiro maravilhoso que ela exalava, o brasileiro passou a boca pelo pescoço de Lola e murmurou:

— Tudo... Eu quero saber tudo. Vamos, me conte suas fantasias.

Tão excitada quanto ele, Lola começou a falar sobre suas fantasias sexuais, até que ele, interrompendo-a, perguntou:

— Com vários homens?

— Sim.

Sem entender nada, Dennis tornou a perguntar:

— E seu marido, sabendo disso, por que não realizou essa fantasia com você?

Ao ouvi-lo mencionar Justin, o clima se quebrou para Lola. Percebendo, ele continuou beijando-a.

— Tudo bem... tudo bem... — murmurou. — Desculpe.

Ardendo de desejo, ela o beijou. Devorou-o, deixou-o louco com as carícias. Quando Dennis notou que ia gozar sem sequer ter começado, parou para relaxar e sugeriu:

— Quer que eu coloque outra música?
— Sim.

Tentando reorganizar as ideias, o brasileiro se levantou da cama e foi até o aparelho de som. Nervoso como um menino, olhou os vários CDs, mas não conseguia escolher. Estava confuso, até que Lola, da cama, sem saber o que ele estava pensando, pediu:

— Coloque algo especial.

Dennis sorriu. Não querendo demonstrar a atração que sentia por ela, brincou:

— E você dizia que não era romântica...

Lola sorriu também, mas não disse nada. Não precisava.

Em casa, não fazia sexo com Justin e, quando fazia com os homens que conhecia, o que menos a preocupava era a trilha sonora. Para não o contrariar, afirmou:

— Sou prática, e música, seja para o momento que for, sempre é uma boa companhia.

De repente, os primeiros acordes começaram a tocar. Lola, ao reconhecer a canção, perguntou:

— Por que essa?

Dennis caminhou até ela, ciente da atração sexual que despertava. Agachando-se para aproximar a boca da de Lola, murmurou:

— Porque é especial.

Lola saboreou aqueles lábios tentadores e sorriu, enquanto escutava a voz de Michael Bublé entoando "You don't know me". Sem dúvida, era uma canção especial para ambos.

Ao ver a expressão dela, Dennis sorriu também. Seguro do que dizia, sussurrou:

— Não esqueça: música é só música e, como você acabou de dizer, é uma companhia maravilhosa para qualquer momento.

Ela assentiu. Esticou o pescoço para beijá-lo e tomar as rédeas da situação, como no dia em que o atacara no banheiro do aeroporto. Mas ele não a deixou. Segurou as mãos dela e sussurrou:

— Deixe comigo.

Acostumada a quase sempre comandar o show em busca da própria satisfação, Lola olhou-o nos olhos e murmurou com sensualidade:

— Tudo bem.

Então, Dennis começou a beijar o pescoço dela, e Lola se entregou a ele.

Os beijos ardentes, as carícias e o momento sem pressa a deixavam louca.

O brasileiro foi descendo lentamente com os beijos até chegar aos seios, onde, com cuidado, deleitou-se enfiando os mamilos duros em sua boca quente para chupá-los e sugá-los até arrancar de Lola um gemido de prazer.

Com os olhos fechados, ela enlouquecia enquanto curtia a combinação de música, sexo e Dennis, ciente de quanto sua vida sexual era um desastre. Nunca havia carícias, não havia mimos, não havia carinhos nem pausas para olhar nos olhos como fazia com ele. Em sua vida sexual só havia transas rápidas e impessoais para se aliviar – nada a ver com o que Dennis estava fazendo nem com o que a fazia sentir.

Sem falar, enquanto os beijos dele continuavam descendo por seu corpo, Lola arfou. Aquilo era delicioso...

Aquilo era espetacular...

Com carinho, lentidão e complacência, o brasileiro beijou-lhe a face interna das coxas até que lhe tirou a calcinha, sem que ela notasse. Quando ele se levantou para tirar a cueca, Lola se apoiou nos cotovelos, excitada, para contemplá-lo. Cravou o olhar na dura ereção que se erguia poderosa diante dela. Então, Dennis, assolado por mil sentimentos desconhecidos, pegou a mão dela e pousou-a sobre o pau ereto.

— Veja o que você faz comigo — murmurou ele.

Com tranquilidade, Lola o tocou lentamente. Acariciou a ereção potente e apetitosa com vontade. Sentia-se arrepiar inteira com aquela pele sedosa. Quando sentiu que o coração ia sair do peito, sussurrou:

— Você nem imagina o que você faz comigo.

Dennis sorriu. Gostava do descaramento dela. Olhando para ela, pediu:

— Deite-se e abra as pernas para mim.

"Sua voz... Oh, Deus, sua voz..."

Lola fez o que ele pedia. Sentia as pernas tremerem ao se expor daquela forma para ele.

Uma coisa era o que havia acontecido aquele dia no aeroporto de Madri, algo rápido e conciso; outra era o que estava acontecendo naquele instante.

Curtindo o momento e o tremor de excitação dela, Dennis se acomodou na cama, tornou a beijar a face interna das coxas de Lola e, ao ver como ela se abria para ele, ergueu o olhar e murmurou:

— Você tem uma flexibilidade incrível.

Lola sorriu e suspirou, manhosa:

— Sou professora de balé, o que você esperava?

Encantado com os movimentos das pernas dela, o brasileiro continuou curtindo durante um bom tempo, até que perguntou:

— Você disse que frequenta casas de troca de casais?

— Sim.

Então, Dennis sentiu uma pontada desconhecida no peito. Cravando os olhos nela, perguntou, enquanto rastejava por seu corpo:

— Você acha que seu marido iria querer que ele, você e eu brincássemos com...

Ao ouvir isso, Lola não o deixou terminar. Fitando-o, cortou-o:

— Não. Agora estamos só você e eu, e não quero falar dele.

O brasileiro cada vez entendia menos. Se Lola e o marido eram um casal liberal, um casal que curtia swing, por que não podia tocar no assunto? Mas, decidido a curtir o momento com ela, aceitou fazer o que ela pedia. Sussurrou com carinho:

— Eu adoraria que outro homem a oferecesse a mim para depois eu a oferecer a ele. O que acha?

— Excitante — gemeu Lola.

Adorando ver o efeito que as palavras provocavam nela, Dennis prosseguiu. Michael começou a cantar "Dream a little dream of me"*.

— Nua em meus braços, eu abriria suas coxas delicadas para ele. E quando eu a mostrasse, você ficaria molhada de desejo ao ver o olhar dele, e eu a abriria e o convidaria a entrar em você, enquanto eu...

Ao ouvir isso, Lola soltou um gemido descontrolado de prazer. O que ele propunha era ardente, excitante, interessante e maluco. O que ela fazia quando ia à procura de sexo não passava de escolher um homem, entrar em um quarto reservado com ele e jogar o próprio jogo. Nunca havia feito sexo em grupo. Nunca se atrevera. O máximo que fazia era ir a esses bares, divertir-se com um homem e, depois, voltar para casa e deixar a mente voar, pensando no que havia visto e no que imaginava quando lia livros eróticos.

Pensar em Dennis e outro homem que não fosse Justin excitou-a. Sem imaginar o que passava pela cabeça dela, ele sorriu ao ver sua reação. Desceu de novo rastejando pelo corpo dela até chegar ao sexo úmido. Beijou-lhe o monte de Vênus com delicadeza, passou os braços ao redor das coxas para abri-las e murmurou, tomando de novo as rédeas:

---

* "Dream a little dream of me", Fabian Andre, Gus Kahn, Wilbur Schwandt; WEA, 2010. (N.E.)

— Assim... assim eu abriria suas coxas para o outro homem.

Ouvir o que Dennis dizia e sentir o ar que ele exalava se chocar contra seu sexo úmido fez Lola vibrar. Enquanto Dennis continuava lhe fazendo propostas indecentes e beijando os lábios da sua vagina, ela fechou os olhos e curtiu.

De pernas abertas, deixou-se levar enquanto ele falava de coisas imensamente excitantes, para depois beijá-la, chupá-la e mordiscá-la.

Entregue ao prazer, quando o moreno lhe abriu os lábios vaginais com delicadeza para chegar ao clitóris e sugá-lo, Lola se agarrou nos lençóis e arqueou o corpo.

Enlouquecido diante da reação dela, Dennis continuou. Chupava, sugava, lambia... enquanto as mãos abriam as coxas daquela mulher que o deixava louco, ela se entregava a ele, possuída pelo desejo, pelo tesão, pelo momento.

Lola estava molhada, excitada.

Descontrolada, gemia, suspirava, arfava, remexia-se na cama, ciente de que os olhos escuros dele viam tudo. E ela murmurava enquanto escutava a voz de Michael Bublé cantando "The way you look tonight"[*].

— Não pare... Oh, Deus... Não pare.

Adorando, Dennis não parou. Ao contrário, acelerou os movimentos em volta do clitóris e, então, Lola segurou a cabeça dele com as mãos, afundou os dedos no cabelo preto e, pressionando para que não parasse, pediu, excitada, a ponto de gozar:

— Aí... Deus, isso...

O cheiro do sexo de Lola...

Sua entrega total...

E sua voz...

Fizeram Dennis enlouquecer tanto ou mais que ela. Quando o orgasmo a fez gritar e se contorcer na cama, ele se levantou e, pondo um preservativo com um sorriso de satisfação por ter lhe provocado tanto prazer, guiou o pau duro até a abertura molhada e, roçando-o nela, perguntou:

— Quer que eu ponha aqui?

Lola assentiu, ansiosa, desejosa e sedenta de sexo. Pousando as mãos na bunda dura dele, deu-lhe um tapa. Enlouquecido pela reação dela, o brasileiro afundou completamente. Os dois tremiam e gritavam de prazer.

---

[*] "The way you look tonight", Dorothy Fields, Jerome Kern; Reprise Records, 2003. (N.E.)

Entrar no corpo de Lola sem parar era prazeroso, apetitoso, passional, mas Dennis se deteve, pegou-a nos braços, levantou-a da cama e, levando-a até um móvel que havia em frente à cama, sentou-a sobre ele, olhou-a e murmurou, enquanto afundava nela sem parar:

— Quero ver seu rosto lindo enquanto a possuo.

Lola estava quase explodindo por causa do calor. Era a experiência mais incrível que já havia tido na vida. Nada a ver com o sexo que costumava praticar. Então Dennis, sem descanso, tornou a penetrá-la. Ela arfou em busca de ar enquanto ele sussurrava:

— Diga que gosta assim... Diga.

Lola assentiu. Pela cara de prazer que Dennis fazia enquanto cravava o pênis dentro dela, ela soube quanto necessitava dela. Ela murmurou, pronta para dizer o que ele quisesse:

— Gosto... Gosto muito.

O suor escorria pelo corpo dos dois, mas não se importavam. Curtindo como nunca, Dennis se deixou levar. Seu lado selvagem e animal aflorou como poucas vezes na vida enquanto ele afundava nela repetidamente. Sentiu prazer... Luxúria... Gozo...

Lola era deliciosa, ardente, interessante, apaixonada, intrigante.

As bocas se encontravam constantemente, as línguas brincavam a cada nova investida certeira e poderosa dele. Curtiam com satisfação... Desejo... Fascínio.

Dennis de vez em quando sussurrava palavras em português que Lola não entendia, mas, pelo jeito como a olhava quando as pronunciava, imaginava o significado. E sentiu-se excitada... Estimulada... Incitada...

Assim ficaram vários minutos, mergulhados em uma bolha de prazer na qual não existia ninguém além deles. Até que um incrível orgasmo tomou conta de Lola.

Ao sentir a vagina molhada se contrair, sugando-o, Dennis arfou, exaltado, enquanto ela se contorcia em seus braços tomada por convulsões de prazer. Contemplar-lhe rosto e sentir o gosto dela enquanto ela gemia foi a coisa mais erótica e sensual que Dennis já havia feito. E, afundando nela com força e volúpia, sentiu que ia chegar ao clímax. Não aguentava nem mais um segundo e se deixou levar. Sua respiração ofegante somada aos gritos de prazer dela encheram o quarto por completo.

Passados alguns segundos, ambos ficaram quietos. Respiravam com dificuldade apoiados no móvel. Dennis pousou a testa sobre a de Lola e, sem sair de dentro dela, murmurou de forma lenta e pausada, em português:

— Delícia. Adoro sentir seu cheiro, sua boca, seu corpo... Você é uma delícia.

Lola sorriu e ficou arrepiada. Recordava aquilo da outra vez que haviam estado juntos. Sem se separar dele, murmurou:

— Repita o que você disse.

Dennis a olhou nos olhos e repetiu:

— Delícia. Adoro sentir seu cheiro, sua boca, seu corpo... Você é uma delícia.

Tonta pelo que sentia ao ouvir aquela frase pronunciada de maneira tão sensual, Lola perguntou:

— O que significa?

Rindo, Dennis a puxou mais para perto e traduziu para o inglês.

— Uauuuu... Adorei — suspirou ela com um fio de voz.

Mas, então, percebeu que o lado romântico estava prestes a explodir, de modo que mudou o tom e murmurou:

— É muito excitante ouvi-lo falar em português.

Achando graça, ele a deixou no chão bem no momento em que o aparelho de som mudava de CD e Robbie Williams começava a cantar "Lola"*.

— Olha... — brincou ele — você tem uma música...

Ela sorriu. Cantarolando na frente dele, disse, dançando:

— Robbie fez essa versão dos Kinks para mim.

Riram. E, então, o brasileiro perguntou, encantado por vê-la dançar:

— Quantos anos você tem?

— Trinta e dois. Mas não é muito cavalheiro perguntar a idade de uma mulher.

Dennis voltou a sorrir e, antes que ela perguntasse, anunciou:

— Trinta e cinco.

Abruptamente, jogou-a sobre os ombros. E, quando ela gritou, rindo, ele disse, enquanto caminhavam para o banheiro:

— Lololololola... nós merecemos uma chuveirada.

Mas o banho se eternizou. Eram insaciáveis. A fome que sentiam um pelo outro os fazia esquecer o mundo.

Uma hora depois, com o corpo momentaneamente saciado, Lola saiu do quarto vestindo apenas a camisa branca dele. O que acontecera havia sido incrível, mágico!

---

* "Lola", Ray Davies; Reprise, 1970; Universal Distribution, 2007. (N.E.)

Chegou à sala de jantar e, de repente, ouviu um barulho que chamou sua atenção: era uma mensagem na secretária eletrônica que dizia em alemão:

— Olá, bonitão, é Jud. Eric me disse que falou com você há uns dias e está tudo bem. Fico muito feliz! A propósito, você tem que vir a Munique no Natal. Não se atreva a ficar aí sozinho tendo a gente aqui, entendeu? Nem preciso dizer que vai ficar aqui em casa, certo? Um beijão. Me liga para dizer o que pretende fazer. Beijinhos de Eric, meus e das crianças.

Quando a voz da mulher parou de falar, Lola olhou para Dennis, que esclareceu:

— É uma grande amiga de Munique, preocupada que eu passe as festas de fim de ano sozinho.

Lola assentiu. De fato, parecia simpática, mas não pretendia perguntar mais. Dirigiu-se com um sorriso ao aparelho de som para dar uma olhada nos CDs.

— Ponha o que quiser — disse Dennis.

Lola se animou. Pegando um que conhecia, selecionou a faixa que queria, apertou play e começou a tocar "Ain't no mountain high enough". Imediatamente ela se pôs a cantar e a dançar. E, vendo como ele a olhava, esclareceu:

— Minha mãe adora esta música. Bem, pelo menos adorava.

Sem saber realmente o que havia acontecido com a mãe da ruiva, o brasileiro perguntou:

— Como assim?

Lola olhou para ele e respondeu com pesar:

— Ela está internada em uma clínica porque tem Alzheimer avançado. Mas, outro dia, quando Priscilla e eu fomos vê-la, por alguns segundos, nos reconheceu. Disse nossos nomes, sabia quem éramos e cantamos para ela.

Dennis sentiu quanto aquilo doía em Lola ao notar a tristeza em seu olhar. Murmurou:

— Lamento. Não sabia que...

— Você não tinha como saber — interrompeu ela, e continuou cantando.

Durante vários segundos Dennis a escutou cantar triste.

— Você gosta de Marvin Gaye? — perguntou por fim.

— Claro! — Ela sorriu. — Quem não gosta de Marvin Gaye?

Recordando a conversa que havia tido com os amigos Eric e Björn em Munique, Dennis sorriu. Então, perguntou, indicando as bebidas que estava preparando:

— Prefere com limão?

Lola fez que sim com a cabeça. Sentando-se no sofá, esperou que ele acabasse. Quando o brasileiro se acomodou ao seu lado, ela pegou a bebida que ele lhe entregava, olhou-o nos olhos e murmurou:

— A cara está ótima.

Dennis soltou uma gargalhada.

— Eu queria fazer uma caipirinha para você, mas não tenho gelo.

— Você tem cachaça?

O brasileiro assentiu.

— Sempre que volto do Brasil, trago várias garrafas para fazer caipirinhas. Mas cachaça da boa.

Lola sorriu.

— Humm... Que delícia as caipirinhas que tomei no Brasil!

Adorando vê-la tão relaxada, ele disse:

— Pois nem lhe conto como são as minhas.

— Vou ter que provar — disse Lola, deixando-se levar.

Dennis a beijou, e ela aceitou com prazer o beijo abrasador.

Com Dennis tudo era sensual, quente, vivo... Ela queria mais. Tirou o copo dele, deixando os dois na mesinha, sentou-se em cima de Dennis e afundou os dedos no cabelo escuro dele.

— Brasil, você é ardente, quente, abrasador, louco... — disse. — E adoro tudo isso. Adoro muito.

Ele a fitou. Pensava o mesmo dela. Mas, antes que continuasse, murmurou:

— Temos que conversar.

Consciente disso, Lola sussurrou:

— Foi para isso que vim.

Ambos sorriram. Então, Dennis disse:

— Curiosa a maneira de conversar que eu e você temos...

Sentada sobre ele, Lola beijou-lhe o queixo e sussurrou:

— Curiosa e prazerosa.

Enfeitiçado por aquela mulher, Dennis fechou os braços ao redor da cintura de Lola. Olhando-a nos olhos, murmurou:

— Se ficar me olhando assim, eu...

Não pôde dizer mais nada. Nesse instante, o telefone de Lola tocou. Estava em cima da mesinha diante deles, e os dois viram o rosto de Justin na tela. Durante alguns segundos ficaram calados, até que Dennis disse:

— Atenda, é seu marido.

Então, ambos entenderam que o momento mágico havia acabado. Sem sair de cima de Dennis, Lola pegou o telefone:

— Olá, Justin.

— Olá, pequena — disse ele. — Por onde anda?

Sem poder afastar o olhar contrariado de Dennis, ela se apressou a responder:

— Fazendo uma massagem na Sira. Já está em casa?

Justin, que estava com o pai dela e uns amigos, respondeu:

— Não, liguei justamente para dizer que vou chegar um pouco mais tarde.

— Tudo bem. Não se preocupe — respondeu ela com a maior tranquilidade de que foi capaz. — Depois nos vemos em casa.

— Até mais, pequena — despediu-se Justin antes de desligar.

Quando Lola deixou o telefone em cima da mesa, Dennis a pôs de lado e se levantou. Foi desligar a música e disse:

— Isto não está certo. Não gosto desse jogo, sempre o evitei.

Lola sorriu. Se ele soubesse!

Levantando-se também, ela caminhou para ele. Deu-lhe um beijo nos lábios e sussurrou, querendo retomar a loucura por mais um tempo:

— Vai ser nosso segredo. Ninguém saberá que...

Dennis fechou os olhos. Não havia nada que quisesse mais que aquilo que ela propunha, mas, dando ouvidos a sua sensatez, negou com a cabeça.

— Não.

— Não, o quê?

Martirizado por causa do que ia dizer, ele respondeu:

— Isto não tornará a acontecer, a não ser que seu marido esteja de acordo.

As palavras dele tocaram o coração de Lola. Não queria que Justin soubesse o que havia entre eles, senão estragaria tudo.

Dennis, com uma cara nada agradável, acrescentou:

— Não gosto de mulheres infiéis.

Chateada diante do frio comentário dele, ela recolheu a roupa do chão e, sem dizer nada, entrou no quarto onde durante horas havia feito o melhor sexo de toda sua vida. Tirou a camisa de Dennis, jogou-a na cama e se vestiu.

Ele, por sua vez, amaldiçoava-se pelas palavras que havia dito.

Estava confuso. Claro que queria ficar com Lola de novo. Desejava-a, mas valeria mesmo a pena ser o terceiro e pôr em risco não só sua honestidade como homem, mas também seu emprego?

Estava pensando nisso quando Lola saiu do quarto apressada.

Sem olhar para ele, ela pegou a bolsa, o celular e o casaco. Quando ia abrir a porta, a mão de Dennis a segurou. Mas, furiosa, ela sibilou:

— Solte-me.
— Lola... escute.

Com uma força inesperada, conseguiu se livrar da mão de Dennis.

— Não, gato, escute você. Acabamos de fazer sexo quente, muito quente, e dessa vez você sabia que eu era casada. Que história é essa que não gosta de mulheres infiéis?

Dennis bufou. Ela tinha toda a razão. Mas Lola prosseguiu:

— Não estou procurando amor. Não estou procurando um relacionamento. Só quero sexo e fantasia, como você. Ambos somos práticos, esqueceu? O que deu em você?

Ao ouvir isso, Dennis reagiu.

— O que me deu foi que você me fez ignorar minha regra número um e não estou feliz por ter feito isso. Sou daqueles que acham que não devemos fazer com os outros o que não queremos que façam com a gente.

— Caralho, Brasil... Não me venha agora com moralismo — disse ela, irônica.

Dennis não gostou de ver a ironia no rosto dela, mas Lola tinha razão. Ele a havia convidado para ir a sua casa e lhe pedira que se despisse. Ambos sabiam o que podia acontecer ali, e, de fato, aconteceu.

Então, aproximando-se dela, a encurralou contra a porta. Mas, quando foi beijá-la, ela virou o rosto e ameaçou:

— Nem se atreva, ou juro que arranco sua língua.
— Lola...
— Keira, para você. Sou uma maldita infiel.

Ao ouvir isso, Dennis deu um passo para trás com ar de reprovação.

— Muito bem.
— Muito bem, o quê?

Contendo toda a raiva que estava sentindo por causa da situação absurda, ele decidiu dar o assunto por encerrado. Sabendo a dor que suas palavras iam causar, declarou:

— Keira... você é muito boa na cama. E agora, se não quer mais nada, por favor, saia de minha casa.

Depois da tarde maravilhosa que haviam passado, doeu em Lola ouvir a frieza e a dureza das palavras dele. Segurando as lágrimas, deu meia-volta, abriu a porta e foi embora. Saiu correndo e, quando o ar frio da rua bateu em seu rosto, praguejou e murmurou para si mesma:

— Se chorar, Lola, não vou perdoá-la.

Nem uma lágrima saiu de seus olhos. Parou um táxi e deu o endereço de casa ao motorista. Ao chegar, entrou no quarto, despiu-se e tomou um banho. Depois, deitou-se e tentou dormir, mas não conseguiu. A lembrança de como aquele homem a havia beijado, tocado, olhado... não a deixou dormir.

E o mesmo aconteceu com Dennis.

Capítulo 19

A relação entre Dennis e Lola era tensa, mas, como dois perfeitos atores, diante de Justin e dos demais professores tratavam-se de modo cordial. Porém, quando ninguém os via, irritavam-se o máximo que podiam.

Não tornaram a ter nenhum encontro íntimo e, quando se viam a sós na sala dos professores, observavam-se com desconfiança até que um dos dois desaparecesse dali.

Chegou a época de Natal e o colégio entrou de férias. Mas, antes do recesso, Dennis propôs fazerem um jantar informal. Todos os professores aceitaram, e o brasileiro reservou o Community, o restaurante de Rosanna, mulher do amigo José. Depois de comer, poderiam comemorar com uma festinha.

Na noite do jantar, Justin, que estava sentado ao lado da esposa, ao ver o brasileiro brincar com a mulher do restaurante, murmurou:

— O professor Alves não perde tempo.

Lola olhou para onde o marido indicava. Sorrindo, respondeu:

— Ele é solteiro, pode fazer o que quiser.

Justin assentiu. E, aproximando a boca do ouvido da mulher, insistiu:

— Eu é que morro de vontade de fazer o que eu quiser com ele.

Lola o repreendeu com o olhar. Aquele não era lugar nem momento para falar dessas coisas. Voltando-se para Rose, começou a conversar com ela.

Os pratos servidos durante o jantar estavam deliciosos. E, quando José chegou e colocou música, todos se animaram. Queriam se divertir!

Na hora da sobremesa, ao ver o rumo que a celebração estava tomando, Colin disse a Rose quando Justin se levantou para brincar com os demais professores:

— Assim que acabarmos de jantar, vamos embora.

— Papai — replicou Priscilla —, qual é a pressa?

— Isso mesmo — insistiu Rose —, qual é a pressa, Colin?

— E você deveria ir para sua casa também, Priscilla — recriminou o pai, sem responder. — Se Conrad souber que está dançando como uma menina com outros homens, com certeza não vai gostar.

Ao ouvir isso e ver a cara da irmã, Lola interveio:

— Priscilla pode fazer o que quiser e, se o idiota do Conrad não gostar, ele que se dane.

— Lola! — protestou Rose.

— Que vulgaridade! — grunhiu o pai. — Que eu saiba, dei-lhe uma boa educação para que...

— Sim, papai, eu sei... para que eu seja uma moça comedida e de boa reputação, e sou. No entanto, quando você me provoca, lamento, mas a ordinária que há em mim vem à tona, quer você goste, quer não.

Horrorizado, Colin balançou a cabeça. Olhando para Rose, desconcertada, grunhiu:

— Que fracasso de filhos... Que fracasso!

— Colin, pelo amor de Deus, não diga isso das crianças! — censurou ela.

— Só faltava que um deles fosse homossexual — insistiu.

— Papai! — protestou Priscilla.

Ao ouvir o pai, Lola bebeu um gole de vinho e, fitando-o, recriminou-o:

— Papai, eu o amo, mas quando diz essas coisas desagradáveis, eu...

— Você — interrompeu ele —, uma fera desembestada. Priscilla, prestes a se divorciar, e de Daryl é melhor nem falar. Acha que é para ter orgulho de vocês?

Ao ouvir isso, Lola fechou os olhos e contou até vinte. O pai, como sempre, ia estragar o jantar. Mas, então, Rose disse:

— Fique feliz porque seus filhos o amam e pare de se preocupar com bobagens.

O diretor Simmons era um grande rabugento e não quis dar ouvidos ao que a companheira havia dito. Sibilou, indicando os professores, que bebiam e riam:

— Estou deslocado neste lugar, Rose. Quero ir embora.

Cansada de ouvi-lo, sem poder evitar, Lola interveio:

— Você está sempre deslocado, seja onde for.

Priscilla deu um pontapé na irmã por baixo da mesa. Aquilo, sim, havia sido desnecessário. Então, ao ver como o pai e a irmã se olhavam, comentou, para amenizar o ambiente:

— Meu Deus do céu, como o tempo passa... Parece que foi ontem que estávamos celebrando o outro jantar de Natal.

Dessa vez Lola não disse nada. Colin também não. Com o olhar, já haviam dito tudo.

De repente, o celular de Lola apitou. Uma mensagem:

Irlandesa, onde você está?

Vendo que era a avó, a jovem sorriu e rapidamente respondeu:

Em um jantar de Natal com os professores. Por quê?

Enviou a mensagem, ergueu o olhar e encontrou o de Dennis. O coração deu um pulo, mas disfarçou, sem saber que com o brasileiro havia acontecido a mesma coisa. O celular voltou a apitar e Lola leu:

Preciso falar com você.

Rapidamente ela digitou:

Aconteceu alguma coisa, vovó? Estou preocupada.

Depois de alguns segundos recebeu a resposta:

Calma. Nada importante. Mas quero vê-la.

Lola balançou a cabeça. Se a avó queria vê-la, veria. Então, respondeu:

Amanhã, assim que acordar, vou para sua casa.

Deixou o celular em cima da mesa. E, então, ele voltou a apitar. Lola leu:

Não. Vou aonde você está. Dê-me o endereço.

Sem hesitar, Lola deu o endereço. Diana respondeu:

Espere-me até eu chegar.

Surpresa, a jovem franziu o cenho. O que estaria acontecendo? Mas não queria se alarmar antes do tempo, de modo que continuou comendo a sobremesa enquanto ignorava os olhares furtivos de Dennis e conversava com a irmã.

Depois do jantar, Bruna subitamente se levantou e anunciou:

— Amigos, como já sabem, temos uma excelente dançarina no colégio, e não só de balé clássico. Mas quero que saibam que o professor Alves também dá aulas de dança e, quando os dois dançam salsa juntos, é incrível. Vamos deixar que eles nos deleitem com sua arte.

Lola queria se enfiar embaixo da mesa. Por que Bruna tinha que fazer aquilo? Enquanto isso, Dennis sorria e respondia às perguntas curiosas que todos lhe faziam.

Lola recusou. A última coisa que queria era dançar com o brasileiro. Mas Justin a incentivou:

— Vamos, pequena, ânimo!

Então, ela olhou para o pai. Colin, como sempre, estava com uma cara azeda. Negando com a cabeça, Lola respondeu:

— Não. Não é o lugar.

— Exato... Não é o lugar — enfatizou o pai com severidade.

Mas os professores continuaram ovacionando. Todos queriam vê-los dançar.

Dennis não se mexeu. Queria que ela decidisse. Mas, ao ver que ela não dava o primeiro passo, embora todos continuassem incentivando, levantou-se e, olhando para Rosanna, que sorria no balcão, pediu:

— Rosanna, dança salsa comigo?

A mulher enxugou rapidamente as mãos, saiu de trás do balcão e, dirigindo-se ao aparelho de som, colocou um CD. Quando começaram a soar os primeiros acordes de "No llores"*, na versão salsa da maravilhosa Gloria Estefan, Dennis sorriu. Aproximando-se dela, pegou-a pela mão e começou a se movimentar.

Os professores, felizes, começaram a ovacionar. Lola olhava para eles e tentava sorrir. A mulher dançava muito bem, e de Dennis era melhor nem falar. Estava observando-os quando Priscilla sussurrou:

— Por que não dança?

— Porque não estou a fim.

Priscilla sorriu e, olhando para a irmã, perguntou:

— Lola, não ligue para o papai. Desde quando você não está a fim de dançar?

Ela olhou para Priscilla e com os olhos disse tudo. Então, o brasileiro se aproximou, estendeu a mão e, ignorando o olhar sério do chefe e pai de Lola, disse:

— Isto é uma festa. Vamos, você está com vontade.

Ouvindo isso e olhando-o nos olhos, Lola não pôde dizer não. Assim, deixou de lado a raiva que sentia dele, tomou-lhe a mão e começou a dançar.

Dennis e Lola dançaram com maestria, mostrando que o sincronismo entre eles era fantástico. Entendiam-se só de se olhar. Sem dizer nada, ambos sabiam os movimentos que iam fazer. E Lola por fim sorriu. Adorando, mexia os quadris e ostentava a sensualidade. Todos os presentes os aplaudiram e também foram dançar. A primeira foi Priscilla.

---

* "No llores", Alberto Gaitán, Emilio Estefan Jr., Gloria Estefan, Ricardo Gaitán; Burgundy Records, 2007. (N.E.)

Lola e Dennis continuavam em um ritmo frenético. Comunicavam-se por meio de seus movimentos, olhares e sorrisos. Imediatamente, a música amansou aquelas duas feras que não haviam se falado durante os últimos dias. Todos ao redor dançavam. Então ele, abraçando-a para fazê-la girar entre os braços, murmurou no ouvido dela:

— Você é uma delícia.

Ouvir isso, dito de uma maneira tão sensual, fez o coração de Lola parar. Durante um décimo de segundo fechou os olhos para aspirar o perfume do brasileiro. Ele a fez girar, e ela continuou dançando. Preferiu continuar dançando a olhar para ele – se o fizesse, perderia o compasso e a pouca discrição que lhe restava.

Quando a canção acabou, afastaram-se. Dennis deu-lhe uma piscadinha e, sorrindo, começou a dançar com Shonda assim que iniciou a próxima música. Lola, desconcertada, virou-se e encontrou o olhar da avó, que estava parada perto da porta com o inseparável lenço de moedinhas douradas na cabeça.

Ao vê-la, a jovem sorriu e se aproximou. Abraçou-a, deu-lhe um beijo carinhoso e disse, enquanto os outros continuavam dançando:

— Vovó, que alegria vê-la. Quer beber alguma coisa?

Diana sorriu. Gostara de ver o que havia acabado de presenciar. A dança e o modo como a neta aspirava o perfume daquele homem, de olhos fechados, fizeram que Diana visse algo nela. Olhando para Justin, que se aproximava para cumprimentá-la, perguntou:

— Você não dança com minha neta?

Sorrindo e negando com a cabeça, ele respondeu:

— Diana, sou muito desajeitado para dançar.

A velha balançou a cabeça. Para ela, ele era algo pior que desajeitado, mas, quando ia responder, ouviu a voz autoritária de Colin, que dizia:

— Era só o que faltava. O que está fazendo aqui?

Ciente de que aquelas palavras se dirigiam a ela, Diana olhou para o homem e, ao ver sua expressão de desagrado, respondeu, irônica:

— Você, como sempre, tão sorridente! É a alma da festa!

— A senhora... — grunhiu ele.

Mas a velha, sem se importar com nada que ele pudesse dizer e disposta a provocá-lo o máximo possível, replicou:

— Vim ler as cartas para os presentes. Como sei que você adora, não podia perder a oportunidade.

Ouvindo isso, Lola sorriu, enquanto o pai sibilava, contrariado:

— Você não seria capaz...

Diana, que gostava de provocar aquele rabugento, ia responder quando Priscilla se aproximou, deu-lhe um beijo e exclamou:

— Vovó, mas que surpresa boa!

A mulher sorriu e, dirigindo-se às netas, disse:

— Tenho que falar com vocês.

Lola e Priscilla se entreolharam e, desculpando-se perante Colin e Justin, afastaram-se com Diana. Sentaram-se em outra mesa.

— Vovó, você disse que não era importante. O que está acontecendo? — perguntou Lola.

A mulher suspirou e respondeu:

— Sua mãe está em minha casa e quer vê-la.

Ao ouvir isso, Lola parou de sorrir. A relação com a mãe biológica era fria e complicada. Priscilla, que sabia disso, pegou a mão de Lola em sinal de apoio. Estava com ela.

Mas para Diana essa situação não era fácil. María era sua filha, sua única filha, e a amava, apesar de nunca terem sido próximas. E Lola era sua neta. Sua menina. A menina que precisara dela, que se deixara mimar e que agora fazia tudo por Diana. Ela não se parecia em nada com a mãe.

Sabendo como as duas deviam estar se sentindo, Priscilla ia dizer algo quando Lola, com voz grave, declarou:

— Vovó, eu já lhe disse da última vez que não quero saber dessa mulher.

— Essa mulher é sua mãe, e minha filha, irlandesa — repreendeu-a a avó.

— Ela lhe pediu dinheiro?

— Não.

— Vovó... não minta para mim.

Lola suspirou. Sabia quanto aquela situação magoava a mulher que a olhava com olhos tristes. Tentando ajudá-la para não dificultar as coisas, respondeu:

— Tudo bem. Amanhã de manhã vou a sua casa falar com ela. Mas só isso.

Diana sorriu. Isso era suficiente.

Sem soltar a mão da irmã, Priscilla afirmou:

— E eu vou com você.

Lola apertou-lhe a mão. Adorava a irmã.

As três estavam em silêncio quando Colin, irado por causa da presença daquela mulher no jantar, aproximou-se e resmungou:

— Posso saber o que está fazendo aqui? Este é o jantar dos meus professores, e a senhora não tem nada a ver com o colégio.

A mulher o fitou. Tinha sentimentos contraditórios em relação a ele. Era grata pela vida boa que ele havia dado a Lola, mas odiava sua frieza em certos momentos. Pegou a mão dele, virou-a, observou-lhe a palma durante alguns segundos e sussurrou:

— Mentiras. Está no caminho errado.

Ouvindo isso, Lola deu um passo à frente e explicou:

— Vovó veio me dizer que María está aqui.

Colin ficou rígido ao ouvir esse nome. Aquela mulher, com quem havia mantido encontros furtivos cada vez que aparecia em Londres, amargurou sua vida. Impassível, ele perguntou:

— E o que ela quer?

— Quer me ver.

Incapaz de se calar, Colin olhou para Diana e perguntou:

— Ela lhe pediu dinheiro?

Compreendendo por que ele fazia essa pergunta, ela baixou a voz e respondeu:

— Não.

O rosto implacável do homem se contraiu. Ele sibilou:

— Se sua filha pedir uma única libra, negue! Da última vez que esteve aqui, eu lhe dei o bastante para que nos deixasse viver em paz.

A firmeza das palavras fez com que todos se calassem. María era uma fonte de problemas.

Os quatro estavam em silêncio quando Rose se aproximou, acompanhada de uma das professoras do colégio.

— Diana, eu comentei com Catalina que você lê as cartas, e ela está interessada.

— Rose, faça o favor de... — protestou Colin.

Mas Rose, sem se deixar impressionar nem um pouco pelo tom de voz dele, interrompeu-o:

— Colin, isto aqui é uma festa e estamos aqui para nos divertir.

Priscilla e Lola sorriram. Às vezes, Rose era magnífica, como nessa ocasião. Vendo as netas sorrindo, Diana sentiu-se encorajada. Levantando-se, disse, enquanto abria a bolsa para pegar o baralho:

— Então, está decidido. Mas eu não trabalho de graça.

— Claro que não — disse Rose, vendo Colin se afastar.

Lola e Priscilla se levantaram, enquanto a avó brincava:

— Vejam só, a festinha vai me render um dinheiro extra.

As meninas sorriram, bem no momento em que Rose e Catalina se sentaram diante da velha, que começava a embaralhar as cartas.

Uma hora depois, Colin e Rose decidiram ir embora, e Justin se ofereceu para levá-los de carro. A festa prosseguia, e os presentes, animados e interessados em saber coisas do futuro, faziam fila na mesa de Diana.

Lola, que havia decidido esquecer a visita que tinha que fazer no dia seguinte, estava bebendo um drinque quando Dennis se aproximou e perguntou com ironia:

— Posso falar ou você vai cortar minha língua?

— Desde que não seja inconveniente e não me lembre o que aconteceu, pode falar.

Dennis não gostou da frieza dela, mas, como não estava a fim de se aborrecer, respondeu:

— Por mim, está esquecido.

Lola se magoou por ouvir isso. Mas, nesse instante, viu Justin voltando, e replicou:

— Eu nem me lembro.

Durante alguns segundos ambos ficaram em silêncio, até que Dennis disse:

— Pensei que você voltaria a bater em minha porta.

Lola olhou para ele e respondeu com ironia:

— Nem que você fosse o último homem da Terra.

Dennis ficou contrariado. As mulheres sempre voltavam a procurá-lo.

— Você se divertiu em minha cama — murmurou. — Não pode negar.

Lola o encarou. Morria de vontade de repetir, mas não queria lhe dar o gostinho, de modo que respondeu:

— Eu me diverti com você tanto quanto há poucos dias com outro amigo. Você é muito convencido, brasileiro!

Incomodado pelo ar de deboche com que ela o olhava, Dennis bufou. Mudando de assunto, perguntou:

— Essa é a avó bruxa de quem você me falou?

— Ela não é bruxa — esclareceu Lola.

Animado, ele tomou um gole de bebida e sussurrou:

— Pois com esses olhos e esse lenço de moedinhas na cabeça, parece.

Ouvindo isso, Lola não pôde evitar sorrir. Sem dúvida, ele tinha toda a razão. Como não estava a fim de demonstrar muito interesse, perguntou:

— Já decidiu onde vai passar o Natal?

O brasileiro assentiu:

— Depois de amanhã vou para a Alemanha.

Saber disso chateou Lola. Ele ficaria longe demais dela. Mas, disfarçando, respondeu:

— Não esqueça: respire tranquilamente ao decolar e ao aterrissar e tudo vai dar certo.

Dennis sorriu. A conexão que haviam sentido naquele dia ninguém poderia lhes tirar.

— Vou lembrar — afirmou ele.

Lola assentiu. Mas o coração acelerou e, sem poder conter as palavras, perguntou:

— Vai para a casa de Jud, aquela garota que ligou outro dia?

— Sim, vou passar o réveillon com a família dela. Nos outros dias programei de ver velhos conhecidos.

— Alguma velha conhecida especial?

Assim que disse isso, Lola se arrependeu, e ele respondeu em tom de deboche:

— Claro.

Lola não gostou da resposta, mas não disse nada. Estava bebendo cerveja quando a avó apareceu.

— Irlandesa — disse —, quem é este homem tão atraente?

— Vovó!!! — exclamou Lola.

Dennis e a mulher riram, e então ele, pegando a mão de Diana, beijou-a e respondeu, galante:

— Dennis Alves, professor do colégio onde sua neta trabalha, senhora. Imagino que a chame de irlandesa porque Lola se parece muito com a mãe de seu falecido marido, que descanse em paz, que era irlandesa. Estou enganado?

Lola o olhou, surpresa. Ele se lembrava daquilo? Feliz por ele saber de algo tão íntimo sobre a neta, Diana respondeu:

— Não está nem um pouquinho enganado, Dennis. — E, pegando-lhe a mão com total liberdade, acrescentou: — Venha. Você é o único que não passou por minha mesa.

— Vovó — Lola sorriu —, Dennis não gosta dessas coisas. É melhor que...

— Você não acredita nessas coisas? — perguntou Diana a Dennis.

O brasileiro baixou a voz e sussurrou:

— Não me leve a mal, senhora, mas não.

Ao ouvir isso, Diana sorriu. E, puxando-o, insistiu:

— Esses olhos fascinantes não dizem o mesmo.

E, sem deixá-lo acrescentar mais nada, não o soltou e continuou puxando-o.

— Tudo bem. Se tenho que ir, vamos lá! — cedeu Dennis.

Quando Priscilla viu a avó o levando pela mão, aproximou-se da irmã e perguntou:

— O que vovó está fazendo?

Lola, alarmada, largou a cerveja e foi atrás deles, respondendo:

— Não sei. Mas não confio nela.

Nesse instante, Shonda se aproximou de Priscilla e as duas começaram a dançar. Afinal, aquilo era uma festa!

Longe da agitação do grupo, Dennis se sentou em frente a Diana. Enquanto embaralhava as cartas, ela disse:

— É um prazer conhecê-lo, Dennis. Minha neta não havia me falado de você.

Deixou o maço em cima da mesa e pediu:

— Embaralhe quanto quiser.

Bem-humorado, ele pegou as cartas no momento em que Lola se aproximava e Diana, fitando-a, dizia:

— Sente-se e não atrapalhe. É a vez de Dennis.

Espantada com o comportamento da mulher, Lola se sentou, mas com o olhar demonstrou à avó como estava contrariada. A velha simplesmente sorriu.

Quando Dennis largou as cartas, Diana as pegou e começou a distribuí-las viradas para cima sobre a mesa, enquanto dizia:

— Você se faz de durão, mas não é. Sente falta da família e, acredite ou não, quer formar a sua própria para não ficar mais tão sozinho.

Dennis sorriu. Sem sombra de dúvida, nisso ela tinha razão. Alegre, sussurrou:

— A vida nos faz duros.

Diana assentiu. Depois de pôr mais duas cartas na mesa, perguntou:

— Quantos sobrinhos você tem?

— Nenhum.

— Pois vai ter. — E, cravando os belos olhos nos dele, que a enfeitiçavam, sussurrou: — Que olhos lindos você tem! Escuros como a noite.

Dennis sorriu de novo. Ela prosseguiu:

— Você vai se encontrar em uma encruzilhada, sem saber que rumo tomar. Esta carta me diz que você está seguindo um caminho do qual não gosta, que o desagrada. Mas esta outra me diz que não pode evitar, porque se sente atraído como um ímã.

Dessa vez, Dennis não respondeu. Nem sequer se mexeu quando a velha, pondo outro par de cartas na mesa, acrescentou:

— Intuo uma viagem, mas, por mais que viaje — disse, indicando uma carta —, a mulher que roubou seu coração o perseguirá. E o perseguirá porque, apesar de não lhe faltarem mulheres para aquecer a cama, você é desses que entregam o coração só uma vez. E devo dizer que já o entregou.

— Nossa, e eu sem saber de nada — brincou ele.

— Viu que neta mais linda eu tenho?

Dennis sorriu. E quando Lola ia protestar, ele disse, olhando para ela:

— Bonita e complicada.

Diana riu. Indicando outra carta, murmurou:

— Você é um homem de recursos, sabe resolver complicações.

Dennis riu de novo, e então Lola murmurou:

— Vovó, por...

— Pode se calar, querida? — interrompeu Diana. E, voltando o olhar para o brasileiro, perguntou: — Você pilota um bicho desses de duas rodas?

Ele assentiu. Baixando a voz, a mulher sussurrou:

— Você gosta de sexo, não é, rapaz?

— Vovó!!!! — protestou Lola, incrédula.

Sem poder evitar, Dennis soltou uma gargalhada.

— Sim, senhora — afirmou. — Gosto muito de sexo.

Diana balançou a cabeça, sorrindo, enquanto Lola, pasma, não podia acreditar no que a avó estava perguntando. Então, a mulher disse de repente:

— Vejo dor. Cuidado, que o vejo no hospital.

— Pelo amor de Deus, vovó, o que está dizendo?

A cada segundo mais animado pelas coisas que a mulher dizia e as reações de Lola, Dennis ia dizer algo quando Diana, deixando o resto das cartas em cima da mesa, comentou:

— Londres é bonita para se viver, não é?

— Sim. Maravilhosa.

— Você gosta de dar aulas no colégio em que trabalha?

— Claro — afirmou ele, sorrindo.

Diana suspirou. E, fitando-o, acrescentou:

— Pois as cartas me falam de uma mudança. Abra o olho, e não cometa erros.

A cara de Dennis era impagável. Lola protestou:

— Vovó, já chega! Acho que você está passando dos limites.

Recolhendo o baralho com maestria, Diana deu de ombros.

— Não sou eu, meu bem. As cartas estão dizendo.

Sem dar muita importância ao que a mulher havia dito, Dennis ia tirar a carteira da calça quando ela declarou:

— É por conta da casa, por você ter esses olhos tão fascinantes. Mas não conte aos outros.

O brasileiro sorriu. Levantando-se, deu-lhe uma piscadinha e murmurou, enquanto pegava a mão de Diana para beijá-la:

— Obrigado. Foi um prazer conhecê-la e ouvi-la, apesar das coisas que me disse.

Diana sorriu também e, segurando-lhe a mão, examinou a palma e murmurou:

— Apaixonado e protetor. Você vai ser um excelente marido e pai.

Dennis puxou a mão como se aquela mulher o queimasse e, sem olhar para Lola, foi para onde estavam dançando. Uma vez ali, fez um sinal a Rosanna e ela lhe levou uma cerveja. Estava precisando.

Diana se levantou, guardando no bolso da jaqueta as cartas e o dinheiro que ganhara aquela noite. Ao ver Dennis dançar, murmurou, dirigindo-se à neta:

— Esse homem é seu complemento.

— Vovó...

— Filha da minha vida, ele não é só lindo, é...

— Vovó — interrompeu Lola —, você está passando dos limites, e muito. Que barbaridades foram aquelas que disse a ele?

— Barbaridades não, irlandesa — esclareceu Diana. — Realidades.

Juntas, as duas caminharam até a porta do restaurante. Então, Diana olhou para Dennis, que sorria entre Justin e Bruna.

— Disputa pelo troféu — brincou.

Lola ia protestar quando a avó pôs um dedo sobre os lábios da neta e disse, baixando a voz:

— Nunca falamos disso, mas eu sei. As cartas me disseram no primeiro dia que o vi, e continuam dizendo quando as jogo e penso em você. Justin não é o que você necessita, meu bem. Ele é uma boa pessoa, um bom homem, mas você precisa de outra coisa. Precisa do homem de olhos fascinantes para se sentir viva e amada. Ouça o que eu digo, Lola, e acorde de uma vez por todas.

Apesar de a jovem intuir que a avó sabia mais do que parecia, ficou muito surpresa ao ouvi-la dizer assim, de supetão.

— Essa vadia está decidida a levá-lo para a cama hoje — grunhiu Diana ao ver Bruna dançar bem coladinha com Dennis. — Você vai permitir?

— Vovó... já deu.

A velha suspirou. Priscilla se juntou a elas e deu um beijo em Diana enquanto Lola parava um táxi na rua. Antes de a mulher entrar no carro, Lola prometeu:

— Às onze estarei em sua casa.

— Estaremos! — gritou Priscilla, um tanto alegrinha, enquanto voltava para dentro para continuar dançando.

Diana assentiu. E, antes de entrar no táxi, deu uma piscadinha para a neta Lola e disse:

— Olhos Fascinantes. É ele.

A jovem suspirou quando o carro arrancou. Nesse instante, a porta do restaurante se abriu e saiu Justin, acompanhado de Dennis e Bruna.

— Sua avó já foi? — perguntou Justin.

— Sim.

— Bruna e eu vamos indo — disse Dennis.

Cravando os olhos inquietantes em Lola, murmurou:

— Feliz Natal para vocês. Até a volta.

Petrificada, paralisada, pasma, Lola balançou a cabeça. Como assim, ia embora? Ia embora com Bruna? Por quê?

Nesse instante, Justin a pegou pela cintura. Quando ele ia responder, ela falou, apoiando a cabeça no ombro do marido:

— Igualmente. Feliz Natal.

Então, puxou o marido e entraram no restaurante. Uma vez ali dentro, ele a fitou e, no momento em que ia falar, o celular de Lola tocou. Ela o pegou rapidamente e disse, depois de digitar algo:

— Beckett, para confirmar o dia trinta. Eu disse que sim.

Justin sorriu. A festa continuou, embora, sem dúvida, para Lola houvesse terminado.

Capítulo 20

Lola não acordou de muito bom humor.

Recordar aonde tinha que ir naquela manhã, pensar em Dennis saindo do restaurante com Bruna e nas coisas que a avó lhe havia dito na noite anterior a fizeram praguejar. Murmurou, olhando para o teto:

— Minha vida é uma merda! Uma merda com todas as letras.

Sentia o estômago revirar ao lembrar-se de Dennis indo embora em companhia de Bruna e imaginar onde haviam acabado a noite.

Depois de tomar o café da manhã, dirigiu-se à sala. Olhou vários CDs, encontrou o que buscava e pôs "You don't know me", de Michael Bublé, a todo volume. Então, sentou-se no sofá, fechou os olhos e, a fim de se torturar, pensou nele.

Poucos segundos depois, Justin entrou na sala e abaixou a música.

— Está surda? — perguntou.

Ao ter aquele momento tão mágico interrompido, Lola suspirou e contou-lhe o que tinha que fazer naquela manhã.

— Quer que eu a acompanhe? — perguntou ele.

— Não — disse Lola de forma brusca.

Mas, ao ver como Justin olhava para ela, acrescentou, adoçando a voz:

— Priscilla ficou de ir comigo. Você sabe como ela é protetora.

Ele assentiu. Conhecia bem o amor que as irmãs tinham uma pela outra. Deu um beijo casto no rosto de Lola e perguntou:

— Então, vai almoçar com ela, não é?

— Sim.

Justin sorriu. E, antes de sair da sala, disse:

— Vejo você à noite. Vou fazer uma salada excelente e veremos *Scandal*. Estou louco para saber o que vai acontecer hoje entre o presidente e Olivia Pope.

De novo só, Lola apoiou a testa na mesinha e deu umas batidinhas. Embora vivesse em uma linda casa e o marido fosse um homem maravilhoso, era tudo mentira. Às vezes, a casa era pior que uma cela. Da relação inexistente com o marido, melhor nem falar!

Do modo como se sentia, a última coisa que queria era ir ver María. Ainda lembrava do último encontro delas, quatro anos antes. Como sempre, acabaram discutindo.

E também havia Dennis. O brasileiro saiu com Bruna na noite anterior e, para piorar, ia para a Alemanha sabia-se lá com quem, então não o veria por dez dias. Estava mergulhada em pensamentos quando tocou o interfone. Era a irmã. Então, Lola pegou a bolsa e o casaco preto e saiu.

Quando o táxi as deixou na casa de Diana, ambas ficaram paradas na porta. Priscilla, ao ver a cara da irmã, disse:

— Eu sei... Sei que não está a fim de vê-la, mas é pela vovó.

Lola assentiu. Tocando o interfone, disse:

— Pode ter certeza de que faço isso por ela.

Dois minutos depois, Diana as esperava na porta. Sua cara não estava nada boa. Quando as meninas se aproximaram, sussurrou:

— O pai de vocês esteve aqui e os dois tiveram uma briga monumental.

As duas irmãs se entreolharam, surpresas. Lola deu um beijo na avó, que disse:

— Alguma novidade com o moreno?

A jovem bufou e, antes que dissesse qualquer coisa, Diana insistiu, olhando para Priscilla:

— Olhos Fascinantes é o homem para ela, diga isso a sua irmã!

Priscilla observou a irmã. O humor de Lola não era dos melhores para que dissesse algo assim, então replicou:

— Vovó... vamos deixar isso para outra hora.

Ao passar pela porta, uma mulher de cabelos longos, olhos claros e roupas de hippie se levantou e, abrindo os braços, exclamou:

— Minha menina, como você está?

Lola caminhou até a mesa sem se aproximar da mulher. Deixou a bolsa de má vontade em uma cadeira e, olhando para a mulher, que continuava com os braços estendidos, disse:

— Não vou abraçá-la, abaixe os braços de uma vez por todas.

Priscilla e Diana se olharam no momento em que a velha deixava uns copos com gelo e suco de laranja diante delas. A coisa não estava começando bem. Durante vários minutos todas permaneceram em silêncio na sala.

Dava para cortar o ar com uma faca, de tão denso. Até que María, olhando para a filha, sugeriu:

— Alguém vai ter que quebrar o gelo.

Fora de si, irritada, Lola enfiou os dedos no copo de suco de laranja e pegou várias pedrinhas de gelo. Então, jogou-as no chão e, depois de pisá-las com todo o mau humor e despedaçá-las, sibilou, fitando María:

— Gelo quebrado. Que diabos você quer?

Atônita diante dos modos de Lola, María disse:

— Não se fala assim com uma mãe. E antes que...

— María — interrompeu Lola —, não comece. Quando vai se convencer de que você é uma estranha para mim?

— Lola, por favor... — murmurou Diana, aproximando-se.

María franziu o cenho. Olhando então para Priscilla, disse:

— Priscilla, você está linda, que alegria vê-la!

Priscilla ficou observando a mulher que tanto sofrimento causava à irmã cada vez que decidia voltar a Londres. Balançou a cabeça. Não estava a fim de responder.

Diana mandou Lola se sentar e as quatro se acomodaram ao redor da mesa. O silêncio ocupou a sala de novo, até que Lola não aguentou mais e disse, exasperada:

— Por quê? Por que gosta de me torturar de tempos em tempos? Precisa fazer este showzinho cada vez que vem visitar sua mãe em Londres? E, a propósito, se eu souber que você continua tirando dinheiro de minha avó ou de meu pai, juro que vai se arrepender.

María coçou a orelha.

— Você tem a maldita personalidade de seu pai.

O silêncio voltou a encher a sala, até que María perguntou:

— Como está Elora?

Priscilla ia responder quando Lola, rangendo os dentes, se antecipou:

— Mamãe está bem. Mas não lhe permito que pergunte por ela.

— Lola — murmurou Priscilla.

Conhecia a irmã e, quando ela rangia os dentes, a coisa podia acabar muito mal.

Mas María assentiu, sem se alterar.

— Perguntei ao seu pai por ela e ele ficou agressivo. Do jeito que ele é insuportável, no fim acabamos discutindo, como sempre...

Lola bufava enquanto a mulher falava e falava. Não estava interessada em nada que ela pudesse contar. Em seus trinta e dois anos, Lola a viu umas dez vezes na vida. Levantando-se quando a paciência terminou, disse:

— Muito bem. Você já me viu, então, adeus.

E, olhando para a avó, disse, dando-lhe dois beijos:

— Vovó, vamos indo. Amo você.

Diana se levantou rapidamente. Ia dizer algo, mas Priscilla, que conhecia muito bem a irmã, deu um beijo carinhoso na mulher e murmurou:

— Vovó, não a force, é pior.

Ela assentiu, sabendo que Priscilla tinha razão. Então, deu um beijo nas netas e, depois de acompanhá-las até a porta, disse:

— Amo vocês, meus tesouros.

Quando fechou a porta, bufou e voltou para a sala. Olhou para María, que continuava sentada, e sibilou:

— Não te entendo, filha, não te entendo.

A mulher suspirou. Não se incomodava com nada que Lola fizesse. Olhando para a mãe, disse com uma frieza que feriu Diana:

— Mamãe, convença-se de que essa irlandesa e eu não temos nada a ver uma com a outra.

A velha mordeu a língua. A indiferença com que María falava da filha a fez ver que aquilo nunca se resolveria. Sem sombra de dúvida, Lola tinha toda a razão, e esse assunto tinha que acabar de uma vez.

Na rua, Lola caminhava extremamente rápido. Estava colérica. Irritada. Seu mundo era um desastre; sua vida, uma merda. Parando de repente, olhou para Priscilla, que tentava acompanhar seu passo e, com raiva nos olhos, exclamou:

— Por quê? Por que isso teve que acontecer com mamãe? Por que teve que nos esquecer, e por que essa mulher não me esquece? Insiste em vir de tempos em tempos e me fazer lembrar que ela me pariu, que é minha mãe, sendo que eu não sinto isso, porque só vejo nela uma estranha que nunca me amou nem se preocupou comigo. Por quê?

Priscilla, aflita por ver a irmã assim, murmurou:

— Chore se precisar, Lola.

— Nem pensar. Por essa mulher eu não solto uma lágrima.

Priscilla a abraçou com força enquanto as pessoas passavam ao lado delas e as observavam, curiosas. Até que sentiu que Lola estava mais calma. Olhando para ela, disse:

— O negócio do gelo me impressionou. Foi ótimo! Quem lhe ensinou?

Lola sorriu. Dando de ombros, respondeu:

— Toni, um amigo que você não conhece.

Priscilla assentiu. Sabia o quanto Lola sofria cada vez que aquela mulher aparecia.

— Você sabe que eu te amo, não é? — perguntou.

— Sim.

E, tentando sorrir, sussurrou:

— Pois, como diz a canção de que mamãe tanto gosta, estarei sempre com você.

Lola sorriu. Quando ia dizer algo, Priscilla continuou:

— Lola, escute...

— Se vai dizer algo dessa maldita mulher ou de Dennis, pelo amor de Deus, não.

A irmã assentiu. E, pegando-lhe a mão, disse:

— Venha, vamos almoçar.

Caminharam de mãos dadas por várias ruas, até chegar a um restaurante italiano de que gostavam muito. Sentaram-se em uma lateral do salão, onde ninguém as poderia incomodar, e pediram pizza e refrigerante. Lola olhou para a irmã.

— Desculpe. Lamento ter me deixado levar pelo mau humor.

— Nossa — brincou Priscilla —, quando a ouvi ranger os dentes, comecei a tremer. Eu a conheço e sei que, quando faz isso, a coisa não acaba bem.

Lola balançou a cabeça e deixou cair os ombros.

— Minha vida ultimamente é uma merda — sussurrou.

— Ah, não... — replicou Priscilla, impassível. — Quem tem uma vida de merda sou eu. Não roube meu posto de honra.

Lola sorriu. Então a irmã, bebendo um gole de refrigerante, murmurou:

— Sou toda ouvidos para escutar sua vida de merda. Pode começar.

Ansiosa por falar com alguém sobre o que estava acontecendo em relação a Dennis, Lola se abriu. Contou-lhe do ciúme que sentia ao ouvi-lo falar de outras, saber que ia para Munique ou que transava com Bruna.

Priscilla a escutou com tranquilidade. Quando Lola acabou, disse:

— Acho que você está apaixonada.

— Não!!!!

— Lola... quando você se casou ainda era uma menina.

— Mas eu amo Justin.

— Eu sei. Mas uma coisa é sentir carinho e outra muito diferente é estar apaixonada. E você se apaixonou por Dennis.

Confusa pelos sentimentos que nunca havia experimentado, Lola ia falar quando Priscilla prosseguiu:

— Lola, você não sabe o que é amor. Nunca conheceu homens que pudessem trazer um pouco de romantismo para a sua vida. Sim, sim, eu sei, você vai para a cama com homens quando lhe dá vontade, sem remorso, porque é o trato que você e Justin têm, mas eles não lhe dão esse romantismo, porque você é a primeira a não permitir. Mas você não esperava que fosse chegar um homem que não só transasse com você, mas que também acelerasse seu coração, lhe provocasse frio na barriga e a deixasse louca.

— Ai, Priscilla!

— Minha querida, sou sua irmã mais velha e, até o momento, os homens com quem você esteve foram todos de uma noite só. Mas Dennis não está sendo isso. E não está sendo porque você gosta desse homem, sente-se atraída e quer saber mais sobre ele. Porém, a questão agora é: ele quer saber mais de você?

Lola suspirou e respondeu com segurança:

— Acho que sim, mas sou casada e...

— Pelo amor de Deus, Lola. Como diz vovó: acorde! Acorde antes que seja uma velha caduca de cem anos, e viva a vida de uma vez por todas. Você vai fazer trinta e três anos, querida, ainda lhe resta muito para viver.

— Disse a pessoa que não consegue se decidir entre depilação brasileira, americana ou francesa...

Priscilla sorriu.

— Ultimamente, tendo mais para a francesa. Acho que é mais elegante.

Lola, que não estava a fim de rir, murmurou:

— Não posso fazer isso com Justin.

Priscilla suspirou. O sentimento de culpa de Lola era imenso. Ela respondeu:

— Se Justin a ama de verdade, vai entender. E, mesmo que de início talvez fique com raiva, no fim vai agradecer que um dos dois acabe com essa maldita mentira que não permite a nenhum de vocês ser as pessoas que devem ser. Pare de pensar em Justin e no que ele quer. Pelo amor de Deus, ele tem quase cinquenta anos!

— Mas se eu me separar dele, seu mundo vai ruir. Tudo pelo que Justin trabalhou todos esses anos irá por água abaixo, porque papai o destruirá. Você sabe como ele é antiquado para certas coisas, e nunca permitirá que um homossexual trabalhe em seu querido colégio. E menos ainda que seja o diretor.

Priscilla assentiu. Sabia que isso poderia acontecer. Mas, olhando para a irmã, afirmou:

— Lola, Justin é um homem feito e tem que assumir sua vida. Por isso, vou lhe dizer uma coisa: você já pensou que eu poderia querer ser diretora do Saint Thomas? Afinal de contas, sou a primogênita de papai.

— Você quer?

— Papai antes cortaria os pulsos. Sou mulher. Como ele vai pensar em mim? — E fitando-a, acrescentou: — Se eu fosse diretora, muitas coisas arcaicas iriam acabar.

Lola assentiu. Voltou a pensar em seu problema e disse:

— Estou péssima. Péssima.

— Minha querida — insistiu Priscilla —, primeiro papai a cerceou, agora é Justin... Quando você vai fazer o que realmente quer? Caramba, Lola... cometa erros, faça loucuras, apaixone-se por Dennis, se for o caso, mas faça, sinta-se viva! Porque, senão, um dia vai se arrepender de ter deixado a vida passar.

Lola fechou os olhos.

Estava casada com Justin havia doze anos e sua vida era dar aula, ler livros, transar de vez em quando com um desconhecido, voltar para a linda casa e ver tevê na sala confortável enquanto dividia com Justin um pote de pipoca, quando o que mais queria era conhecer Dennis, fazer loucuras e ver o que podia ou não acontecer com ele.

Sem dúvida, sua vida era uma merda. E, como havia dito quando acordara nessa manhã, uma merda com todas as letras.

Capítulo 21

Na manhã seguinte, preocupada com a avó, Lola ligou para ela, mas Diana não atendeu. Cortava o coração de Lola pensar em como a avó tinha olhado para ela enquanto discutia com María. Diana não merecia aquilo.

Uma hora depois, ligou de novo e, de novo, o telefone tocou e tocou, até que, cansada, Lola desligou.

Onde estaria a avó?

Inquieta, querendo saber se María, aquela mulher horrível, continuava na casa de Diana, Lola decidiu ir para lá. Não confiava em María, e amava demais a avó para permitir que a mãe biológica continuasse se aproveitando dela.

Chegou à casa e tocou o interfone. Aguardou, mas ninguém respondeu. Pegou as chaves que levava na bolsa e abriu a porta. Esperaria a avó sentada na sala, como outras vezes.

Com tranquilidade, foi até o pórtico, abriu a porta e, ao entrar na sala e encontrar o que encontrou, gritou, virando-se de costas:

— Caralho, o que estão fazendo?!

María e Colin se levantaram rapidamente ao serem surpreendidos.

— Praticando livremente o amor — respondeu María. — Qual é o problema?

Lola praguejou. Se respondesse àquela mulher, as palavras não seriam nem corretas nem bonitas. Sem olhar para eles, sibilou:

— Façam o favor de se vestir, já!

Envergonhado pelo que a filha havia visto, Colin se apressou a pôr a cueca, a calça e a camisa, enquanto María se limitava a pôr a calcinha, acender um cigarro e se sentar no sofá para observá-los.

Quando Colin terminou de se vestir, aproximou-se da filha.

— Lola...

Furiosa, ela o olhou, rangendo os dentes.

— Se você se atrever a me falar de moralidade e decência de novo, o bicho vai pegar, papai.

Colin não respondeu.

Então, Lola se virou e, ao ver aquela mulher esparramada no sofá só de calcinha, gritou:

— E você, não pode se vestir?!

María deu uma tragada no cigarro e respondeu com tranquilidade:

— Como disse William Blake, a nudez da mulher é a obra de Deus.

Lola bufou. Não a suportava. Evitando olhar para o pai, que continuava ao seu lado com cara de paisagem, dirigiu-se a María:

— Quero que você vá embora da casa de minha avó agora!

A mulher sorriu e respondeu, fazendo pouco caso:

— Estou na casa da minha mãe. Por que iria embora?

Angustiada, constrangida, Lola não sabia o que dizer. Efetivamente, aquela era a casa da mãe de María. Arrasada, antes de dar meia-volta, disse:

— Você é má. Sempre foi e sempre será, e eu quero pessoas más longe de mim e de quem eu amo.

E, sem mais, saiu da casa de Diana, enfurecida. Desceu os degraus de dois em dois. Ao chegar à rua, porém, duas mãos a seguraram. Ao se voltar, Lola encontrou o pai.

— E você... você... você é...

Colin abraçou a filha. Sabia quanto a devia ter magoado encontrá-lo naquela situação com aquela mulher. Mas Lola, dando-lhe um empurrão, afastou-o e sibilou:

— Não te entendo, papai. Essa mulher o abandonou, me abandonou, destruiu a vida da mamãe, da vovó, sua vida... e você continua se deitando com ela?

— Lola... eu...

Desesperada, ela não se mexeu.

— Essa mulher é nociva. Quando você vai perceber? Quando vai compreender que ela só aparece quando está sem dinheiro e, se não o arranca de você, arranca da vovó?

Colin assentiu. Sabia que a filha estava certa, mas María o dobrava. Sempre o vencera, desde o dia em que a conhecera. Colin respondeu:

— Sei que você tem razão, filha, mas quando María me olha, eu...

— Papai, não percebe que está fazendo com Rose o mesmo que fez com mamãe, e com a mesma pessoa? Por acaso Rose sabe de seu caso com ela?

Colin negou com a cabeça. Lola exclamou:

— Ótimo, papai! Ótimo. Sem dúvida, seu negócio é enganar e decepcionar as pessoas que o amam. Mas, desta vez, você não vai fazer isso. Desta vez não vou permitir. Rose é uma boa mulher, e...

— Eu imploro — interrompeu ele. — Suplico que não diga nada a Rose.

— Você a está enganando com outra mulher, com María! Com a mulher que tanto mal fazia a minha mãe cada vez que aparecia, porque você corria para os braços dela como um imbecil. Como quer que eu não conte a Rose?

Desesperado, Colin passou a mão pelos cabelos grisalhos e rapidamente respondeu:

— Prometo que nunca mais verei María.

— Não acredito.

Desesperado, ele fechou os olhos e insistiu:

— Acredite. Eu prometo, filha. Isso não tornará a acontecer. Vou falar com María. Confie em mim.

Querendo acreditar no que ele dizia, Lola o encarou por alguns segundos e assentiu.

— Tudo bem. Confio em você e espero que não me decepcione.

Então, já estava indo embora quando viu a avó chegando ao longe pela rua. Disse depressa:

— Vovó está vindo. Vou interceptá-la e fazer com que vá comprar alguma coisa comigo. Você tem meia hora para se despedir dessa mulher. E, se possível, peço-lhe que a tire da casa de minha avó. Quero que ela vá embora.

Colin assentiu. Sabia muito bem o que tinha que fazer para que ela desaparecesse.

— Assim será — respondeu, dando meia-volta.

Vendo o pai se afastar e entrar de novo na casa, Lola respirou fundo e, esboçando o melhor sorriso, começou a caminhar com charme em direção a Diana, que ainda não a havia visto. Até que os olhos dela se encontraram e Lola exclamou, sorridente:

— Vovó, estava indo vê-la!

Feliz por ver a neta, Diana a olhou nos olhos e perguntou:

— Você está bem, minha vida?

— Claro que sim!

— Pois sua cara não me diz isso.

Lola sorriu. A avó a conhecia muito bem.

— Sim, vovó, estou bem.

A mulher balançou a cabeça. Sabia o quanto Lola sofria cada vez que a filha aparecia. Insistiu:

— Sinto muito pelo que aconteceu ontem, meu tesouro, mas ela é minha filha e eu a amo.

Lola precisava dar um abraço na mulher que adorava. Abraçou-a e, com todo o carinho e amor que pôde, respondeu:

— Não se preocupe. Eu entendo, vovó. Só espero que você me entenda também.

— Nunca duvide disso, meu tesouro. Claro que te entendo.

Depois de alguns segundos abraçadas, quando Lola a soltou, Diana perguntou:

— O que está fazendo aqui a esta hora?

Rapidamente Lola buscou uma resposta. Ao ver uma loja, disse:

— Tenho que comprar umas toalhas. As minhas já estão velhas e gastas, e lembro que você me disse que conhecia uma loja aqui, neste bairro, muito boa.

Diana sorriu. Pegando o braço da neta, afirmou:

— Vamos. Minha amiga Vanesa tem as melhores toalhas de Londres.

Feliz, Lola se deixou guiar pela avó, sem parar de pensar no pai e naquela mulher. Só esperava que, quando voltassem, não estivessem mais ali.

Comprou dois jogos de toalhas cinza. Eram muito bonitas, e Diana insistiu em lhe dar de presente um deles. No fim, Lola concordou. A avó era tão teimosa quanto ela.

Descontraídas, voltaram para a casa de Diana. Ao entrar na sala, Lola comprovou que não havia ninguém. Suspirou.

Diana, pegando um bilhete que havia em cima da mesa, leu-o e disse:

— María foi embora.

Então, com rapidez, foi para o quarto. Saiu dele com uma caixinha metálica nas mãos e murmurou:

— E levou minhas economias.

Lola correu para abraçá-la. Vendo a avó chorar, e não exatamente pelo dinheiro, murmurou:

— Fique calma, vovó... Você não precisa dela. Você tem a mim e eu cuidarei de você... Eu cuidarei de você.

Diana assentiu. Ela sabia disso. Não eram necessárias palavras.

Capítulo 22

Munique estava linda no Natal. Dennis sorria enquanto caminhava por aquelas ruas familiares. Durante os anos que havia passado ali adaptara-se muito bem ao estilo de vida e aos costumes. Coisa que ainda não havia acontecido em Londres.

Quando chegou à cidade, a primeira pessoa para quem ligou foi Judith. Queria lhe contar que tinha chegado. Embora ela o houvesse convidado a se hospedar em sua casa, ele rejeitara a oferta, pois preferia ficar na casa do amigo Manuel.

Adorando estar naquela cidade mágica, o brasileiro foi até o colégio onde havia trabalhado. Passou pelas salas solitárias, pois os alunos estavam de férias, e dirigiu-se à sala dos professores. Ao abrir a porta, os antigos colegas se levantaram, felizes, para cumprimentá-lo. A seguir, o diretor o fez entrar em sua sala. Ao que parecia, o novo professor de matemática era um desastre. Sem hesitar, propôs a Dennis que voltasse. Ele, porém, recusou a oferta com um sorriso. Gostava de onde estava. Mesmo assim, o diretor do colégio disse que no final do ano letivo voltaria a falar com ele.

No dia seguinte, Dennis foi ver os velhos colegas da escola de dança. Jantou com eles e passou uma noite incrível dançando em um local chamado Guantanamera.

Na véspera de Natal, foi com Manuel a um bar.

Como sempre, as mulheres lhe lançavam olhares provocantes, mas, diferentemente de outras vezes, o brasileiro decidiu voltar sozinho para a casa de Manuel, enquanto o amigo foi passar a noite com uma linda morena.

Durante esses dias, Dennis almoçou e jantou com todos os amigos que tinha em Munique, que eram muitos, mas a noite de Ano-Novo reservou para jantar na casa dos Zimmerman, onde os Hoffmann também estariam.

No dia trinta e um, chegou à casa de Eric e Judith vestindo um terno cinza. Quando ela e Simona abriram a porta, a espanhola exclamou:

— Como o professor Alves está bonito!
— Lindíssimo — afirmou Simona.
Dennis sorriu. Beijando-as com carinho, sussurrou:
— Vocês é que estão lindas.
Simona, a mulher que era como uma mãe para Judith e que desde que ela havia chegado a Munique sempre estivera ao seu lado, corou. Pegando o casaco dele, respondeu:
— Galante e cavalheiro, como sempre.
Eric, que nesse momento caminhava para a porta com o filhinho, Paul, no colo, cruzou com Simona, sorridente. Olhando para Dennis, perguntou:
— Você cantou minha mulher?
Judith deu uma cotovelada cúmplice no marido. Dennis, fazendo um *high five* com o amigo para depois abraçá-lo, respondeu:
— Do jeito que é feia, impossível!
Dito isso, pegou o pequeno Paul no colo. O menino era todo sorrisos. Foram juntos para a sala e, ao abrir a porta, Dennis ficou emocionado com a animação.
Ali estavam as pessoas que Dennis considerava sua família. Todos o cumprimentaram com carinho. Inclusive os familiares de Judith, que haviam chegado da Espanha.
Flyn, o filho mais velho de Eric e Judith, bateu a mão na dele em um *high five*.
— E aí, prô?!
Dennis, encantado com a mudança positiva que via no garoto, sentou-se ao seu lado. Pegando uma bebida e entregando-a a Raquel, irmã de Jud, perguntou:
— Então, como vai a escola?
Durante um bom tempo falaram do colégio, dos amigos, das notas, e o brasileiro logo soube que em biologia Flyn estava se dando mal naquele ano. Riu quando Luz, sobrinha de Judith, começou a provocar o menino porque ela havia tirado oito em biologia e ele, três.
Como sempre, o jantar organizado por Judith foi um sucesso. E Dennis, sentado ao lado do pai dela, entupiu-se de tanto comer presunto cru. Como dizia aquele homem, presunto cru do bom!
Em dado momento, quando se levantou com Judith para pegar mais pratos na cozinha, Lola passou por sua mente e ele a imaginou ali, no meio de toda aquela agitação. O brasileiro sorriu. Com o carisma dela, tinha certeza de que se encaixaria perfeitamente naquele ambiente. Estava pensando nela quando Jud disse, pondo um lagostim diante dele:

— Eu tiro a casca do seu lagostim em troca dos seus pensamentos.
Dennis olhou o que estava a sua frente e sorriu:
— Trato feito!
Judith começou a descascar o lagostim com maestria. Quando acabou e ele foi pegá-lo, ela o retirou e disse:
— Agora é sua vez. No que está pensando?
Dennis coçou a testa. Sabendo que estavam sozinhos na cozinha, murmurou:
— Encontrei de novo a garota do avião.
Ao ouvir isso, Judith abriu a boca.
— A ruiva?
— Sim.
Ela se apoiou na pia e murmurou:
— Conte-me! Por que não me disse?
Dennis sorriu e, sem pestanejar, lhe contou tudo. Quando acabou, viu o lagostim na boca de Judith e protestou:
— Não era para mim?
Judith o engoliu. Pegando outro da bandeja, começou a descascá-lo enquanto dizia:
— Casada?!
— Sim.
— Você disse casada?
— Sim — repetiu ele. — Eu disse casada.
— Caralho...
Nesse momento, Björn entrou na cozinha com uma garrafa vazia. Olhando para Judith, sussurrou:
— Sra. Zimmerman, vou lavar sua boca com sabão se a ouvir dizer um palavrão de novo.
Os três riram. Então Judith, com permissão de Dennis, contou a Björn o que havia acontecido.
— Você disse casada? — perguntou ele, olhando para brasileiro.
— Sim.
— Caralho — murmurou ele.
Jud sorriu e afirmou:
— Agora entende meu "caralho"?
Eric e Mel também entraram na cozinha com várias bandejas vazias. O alemão, olhando para a mulher, disse:
— Pequena, por que esse "caralho"?

Dessa vez foi Björn quem contou a história. Quando Eric e Mel olharam para Dennis, ele pediu:

— Por favor, não digam "caralho". Digam outra coisa.

— Puta que pariu! — murmurou Mel, enquanto o marido Björn a olhava e sussurrava:

— Querida... essa boquinha.

Eric, que até o momento era o único que não havia se pronunciado, disse, sem afastar os olhos de Dennis:

— Se é casada, você não devia continuar se encontrando com ela. O fato de ser casada e filha do diretor do colégio só vai lhe criar problemas.

— Eu sei... — afirmou Dennis. — Mas ela me atrai tanto que não consigo me afastar dela.

Mel e Judith se olharam. Estava mais que claro que aquilo não ia acabar bem. Vendo como os amigos o olhavam, Dennis afirmou:

— Sim, eu sei. Não devo fazer aos outros o que não quero que façam a mim.

— Exato! — afirmou Judith. — Como você se deixou entrar nesse jogo?

— O proibido é tentador — murmurou Björn.

Todos o olharam ao ouvi-lo falar. Mel, que estava ao seu lado, cravou os olhos nele e replicou:

— O proibido é proibido, mais nada!

Björn sorriu. Abraçando a mulher, sussurrou:

— Minha linda, para mim não há nada mais tentador e proibido que você.

Ela sorriu e beijou o marido.

— Hoje à noite eu é que vou te dar um proibido, 007 — murmurou ela, tocando a bunda dura dele.

— Por favor, vão para um motel — sugeriu Eric, brincando.

Björn, que era brincalhão, quando soltou a mulher, a quem adorava, olhou para Dennis e perguntou:

— Professor Alves, lembro que uma vez você me disse algo sobre o sexo matemático para os homens. Achei muito engraçado. Como era?

Dennis sorriu.

— Para um homem, o sexo matemático é somar o desejo, diminuir a roupa, dividir as pernas, elevar o elemento ao máximo expoente e rezar para não se multiplicar.

Eric e Björn soltaram uma gargalhada, enquanto Mel e Jud se olhavam.

— Pois eu conheço outra frase que diz que o sexo, para uma mulher, é a equação matemática perfeita — replicou Judith —, porque eleva o membro, coloca-o entre parênteses, extrai dele o fator comum e depois, sem nenhuma pena, o reduz a sua mínima potência.

Quando acabou, enquanto os três homens a olhavam, Mel e ela riram e fizeram *high five*.

A porta da cozinha se abriu e, então, Raquel, irmã de Jud, protestou, pondo as mãos na cintura:

— Engraçadinhos, o jantar mudou para a cozinha?

Mel pegou uma bandeja de carne assada; Björn, outra; e, empurrando Raquel para tirá-la da cozinha, disseram:

— Vamos voltar para a sala.

Eric e Jud ficaram a sós com o brasileiro.

— Ouça, Dennis — disse então Judith —, adoro você porque é meu amigo, mas sair com mulher casada é pisar em terreno proibido e só pode lhe causar problemas. Especialmente quando o marido não sabe o que está acontecendo. Por favor, seja sensato, como sempre foi, e afaste-se dela imediatamente! Depois conversamos.

Assim, saiu da cozinha com uma bandeja de batatas assadas. Eric sussurrou, zombando:

— Uau... Eu a conheço, sei que a moreninha vai infernizá-lo até que você esqueça essa mulher.

Dennis sorriu. Abaixando a cabeça, respondeu:

— Imagino que vai passar. Mas estou surpreso, porque penso nela mais do que deveria, e não sei por quê.

Eric bufou. Sem dúvida, o bom amigo Dennis estava se metendo em uma bela confusão. Pondo uma bandeja de verduras nas mãos dele, pegou outra e disse:

— Se pensa nela mais que em si mesmo, lamento dizer, mas você está metido em uma bela confusão chamada *sentimentos*. E sentimentos são muito bonitos de desfrutar quando são correspondidos, mas muito complicados de administrar quando as coisas não são como deveriam. Meu conselho, amigo, é que você corte o mal pela raiz antes que a coisa vá adiante.

Dennis assentiu.

Sem sombra de dúvida, Eric e os demais tinham razão.

Por que estava pensando em uma mulher que era casada com outro?

Capítulo 23

O Natal em Londres não era nada do outro mundo para Lola.
Os pais de Justin haviam morrido, então não tinha que visitar ninguém da família dele.
Durante as festas, Justin e ela iam fazer compras. Adoravam comprar presentes para os familiares, mas, cada vez que passavam por uma vitrine com brinquedos e Lola via crianças, ficava olhando para elas, pensativa. Adorava crianças, de verdade, mas sabia que em seu casamento e seu dia a dia não havia lugar para elas. Justin tinha alergia a crianças.
Daryl, o irmão mais novo das Simmons, passou uns dias com a família em Londres. Estar com as irmãs era maravilhoso, embora não pudesse dizer o mesmo do pai. A relação com ele era fria e distante, e Daryl simplesmente a aceitava. Estava cansado de discutir com ele por ter decidido ser piloto de avião em vez de professor de economia.
Como era de se esperar, no final do ano os três irmãos visitaram Elora e Diana. Com a avó passaram várias tardes maravilhosas cheias de risos e brincadeiras. Ninguém melhor que ela para lhes levantar o ânimo. Já quando iam ver Elora, especialmente durante as festas, a tristeza invadia o coração deles. Mas tentavam sorrir para não a deixar nervosa.
Nesses dias, os funcionários da clínica tentavam manter o clima natalino. Aidan colocou visco no alto das portas, com o consentimento dos colegas. Era engraçado quando as pessoas passavam por debaixo do adorno no mesmo momento e tinham que se beijar, como reza a tradição.
Numa daquelas tardes, Aidan observava Elora com os filhos. Era uma pena que aquela mulher não pudesse entender o carinho com que eles a tratavam. Enquanto se afastava, ao ver Priscilla sorrir não pôde evitar sorrir também.
Adorava aquela linda mulher de cabelos claros. Havia escutado algumas vezes as irmãs conversando sobre o que estava acontecendo na vida dela, e não podia entender como o imbecil do marido a deixara escapar.

— Aidan — disse Lola, aproximando-se. — Onde posso arranjar mais limonada?

Voltando a si, ele a olhou e, ao ver a garota com a jarra vazia nas mãos, pegou-a e disse:

— Vou buscar mais.

Atrapalhado, foi até a cozinha. Pegou outra jarra de limonada e a levou a Lola, que a recebeu feliz.

De novo Aidan se afastou, não queria interferir em um momento tão íntimo entre eles. Apoiando-se em uma porta, pegou o celular e começou a digitar.

Estava compenetrado olhando para a tela quando ouviu alguém dizer ao seu lado:

— Você caça Pokémon?

Viu que se tratava de Priscilla. Sorriu e afirmou, baixando a voz:

— Sou um exímio caçador de Pokémon.

Ela sorriu. No colégio, ouvia os alunos falando daquilo que estava enlouquecendo metade da humanidade. Achando graça da resposta dele, sussurrou:

— Não sei o que vocês veem nisso. Outro dia, ouvi no noticiário que duas crianças caíram em um barranco porque estavam olhando o celular para caçar um bicho desses.

Aidan sorriu.

— Eu não chego a tanto! — Não queria continuar falando de Pokémon, então perguntou: — Como vai o fim de ano?

Priscilla olhou para ele. Essas festas certamente seriam uma merda, mas respondeu:

— Bem, embora diferentes.

Em silêncio, ambos assentiram. A seguir, ele disse:

— Desde que o diferente seja bom, não é tão ruim.

Priscilla bufou.

— O diferente, em meu caso, é complicado.

— Você não parece ser uma mulher que se assusta com facilidade.

Isso fez Priscilla sorrir. Dando de ombros, respondeu:

— Pode não acreditar, mas, às vezes, as aparências enganam.

Como não podia lhe dizer o que realmente pensava, Aidan assentiu.

Sentir os olhos dela sobre si era uma das melhores coisas que haviam lhe acontecido nos últimos dias. Ao erguer o olhar e ver o visco acima deles, murmurou, incapaz de se calar:

— Tenho que beijá-la.
— O quê?! — perguntou ela, surpresa.
Aidan apontou para cima e, sorrindo, explicou:
— Minha avó sempre me disse que se um dia me encontrasse debaixo do visco com uma linda mulher, teria que beijá-la.
Priscilla sorriu.
— Essa sua avó!
Ambos riram. E, então, Daryl, que os observava de onde estava, ao intuir do que estavam falando, gritou:
— A tradição do visco é séria, irmãzinha, você não pode dizer não!
Alegre pelo jeito como os irmãos os olhavam, ela ia replicar quando ouviu Elora dizer:
— Professor O'Malley, beije sua esposa. É a tradição.
Vendo como a mãe os observava e sorria, enquanto Lola concordava, Priscilla olhou para o jovem parado na sua frente e disse com segurança:
— Vamos lá.
Acelerado, nervoso, Aidan tentava disfarçar o que aquele beijo significava para ele. Olhando-a nos olhos, passou a mão por sua cintura e, puxando-a para si, pousou os lábios com delicadeza sobre os dela e a beijou.
Priscilla cheirava a loucura, a frescor e a sensualidade. Quando sentiu que ela abria um pouco a boca, o jovem não perdeu a oportunidade e a saboreou. Foram apenas cinco segundos, mas, sem dúvida, os mais excitantes que havia tido na vida.
Quando afastaram as bocas e Aidan a soltou, ao sentir como ela o olhava, ele ia dizer algo, mas Priscilla murmurou com um sorriso:
— Obrigada, professor O'Malley.
Em seguida, olhou para os irmãos com cumplicidade e se afastou, deixando-o totalmente aturdido.

Nessa noite, depois de jantarem todos juntos na casa da família, em um momento em que Justin conversava com o pai e Daryl com Rose, vendo a irmã pensativa, Lola se dirigiu a ela:
— Se você está pensando em quem eu acho que está, juro que a mato.
Priscilla sorriu. Era o primeiro Natal sem Conrad em mais de dezessete anos.
— É inevitável que eu pense nele — replicou. — Foram muitos anos juntos.

Lola assentiu. A irmã tinha razão. Mas, então, Priscilla soltou:
— Ele caça Pokémon.
— Conrad caça Pokémon? — perguntou Lola, surpresa.
Priscilla sorriu e, negando com a cabeça, esclareceu:
— O auxiliar da clínica que cuida da mamãe.
— Aidan? Aidan caça Pokémon?
— Sim. Ele é caçador desses bichos.

Lola sorriu. O fato de a irmã estar pensando em outro que não Conrad era um bom sinal. Quando ia dizer algo, Priscilla acrescentou:

— Ele me deu o beijo perfeito. E isso porque não lhe permiti mais roçar meus lábios. Mas, nossa senhora, que boca! E quando senti como me segurava... Fiquei arrepiada!

— Ora, sr. Beijo Perfeito...

Priscilla soltou uma gargalhada. Daryl, ao ouvi-las, aproximou-se e perguntou:

— Do que estão rindo?

Priscilla olhou para a irmã e, quando ela ia abrir a boca, cobriu-a com a mão e ameaçou:

— Se repetir o que eu disse, mato você.

A partir desse momento, os três irmãos começaram uma luta particular. Empurravam-se, riam, brigavam como quando eram crianças, enquanto Rose e Justin sorriam e Colin os olhava e bufava.

Capítulo 24

No dia dois de janeiro, pela manhã, Dennis decidiu voltar a Londres. As aulas começavam no dia quatro, e precisava de pelo menos dois dias para clarear as ideias, concentrar-se em si mesmo, em seu trabalho e em sua vida. Só em sua vida.

Na noite em que chegou, saiu com José, Rosanna e os amigos do casal. Precisava curtir, voltar a ser o homem independente que sempre havia sido. Enquanto se divertia com uma loura, não notou que um par de olhos verdes o observava.

Lola estava no mesmo local com Justin e uns amigos. Por sorte, como Justin não vira o brasileiro, não tiveram que cumprimentá-lo. Apesar da dor que Lola sentiu ao ver o que via, aceitou. Certamente, Dennis já não queria saber dela.

No dia três, depois do almoço, Dennis estava em casa quando ouviu tocar a campainha da porta. Ao abrir, encontrou Bibi e a namorada. Sorrindo, sem que precisassem dizer nada, Dennis as deixou entrar e, durante horas, se divertiram na cama com dossel.

Nessa mesma tarde, Lola foi sozinha à clínica ver a mãe. A irmã havia marcado algo com Rose, e Daryl partira de novo, pois o trabalho o chamava.

Elora estava muito irascível. Reclamava de tudo, e até jogou um livro na cabeça de Lola. Quando ficava assim, a única pessoa que a acalmava era Aidan. E, como sempre, ele a acalmou, enquanto Lola não saía do lado dela e agradecia a ele pela ajuda.

Uma hora depois, aconselhada por ele, Lola foi embora. Não havia nada que ela pudesse fazer ali, e o melhor seria convencer Elora a ir para a cama e dormir.

Durante uma hora, a jovem caminhou pelas ruas de Londres sem rumo. Não queria voltar para casa. Justin estava lá com um dos seus casinhos, e o que menos queria era ouvi-los. Ao passar em frente a uma loja de lingerie, Lola notou um lindo e sexy conjunto vermelho. Sem hesitar, entrou e o comprou. Ao sair, pensou em Dennis: com certeza a lingerie o deixaria a mil.

Com a sacola na mão, continuou caminhando pela rua enquanto pensava nele. Mas, censurando a si mesma, tentou afastá-lo da cabeça. Ele já havia feito sua escolha, e escolhera Bruna na noite do jantar de Natal. Ficou irritada ao pensar nisso. Sexo com Dennis era coisa do passado, porque, infelizmente, para ela haveria sempre somente os frios encontros com Beckett nos dias quinze e trinta de cada mês e suas aventuras com outros homens.

Porém, quando voltava para casa, algo nela se rebelou. Iria ver Dennis pela última vez, e ele não poderia lhe dizer não.

Quando o táxi a deixou em frente ao edifício dele, durante mais de dez minutos pensou se subia ou não. Era uma loucura, mas seu raciocínio ficou turvo; então abriu o portão e entrou.

Ao chegar diante do apartamento, ouviu heavy metal. Suspirando por causa da canção horrorosa que ouvia, pousou o dedo na campainha e a apertou.

Ansiosa, esperou que ele abrisse a porta. E, quando abriu, esquecendo tudo que havia pensado, Lola o olhou e cumprimentou com jovialidade:

— Feliz Ano-Novo!

Dennis pestanejou ao vê-la.

Estava nu, com uma minúscula toalha azul enrolada nos quadris. Mas, recompondo-se rapidamente da surpresa da visita, apoiou-se na porta e disse:

— O que você quer?

Pasma diante da fria recepção, quando ela não conseguia parar de pensar nele, Lola ia responder, mas ele, com um ar grosseiro que ela não gostou, perguntou:

— Veio dar uma trepada?

A rudeza das palavras feriu o coração de Lola. Escondendo o que sentia por ele, respondeu com a mesma frieza:

— Por acaso haveria outro motivo?

Desconcertado devido às palavras dela, ele ia replicar quando uma voz de mulher disse:

— Dennis, gatinho, volte para a cama. Estamos ansiosas por você.

A expressão de Lola se endureceu. Dando meia-volta, foi embora sem dizer nada.

Dennis ficou parado, até que o coração gritou e ele saiu atrás dela descendo os degraus de dois em dois.

Na rua fazia um frio terrível. Quando a viu à beira da calçada procurando um táxi, foi até ela e a pegou pelo braço. Ela o olhou furiosa e gritou:

— Solte-me!

As pessoas que passavam por eles os observavam e sorriam. Dennis estava nu, com aquele frio, coberto apenas por uma toalha minúscula.

Sem se importar com os olhares indiscretos, o brasileiro tornou a pegá-la pelo braço e, contemplando-a com seriedade, ia dizer algo quando ela gritou, fora de si:

— Você é um estúpido... um metido... que se acha especial, e que de especial não tem nada porque...

— Diga — interrompeu ele. — Por que veio a minha casa?

Lola o fitou e gritou:

— Você foi embora com Bruna! Foi para a Alemanha sabe lá Deus com quem, e agora que voltou... está... está... Você é... é o pior, eu odeio você!

Lola tornou a se soltar dele. Dennis, entendendo nas entrelinhas o que ela não queria dizer em voz alta, pegou-a de novo e insistiu:

— Sentiu minha falta?

Furiosa e acalorada, Lola o encarou.

— Não.

Confuso, sem saber no que acreditar, Dennis não a soltou. E ela, irada, puxou a toalha dele no meio da rua e sibilou:

— Não se cubra, homem, mostre a todas as mulheres o grande material que você tem e como é bom de cama.

Imobilizado, com as mãos nas partes íntimas, Dennis não podia acreditar no que estava acontecendo.

Ela havia enlouquecido?

Em pleno mês de janeiro, estava no meio da rua totalmente nu, enquanto ela entrava em um táxi e jogava no chão a toalha azul. Dennis a observava. Olhou-a durante alguns instantes e, no fim, diante dos risos dos transeuntes, correu para o edifício, subiu a escada e entrou em sua casa antes que pegasse uma pneumonia ou a polícia o detivesse por atentado ao pudor.

Capítulo 25

No dia seguinte, quando Lola e Dennis se viram no colégio, a cara de raiva dela era espetacular. Na hora do almoço, ele espirrou na mesa. Ela o olhou com certo sarcasmo e perguntou:

— Pegou friagem, professor Alves?

Ele não respondeu, e ela recomendou:

— Agasalhe-se ou vai passar um inverno muito ruim.

Diante do olhar de todos, Dennis tirou um lenço de papel do bolso e não disse nada. Se falasse, seria para dizer umas poucas e boas àquela bruxa irlandesa.

Assim se passaram os dias. Não se falaram nem se aproximaram um do outro, apesar de Justin, que, cada vez que o encontrava, se sentava ao seu lado para conversar longamente sobre assuntos interessantes.

Falavam de política, de carros, de programas de informática. Dennis se sentia péssimo por estar sendo desonesto com ele, por ter tido um caso com a mulher dele, enquanto Justin forçava aqueles encontros, curtindo, alheio a tudo.

Dennis logo se recuperou do resfriado. Certa tarde, depois da aula de forró na escola de dança, uma das alunas se aproximou e perguntou:

— Você dá aula particular?

O brasileiro a fitou. Sabia que a mulher, de uns quarenta anos, estava perguntando aquilo com segundas intenções. Então respondeu:

— Não.

Ela sorriu e, analisando-o de cima a baixo, suspirou.

— Que pena. Seria ótimo.

Quando ela se foi, Dennis sorriu. Sem sombra de dúvida, as mulheres a cada dia sabiam mais o que queriam. Mas, sem titubear, saiu da escola e voltou para casa.

Nessa noite, enquanto preparava algo para jantar, o telefone tocou. Era a mãe de Dennis, que ligava emocionada do Brasil para lhe contar que a irmã mais velha dele ia ter um bebê. Boquiaberto, ele a escutou e, quando desligou, pensou na avó de Lola. Sem saber por quê, sorriu.

Na quarta-feira de manhã, os professores estavam de novo agitados. Alguém havia entrado na sala e, dessa vez, havia levado o tablet do professor Emerson.

Colin foi à sala dos professores. Depois de discutir com eles, deixou bem claro que quem mandava ali era ele, e que o melhor que podiam fazer era não deixar coisas de valor à vista. Todos resmungaram, mas, como sempre, tiveram que engolir. Ninguém contrariava o diretor Simmons.

No meio da manhã, quando Dennis estava na sala dos professores tomando um café, a porta se abriu e Lola entrou. Ambos se olharam durante alguns segundos, e, por fim, ela se dirigiu à cafeteira, serviu-se um café, colocou leite e o levou ao micro-ondas para aquecer.

Dennis a observava em silêncio. Sozinho, sem que ninguém o visse, podia fazer o que quisesse. Mas, então, pela porta do micro-ondas ela notou que ele a olhava. Em tom de guerra, disse:

— Você está olhando minha bunda?

Surpreso por ela falar com ele, Dennis se acomodou na cadeira e, com a mesma grosseria que ela, respondeu:

— Sim. Não é a primeira vez, e posso lhe garantir que também não será a última.

Boquiaberta pela resposta dele, Lola ia protestar quando ele disse:

— Ontem minha mãe me ligou para dizer que vou ser tio. Ao que parece, sua avó tinha razão.

Sem saber por quê, Lola sorriu. Relaxando, respondeu:

— Parabéns.

Aquele sorriso... Dennis adorava aquele sorriso. Controlando a vontade de se levantar e beijá-la, acrescentou:

— Parece que sua avó é mais bruxa do que você acredita. Ela disse que eu ia ser tio e que...

A porta se abriu nesse instante. Bruna, ao ouvir a última parte, perguntou:

— Você vai ser tio?

Dennis assentiu. Bruna, feliz como se ela mesma fosse ser tia, disse, sentando-se ao lado dele:

— Vamos comemorar depois do colégio.

Capítulo 26

Na sexta-feira depois do almoço, enquanto tomava um café na sala dos professores, Dennis viu Lola e a irmã muito risonhas entretidas com algo no celular, e então ouviu:

— Peguei! Peguei um Sudowoodo.

Lola soltou uma gargalhada. A irmã estava enlouquecida. Justin se aproximou delas e brincou:

— Nunca imaginei você fazendo isso, Priscilla.

Rindo, ela assentiu, fitando-o.

— Daryl me ensinou e, do jeito que ando entediada ultimamente, virei caçadora de Pokémon!

De soslaio, Lola observava Dennis inclinar a cabeça e suspirava. Que idiota! Então, no momento em que se levantou para sair da sala, ao passar ao lado dele moveu a bolsa de tal modo que o fez derrubar o café no colo. Quando Dennis, surpreso, deu um pulo ao sentir o líquido, Lola olhou para ele e, com ar inocente, murmurou:

— Ai, que desastrada, desculpe!

Dennis não respondeu. Limitou-se a observar a camisa cheia de café. Então, Lola insistiu:

— Desculpe, professor Alves. Sinto muito. — E, olhando para Bruna, disse com voz inocente: — Por favor, você pode pegar uns guardanapos e ajudá-lo a se secar?

Bruna não demorou nem dois segundos. E, quando Lola saiu pela porta, sorrindo, Dennis tirou os guardanapos da mão de Bruna e disse, o mais calmamente que pôde:

— Obrigado. Deixe que eu limpo.

Pelo resto da tarde, Dennis relaxou. Havia começado com os alunos o método para ganhar a confiança deles. Durante uma hora assistiu a um filme com eles. Viram a metade, e ele prometeu que acabariam de vê-lo na semana seguinte.

Nessa tarde, quando acabaram as aulas e Dennis viu Justin saindo do colégio com o sogro, pensou que seria sua chance de dizer umas poucas e boas a Lola pelo mau comportamento. Assim, encaminhou-se à sala de dança e, vendo-a sozinha, entrou e disse:

— Você é uma víbora de primeira.

Ao ouvi-lo, ela o olhou e respondeu, impassível:

— Falou o machão pegador.

E, antes que ele pudesse dizer qualquer coisa, ela se aproximou e, indicando a mancha de café, murmurou:

— Você viu que sua camisa está suja?

Sem poder acreditar na dissimulação dela, Dennis a encarou. Lola, voltando ao ataque, perguntou:

— Está melhor de seu resfriado?

O brasileiro apertou os maxilares. Nunca uma mulher havia sido capaz de tirá-lo do sério em décimos de segundo como Lola fazia.

— Sou pegador — replicou—, mas sei muito bem que você não apareceu em minha porta para me vender enciclopédia. Ou estou enganado?

Lola sorriu com frieza. Ele não estava enganado. Sem se acovardar, respondeu:

— Estava atrás de sexo. A propósito, precisa marcar hora?

Incomodado com a indiferença que a ruiva lhe demonstrava, Dennis ia dizer algo quando ela, com toda a raiva, sussurrou:

— Ir para a cama com você foi divertido. Mas, calma, você é como o resto dos homens com quem transo. E posso viver sem você.

— Cuidado com o que diz — interrompeu ele, furioso.

Vendo a veia do pescoço dele inchar, ela continuou sorrindo. Decidida a não lhe dar um segundo de paz, insistiu:

— Você é mais um e...

Não pôde continuar. Dennis a pegou pela cintura, encurralou-a contra a parede e a beijou, sem pensar que qualquer um poderia vê-los. Furioso, ele a interrompeu, incapaz de escutar que era como os outros. Ele queria ser especial. Queria ser o único para ela, e a última coisa que queria ouvir era o que aquela descarada havia acabado de dizer.

Quando o beijo acabou, ele a olhou e sibilou:

— Sinto você tremer em meus braços.

Recompondo-se como pôde daquele beijo exigente e apaixonado, Lola respondeu:

— Porque você é um homem, e eu gosto de homens.
Irritado com a frieza dela, Dennis soltou, franzindo o cenho:
— Você sente algo por mim. Quando vai aceitar?
Ela sorriu. Uau, ele jogava pesado. Mas, escondendo seus sentimentos, replicou:
— O que quero de você se chama *sexo*. Para o resto, tenho meu marido.
Ouvir isso foi o fim. Dennis a soltou e, sem responder, virou-se e saiu. Chega de se deixar manipular por ela. Chega!

No fim de semana Dennis saiu com Bibi, a namorada dela e uns amigos. Foram jantar e beber. Surpreendeu-se ao ver que entravam no Delirium, a casa de swing que Lola havia lhe recomendado no aeroporto de Madri. Assim que entrou no lugar, perdeu o tesão. Se a visse ali, não saberia como reagir. Por isso, depois de um drinque, deu uma desculpa e foi embora. Não estava a fim de farra.

Na segunda-feira, ao entrar no colégio e, em seguida, na sala dos professores, viu Lola sentada à mesa, lendo, como sempre, enquanto Justin conversava com outras pessoas.

Depois do último encontro dos dois, as coisas estavam mais que claras entre ambos. Quando Lola saiu, Priscilla perguntou, sentando-se ao lado de Dennis:

— Como vão as coisas?

Surpreso, ele a olhou e afirmou:

— Bem.

— Loewe 7... Cheiro maravilhoso!

Dennis, entendendo que ela se referia ao perfume, disse:

— Que bom que gosta, caçadora de Pokémon.

Priscilla sorriu e sussurrou:

— O tédio e a solidão são muito ruins.

O brasileiro sorriu também. Mais tarde, quando os demais professores foram saindo da sala e ficaram sozinhos, Priscilla baixou a voz e comentou:

— Sei que minha irmã pode parecer fria e insensível, mas ela não é. Lola é a pessoa mais carinhosa e aberta que existe. Eu não posso lhe contar nada, Dennis, senão, ela me mataria, mas vou lhe dizer que certas decisões que Lola toma não estão lhe fazendo bem algum.

Dennis, alucinado, não estava entendendo nada.

— Desculpe, Priscilla, mas por que está me dizendo isso?

Ela sorriu e, tocando-lhe a mão, murmurou, antes de se levantar e caminhar para a porta:

— Não desista dela. Lola vale a pena e sente algo muito especial por você. Mas se você contar que eu lhe disse isso, vou negar, entendeu?

Em seguida, saiu da sala, deixando Dennis atônito e sorridente.

À tarde, Dennis tornou a encontrar Lola nos corredores. Olhou-a e, recordando o que Priscilla lhe havia contado, decidiu arriscar. Quando as aulas acabaram e todos saíram, foi até a sala dela, entrou, fechou a porta e disse:

— Quero falar com você.

Surpresa, Lola apertou os olhos.

— Saia da minha sala.

Sem se mexer, ele insistiu:

— Dê-me trinta segundos. Só trinta segundos e, depois, prometo que vou embora e não a incomodarei mais.

Com cara de raiva, mas desejando sua presença – como ele a dela –, Lola olhou o relógio que ficava na lateral da classe e declarou:

— Seus trinta segundos já começaram.

Dennis soltou a bolsa no chão e começou:

— Estamos fazendo algo que não devemos. Você é casada, e sabe que isso sempre foi um problema para mim, porque não podemos ter nada sério, por mais que eu goste de você. Você tem um marido com quem me dou muito bem, e se a isso somarmos o fato de que é filha do diretor, como acha que posso me sentir?

Lola o escutava e sentia o coração se desmanchar. Porém, não mexeu nem um fio de cabelo nem tirou os olhos do relógio. Dennis prosseguiu:

— Gosto de você, muito. E embora não consiga parar de pensar em você, preciso parar, porque, ou me diz que vai se divorciar de seu marido amanhã mesmo, ou, senão, que sentido tem estar com você? Odeio ser seu amante. Odeio ter que encontrá-la escondido. Odeio não poder passear com você pela rua de mãos dadas e com a tranquilidade de...

— Acabaram os trinta segundos. Saia da minha sala.

Dennis a fitou. Por acaso não o estava escutando?

— Saia da minha sala — repetiu ela lentamente.

— Lola...

Ela deu um passo para trás. O que ele estava propondo era uma fantasia linda, a melhor de todas, mas sua realidade era bem diferente. Negando com a cabeça, disse:

— Está tudo dito entre nós. Vá embora. Não quero vê-lo mais do que, infelizmente, tenho que ver todos os dias.

A voz de Lola e o jeito como o olhava fizeram Dennis desistir. Como ela havia recordado, já estava tudo dito. Agachando-se para pegar a mochila, sem dizer mais nada saiu, deixando Lola trêmula.

Instantes depois, as alunas entraram. Sorrindo, ela adoçou o tom de voz e disse, apesar da dor que retorcia suas entranhas:

— Muito bem, meninas. Primeira posição.

À noite, quando Dennis terminou a aula de forró, olhou para a mulher que havia entrado dias antes e, aproximando-se, perguntou, baixando a voz:

— Ainda está interessada em aulas particulares?

Ela, feliz, assentiu sem hesitar. Ele acrescentou:

— Espero-a na saída.

Uma hora depois, na casa dela, Dennis lhe dava uma maravilhosa aula de sexo contra a parede. Sem sombra de dúvida, a mulher curtiu.

Capítulo 27

Assim se passaram duas semanas. Duas semanas nas quais Dennis e Lola procuravam não se encontrar, não se tocar, não se olhar.

Durante esse tempo, Lola, que estava de mal com o mundo, além de se encontrar com Beckett em um hotel, depois das aulas de salsa ia beber com os alunos, todos já adultos. Certa noite, Jeremiah, um professor de hip-hop com quem se dava muito bem, tirou-a para dançar salsa. E, no fim noite, estava tão excitada que, sem hesitar, aceitou ir para a casa dele.

Jeremiah morava sozinho em um pequeno apartamento. Ao entrar, Lola o empurrou no sofá e se jogou sobre ele. A frustração que sentia por tudo que estava acontecendo fez com que se comportasse de modo selvagem. Quando acabou e se levantou para ir embora, ele comentou:

— Está esquecendo a calcinha.

Ela o olhou e, sorrindo, respondeu antes de sair pela porta:

— Fica de presente.

Na aula seguinte, Lola e Jeremiah foram outra vez para a casa dele. Assim que entraram, ele, que já havia previsto que aquilo pudesse acontecer de novo, perguntou, olhando-a nos olhos:

— Quer que eu ponha uma música?

— Perfeito!

Jeremiah procurou entre vários CDs. Sorriu ao ver um e o pôs. Quando começaram a tocar os primeiros acordes da canção "Lola", cantada por Robbie Williams, que tantas recordações provocavam na jovem, ela se arrepiou e, aproximando-se dele, pegou outro CD; então, sem olhar para Jeremiah, disse:

— Prefiro este.

— Metallica? — perguntou Jeremiah, surpreso.

Sem deixar de sorrir, ela replicou:

— Gosto de coisa forte.

Animado, ele o trocou. Quando começaram a soar os primeiros acordes de "Master of puppets"*, Lola disse:

— A cada peça de roupa que você tirar, eu tirarei uma também.

Depressa, Jeremiah começou e ela o seguiu. Quando ambos estavam nus, ele colocou um preservativo, excitado, pegou Lola no colo e, apoiando as costas dela na parede, perguntou, passando a ponta do pênis na abertura molhada:

— Quer já?

Enlouquecida, exaltada, Lola respondeu:

— Sim.

Jeremiah sorriu quando ela, pegando a ereção com a mão, colocou-a no centro de seu desejo. Mexendo os quadris, cravou-se nele, e ambos gritaram de prazer.

A loucura tomou conta dos dois. Quando acabaram o primeiro assalto, Lola, querendo mais, devorou-o, ao som de Metallica no máximo. Frustrada, ela fechou os olhos e, tentando não pensar em Dennis, deixou sair a selvagem que havia dentro de si. Jeremiah uivava de prazer.

Dennis, por sua vez, continuou dando aulas particulares àquela mulher. Estava tão magoado, tão desconcertado devido ao turbilhão de sentimentos que tinha dentro de si que decidiu ignorá-los e curtir o sexo como havia meses não fazia.

Nessa madrugada, quando Lola chegou em casa, encontrou Justin sentado na sala de jantar. Surpresa, aproximou-se e perguntou:

— O que está fazendo?

— Esperando Henry me ligar. É meu aniversário, e ele disse que ia ligar. Mas já está dez minutos atrasado.

Lola, que recordava a data, jogou-se em seus braços, deu-lhe um beijo no rosto e começou a cantar "Parabéns a você".

Justin sorriu. A relação com ela era perfeita. Quando Lola acabou de cantar, Justin notou a cara de deboche dela. Apontando-lhe o dedo, ele disse:

— Pequena, não se atreva a dizer.

— Quarenta e oito! Parabéns!!!!!

Ambos riram. Bagunçando o cabelo de Lola, Justin disse:

— Você é malvada.

---

* "Master of puppets", Cliff Burton, James Hetfield, Kirk Hammett, Lars Ulrich; Elektra, 1986. (N.E.)

Lola sorriu. Pegando na bolsa o que havia comprado para ele, entregou-lhe.

— Meu presente. Espero que goste!

Ele pegou o envelope. Ao ver que eram passagens sem data para Nova York, sorriu. Fitando-a, sussurrou:

— Você é a melhor! Adoro você. Obrigado pelo presente.

Lola deu de ombros.

— Você tem três meses para usá-las. Portanto, arranje uma data e avise Henry que vai!

Ao ouvir esse nome, Justin olhou o relógio.

— Já está quinze minutos atrasado.

— Deve ter tido um imprevisto.

Ele bufou. A última coisa que queria era que surgisse um imprevisto. Mas, olhando para Lola, perguntou:

— E você, de onde está chegando a esta hora?

Lola sorriu. Apoiando a cabeça no sofá, disse:

— De uma noite de sexo prazerosa com Jeremiah.

— O professor de hip-hop?

Lola assentiu. Justin riu.

— Querida, o que eu não daria por um macho como esse enfiando as mãos em minhas calças!

Lola soltou uma gargalhada. Então, ele, olhando o relógio que ficava em cima da lareira, resmungou:

— Henry já está dezessete minutos atrasado.

— Calma. Não fique ansioso.

Justin suspirou. Tudo que tinha a ver com Henry o deixava ansioso.

— E se ele conhecer outro? — perguntou.

Ao ouvir isso, Lola respondeu com sinceridade:

— Se isso acontecer, eu olharei em seus olhos e direi: "Eu avisei!".

— Pequena...

— Justin, eu já lhe disse centenas de vezes que você deveria pensar em sua vida, no que quer... E se o que quer é estar com Henry em Nova York, vá! Eu lhe dou cem por cento de apoio. Esqueça os preconceitos, esqueça o que as pessoas vão pensar e viva sua vida de uma vez. Você já tem quase cinquenta anos, e não acredito que Henry vá esperá-lo eternamente.

Ele sabia que ela tinha razão, mas disse:

— Tenho quarenta e oito anos, e você sabe muito bem que minha vida é o Saint Thomas.

— Não. Sua vida é outra coisa, mas você insiste em centrá-la toda no Saint Thomas porque tem medo de enfrentar a realidade. Talvez, se tentasse outro colégio, você...

— Nem pensar! Sei muito bem o que quero. E o que quero é dar aulas no Saint Thomas e continuar casado com você.

Lola suspirou. Já haviam tido essa conversa um milhão de vezes. Por fim, levantando-se do sofá, disse, antes de ir:

— Então, não reclame se Henry demorar para ligar.

Capítulo 28

Na sexta-feira, quando Lola chegava ao colégio, viu Dennis ao longe. Como não chovia, ele estava com sua linda moto. De onde estava, ela pôde observá-lo sem ser vista.

Dennis era ardente, sexy e entregue na cama, nada a ver com Beckett, que era frio e impessoal.

Da esquina onde estava, ele não a podia ver. Com deleite, percorreu o corpo de Dennis com os olhos e murmurou em português:

— Delícia...

Ao se dar conta do que havia dito, repreendeu a si mesma. Então, Shonda se aproximou dele, cumprimentou-o e entraram juntos na escola.

Viu-os desaparecer. Desanimada, Lola seguia seu caminho quando o telefone tocou. Era a irmã.

— Olá, Priscilla.

— Lola, onde você está?

— Chegando ao colégio. Por quê?

— Você tem aula agora?

— Sim.

— Então ligue, diga que está doente e venha ver mamãe na clínica. Estou aqui com ela.

Ao ouvir isso, Lola parou e perguntou, surpresa:

— Você não tem aula? Que foi? Aconteceu alguma coisa com a mamãe?

Priscilla suspirou. Olhando para Aidan, que passava ao seu lado e a cumprimentava com um sorriso, respondeu:

— Sim, tenho aula, mas já liguei para que me cubram. Hoje não vou trabalhar porque a mamãe passou uma noite péssima. Ligaram para mim hoje cedo e estou aqui com ela. Por que não vem também?

Lola pensou. Ela raramente faltava às aulas, mas afirmou:

— Vou. Espere-me.

Assim que desligou, ligou para a secretaria. Cornelia atendeu e, sem dar muitas explicações, Lola pediu que cancelassem as aulas. Em seguida, chamou um táxi.

Meia hora depois, quando o veículo parou em frente à clínica, Lola pagou e desceu. Ao entrar, cumprimentou os funcionários. Depois de tantos anos indo a esse lugar, tanto ela quanto a irmã já eram conhecidas ali.

Com diligência, caminhou para o salão onde imaginou que estariam. Ao ver a mãe e a irmã, sorriu. Aproximou-se, deu um beijo em Elora, olhou-a e perguntou:

— Como está, mamãe?

Elora, cujo cabelo havia ficado totalmente branco, contemplou a jovem.

— Diga a Louisa que hoje ela tem que dar a aula de ciências. Parece que Johanna está doente, como sempre, e eu não posso dar as duas aulas.

Priscilla e Lola se olharam.

— Tudo bem, vou dizer — disse Lola.

Elora assentiu. Com carinho, a filha pousou a mão no rosto dela e murmurou:

— Hoje você está linda, mamãe.

Ao ouvir isso, a mulher bufou, contrariada.

— Não sou sua mãe. Vá falar com Johanna sobre a aula. É urgente!

Durante horas, Priscilla e Lola ficaram com a mãe na clínica. Estar presentes e escutá-la eram as únicas coisas que podiam fazer. Ao meio-dia, quando decidiram ir embora, Priscilla olhou para a irmã e murmurou:

— Isso me corta o coração.

— Eu sei.

Caminharam de mãos dadas e em silêncio, até que ouviram a voz de um homem as chamar. Ao se voltar e ver que era Aidan, Lola brincou:

— Ora, ora, aí vem sr. Beijo Perfeito.

— Lola — resmungou Priscilla disfarçadamente.

— Contou para ele que você também é caçadora de Pokémon?

— Feche o bico, ou eu fecho para você.

Ao se aproximar delas, Aidan comentou que o médico havia mudado parte da medicação de Elora. Ambas lhe agradeceram por sempre as manter informadas. Quando ele foi embora, Lola sussurrou:

— Ele é encantador, não acha?

Priscilla o olhou, mas não estava a fim de falar no assunto. Respondeu apenas:

— Sim.

E, ao ver as enfermeiras jogando charminho ao falar com ele, completou:

— E, sem dúvida, também um arrasa-corações.

— Acho que ele está a fim de você.

— Pelo amor de Deus, Lola, ele poderia ser meu filho.

— Mas que exagerada! — exclamou Lola, rindo. — Ele tem a idade de Daryl, trinta e um.

— E como você sabe disso?

— Ele me disse um dia, quando vim ver mamãe, enquanto conversávamos.

Quando pararam na cancela da clínica para sair, ambas olharam para trás. Ao ver Aidan falando com as enfermeiras, Lola brincou:

— Ele tem jeito de quem malha bastante.

Priscilla o contemplou e, suspirando, declarou:

— Justamente o que me dá alergia.

Ambas riram de novo. E, então, abriram a porta e saíram.

Do lado de fora, Priscilla, vendo a irmã de cenho franzido, perguntou:

— Que foi, irlandesa?

— Nada.

Mas, cravando o olhar na irmã, Priscilla sussurrou:

— Mamãe teria dito que quem nada é peixe.

Isso as fez sorrir. Lola disse:

— Não estou passando por um bom momento. Dennis, não sei... está me deixando louca, e acho que estou perdendo a cabeça.

Isso tocou o coração de Priscilla. As palavras da irmã demonstravam quanto Dennis era especial para ela. Mas, quando ia dizer algo, Lola levantou a mão e a interrompeu:

— Já disse o que foi. E agora, por favor, não vamos mais falar dele.

Priscilla concordou. Fitando-a, sugeriu:

— Está a fim de almoçar no Dicken's?

— Eu adoraria.

Dicken's era um restaurante perto do Hyde Park. Elas gostavam de ir lá por causa dos hambúrgueres maravilhosos.

Durante o almoço, a conversa girou em torno de Priscilla, que era incapaz de não falar do ex. Lola, que a conhecia muito bem, deixou-a se abrir. A irmã precisava desabafar, e, com Lola, podia fazê-lo tranquilamente. Falaram, falaram e falaram, e, quando acabaram de comer e estavam indo embora, ouviram uma voz que dizia:

— Lolinha...

Lola se voltou e viu uma mulher da mesma idade que ela acompanhada por um homem. Sorriu e exclamou:

— Carolzinha! Que alegria vê-la aqui!

Carol e ela se abraçaram com carinho. Quando se separaram, olhando para a irmã, Lola explicou:

— Priscilla, esta é Carol, uma ex-colega da escola de salsa. Lembra-se dela?

Priscilla assentiu e, dando uma piscadinha, disse:

— Nunca nos vimos, mas ouvi falar muito de você.

Carol sorriu. Tinha uma risada muito contagiante. Dirigindo-se a Lola, sussurrou:

— Espero que você tenha lhe contado só o lado bom.

Lola deu risada e, ao ver a cara de Priscilla, Carol murmurou:

— Não! Você contou de Veneza, Nova York e Ibiza?

Priscilla assentiu. Carol, inclinando a cabeça, surpresa, ia dizer algo quando Lola esclareceu:

— Eu conto tudo a minha irmã. Tudo mesmo.

Carol entendeu. Levando a mão ao coração, replicou, em tom de deboche:

— Priscilla, eu juro que não sou tão louca.

Sem poder parar de rir, Priscilla olhou para o homem que acompanhava Carol e perguntou:

— É seu namorado?

As três olharam para o homem, que as observava. Carol, dando tchauzinho, sussurrou:

— Tenho alergia a namorar. Sou solteira convicta.

Riram de novo.

— É Antonio Gutiérrez. Ele é piloto da companhia aérea em que trabalho.

— Piloto? Em que companhia vocês trabalham? — perguntou Priscilla.

— Na Iberia — respondeu Lola. — Ela trabalha na mesma companhia que Daryl, mas nunca se encontraram. Eu até tentei apresentá-los, mas quando não é um que não pode, é o outro, e nunca consigo.

— Menina — brincou Carol —, piloto é o que não me falta!

— Que Daryl não a ouça chamá-lo de *piloto*. Segundo ele, é *comandante*.

Carol assentiu. E, baixando a voz, murmurou:

— Fique tranquila, eu sei. Mas eu adoro provocá-los.

Riram de novo, e Carol acrescentou:

— Preciso ir. O comandante e eu temos que pegar um voo para Pequim daqui a seis horas, e o convenci a vir almoçar aqui. — E, olhando para Lola, perguntou com cumplicidade: — E seu lindo marido, está bem?

— Perfeito, como sempre.

Para um bom entendedor, meia palavra basta.

— Ligue-me para marcarmos alguma coisa. Faz meses que não nos vemos por causa do trabalho.

Carol assentiu. Adoraria. Abraçou Lola e a irmã e disse, enquanto se afastava:

— Lolinha, eu ligo!

— Carolzinha, vou esperar! — disse Lola, dando uma piscadinha.

Quando saíram do restaurante, Priscilla comentou ao ver a irmã sorrir:

— Ela parece simpática. Finalmente a conheci!

— É — afirmou Lola, rindo. — Ela é incrível, e dança maravilhosamente.

— Melhor que você?

Lola assentiu, assobiando.

— Mil vezes melhor. Carol é uma excelente professora de funk e hip-hop, e nem lhe conto como dança salsa. Aprendi muito com ela. Ela trabalhou como dançarina em musicais como *O rei leão*, e também acompanhou artistas em turnês mundiais como parte do corpo de dança. Eu a conheci na escola, quando ela já não trabalhava com nada disso. É tão jovem, mas fala italiano, espanhol, alemão e inglês perfeitamente.

— Que maravilha! Como aprendeu todos esses idiomas?

— A mãe da Carol é italiana, o pai espanhol, e, se bem me lembro, o avô é alemão. E na rua e na escola aprendeu inglês.

— Nossa — suspirou Priscilla. — Eu daria tudo para falar italiano, não só o pouco de espanhol e japonês que você me ensinou.

Lola sorriu. Por sorte, ela dominava perfeitamente o espanhol, graças à avó Diana. Mas não o japonês, que a cada dia esquecia mais, pois não praticava.

— Não reclame — respondeu Lola. — Você já tinha o bastante para estudar com a história!

Continuaram caminhando pelo Hyde Park, onde, cinco minutos depois, em meio a risos, Priscilla caçou vários Pokémon.

Capítulo 29

Nessa noite, Lola decidiu dormir na casa da irmã.

Quando chegaram, Rasputin, o chihuahua de Priscilla, foi recebê-las. Uma vez satisfeito com os carinhos que recebeu, o animal as deixou.

Estavam a fim de uma noite de garotas. Lola ligou para Justin para avisar, e ele lhes desejou uma noite feliz. Quando Lola, já de pijama, guardou o celular, Priscilla disse:

— Anteontem comprei a quarta temporada de *Game of Thrones*. O que acha de fazermos uma das nossas maratonas?

— Legal!

— Aprendemos com a mamãe a ver filmes e séries juntas, não é? Ela nos fez amar esses momentos.

— Sim — disse Lola com carinho.

— Ainda me lembro — prosseguiu Priscilla, pondo a pipoca em uma vasilha — de quando conversávamos com ela à noite. Mamãe nos esperava na cozinha, até que chegávamos da farra e lhe contávamos como tinha sido.

Lola sorriu. As recordações do passado eram maravilhosas, perfeitas! E murmurou:

— O filme preferido dela era *Sete noivas para sete irmãos*. E a cena de que ela mais gostava era a dança durante a construção do estábulo.

Alegre, Priscilla começou a cantarolar a canção, e as duas acabaram dançando na cozinha, morrendo de rir.

Já menos agitadas, pegaram a pipoca e o refrigerante e se jogaram no sofá ao lado de Rasputin, que não saiu do lugar. Quando Priscilla colocou o DVD e a série começou, as duas irmãs pegaram simultaneamente as bebidas e exclamaram, brindando com decisão:

— À mamãe.

Ficaram vendo televisão, concentradas durante horas, até que o telefone de Priscilla tocou. Olhando para a irmã, disse, surpresa:

— É Conrad.

Na mesma hora Lola parou o DVD. E, ao ver que a irmã não se mexia, disse:

— Atenda e mande-o à merda.

— Não.

O celular continuava tocando sem parar. Até que Lola não aguentou mais e, atendendo, disse, antes que Priscilla pudesse reagir:

— Conrad, por que você não morre? Ou melhor, por que não vai à merda?

Priscilla levou as mãos à cabeça. A irmã havia ficado louca?

— Eu também te amo, Lola. Tudo bem? — disse ele, ignorando as palavras dela.

— Muito bem, até que você ligou, na verdade.

Priscilla olhava para a irmã e fazia movimentos com a mão indicando que ia lhe cortar o pescoço. Mas Lola sorria. No fim, não aguentou mais e, arrancando o telefone dela, disse:

— Oi, Conrad...

— Oi, princesa...

Lola tentou tirar o celular da irmã de novo. A última coisa que Priscilla devia fazer era falar com ele. Mas, imobilizando as mãos de Lola no sofá, Priscilla sibilou:

— Eu respeito o que você faz da sua vida; faça o favor de respeitar a minha.

Lola parou de lutar. A irmã tinha razão, e, ajeitando-se no sofá, replicou:

— Tudo bem, dane-se!

Priscilla suspirou. Irada, Lola pegou o celular e foi para a cozinha. Não queria escutar a tonta da sua irmã.

Enquanto Priscilla falava na sala, Lola ficou navegando nas redes sociais. No Facebook, encontrou uma solicitação de amizade de Dennis, de vários dias antes. Mas, sem aceitá-la, ficou fuçando o perfil dele.

Viu fotos de pessoas que pareciam ser da família dele no Brasil, e também de outras pessoas que, pela legenda, haviam sido tiradas em Munique. Bem-humorada, viu Dennis esquiando ou dançando. E vê-lo tão feliz, descontraído, amoleceu seu coração.

Esse Dennis era o que ela havia conhecido meses antes, não o taciturno Dennis atual, que parecia estar sempre irritado. Então, disposta a fazer um acordo de paz com ele, procurou seu número e, sem hesitar, escreveu:

Lamento por tudo ter acabado assim.
Depois, leu mil vezes essa simples frase. Só queria se desculpar. E apertou "Enviar".

Durante vários minutos esperou uma resposta, que não chegou. Ficou decepcionada. Sem dúvida, Dennis, o prático, não estava nem aí para ela.

Estava angustiada quando a irmã abriu a porta da cozinha. No momento em que ia dizer algo, Lola se adiantou:

— Tudo bem, assumo. Fui grossa com Conrad. Mas, caralho, ele merece!

Priscilla entrou e, sem dizer nada, abraçou-a. Depois de alguns segundos, murmurou:

— Não me mate, mas Conrad está na porta e quer conversar.

Lola praguejou. A irmã não tinha jeito. Sabendo que devia ir embora, murmurou:

— Tudo bem. Vou embora.

— Nem pensar! Você fica.

— Priscilla! Você quer que eu arranque os olhos dele?

Priscilla sorriu. Certa de que a irmã se comportaria, disse:

— Vou com ele para meu quarto para conversar...

— Não diga bobagens — interrompeu Lola. — Vai falar com seu ex sentada na cama? Priscilla, já sou grandinha, e não sou besta.

Priscilla sorriu. Evitando responder, disse:

— Durma no quarto de hóspedes. Não vá embora, por favor.

Lola suspirou. A última coisa que queria era ver aquele sujeito que tanto mal estava fazendo à irmã.

— Tudo bem — concordou. — Mas tente evitar que eu o veja, ou não respondo por mim.

Priscilla sorriu. Deu outro beijo na irmã, correu para a porta, abriu-a, pegou Conrad pela mão e ambos foram para o quarto dela. Enquanto isso, Lola se sentou em frente à tevê e continuou assistindo a *Game of Thrones* e amaldiçoando aquele imbecil.

Mas, dez minutos depois, levantou-se e fechou a porta da sala. Os gritinhos selvagens daqueles dois a estavam deixando louca. Das duas, uma: ou fechava a porta para não os ouvir, ou entrava no quarto e cortava o pau do ex-cunhado.

Capítulo 30

Acalorado, Dennis estava tomando banho.

Essa noite, depois de sair com uns amigos, havia voltado para casa com uma linda inglesa com quem havia curtido algumas horas de pura luxúria, até que a garota, incentivada por ele, foi embora.

Saiu do banheiro vestindo somente uma cueca branca e foi à cozinha beber água, enquanto ouvia a voz de Bryan Adams cantando "Please forgive me"*. Estava morrendo de sede. Por inércia, pegou o celular. Viu que tinha uma mensagem, e se surpreendeu ao lê-la.

Depois do que havia acontecido não pudera parar de pensar em Lola. Procurava-a todos os dias no colégio para pelo menos passar ao seu lado e aspirar seu perfume, esperando que ninguém notasse.

Como um bobo, ficou olhando a mensagem. Devia responder ou não? No fim, escreveu:

Eu também lamento.

Enviou-a imediatamente e ficou olhando o celular. Desejava receber resposta.

Lola, que assistia a *Game of Thrones* esparramada no sofá enquanto tentava não escutar os gritinhos da irmã e os suspiros do cunhado, ao ouvir que estava recebendo uma mensagem, olhou o celular. E, quando viu de quem se tratava, quase pulou do sofá.

Rapidamente, sorrindo e como se houvessem recarregado suas pilhas, respondeu:

Desculpas aceitas.

Dennis recebeu a mensagem. Durante alguns minutos pensou se deveria responder. Aquilo era uma estupidez. Era um homem de trinta e cinco anos, por que ficaria feito um bobo conversando por mensagenzinhas pelo celular?

---

* "Please forgive me", Bryan Adams, Robert John Lange; A&M Records, 1993. (N.E.)

Pensou... pensou e pensou, mas, por fim, deixando-se levar pelo coração, sentou-se no sofá e escreveu:
O que faz acordada a esta hora?
Ao ler isso, Lola sorriu e respondeu:
Vendo televisão.
Dennis olhou o relógio: eram quase quatro da madrugada. Bem-humorado, perguntou:
Às quatro da madrugada?
Ela voltou a sorrir.
Sim.
Curtindo o momento, ele perguntou então:
O que está vendo?
Feliz com a evolução da conversa, Lola pausou a série, pois já não estava prestando atenção, e respondeu:
Game of Thrones.
Dennis ficou surpreso. Imaginava que estivesse vendo uma série mais romântica. Comentou:
Não achei que fosse tão guerreira.
Lola soltou uma gargalhada e digitou:
Eu sou uma guerreira!
Dessa vez, quem sorriu foi ele. Precisava saber onde ela estava, então escreveu:
Imagino que esteja em casa, certo?
Lola ficou tentada a mentir, mas, por fim, disse:
Estou na casa da minha irmã.
Dennis ficou inquieto. Digitou:
Aconteceu alguma coisa entre você e Justin?
Lola suspirou. Sem dúvida, a impressão que dava era essa. Mas, sem nada a esconder, respondeu:
Não. Mas o que começou como uma noite de garotas acabou em uma noite de sexo para Priscilla com o idiota do ex-marido. E, para mim, uma noite na frente da televisão.
Dennis sorriu ao ler isso. Tinha vontade de falar com ela, então escreveu:
Posso te ligar?
Ao ler, Lola ficou nervosa. Depois de pensar, respondeu:
Não.
Porém, ele não lhe deu ouvidos e ligou.

Ouvindo o telefone tocar, Lola o olhou. Por fim atendeu e disse, baixando a voz:

— Eu disse que não. Por que ligou?

Dennis sorriu. Ouvir aquela voz falando com ele naquele tom era o que mais desejava na vida. Debochado, sussurrou:

— Porque sei que, no fundo, você morre de vontade de falar comigo.

Isso fez Lola sorrir. Nervosa, murmurou:

— Você é um metido, sabia?

Sentindo-se ridículos, ambos riram. Por fim, ela disse:

— Ouça... O passado é passado.

— Boa ideia.

— Acho que você e eu somos maduros o suficiente para deixá-lo de lado e começar do zero, não acha?

Dennis assentiu. E, sorrindo, murmurou:

— Olá, eu sou Dennis Alves. E você é...?

— Lola. Lola Simmons. Prazer em conhecê-lo.

— Você estuda ou trabalha?

Ambos riram. Estava mais que claro que ambos haviam baixado a guarda.

Estava mais que claro que ambos haviam sentido falta um do outro.

Estava mais que claro que a magia continuava existindo.

E então, arriscando, ele perguntou:

— O que faz uma mulher linda como você sozinha no sofá enquanto a irmã se diverte no quarto?

Lola olhou para Rasputin, que dormia como um anjo e, dando de ombros, respondeu:

— Se irrita, porque a irmã está fazendo papel de idiota, e espera até amanhã, quando ela estará um trapo e se arrependerá de ter ido para a cama com o ex.

E, depois de um silêncio, murmurou:

— Era nossa noite de garotas.

— Noite de garotas?

Lola, feliz por estar falando com Dennis, apoiou a cabeça no sofá.

— Minha mãe ensinou a mim e à Priscilla a curtir as noites de garotas, que não é mais que comer comida trash, beber litros de Coca-Cola e ver séries ou filmes até os olhos fecharem, ou fofocar sobre homens durante horas até não aguentarmos mais.

— Que grande plano! — brincou Dennis, deitando-se no sofá.

— Mas Conrad ligou, depois entrou... E o resto você pode imaginar.

O brasileiro assentiu. Imaginá-la naquela situação o fez suspirar. E, então, ela perguntou:

— E você, o que faz acordado a esta hora? É muito tarde.

— Estava me divertindo — respondeu ele, olhando para o teto.

Lola se levantou. Não tinha certeza se queria saber o que ele havia feito, mas perguntou:

— Que tipo de diversão?

Suspirando, Dennis respondeu:

— Você pode imaginar.

Lola se levantou do sofá. Pensou no que ele havia dito e, sentando-se de novo, replicou:

— Não sou boa de imaginação. Explique.

Notando a curiosidade dela e a fim de ver se a voz dela mudava com o que tinha para lhe contar, Dennis disse:

— Tudo bem, curiosa. Conheci uma garota, e... ela acabou de ir embora.

A raiva tomou conta de Lola. Mas, contendo-se, perguntou, enquanto se deitava no sofá:

— Foi bom?

Dennis se levantou. Como ela perguntava isso? E, sentando-se, respondeu:

— Sim. Muito.

Lola fechou os olhos enquanto sentia algo crescer dentro de si. E, quando não aguentou mais, perguntou:

— Tanto quanto comigo?

Ao dizer isso, a voz dela tremeu. Sorrindo pela primeira vez ao notar que ela se sentia como ele, Dennis murmurou, enquanto se deitava de novo:

— É diferente. Com você éramos você e eu, e hoje foi Carrie e eu.

Deitada no sofá, Lola olhava para o teto sem saber que Dennis fazia o mesmo em sua casa. Ambos olhavam para o teto sem entender o que estava acontecendo entre eles.

— Sentiu minha falta? — perguntou ele de repente.

— Sim.

Dennis gostou da resposta rápida e firme dela. Acrescentou:

— Eu também senti sua falta.

Essas palavras, unidas ao tom de voz com que ele as pronunciava, fizeram o coração de Lola acelerar. E, então, ele insistiu:

— Posso lhe fazer uma pergunta indiscreta sobre sexo?
— Sim.
— Você já brincou com uma mulher, sexualmente falando?
Ao ouvir isso, Lola soltou uma gargalhada.
— Não.
— Por quê?
Ela pensou e respondeu:
— Não sei. Talvez porque gosto demais de homens.
Criou-se um silêncio tranquilo entre os dois. Ao ver a oportunidade, Lola perguntou, com o coração batendo forte:
— E você, já brincou com algum homem?
Dennis sorriu e sussurrou:
— Estive em grupo com homens e mulheres, e mentiria se não reconhecesse que uma vez ou outra a mão de um roçou meu corpo, mas nada mais. Homem não é minha praia.
De novo instalou-se o silêncio entre eles, até que Lola, inquieta por causa do assunto, disse:
— Posso lhe fazer outra pergunta sobre sexo?
Dennis, que continuava olhando para o teto, mexeu-se.
— Para quem acabou de me conhecer, você é muito atrevida. Mas, diga, o que quer saber?
Lola mordeu o lábio. Desde a noite em que estivera com ele não havia podido deixar de pensar naquilo. Disse:
— Eu falei que não sou boa de imaginação. Uma vez você disse que morria de vontade de que alguém me oferecesse a você, e você me oferecesse a ele... O que quis dizer com isso?
Dennis se surpreendeu com a pergunta dela. Se ela ia a casas de troca de casais com o marido, como estava perguntando isso? O marido não brincava com ela? Mas não queria questionar, queria responder ao que ela perguntava:
— Quis dizer estarmos você e eu com outro homem em um quarto. Então, eu a despiria, a beijaria e, sempre com sua aceitação, abriria suas coxas para que outro a possuísse na minha frente, enquanto eu a seguraria e seus suspiros seriam só para mim.
— Uauuu — murmurou Lola ao ouvi-lo.
Essa era a proposta mais excitante que alguém já lhe havia feito. Quando ia dizer algo, Dennis perguntou:
— Você está sozinha na sala, não é?

— Sim.
— O que está vestindo?

Intuindo o rumo que a conversa estava tomando, Lola respondeu, dando-lhe corda:

— Estou com um pijaminha... curto.
— Cor?
— Vermelho.

De olhos fechados, Dennis o imaginou e murmurou em português:

— Delícia...

Lola sorriu ao ouvi-lo. O jeito como pronunciava essa palavra era inquietante.

Ele insistiu:

— Está com o cabelo preso?
— Sim.
— Solte-o.

Enfeitiçada pela voz dele e pelo momento, ela tirou o elástico que segurava o cabelo e murmurou:

— Pronto.
— Quer que continue ou é muito para quem acabou de se conhecer?

Lola, que desejava loucamente que ele prosseguisse, afirmou:

— Continue...

Acomodando-se melhor, Dennis prosseguiu:

— Estou deitado no sofá só de cueca branca. Feche os olhos e pense em mim, como eu penso em você. Está pensando?

Lola assentiu. Pensar nele era fácil, e respondeu:

— Eu também estou deitada no sofá.

Dennis sorriu. Introduzindo a mão dentro da cueca para alcançar a ereção, acrescentou:

— Você disse que é ruim de imaginação, mas quero que saiba que estou de pau duro. Esta conversa está me excitando, e estou me tocando enquanto penso em você. Quer se tocar também?

Lola assentiu. Ele não podia vê-la, mas assentiu. E, quando enfiou a mão dentro da calcinha, gemeu, e então murmurou ao se sentir molhada:

— Estou me tocando enquanto penso em você e o imagino.
— Humm...
— Estou molhada, excitada — prosseguiu ela, ávida. — Estou me tocando, me masturbando. Meu clitóris está inchado e escorregadio e...

Não pôde continuar, pois um espasmo ardente a fez arfar.

Ao ouvi-la, Dennis sorriu e, enquanto sua mão subia e descia pela ereção rígida e suave, murmurou:

— Isso... Pense em mim e se masturbe. Imagine que estou ao seu lado. Você me toca, eu a toco, e você sente um dos meus dedos, esse que às vezes você chupa quando é malvada, afundar em seu corpo lenta e pausadamente, enquanto suas coxas tremem de excitação e suas pernas se abrem para me receber. Está sentindo? Sente como eu a masturbo?

Alucinada, fascinada e seduzida pelo momento, Lola introduziu um dedo na vagina. Excitada, suas pernas se abriram e ela murmurou, arfante:

— Sinto... sinto... Você me imagina?

De olhos fechados, Dennis assentiu, e afirmou, enfeitiçado:

— Imagino... Claro que imagino, e penso que é sua mão, e não a minha, que está em meu pênis e brinca com ele.

Encantada com o que ouvia, Lola sussurrou:

— Seus lábios roçam os meus. Adoramos nos beijar.

— Sim...

— Adoramos nos provocar enquanto seu dedo brinca dentro de mim e me masturba no mesmo ritmo que eu o masturbo. — E, com um fio de voz, perguntou: — Você gosta? Gosta do jeito que eu faço?

Dessa vez foi ele quem arfou ao sentir uma onda de prazer provocada pelas palavras picantes dela e as imagens que sua poderosa imaginação lhe proporcionava.

Conversaram. Excitaram-se. Possuíram um ao outro, fascinados pela intimidade e a fantasia que haviam criado pelo telefone, sem se tocar, sem se roçar, sem se ver.

Durante vários minutos o jogo continuou, até que Lola não aguentou mais. Depois de um orgasmo delirante que a fez se contorcer no sofá, Dennis também se deixou levar.

Acalorada e arfante, Lola abriu os olhos e olhou para o teto. O que havia feito era totalmente novo para ela. Sorrindo, murmurou, enquanto Dennis, em casa, se levantava e se limpava com um lenço de papel:

— Sexo por telefone. Nunca havia experimentado.

O brasileiro sorriu.

— Pode acreditar, é minha primeira vez também — declarou ele, sorrindo.

Lola gostou de ouvir isso. Terem uma primeira vez juntos em qualquer coisa de repente se transformou em algo importante para ela. Sentando-se no sofá, perguntou:

— Dennis, o que estamos fazendo de novo?
Ele, acomodado no sofá, sem saber realmente o que dizer, respondeu:
— Não sei. Só sei que não posso parar.

Capítulo 31

— Lola... Lola, acorde.
Ao ouvir isso, ela abriu um olho. Onde estava? Mas, ao ver o rosto da irmã e Rasputin enroscado em sua cabeleira vermelha, murmurou:
— Que horas são?
— Dez e meia — respondeu Priscilla. — Você dormiu no sofá?
Lola se levantou e, olhando para o celular, que estava em cima da mesinha, afirmou, sorrindo ao recordar o que havia acontecido horas antes:
— Sim.
— Por quê? Eu disse para você dormir no quarto de hóspedes.
— Impossível. Vocês são muito escandalosos.
Ignorando o comentário, Priscilla se sentou ao seu lado. Lola perguntou:
— E o imbecil?
— Tomando banho. E não o chame assim.
— Caralho, ele ainda está aqui? — resmungou Lola, fazendo um rabo de cavalo.
— Sim.
— Mas ele não disse que só queria falar com você?
Priscilla assentiu e, com um meio-sorriso, disse:
— Sim. Mas uma coisa levou a outra, e, no fim, tivemos uma noite louca.
— Eu sei, lindinha, não precisa esfregar na minha cara — brincou Lola. — E acho que os vizinhos também sabem.
— Dava para ouvir tanto assim?
Lola assentiu.
— Sim. Aliás, não sei o que é pior, se os bufos de hipopótamo daquele imbecil ou seus guinchinhos de rato.
— Lola!
Divertindo-se, Lola sorriu e, olhando para Priscilla, sussurrou:
— E quando você dizia "Sim... sim... sim!", e ele "Princesa, não pare!", eu...

— Lola! — gritou Priscilla, horrorizada.

Lola olhou para a irmã e, para acalmá-la, murmurou:

— Mas, fique tranquila, não ouvi mais nada porque decidi dormir na sala.

Priscilla suspirou. Sentou-se ao lado dela e, cobrindo o rosto com as mãos, murmurou:

— Não sei o que acontece comigo.

Lola bufou. Já estava começando. E, fitando-a, disse:

— Eu sei: você é idiota. Quer que explique de novo?

— Sou incapaz de lhe dizer não. Eu tento, mas quando ele me olha e me chama de princesa, eu...

Lola pestanejou. A irmã era um caso perdido. Bufando, murmurou:

— Priscilla...

— Porém, quando fazemos amor e penso que ele também fez com aquela mulher, sinto vontade de matá-lo, de lhe arrancar os olhos, de...

— Priscilla, não te entendo mais. Olha que eu tento, mas não sei o que acontece com você diante desse idiota, metido e prepotente...

— Não o chame assim!

— Ui, coitadinho... Desculpe... desculpe... — debochou Lola.

Priscilla se desesperou. Sabia que ela tinha razão, mas continuava não assinando os papéis do divórcio que guardava na gaveta do quarto.

— Estou confusa. O que posso fazer?

— Assinar os malditos papéis do divórcio e esquecê-lo.

— Não posso...

— Não pode ou não quer?! — gritou Lola. — Ele a machuca, e isso dói em mim. Só espero que o estômago dele tenha se revirado quando você lhe contou que foi para a cama com João, o brasileiro, e que ele tenha percebido que nesta vida não é só ele que tem direito a se divertir.

Priscilla desviou o olhar. Lola, baixando a voz, murmurou:

— Porque você contou, não é?

A irmã não respondeu, e Lola insistiu:

— Diga que lhe contou, com um grande sorriso, que transou com João, senão, juro que...

— Não... O que ele vai pensar de mim?

Entendendo o que essa resposta queria dizer, Lola levantou as mãos e murmurou:

— Priscilla, pelo amor de Deus, você é um caso perdido.

Ela não respondeu. Lola, vendo a cara da irmã, murmurou:

— Você realmente está permitindo que ele entre em sua cama apesar de estar brincando com seus sentimentos, e nem sequer se vingou contando-lhe que se divertiu no Brasil com um gato chamado João que tinha um abdome de babar?

A irmã continuou sem responder. Lola murmurou:

— Meu Deus, Priscilla, acho que você precisa de ajuda. Mas de ajuda profissional.

Priscilla se levantou, caminhou pela sala e, quando ia dizer algo, ouviram uma voz que não esperavam:

— Você foi para a cama com outro homem?

Lola e Priscilla viram Conrad, que as olhava da porta.

Lola assentiu e, sorrindo, ia dizer uma das suas quando ele se antecipou:

— Se não se importa, isso é entre mim e minha mulher.

— Ex. Ex-mulher — corrigiu Lola.

— Mulher — afirmou Priscilla. — Ainda não assinei os papéis do divórcio.

Ao ouvir a irmã, Lola quis pegá-la pelo pescoço. O ex-cunhado se aproximou de Priscilla e murmurou:

— Você foi para a cama com outro?

Ela assentiu. Ele, abotoando a camisa, disse, muito cheio de dignidade:

— Eu não esperava isso de você. Nunca!

— Nem ela esperava de você o que fez para ela, engraçadinho! — debochou Lola, contemplando as próprias unhas.

Ao ver como o marido olhava para a irmã, antes que ele pulasse sobre ela, Priscilla sibilou:

— Ela tem razão. Eu também não esperava isso de você.

Voltando o olhar para a mulher, Conrad sentenciou:

— Princesa, isso eu não vou aceitar. Assine os malditos papéis do divórcio.

Sem poder acreditar no que ouvia, ao ver a cara da irmã, Lola pulou:

— Você é um porco. Vive usando-a. Ontem à noite veio e...

— Vim falar com ela — interrompeu ele, levantando a voz. — Mas ela sempre me enrola e acabamos na cama.

Priscilla franziu o cenho e protestou:

— Você não parecia estar sofrendo.

Irado, mas sem vontade de discutir com elas – que pareciam estar com toda a vontade do mundo –, Conrad deu meia-volta e, antes de sair, exclamou:

— Assine os malditos papéis de uma vez!

Dito isso, abriu a porta e foi embora.

Priscilla ficou olhando para a porta. Ao ver a cara da irmã, Lola pegou Rasputin no colo e sibilou:

— Se você ousar ir atrás dele, juro que quebro suas pernas.

Priscilla se sentou no sofá e, com os olhos cheios de lágrimas, murmurou:

— Não quero assinar os papéis do divórcio.

Na tarde desse sábado, as duas irmãs foram à clínica ver a mãe. Precisavam dela, apesar de Elora não estar mais ali para mimá-las.

Capítulo 32

Na segunda-feira de manhã, Lola estava histérica: ia ver Dennis.

Ao chegar ao colégio com Justin, sentiu as pernas tremerem. O que dias antes havia acabado, agora, depois de mil mensagens pelo celular, parecia ter sido retomado com mais força.

Ao entrar na sala dos professores, logo o avistou. Ali estava o homem que não podia tirar da cabeça, por quem havia sentido um ódio gigante que havia acabado em uma estimulante sessão de sexo por telefone, vestindo uma camisa branca e uma calça escura, falando com Shonda.

Ao entrar, Justin cumprimentou vários professores e, por último, dirigiu-se a Dennis. Havia nascido uma grande amizade entre eles. Lola decidiu se aproximar da irmã, que estava tomando um café.

— Como você está? — perguntou disfarçadamente.

— Um lixo, e tudo por sua culpa.

Ao ouvi-la, Lola olhou para a irmã, que rapidamente se corrigiu:

— Desculpe... desculpe... não é sua culpa. Não é culpa sua.

Então, a porta da sala dos professores se abriu, e o diretor Simmons entrou. Cumprimentou a todos e, dirigindo-se às filhas, pediu com seriedade:

— Por favor, venham as duas a minha sala.

Quando ele saiu, Justin perguntou, dirigindo-se à mulher:

— O que vocês fizeram?

Depois de olhar para Dennis, que as observava, como os demais professores, Lola se aproximou do marido e murmurou:

— Não sei, mas com certeza saberei em cinco minutos.

Quando Priscilla e Lola entraram na sala do pai e fecharam a porta, encontraram-no sentado atrás da majestosa mesa de carvalho escuro. O homem as olhou e sibilou:

— Priscilla, você não tem nada para me contar?

Ela não se mexeu, e ele prosseguiu:

— Falei com Conrad, e tive que ouvir sobre você o que jamais desejei ouvir. Posso saber em que estava pensando quando foi para a cama com outro?

Ao ouvir isso, Lola sorriu com amargura. E, vendo a irmã totalmente constrangida, respondeu:

— Papai, sei que vai levar a mal o que vou dizer, mas acho que alguém precisa lhe falar que a vida privada de Priscilla é só dela, e se Conrad...

— E você! — interrompeu ele. — Você é uma desajuizada e atrevida. Devia se meter menos na vida de sua irmã e se concentrar mais na sua com seu marido, porque já está há doze anos casada e nem um neto me deu.

— Papai! — gritou Priscilla.

Lola mordeu a língua. Era o melhor a fazer.

— Conrad me contou como falou com ele — prosseguiu Colin. — Como debochou dele sem pensar que ele é seu cunhado e que lhe deve respeito. Em que estava pensando?

— Em minha irmã — replicou Lola. — E, como pensava em minha irmã, se Conrad ia se incomodar ou não com o que eu dissesse era a última coisa que me importava. Na verdade, adorei.

Colin fechou os olhos. A filha do meio o tirava do sério. Mas, quando ia responder, ela acrescentou:

— Eu sei. Sou uma fera desembestada. É o que você sempre diz, e garanto que já não me incomoda, porque prefiro ser isso a...

— Lola... — bufou ele.

A impetuosidade dela o tirava do sério. Vê-la diante de si com aquele aprumo, algo de que a filha Priscilla carecia, fazia-o ter consciência da força de Lola. Como não queria discutir mais com ela, olhou para a outra filha e perguntou:

— É verdade que você foi para a cama com esse homem, Priscilla?

— Não responda! — gritou Lola, mordendo a língua para não soltar o que sabia.

— Papai, eu...

Colin deu um soco na mesa e sibilou:

— Conrad é um advogado influente em Londres, e a última coisa que você deveria fazer é se separar dele. E, agora, escute: tive uma conversa com ele há pouco e, depois que lhe ofereci nossa residência na Cornualha, ele decidiu perdoá-la, então poderão manter o casamento.

— Esse idiota vai ficar com Priscilla porque você lhe ofereceu a casa da Cornualha? — murmurou Lola, sem acreditar no que ouvia.

— Portanto — prosseguiu o pai, olhando só para Priscilla—, faça o favor de sair do colégio, ir ao escritório dele, comportar-se como uma esposa e prometer-lhe que nunca mais fará algo assim.

Priscilla soltou um gemido. O que o pai havia acabado de fazer era ultrajante, tão ofensivo que ela não iria aceitar.

Irritada ao ver a cara da irmã, Lola a fez sentar em uma das cadeiras que havia em frente à mesa do pai. Depois, apoiou as mãos no tampo e soltou, entredentes:

— Nem pense nisso. Não vou permitir que minha irmã faça isso. O que pensa que está fazendo, papai?

— Salvando a instituição. O nome do colégio ficaria exposto a um escândalo. O divórcio da filha do diretor não nos beneficia em nada e...

— Eu não vou fazer isso, papai — murmurou Priscilla.

Ao ouvi-la, Colin perdeu as estribeiras e começou a gritar, a recriminá-la por estar sendo uma filha má. Lola, incapaz de se calar, disse, dando um soco na mesa:

— Comigo pode gritar quanto quiser, mas com Priscilla não. E se continuar fazendo isso, vai arcar com as consequências!

Colin blasfemou. A filha estava usando o que sabia sobre ele para calá-lo.

— Lola — advertiu-a Colin, apertando os dentes. — Cuidado com o que diz.

— Cuidado você com o que diz — replicou ela ao saber que o pai havia entendido. — Quem é você para mandar na vida de Priscilla?

— Sou o pai dela.

— Isso eu já sei — afirmou Lola. — Justamente por isso, podia ter um pouquinho mais de coração e pensar no que é o melhor para sua filha, e não no que é conveniente para seu maravilhoso colégio. Não vê como Priscilla está sofrendo? Ou por acaso só vê o que quer ver em relação ao imbecil do Conrad? Pelo amor de Deus, parece que seu filho é ele, e não a Priscilla.

— Lola, deixe para lá — murmurou a irmã.

Mas Lola já estava como uma fera desembestada, e continuou:

— Não vou permitir que um homem faça Priscilla sofrer como você fez com mamãe. Não! Eu me recuso. E, antes que continue falando de vergonhas e moralismos, vou lhe recordar que sua mulher, nossa mãe, está internada em uma clínica com Alzheimer e, nos quase cinco anos em que está lá, você só foi visitá-la uma vez. Uma! Disso você não tem vergonha?

Colin passou os olhos de uma filha a outra e, quando ia responder, Priscilla se levantou e, encarando-o, exclamou:

— Acabou, papai. Não aguento mais. Eu me casei com o homem que lhe convinha e, por sorte, apaixonei-me por ele. Mas esse homem não me ama. Esse homem me pressiona para que eu assine os papéis do divórcio porque não me suporta, e menos ainda quando viu que eu também sou capaz de fazer com ele o que fez comigo. Sim, eu fui para a cama com outro homem, reconheço. E agora, depois de escutá-lo e ver como você é cruel com minha irmã e comigo, quanto adora um idiota que me enganou com uma ou várias mulheres, lamento não ter ido para a cama com muitos outros, porque estou furiosa, magoada e...

— Você é uma Simmons, Priscilla — interrompeu Colin. — Sua honra e seus valores representam o colégio Saint Thomas.

— Papai, você me ouviu? — protestou ela. — Sua filha sou eu, não Conrad nem o colégio Saint Thomas. Só espero compreensão de sua parte, e não que ofereça a esse homem que não me ama uma propriedade, para que ele continue casado comigo.

— É inútil, Priscilla, não insista. Falar com ele é como bater numa parede — murmurou Lola, ganhando um olhar furioso do pai.

Um silêncio sepulcral se apoderou da sala. O que se estavam dizendo não era agradável, em absoluto. Quando Colin não pôde mais suportar o descaramento com que as filhas o tratavam, sibilou:

— Fora da minha sala já, as duas!

Elas assentiram. Qualquer discussão com ele sempre acabava da mesma maneira. Enquanto pegava Priscilla pela mão, Lola disse, desafiando-o com o olhar:

— Mamãe nos ensinou a nos amarmos e nos respeitarmos. Que pena que você nunca aprendeu nada com ela.

Uma vez fora da sala, elas se entreolharam. Priscilla, com um fio de voz, murmurou:

— Se Conrad quer uma casa na Cornualha, que compre!

— Fico feliz por saber, porque você não está à venda.

Caminharam uns metros e Priscilla sussurrou:

— Acho que preciso de um café.

Sentindo que a irmã por fim havia dado a guinada de que precisava em sua vida, Lola enxugou-lhe as lágrimas que escorriam pelo rosto e disse:

— Pois vamos tomar um, que você merece.

Sorriram, enquanto Colin se desesperava dentro de sua sala. Por que os filhos eram tão desajuizados?

Quando as jovens entraram de novo na sala dos professores, Justin rapidamente foi até elas. Lola e Priscilla lhe contaram o ocorrido, e ele, depois de oferecer à cunhada todo o apoio e dar um beijo na mulher, encaminhou-se para a sala do sogro. Certamente precisava desabafar com alguém.

Quando Priscilla relaxou e foi para a sala de aula, Lola se sentou sozinha para tomar um café.

Nervosa e disfarçadamente, afastou o cabelo e passou a mão no pescoço enquanto observava Dennis conversando com outro professor. Estava um gato. Assim que tocou o sinal anunciando o início das aulas, todos saíram da sala. Dennis, aproximando-se de Lola com ar preocupado, apoiou-se na mesa e perguntou:

— Você está bem?

Lola sorriu. O calor do olhar dele a reconfortou. Porém, segundos depois, Dennis saiu sério da sala dos professores. Ligeiramente agitada pelo que aquele homem a fazia sentir, Lola também deixou a sala. Quando estava descendo as escadas, seu celular apitou. Ao olhar para a tela, leu:

Fico excitado ao ver a delicada curva do seu pescoço.

Ela sorriu, mas não respondeu. Dirigiu-se decidida à sua sala. Era melhor.

Depois de uma manhã cheia de aulas, chegou a hora do almoço. Ao entrar no refeitório, Lola o buscou com o olhar, ansiosa para vê-lo, mas não o encontrou. Não estava ali. Ela lamentou e entrou na fila para pegar a comida. Estava com fome.

Enquanto olhava as opções expostas no balcão, Justin se aproximou e, pegando-a pela cintura, perguntou:

— O que vai comer, pequena?

Durante alguns minutos falaram sobre o que lhes apetecia e, então, a porta se abriu e Dennis entrou.

A simples presença do brasileiro parecia encher o refeitório. Lola ficou acesa ao ver como ele a observava sem se aproximar. Com charme, fez um rabo de cavalo alto e, ao tocar o pescoço, pôde vê-lo sorrir.

O jogo de olhares era excitante... único... incrível.

Sentir como ele a seguia disfarçadamente, como a possuía com o olhar, a deixava louca. Quando ela deixou os talheres caírem ao chão, Justin se agachou para pegá-los. Ao vê-la acalorada, murmurou:

— Lola, você está suando. Está sentindo alguma coisa?

Conscientizando-se de que aquele jogo era perigoso, pelo menos no colégio, ela sorriu e, baixando a voz, sussurrou uma explicação lógica:
— Acho que vou ficar menstruada.
Justin assentiu. Sentia pena das menstruações dolorosas que Lola tinha às vezes. Levou os lábios aos dela, beijou-a e murmurou:
— Espero que este mês seja mais leve.
Ela sorriu e, ao ver o cenho franzido de Dennis por causa do beijo, acrescentou:
— Eu também.
Já com os pratos de comida nas bandejas, Lola e o marido se sentaram com outros professores. Segundos depois, quando o brasileiro ia se sentar a uma das mesas mais distantes, Justin o chamou:
— Dennis, sente-se aqui.
Sem hesitar, ele se sentou ao seu lado, e então Justin disse:
— Você joga *paddle?*
— Não.
— Ah, que pena. Ia convidá-lo para participar do meu grupo de *paddle*. Nós nos reunimos às segundas e terças no Club Richmond.
— Lamento — desculpou-se ele. — Não sei jogar, mas, mesmo que soubesse, seria impossível com minhas aulas na escola de dança.
— Uma pena — reclamou Justin.
Lola, que permanecia calada ao lado do marido, inconscientemente passou a mão pelo pescoço delicado. Dennis, ao vê-la, depressa afastou o olhar. Lola era uma tentação. Sua tentação.

Capítulo 33

Duas horas depois, quando Lola voltava depois de ir falar com a irmã para se certificar de que estava bem, seu coração parou ao ver Dennis andando em sua direção no meio do corredor.

Ambos caminhavam, cercados de pessoas, mas só viam um ao outro. As crianças, ansiosas para sair do colégio, passavam correndo por eles, enquanto Lola e Dennis se aproximavam mais e mais, olhando-se nos olhos. Quando se cruzaram, suas mãos se roçaram por uma fração de segundo.

Essa sensação de euforia, embriaguez e arroubo era algo totalmente desconhecido para ambos. Para ele, porque uma mulher nunca o havia nocauteado desse jeito, e, para ela, porque jamais havia sentido tal excitação ou sido seduzida assim.

Extasiada por ter cruzado com Dennis e pelo que havia sentido só de olhar para ele, Lola parou no corredor para falar com a mãe de uma de suas alunas. Tentava se concentrar no que a mulher dizia, mas era impossível. O tsunami brasileiro chamado Dennis a deixara desorientada. Quando por fim conseguiu se livrar da mulher, ficou aliviada.

Sem olhar para trás, Lola seguiu seu caminho. Tinha uma aula em menos de quinze minutos.

Com rapidez, desceu a escada e, ao chegar ao andar de baixo, de repente sentiu alguém a pegar pelo braço, puxá-la e fazê-la entrar na sala das caldeiras. Ao olhar assustada, viu que era Dennis e, antes que pudesse dizer qualquer coisa, ele a apertou contra si e a beijou.

Adorando, ela aceitou o beijo profundo, desejado, passional. Quando acabou, Dennis a fitou e murmurou:

— Estava morrendo de vontade de fazer isso e de tocar seu lindo pescoço.

Aquilo era uma loucura. Loucura em estado puro. Estavam no colégio, qualquer um poderia encontrá-los.

Porém, deixando-se levar pelo momento, pela loucura e pelo frenesi, Lola levou as mãos ao cinto dele. Ao perceber suas intenções, Dennis ia protestar, mas ela, fitando-o, sentenciou:

— Não se mexa. Não diga nada e me deixe fazer.

O brasileiro ficou paralisado.

Sua voz...

Seu olhar...

Sua decisão...

Aquela mulher fazia o que queria com ele.

Anulava-o como nunca nenhuma outra havia conseguido. E, quando sua calça e cueca caíram a seus pés e ela se ajoelhou diante dele, Dennis, que estava apoiado na parede, apertou os punhos e arfou.

Adorando aquilo, Lola prosseguiu. Ela tinha as rédeas na mão; imobilizou-o. Desejava-o. Desejava chupá-lo, bebê-lo, acariciá-lo e fazê-lo cair no precipício da luxúria, como ele estava fazendo com ela.

Lentamente, acariciou a área que ia do umbigo até onde começava o caminho desenhado por seus escuros pelos pubianos e o beijou. Passou os lábios brincalhões por sua pele, e Dennis tremeu. Então, pôs a língua para fora e percorreu todo seu esplendoroso pênis até a ponta e, a seguir, introduziu-o com carinho na boca. Queria muito lhe dar prazer, mais do que receber.

Dennis a deixava agir. Lola, encantada com aquilo, aplicava toda a sua perícia. Movimentando a boca e a língua naquela doce e dura intimidade, curtia ao vê-lo arfar, tremer e soltar um ou outro grunhido varonil.

Sem tempo a perder, começou a brincar com ele, aumentando o ritmo e detendo-o quando sentia que ele estava perto do clímax. Arfante, Dennis acelerava. Decidida a deixá-lo louco, Lola de vez em quando tirava a ereção da boca e a esfregava no queixo, no rosto, nos lábios. O brasileiro tremia enquanto ela o provocava mais e mais, e se abandonava totalmente nas mãos dela, deixando-se agradar.

Quando tirava a dura ereção de Dennis da boca, Lola lambia sua extremidade, traçando pequenos círculos com sua língua sedenta, e dava-lhe umas mordidinhas tentadoras. A respiração de Dennis era agitada, trêmula, palpitante, enquanto mantinha os olhos fechados. Pelas sacudidas do corpo dele, Lola soube que estava fazendo bem-feito, que ele estava curtindo.

Os segundos se passavam e os tremores de Dennis aumentavam, até que, por fim, louco para possuí-la, ele a levantou do chão, arrancou-lhe com urgência a calça e a calcinha e, levantando-a com os braços, apoiou-a contra a parede e a penetrou.

Uniram as bocas para tentar enterrar os suspiros enquanto faziam amor com loucura e urgência, como dois animais selvagens e desesperados. Não havia tempo. Tinham que se apressar. Então, depois de vários movimentos ferozes de Dennis, ambos atingiram o clímax enquanto se olhavam, arfantes.

— Estamos loucos — murmurou ele, esgotado.

— Louquíssimos — afirmou Lola.

Ambos riram, e se vestiram com rapidez. Então, Dennis disse, pegando-a pelo braço:

— Ei...

— O quê?

— Me beije.

Lola o beijou, encantada. Depois de um beijo quente, desejado e apaixonado, ele murmurou:

— Isso que estamos fazendo está complicando tudo de novo.

— Eu sei...

— E, se sabe, por que deixa?

Sem dúvida, ele tinha razão. Mas Lola não estava a fim de pensar nisso. Sorriu e respondeu, abotoando a calça:

— Porque gosto de você.

Depois, ela tornou a beijá-lo e murmurou:

— Vou indo. Tenho uma aula e preciso trocar de roupa.

Quando Lola foi embora e o brasileiro ficou sozinho na semiescuridão da sala das caldeiras, suspirou. Fechando os olhos, murmurou:

— Que diabos estou fazendo?

Capítulo 34

Os dias se passavam e os encontros furtivos entre Lola e Dennis se repetiam, enquanto seus sentimentos se misturavam mais e mais.

Durante o dia, no colégio, disfarçavam. Ninguém podia suspeitar de nada, mas trocavam mensagens ocultas que os excitavam e que só eles entendiam.

Cada vez que o via no refeitório, na sala dos professores ou simplesmente pelo corredor, Lola erguia o cabelo com as mãos para expor o pescoço lindo e delicado, para excitá-lo, enquanto o brasileiro cantarolava em sua língua materna quando estava perto dela para deixá-la louca.

Mas essa loucura crescente aliada à gentileza com que Justin o tratava atormentavam cada vez mais Dennis. Quando o colega se sentava ao seu lado no refeitório ou na sala dos professores, ou quando saíam do colégio para tomar um café, o brasileiro se sentia péssimo. Sempre prometeu a si mesmo que nunca faria aquilo que estava fazendo agora, mas com Lola era impossível cumprir a promessa. Ela o deixava louco e, quando o provocava, não podia evitar entrar na dela como um bobo.

Certa tarde, Lola estava dando aula, e Marian, uma das secretárias de seu pai, entrou na sala e a chamou com a mão. Lola foi até ela, que, fitando-a, disse:

— Vim me despedir de você, amor.

Surpresa, Lola perguntou:

— O que aconteceu? Aonde você vai?

Marian suspirou e, dando de ombros, explicou:

— Meu filho, aquele que mora em Birmingham, me pediu para ir morar com ele. A mulher o abandonou, foi embora com outro, e ele precisa de ajuda com as crianças.

Chocada, Lola murmurou:

— Ai, meu Deus, Marian, sinto muito.

A mulher voltou a suspirar e, passando a mão no rosto de Lola, disse:
— Coisas da vida, filha. Só nos resta assumi-las e tocar adiante.

Lola, chateada com a partida de Marian, abraçou-a com carinho. Ela a conhecia desde que era uma menina. Quando ela se afastou, foi a vez de Lola suspirar. Em seguida, voltou à turma.

Mais tarde, quando Lola estava acabando a aula de balé, Justin apareceu na porta e a cumprimentou com a alegria de sempre.

As alunas de Lola, ao ver o lindo – embora maduro – marido da professora, sorriram. Todo mundo gostava de Justin.

— A cada dia vocês dançam melhor — disse ele, olhando-as —, mas não podemos tirar o mérito da excelente professora que têm.

Todas sorriram.

Justin e Lola realmente pareciam formar um casal perfeito.

Quando todas as mocinhas saíram e a sala ficou vazia, Justin, aproximando-se da mulher, que estava tirando as sapatilhas de ponta, comentou:
— Que pena a saída de Marian, não é?
— Ela vai fazer falta aqui.

Ele assentiu e, fitando-a, disse:
— Vamos emendar um feriado e pensei em aproveitar a passagem para Nova York que você me deu. Importa-se se eu for na sexta-feira da semana que vem?

Enquanto calçava um tênis, Lola sorriu.
— Claro que não. Vá.

Justin lhe entregou o outro tênis e murmurou:
— Estou dizendo porque na sexta-feira é a festa do Akihiko.

Lola havia esquecido, mas, ao se lembrar, deu de ombros.
— Akihiko vai entender.

Justin sorriu. Quando ela acabou de amarrar o outro tênis, ele exclamou:
— Como sempre digo, pequena, você é a melhor!

Cinco minutos depois, enquanto se dirigiam à saída, encontraram Dennis e Shonda, que conversavam animadamente. Logo Justin entrou na conversa. Descontraídos, todos caminhavam para a saída do colégio quando Justin disse:
— Shonda, você se matriculou nas aulas de Dennis?

Ela sorriu. Sempre gostara de dançar e, quando soubera por Bruna que ele era professor, não teve dúvida.
— Sim — respondeu. — Estou aprendendo forró, e hoje é aula de lambada. Mas Bruna não pode ir. O diretor marcou uma reunião com ela.

— Oh, que pena! — disse Justin com ironia.

— Uma pena enorme — afirmou Shonda, sorrindo com maldade.

Surpresa, Lola olhou para Dennis. Por que não havia comentado que aquelas duas faziam aula com ele?

Enquanto o marido e ele conversavam, disposta a saber mais, perguntou a Shonda:

— Desde quando vocês fazem aula com ele?

— Há três semanas — sussurrou a mulher. — Bruna se matriculou e, quando eu soube, não hesitei e fui também. Não quero que aquela espertinha fique com o bolo todo. Pelo menos metade é para mim.

Lola ficou contrariada ao ouvir isso, e muito.

O fato de as duas verem Dennis como um troféu deixou Lola com vontade de pegar Shonda pelos cabelos e arrastá-la por todo o corredor do colégio. Estava quase fazendo isso, quando ela murmurou:

— Mas o sujeito é durão. Por mais que eu dê em cima dele, ele me ignora. Mas não me dou por vencida, quem espera sempre alcança.

A fúria de Lola estava momentaneamente controlada.

Nesse instante, um professor abriu uma porta e chamou Justin.

— Dê-me um segundo — pediu ele, afastando-se.

Então, Shonda saiu correndo em direção aos banheiros e exclamou:

— Antes que Justin volte já estarei de novo aqui.

Dennis e Lola ficaram sozinhos no meio do corredor. E, então, ele perguntou:

— Qual é o problema com a mulher mais bonita do colégio?

Feliz com o elogio, mas contrariada pelo que havia ouvido antes, ela retirou devagar a franja do rosto e disse:

— Por que não me disse que tinha novas alunas?

— Porque não julguei pertinente.

— Ah, não?

— Não. Sou professor de dança, e quanto mais gente for à academia para aprender, melhor.

Mas ao ver a cara dela, perguntou:

— Lola, qual é o problema?

— Nada...

— Lola... temos poucos segundos antes que eles voltem. Que foi?

Ela o olhou, inquieta. Era uma verdadeira bobagem dizer-lhe o que pensava, mas, como não estava disposta a mentir para ele, murmurou:

— Sei que não temos exclusividade entre nós, mas...

— Se você quisesse, tudo poderia mudar.

Alucinada, ela olhou para ele. O que ele estava propondo era muito forte. Quando ia responder, chegou o motivo da discórdia.

— Voltei! — disse Justin, e, pegando a mulher pela cintura, perguntou: — Onde está Shonda?

— No banheiro — respondeu ela rapidamente.

Ao ver Justin aproximar a boca para beijar o pescoço de Lola, Dennis desviou o olhar. Não suportava ver esse tipo de intimidade entre eles e imaginar o que não devia. Então, Shonda chegou.

Já na rua, os quatro se encaminharam ao estacionamento. Shonda, parando ao ver a moto do brasileiro, disse:

— Lamento, Dennis, mas tenho pânico de moto. Vou pegar um táxi.

Surpreso, ele murmurou:

— Garanto que comigo estará bem segura.

A mulher olhou para a moto. Nunca havia gostado desses bichos de duas rodas.

— Venha conosco de carro — propôs Justin, então. — Nós a deixaremos na escola.

Mas, ao ouvir isso, Lola replicou:

— Estamos com o de dois lugares hoje.

Justin assentiu ao recordar. Então, perguntou, olhando para sua mulher:

— Por que não vai com Dennis? Você sempre gostou de moto.

Lola não se mexeu. Não era uma boa ideia. Mas Dennis, sem lhe dar tempo de pensar, entregou-lhe um dos capacetes que tirou do baú e disse:

— Boa ideia. — E, dirigindo-se a Justin, murmurou: — Fique tranquilo, amigo, eu a devolverei inteira.

Justin sorriu, olhou para a mulher e, depois de lhe dar um selinho nos lábios, sussurrou:

— Aproveite o passeio.

Atônita, Lola pestanejou. Sabia muito bem o que o marido estava fazendo. Com um sorriso, passou o capacete a ele e disse, pegando Shonda pelo braço:

— Eu vou com Shonda de carro. Ela sabe o endereço da escola. — E, olhando para um Dennis desconcertado, brincou: — Devolva meu marido inteiro.

Então, dirigiu-se ao carro, enquanto se arrependia de ter proporcionado essa oportunidade ao marido.

Surpreso pela reação de sua mulher, Justin olhou para Dennis e, colocando o capacete que ela lhe havia dado, anunciou:

— Muito bem. Estou pronto!

Dennis montou na moto. Ao ver que ele hesitava para subir, perguntou:

— Já andou de moto?

— Não.

O brasileiro balançou a cabeça. Tentando não perder o bom humor, disse:

— Coloque o pé direito no estribo, apoie-se em meus ombros e suba. Sente-se atrás de mim e segure em minha cintura.

Justin obedeceu, satisfeito. Quando aproximou o corpo do de Dennis e o segurou pela cintura, fechou os olhos. As instruções o haviam excitado. Estar atrás dele o deixava louco; além de tudo, o cheiro dele era ainda melhor do que havia imaginado.

Quando o brasileiro arrancou, Justin se apertou mais contra ele.

— É melhor não ficar tão colado — recomendou Dennis.

Justin foi um pouco para trás, e Dennis disse:

— Assim, bem melhor assim. Agora, fique tranquilo e curta o passeio.

Justin sorriu, nervoso, excitado e encantado, e se deixou levar.

Capítulo 35

Meia hora depois, Lola e Shonda esperavam na porta da escola quando Justin e Dennis chegaram caminhando. Pareciam estar brincando e, ao se aproximar, Justin disse:

— Pequena, foi maravilhoso. Com esta idade, acabei de descobrir que gosto de moto! Vou comprar uma.

Lola olhou para o marido. Ele era um cagão para essas coisas. Mas, quando ia dizer algo, Dennis deu um empurrão varonil em Justin e murmurou:

— Quando quiser, amigo, podemos repetir!

Lola e Shonda se entreolharam, e esta última sussurrou:

— Homens!

Eles sorriram. Então, Lola olhou para Justin e disse:

— Muito bem, vamos embora!

Mas ele, a fim de continuar perto do brasileiro, replicou:

— Hoje você não tem aula na escola de dança nem eu tenho compromisso. E se ficarmos para assistir à aula de Dennis?

— Seria ótimo — afirmou Shonda.

— Não, isso não é brincadeira — protestou Lola. — Ele tem que dar aula...

— Eu não me importo que vocês fiquem — disse Dennis.

— Vamos, pequena, diga que sim! — insistiu Justin.

— Vamos, Lola — suplicou Shonda. — Quando acabar a aula, podemos sair os quatro para beber alguma coisa.

Dennis não disse nada. Todos observavam Lola, que, no fim, sentindo-se pressionada, murmurou:

— Tudo bem. Vamos ver essa aula.

Ao entrar na escola, todo mundo cumprimentava Dennis, especialmente a ala feminina, que sorria para ele de um jeito sensual. Shonda foi depressa para o vestiário, tinha que trocar de roupa. E Dennis também. Dar aula de lambada vestindo um terno não era o mais correto.

Então, Justin e Lola ficaram sozinhos. Ele, ainda estimulado por causa da viagem de moto, murmurou:

— Obrigado por me proporcionar esse momento de proximidade com ele, foi maravilhoso!

Lola praguejou. Não havia avaliado bem as consequências. E ele ainda insistiu:

— Esse sujeito cheira a sexo, querida.

— Justin...

— Nem lhe conto o que senti quando toquei seu corpo. É duro como uma pedra, me excitou.

— Justin...

Ele sorriu. Olhando fixamente para a mulher, abraçou-a e, puxando-a para si, murmurou:

— Você, ele e eu... Pense nisso. Como pode resistir depois de ter experimentado?

Lola não respondeu à proposta. Procurando parecer desinteressada, sussurrou:

— Talvez resista porque não foi nada do outro mundo. E, agora, faça o favor de calar a boca e disfarçar.

— Ele é tão másculo!

Corada pelo comentário, ela murmurou:

— Não esqueça que todo mundo aqui pensa que somos um casal perfeito, portanto, feche o bico. Ou quer que Dennis e Shonda descubram nosso segredo? Caralho, Justin, eles trabalham no colégio do meu pai, e você está se comportando como um adolescente maluco.

Ele assentiu. Lola tinha toda a razão do mundo.

— Tudo bem... — disse. — Você tem razão.

Então Lola sussurrou algo que fez Justin sorrir e morder o pescoço dela, sem notar que Dennis havia entrado pela porta. Ele vestia uma calça preta e uma regata branca. Sem se mexer, observou os dois. Cada dia suportava menos ver aquilo, mas, disfarçando, disse enquanto passava por eles:

— Vamos, casalzinho, sigam-me!

Ambos foram atrás dele em silêncio. E, então, Justin sussurrou:

— Que bunda incrível!

Boquiaberta, Lola beliscou-o nas costas e, quando ele foi protestar, sorriu ao ver a cara dela. Nesse momento, uma garota de cabelo castanho se aproximou de Dennis. Ele se virou e disse:

— Justin, Lola, esta é Georgina. Ela é professora de samba e minha assistente nas aulas de lambada.

A jovem sorriu.

— Olá. É um prazer.

Justin e Lola sorriram também, e a última respondeu:

— O prazer é nosso.

Em silêncio, chegaram a uma sala. Enquanto via Shonda passar ao seu lado com uma saia curtinha para dançar lambada, Dennis disse:

— Podem se sentar ali. Se quiserem participar, basta se levantar e dançar.

Lola e Justin ficaram onde ele lhes havia indicado. Depois de falar algo com Georgina, Dennis olhou para os alunos e começou a aula. As mulheres acompanhavam os movimentos de Georgina, e os homens os de Dennis. Tudo parecia perfeitamente sincronizado. Lola os observava. Nunca havia dançado lambada, mas tinha certeza de que seria capaz de acompanhar a aula.

Minutos depois, Dennis tomou Georgina pela cintura e pediu a todos que formassem duplas. Já prontos, ele e a garota começaram a se movimentar, dando instruções, e os outros os acompanhavam, animados.

Assim passaram vinte minutos, até que Dennis sorriu e perguntou:

— Vamos repetir com música agora?

Todos aplaudiram, e Georgina pôs um CD no aparelho de som.

— Dennis e eu começaremos, e vocês vão entrando na ordem da fila, certo? — disse ela.

Os alunos assentiram. De repente, ouviram-se os primeiros acordes de "Lambada"*, uma famosa canção de alguns anos, interpretada por uma banda franco-brasileira chamada Kaoma. Todos pareciam animados.

— Bela canção — comentou Lola ao ouvi-la.

— Linda — afirmou Justin, sem tirar os olhos de Dennis.

O brasileiro dançava com Georgina, curtindo a música. Ambos eram mestres nessa dança sensual. Lola queria morrer ao vê-lo dançar com tanta desenvoltura e sensualidade.

Fitava-o boquiaberta quando Justin murmurou:

— Mãe do céu, quando chegar em casa, vou ter que me aliviar. O professor me fez ficar duro como uma pedra.

— Justin!

— Tudo bem, pequena... Tudo bem.

---

* "Lambada", Chico de Oliveira; CBS, 1989. (N.E.)

Dupla a dupla, os alunos foram se unindo à dança. Todos mexiam os quadris no compasso daquele ritmo tão apaixonante. Lola não podia parar de olhar para Dennis, que ria enquanto dançava. Dava para ver que gostava do que fazia.

Quando a canção acabou, todos aplaudiram, animados. O fato de serem capazes de dançar aqueles passos sem perder o ritmo era incrível. Dennis, alegre, parabenizou a todos.

Então, uma mulher de certa idade entrou na sala e foi direto ao brasileiro. Trocaram algumas palavras e sorriram. Pondo a canção de novo, ele disse:

— Vamos, vamos... Outra vez!

Os alunos começaram a dançar imediatamente. Em seguida, chegou um jovem que se aproximou de Georgina, pegou-a pela cintura e começou a dançar com ela.

Minutos depois, a canção acabou. Todos estavam exaltados. Enquanto tomavam um ar, Dennis se aproximou de Justin e Lola, acompanhado da mulher, e disse:

— Esta é Iracema, a dona da academia.

Eles a cumprimentaram, e o brasileiro explicou:

— Iracema, Lola é professora de salsa em outra escola. Uma excelente dançarina, eu garanto.

Ouvindo isso, Lola sorriu. E Justin afirmou:

— Como marido dela, eu confirmo!

Iracema sorriu. Tinha um sorriso lindo. E, olhando para Lola, que não havia aberto a boca, disse:

— Não duvido que seja professora de salsa, mas a posição de seus pés e de seu pescoço indica que também é de balé clássico, não é?

Dessa vez foi Lola quem sorriu.

— Sim. Sou professora de balé clássico, que é a minha paixão. Mas, para me divertir, também dou aulas de salsa.

— Que interessante! — disse a mulher. — Eu tenho um professor de salsa excelente. Vou apresentá-lo a você.

Rapidamente digitou algo em seu celular, e, segundos depois, um rapaz alto entrou na sala. Ao reconhecê-lo, Lola se soltou de Justin, que também sorriu, e murmurou:

— Ora, ora, vejam quem está aqui.

Iracema e Dennis os olharam. Lola, abraçando George, esclareceu, depois de lhe dar um beijo no rosto:

— George e eu somos velhos conhecidos.

Vendo Dennis olhar para ela, sério, acrescentou:

— Competimos juntos há um ano em um concurso de salsa.

Ouvindo isso, Iracema olhou para o professor de dança e perguntou:

— Não me diga que foi com ela?

Depois de beijar Lola, feliz, George fez um *high five* com Justin e, diante da cara séria de Dennis, afirmou:

— Sim. Foi com esta mulher maravilhosa que ganhei o concurso de salsa.

Todos sorriam. Todos exceto Dennis, que se afastou uns passos, enciumado, ao ver o colega abraçar Lola com cumplicidade.

Enquanto ele continuava dando aula de lambada, George e Lola falavam, riam, recordavam histórias. Até que a aula acabou e Iracema disse, olhando para os alunos:

— Tenho uma surpresa para vocês. George e Lola, dois maravilhosos professores de salsa, vão nos deleitar com a dança com que ganharam o concurso do ano passado. Estão a fim de vê-los?

Os alunos aplaudiram, animados, enquanto George saía da sala e ia buscar o CD de que precisava. Os alunos estavam emocionados. Mas, então, Lola olhou para Dennis e viu em seus olhos algo que não soube descrever.

George entrou de novo na sala. Dirigindo-se a Georgina, entregou-lhe o CD. Pegou Lola pela mão e a levou ao centro da sala. Enquanto ela pegava a barra da saia longa e a prendia na cintura para deixar as pernas livres, ele perguntou:

— Pronta, linda?

Lola sorriu. Quando a música começou a soar pelos alto-falantes, eles começaram a se mover. Todos gritaram, animados, ao ouvir a salsa *caliente* "Ran Kan Kan"*, do maravilhoso Tito Puente. Esquecendo-se de tudo que a cercava, Lola se concentrou apenas na dança com George.

Ele era um excelente dançarino. Ela o conhecera anos antes em uma das escolas de dança onde havia dado aulas. Com perícia, os dois giravam, dançavam, riam, provocavam-se sem perder o compasso, enquanto todos ao redor os ovacionavam pela aula magistral de salsa que estavam lhes dando.

De onde estava, Dennis os observava.

Lola e George eram excelentes dançarinos, tinham o ritmo e a salsa no sangue. O brasileiro estava curtindo o espetáculo, até que, uma das vezes em que George levantou Lola e a fez deslizar por seu corpo, graças a um

---

* "Ran Kan Kan", Tito Puente; Saludos Amigos, 1951. (N.E.)

ínfimo movimento em que eles quase roçaram os lábios, ele intuiu que havia existido algo mais que dança entre eles.

Dennis se incomodou com isso e, a partir desse instante, deixou de gostar da apresentação. Todos ovacionavam os exímios dançarinos, que deslizavam pela pista com uma sensualidade e precisão que deixavam todos sem palavras.

Quando a canção acabou e eles se abraçaram, sorrindo, todos os presentes aplaudiram. Dennis também, enquanto observava como Justin, encantado, apontava para Lola e dizia:

— Ela é a melhor... a melhor!

Atordoado por uma infinidade de sentimentos que até o momento ele não sabia nem que existiam, o brasileiro ia sair da sala quando Shonda o segurou e exclamou, emocionada:

— Foi impressionante, não acha?

Dennis sorriu. Justin, aproximando-se, disse:

— Eu tenho uma mulher incrível, incrível!

O brasileiro assentiu. Odiava que Justin se referisse a Lola como *sua mulher*. Quando encontrou o olhar de Iracema, sem sair do lugar, disse, olhando para os alunos:

— Muito bem, pessoal. Até a próxima aula.

A seguir, observou Lola, que continuava falando com George. Ao notar que Justin estava ao seu lado, murmurou:

— Vou trocar de roupa.

— Eu também — decidiu Shonda. E, olhando para Justin, perguntou: — Vamos beber alguma coisa, não é?

— Claro — afirmou ele, sem parar de sorrir.

Quando, meia hora depois, saíam da escola, já havia anoitecido. Lola estava feliz. Adorara ter encontrado George. Então, ouviu Shonda propor:

— Vamos comer alguma coisa no Vincenzo?

Lola assentiu. E, quando já se dirigiam para o carro, a mulher disse:

— Justin, seria bom eu ir com você de carro, quero conversar sobre um aluno.

— Tudo bem — assentiu ele. E, olhando para a mulher, disse: — Querida, vá com Dennis. Nos encontramos no Vincenzo.

Justin e Shonda se afastaram, conversando, e Dennis e Lola, sem se encostar, começaram a caminhar pela rua. Ao entrar no estacionamento onde estava a moto, Lola ia dizer algo quando ele soltou:

— O que você teve com George?

Surpresa com a pergunta, ela continuou andando e respondeu:

— Eu não lhe pergunto sobre seu passado. Por que você me pergunta sobre o meu?

O brasileiro, confuso e cheio de dúvidas, fitou-a e, antes que ela pudesse continuar, encurralou-a contra a parede. Aproximando os lábios dos dela, murmurou:

— Estou ficando louco, e você sabe por quê?

Ela negou com a cabeça, e ele acrescentou:

— Porque, pela primeira vez na vida, sei o que significa a palavra *ciúme*.

Perplexa, Lola abriu os lábios, convidando-o para beijá-la. Como seu marido havia dito, Dennis era puro fogo. Mas, sabendo que estavam prestes a cometer uma loucura, ela murmurou:

— Aqui não.

— Por quê?

Lola olhou para o estacionamento vazio e insistiu:

— Alguém pode passar.

Dennis sorriu com audácia e, cravando os olhos inquietantes nela, sussurrou:

— Eu sei que o proibido a excita.

Ela sorriu e murmurou:

— Esta é uma de suas fantasias? Um estacionamento?

A respiração de ambos era quente e controlada, mas, quando as línguas começaram a brincar e Dennis enfiou a mão por baixo da saia dela, a respiração de Lola se agitou. E mais ainda quando ele se ajoelhou diante dela e, abaixando-lhe a calcinha, apoiou-a em uma coluna e ordenou:

— Afaste as pernas.

Acalorada, ela fez o que ele pedia. Sentiu Dennis beijar seu monte de Vênus e depois introduzir a língua em sua vagina.

Respirava ofegante enquanto ele a chupava, gemendo cada vez mais alto, de puro prazer. Assim ficaram vários minutos, até que ouviram o barulho de um carro. Rapidamente, Dennis se levantou e a saia dela caiu.

Saíram andando. Viram um carro se aproximar, mas ele passou direto. Quando de novo ficaram sozinhos no estacionamento, Dennis a sentou sobre o capô de um carro e, abrindo-lhe a blusa com urgência, subiu o sutiã sem abri-lo e enfiou os peitos dela na boca. Mordiscou-os, massageou-os com a língua e, ao notar a respiração descontrolada de Lola, murmurou:

— Não sei se tiro sua roupa ou...

— Não se atreva...

O brasileiro sorriu e, enfiando de novo a mão debaixo da saia dela, chegou à calcinha e tirou-a. Enquanto a guardava no bolso da jaqueta, disse:

— Meu prêmio de hoje.

Cada vez mais excitada pelas atitudes dele, Lola levou a mão até o cós da calça de Dennis e, enfiando-a dentro da cueca, tocou o membro que tanto prazer lhe dava. Então, fitou-o e murmurou, enquanto apoiava as pernas nos ombros dele com agilidade:

— Ponha uma camisinha agora!

Dennis pegou uma da carteira, abriu-a, colocou-a e, posicionando o membro no centro de desejo dela, com um só golpe o introduziu, provocando um enorme prazer que fez Lola gemer.

Só se ouvia a respiração dos dois.

Só se ouviam as estocadas.

Nenhum dos dois queria parar. Nenhum dos dois queria acabar com aquela loucura; ao contrário, Dennis investia nela mais e mais forte, enquanto Lola arfava com a cabeça jogada para trás.

Ardente, fogosa e descontrolada, a jovem gemia e se arqueava. Essas loucuras, de que eles tanto gostavam, tinham que ser rápidas. Quando por fim ele se arqueou e ficou claro que havia chegado ao clímax, ela também se deixou levar.

Nesse instante, ouviram o som do motor de um veículo que se aproximava. Apressadamente, Dennis tirou as pernas dela de seus ombros e, cobrindo-a, desceu-a do capô. Uma vez que o carro desapareceu, Lola, sorrindo, abriu a bolsa e disse:

— Espere, tenho lenços de papel.

Depois de se limpar e se recompor, quando caminhavam para a moto, Dennis a pegou pela mão. Então, o telefone dela começou a tocar. Ao ver de quem se tratava, ela atendeu:

— Olá, Justin.

— Lola, querida, mudança de planos.

— Que foi?

Justin, que estava dirigindo, explicou:

— A mãe de Shonda ligou. Parece que um primo dela sofreu um acidente de carro, e a levei ao hospital.

— Ah, coitada — murmurou Lola.

— Ouça, meu bem — prosseguiu Justin. — Quer que eu vá ao Vincenzo buscá-la ou existe a possibilidade de você trazer Dennis para casa e curtirmos uma noite de pura luxúria?

Lola olhou para o brasileiro, que estava tirando a corrente de segurança da moto, e, para que o marido parasse de falar bobagens, interrompeu-o:

— Vejo você em casa. Dennis me leva.

— Convide-o para entrar. Vamos, Lola! Morro de vontade de tirar a calça dele e...

— Vejo você em casa — cortou ela. — Tchau.

Assim que desligou, Lola contou a Dennis o ocorrido. Compreendendo que a noitada estava cancelada, disse, sem mais perguntas:

— Tudo bem. Eu a levo para casa.

Lola pegou o capacete para colocá-lo. Então, ele a fitou e disse de repente:

— O que eu falei sobre exclusividade poderia acontecer, se você quisesse.

Lola fechou os olhos. Por que tudo era tão difícil?

— Dennis, ouça...

— Lola — interrompeu ele. — Não sei o que acontece, mas você não é feliz com Justin. Se fosse, não buscaria fora de casa o que deveria ter no casamento. Se estão há doze anos casados e frequentam casas de swing, o que para um casal significa confiança máxima, por que esconde de Justin certas coisas?

Tensa, ela suspirou e virou o rosto.

O brasileiro, vendo que não iria arrancar nada dela, ajudou-a a pôr o capacete. Prendendo a tira embaixo do queixo de Lola, aproximou a boca da dela e exigiu:

— Me dê um beijo.

De novo uniram as bocas. Fundiram-se.

Beijaram-se. Devoraram-se. E, quando o beijo acabou, Dennis murmurou em português:

— Você me deixa louco.

Lola não disse nada. Havia entendido perfeitamente o que ele dissera.

Sem demora, ela montou na garupa da moto e, sem que lhe desse o endereço, ele a levou até a porta de sua casa. Assim que chegaram, ela desceu, entregou-lhe o capacete e, dando um sorriso, afastou-se.

Dennis a observava enquanto ela entrava em casa. Com a estranha sensação de derrota, ligou de novo a moto e foi embora.

Capítulo 36

Os dias se passaram e a complicada relação entre Lola e Dennis prosseguia.

Querendo ou não, pareciam estar conectados. Constantemente se encontravam por todos os lugares no colégio e sorriam disfarçadamente.

Algumas tardes, quando ela acabava no Saint Thomas e não tinha que dar aula de salsa, corria para a casa de Dennis, onde ele a esperava, ansioso. Dispunham somente de duas ou três horas de intimidade, e as aproveitavam da melhor maneira que sabiam: fazendo amor.

Desde que a relação entre eles se firmara, Lola ignorava os convites de Beckett. A última coisa que queria era sexo frio e impessoal, agora que tinha sexo passional e com sentimento. E Dennis fazia o mesmo. Não saíra mais com nenhuma outra mulher.

Uma dessas tardes, quando ele entrava no quarto com duas bebidas geladas nas mãos, com a voz de Stevie Wonder cantando "Lately"* ao fundo, Lola, que estava nua na cama mexendo no notebook, disse:

— Sabia que abriram um restaurante nudista em Londres?

Dennis sorriu. Deixando os copos no criado-mudo, sentou-se na cama.

— Não fazia ideia — respondeu.

Ambos leram a matéria. Quando acabaram, Lola comentou:

— Não sei se eu conseguiria comer em um restaurante assim.

— Por quê?

Ela sorriu.

— Porque acho que meus olhos iriam constantemente para onde não deveriam ir.

Dennis gargalhou. Fitando-a, perguntou:

— Você nunca foi a uma praia de nudismo?

— Não. E você?

---

* "Lately", Stevie Wonder; Motown, 1980. (N.E.)

O brasileiro assentiu.

— Em meu país fui a algumas e, na Europa, em Cap d'Agde e em Vera Natura. Recomendo!

— Na verdade, tenho vontade de ir. Deve ser demais tomar banho de mar e de sol pelada. Já fiz *topless*, e adoro. Imagino que nua deva ser incrível.

Dennis fez que sim com a cabeça.

— Quem sabe um dia a levo a uma dessas praias, se você for boazinha.

Isso fez Lola sorrir. Mas ela não disse mais nada. E, então, Dennis acrescentou:

— Posso lhe fazer uma pergunta constrangedora?

Ela pensou. Não gostava de perguntas constrangedoras, mas, como sabia que cedo ou tarde ele acabaria fazendo, concordou.

— Tudo bem, desde que eu possa responder com sim ou não.

Ele concordou. E, olhando-a nos olhos, perguntou:

— O casamento de vocês é aberto? Podem transar com outros?

Sem hesitar, Lola respondeu:

— Sim. — E, encarando-o, acrescentou: — Agora, podemos continuar com o alto-astral de cinco segundos atrás?

Dennis sorriu. Queria lhe fazer mil perguntas. Queria entender o que estava acontecendo, mas, como não queria estragar a tarde tão maravilhosa que estavam tendo, sorriu. E, olhando para o computador, perguntou:

— E agora, o que está lendo?

— Só fuxicando, e vendo como estou ultrapassada em relação a sexo.

Bem-humorado, ele lhe entregou a bebida.

— Por quê, linda?

Lola bebeu um gole e, ao devolver o copo, apontou com o dedo a tela do notebook e perguntou:

— Você conhece as posições chamadas limbo, cadeado, amazona, super 8, sereia ou helicóptero, e mais outras?

Divertindo-se com o que ela dizia, ele olhou para tela e brincou:

— Os nomes, não, mas as posições, conheço. — E, beijando-lhe o pescoço, murmurou: — Essa do helicóptero parece bem legal.

Ambos riram. Lola, observando o desenho que representava a posição, disse:

— Eu teria que deitar de costas e você se deitar por cima de mim... Mas dá para fazer isso de verdade?

Dennis soltou uma gargalhada. Ela, encantada com o que estava vendo, exclamou:

— Esta! Desta eu gosto!
— Qual?
— Chama-se "beijo de Singapura".
Dennis olhou o desenho que a explicava e afirmou:
— Parece boa.
Alegre, Lola rapidamente montou sobre ele e, olhando-o nos olhos, declarou:
— Quero fazer com você o beijo de Singapura.
Adorando a espontaneidade entre eles – coisa que nenhum dos dois havia experimentado antes com outros parceiros –, Dennis perguntou:
— Leu como se faz?
Ela assentiu, e ele disse:
— Então, linda, só posso dizer: faça bom proveito de mim.
Uma hora depois, Lola pegava um táxi e voltava para casa.
Ao chegar, tomou um banho, pôs um pijama e se sentou com Justin para ver um novo episódio de *Scandal*.

Capítulo 37

Na terça-feira, quando Lola acabou de dar a aula matinal de balé, Priscilla foi procurá-la.

— Vamos almoçar fora do colégio?

Imediatamente, Lola pensou em Dennis. Se saísse com a irmã, não o veria. Mas, ao ver a cara de Priscilla, não teve mais dúvida e aceitou. A irmã em primeiro lugar.

Saíram do colégio e Priscilla pegou o braço de Lola.

— Aonde quer ir?

Lola pensou e rapidamente disse:

— Comida chinesa, que tal?

Priscilla assentiu. Adorava comida chinesa. Sem precisar pegar o carro, chegaram a um pequeno restaurante.

Sentaram-se e pediram arroz três delícias, rolinhos primavera e novilho com soja e molho de bambu, entre outras coisas. O telefone de Lola apitou. Uma mensagem.

Onde você está?

Ela sorriu.

Almoçando com minha irmã.

Esperou alguns segundos. O celular apitou de novo e ela leu:

Vou ficar com saudades.

Ao ver isso, Lola sorriu. A irmã, que olhava para ela, perguntou:

— Com quem está falando?

Deixando o celular em cima da mesa, Lola mentiu:

— Com Carol.

— E precisa rir como uma boba?

Lola olhou séria para a irmã. Priscilla sussurrou:

— Comida chinesa, que Conrad tanto odeia e eu adoro.

— Priscilla, não comece...

— Estou péssima, vou ficar sozinha o resto da vida.
Lola bebeu um gole de Coca-Cola e perguntou:
— Hoje é dia de autoflagelação de novo?
A irmã suspirou.
— Fui ao trabalho dele.
— O quê?
— Fui dizer umas poucas e boas e, então, eu vi... Ele está com aquela chef outra vez.
Lola ficou indignada. A irmã estava totalmente descontrolada. Mas, antes que pudesse dizer qualquer coisa, Priscilla se antecipou:
— Quando se despediu dela, ele se aproximou e gritou comigo para eu assinar os malditos papéis do divórcio ou aceitar o que papai disse.
— Priscilla... querida, não acha que você já sofreu o bastante?
Ela fez que sim com a cabeça e, levantando o queixo, sussurrou, enquanto abria a bolsa e pegava uma pasta:
— Sim. Não vou sofrer mais. Eu me proibi de sofrer, e vou assinar os malditos papéis.
Então, Lola disse, olhando os documentos:
— É o melhor que você pode fazer.
Priscilla gesticulou e, por último, murmurou:
— Eu sei.
Durante alguns segundos permaneceram em silêncio. Lola deu tempo à irmã para se recompor enquanto lia os papéis. Quando ela fechou a pasta sem os assinar, disse, mudando de assunto:
— Papai comentou hoje de manhã que ontem falou com Daryl e que ele vai passar por Londres em breve.
— Que bom! — exclamou Lola. — Estou morrendo de saudades.
O garçom chegou, trazendo os vários pratos que haviam pedido. Ambas atacaram a comida; estavam com fome. Durante vários minutos comeram em silêncio, até que o telefone de Lola tocou. Ao ler na tela o nome de Akihiko, disse:
— Dê-me um segundo.
Atendeu:
— Olá, Akihiko.
— Olá, garota de fogo — respondeu ele, com o sotaque japonês peculiar. — Como vai você?
Sorrindo, Lola se afastou da irmã e respondeu:
— Bem. E você? Já está em Londres?

Akihiko, um renomado antiquário que Justin e ela haviam conhecido durante o tempo que viveram no Japão, disse:

— Cheguei ontem para preparar tudo para sexta-feira. Você vem, certo?

Ao ouvir isso, Lola se lembrou do compromisso que já estava programado havia meses, mas murmurou:

— Justin vai para Nova York.

— Eu sei. Acabei de falar com ele. Mas eu adoraria ver minha garota de fogo.

Lola sorriu. Akihiko era um homem encantador. Ele a chamava assim por causa da cor de seu cabelo.

Ainda recordava a primeira vez que haviam se encontrado, no Japão, em uma das festas que ele organizava. Haviam sido convidados por um amigo de Justin, e o que viram os deixara sem palavras. Nenhum dos dois sabia o que era *shibari*.

Daquela primeira vez, tanto ela quanto Justin só observaram. Ficaram perplexos ao ver a maestria com que Akihiko amarrava homens e mulheres, proporcionando-lhes prazer com cada toque, cada nó.

Na segunda festa à qual foram, Justin quis experimentar. Akihiko o amarrou, prendendo-o pelas nádegas e pelo ventre. Justin curtiu durante e depois daquela experiência. Lola, ao contrário, não quis experimentar. Ela curtia outras coisas. Mas a amizade com Akihiko se estreitou, e muitas foram as noites em que o japonês e ela se encontraram para conversar longamente. Ele lhe dava bons conselhos, que Lola nunca esquecia.

Depois que voltaram do Japão, viam-se sempre que Akihiko ia a Londres e organizava uma de suas festas.

— Vamos, garota de fogo, ânimo — insistiu o japonês.

Lola hesitou. Com Justin em Nova York, ela tinha todo o tempo do mundo para ficar com Dennis

— Não sei. Você sabe que eu não participo dessas festas. É Justin que...

— Eu sei. Mas, mesmo assim, você pode vir com outro acompanhante.

Depois de fazer uma pausa mais que significativa, acrescentou:

— Não há nada que me agradaria mais que vê-la acompanhada de outro homem. E, claro, nem preciso dizer que minha discrição é total.

Lola sorriu. Akihiko era uma das pessoas que conheciam a realidade da relação dela com o marido.

— Tudo bem — murmurou por fim —, vou pensar.

Despediu-se dele e, quando chegou à mesa, olhou para a irmã. Ela estava folheando os documentos que tinha na mão, enquanto chorava e comia como uma louca. Priscilla cravou os olhos em Lola e soluçou:

— Acabei de assinar os papéis do divórcio e vou virar uma baleia de tanta ansiedade.

Lola, enternecida, tirou-lhe os documentos da mão, deixou-os em cima da mesa e a abraçou.

À tarde, quando voltaram ao colégio depois do almoço, Priscilla estava muito mais tranquila. Passaram juntas pela sala dos professores e, assim que entraram, Lola viu que Dennis estava ali, falando com Bruna. Não se aproximou. Ficava doente de ver como ela o provocava com o olhar. Virou-se para o outro lado para não os ver e, então, ouviu ao seu lado:

— Como foi o almoço?

Era Justin. Priscilla não respondeu. Lola, deixando o celular em cima da mesa, disse:

— Bem.

Justin se sentou com ela e abriu uma pasta, bem no momento em que o telefone de Lola vibrou. Ao olhar a mensagem, ela viu que era de Beckett.

Keira, hotel Tugal. Hoje, às sete. Quarto 415.

Assim que a leu, bufou e respondeu:

Não.

Apertou "Enviar", apagou a mensagem e continuou na dela, sem notar que Dennis a observava. Quando acabou de ler os documentos que tinha nas mãos, Justin se levantou e disse:

— Tenho uma reunião e não posso entrar na sala de seu pai, porque ele não está e ninguém tem a chave. Que cabeça-dura! — E, fitando-a, acrescentou: — Vejo você em casa.

Lola assentiu. Não perguntou onde estava o pai. Não lhe interessava. Levantou-se, serviu-se um café e, quando se sentou de novo para tomá-lo, viu pelo canto do olho que o homem que fazia parte de todas as suas fantasias a observava. Pegou o celular e digitou:

Sentiu saudades de mim?

Uma vez enviada a mensagem, bebeu um gole de café e, então, o aparelho vibrou.

Isso e mais.

Ela sorriu e se apressou a responder:

Justin vai viajar no final de semana. Quais são seus planos?

Dessa vez era Dennis que disfarçadamente sorria enquanto respondia:

Estou aberto a sugestões.

Lola pensou. Não sabia se seria uma boa ideia convidá-lo para a festa de Akihiko, mas escreveu:

Para a sexta-feira tenho uma boa opção.
Adorando aquilo, ele sorriu e digitou:
O helicóptero?
Ao ler isso, Lola teve que conter uma gargalhada. Respondeu:
Depois eu conto.
Lola acabou o café e, sem olhar para trás, saiu da sala dos professores. Quando o telefone vibrou de novo, leu:
Essa calça deixa sua bunda linda.
Lola sorriu. Não respondeu, e foi dar sua aula. Com o ego bem inflado.

Capítulo 38

Priscilla passeava pela Piccadilly Circus com uma sacola na mão e os papéis do divórcio na bolsa.

Era aniversário de Conrad, e, sem saber por quê, quando estava andando pela Hyde Park comprou uma gravata na loja preferida dele. Com certeza ele iria gostar.

Com a sacola na mão e a vontade de vê-lo, passeava em frente ao escritório de advogados onde ele trabalhava. Quando o visse sair, ela lhe daria os parabéns e o presentinho, e tentaria ser a historiadora madura que sempre havia sido. A seguir, depois de lhe entregar os papéis assinados, iria embora e trataria de começar uma vida nova. A não ser que ele reconsiderasse, mandasse o pai dela e a chef plantar batatas e quisesse voltar a tentar com ela.

Estava absorta em seus pensamentos quando ouviu alguém a chamar.

Ao se virar, o sol bateu em seu rosto e só pôde perceber o vulto de alguém que se aproximava. Quando conseguiu distinguir de quem se tratava, sorriu. Diante de si estava o auxiliar da clínica da mãe, vestindo um moletom cinza e uma calça jeans.

— Aidan — cumprimentou ela. — O que faz por aqui?

Encantado com o belo sorriso de recepção dela, ele jogou sobre o ombro a mochila que levava na mão e respondeu, indicando o edifício em frente:

— Acabei de sair da academia. E você?

— Estou fazendo compras — mentiu Priscilla. — Adoro esta região. É sempre tão animada...

Aidan assentiu. Sentia-se feliz por ter encontrado aquela mulher fora da clínica. Como sempre, ela estava linda, com um casaquinho escuro e o coque louro. Certo de que ou dizia nesse instante ou não diria jamais, perguntou:

— Por que você quase nunca solta o cabelo?
Priscilla tocou o coque. Vendo que a fivela o segurava bem, respondeu:
— Por que o usaria solto?
Aidan sorriu e disse:
— Porque ficaria ainda mais bonita.
Ouvindo isso, Priscilla não soube o que dizer. Não costumava receber muitos elogios. Mas, observando aquele jovem e notando o olhar interessado, sem saber por quê, respondeu:
— Se eu soltasse, acho que ninguém notaria.
— Eu notaria.
Nesse instante, a porta do escritório de advocacia se abriu. Priscilla olhou e, ao ver que não era Conrad, suspirou.
— Está esperando alguém? — perguntou Aidan.
— Não. — E sem lhe dar mais atenção, disse: — Bem, foi um prazer vê-lo. Vou continuar com minhas compras. Tchau.
E, sem mais, Priscilla saiu andando.
Ao ver que ela se afastava, Aidan praguejou, e, caminhando atrás dela, perguntou, chegando ao seu lado:
— O que você tem que comprar?
Priscilla o olhou, surpresa, e respondeu:
— Coisas que não creio que lhe interessem.
O garoto sorriu e, balançando a cabeça, replicou:
— É verdade, não curto muito fazer compras. Mas, depois de dizer que repararia em seu lindo cabelo e você não entender a indireta, só me resta acrescentar: quer tomar algo comigo?
Boquiaberta diante da proposta, ela respondeu.
— Não...
Mas Aidan, que não estava disposto a jogar a toalha, insistiu:
— Prometo que não vou ser inconveniente. Podemos ir ao lugar que você quiser e nos sentar para tomar um chá, um café ou um refrigerante.
Alucinada, Priscilla balbuciou:
— Aidan, sou mais velha que você, não vê?
Sorrindo, ele assentiu.
— Você é uma mulher. E uma mulher linda, isso é o que vejo.
— Mas... o que está dizendo? — sussurrou ela, boquiaberta.
— Priscilla, você sabe perfeitamente o que estou dizendo — disse ele.
— E sabe por que a beijei aquele dia debaixo do visco. E percebe muito bem como olho para você cada vez que vai ver Elora na clínica.

A porta do escritório se abriu de novo e Priscilla voltou a olhar para lá. Dessa vez, viu Conrad saindo. Ele parou na calçada e olhou o relógio.

Aidan, notando o que ela olhava, insistiu:

— Então? Vem tomar algo comigo?

Priscilla não o escutava, só via Conrad.

— Ele não a merece, e você sabe — disse de repente o jovem.

Sem acreditar no que ouvia, ela o olhou e sibilou:

— Não sei do que está falando, mas, se está se referindo ao que acho que está, só me resta dizer: não se meta onde não foi chamado.

Então, irritada e sem vontade de discutir com ele, acrescentou rapidamente:

— Desculpe, estou com pressa. Tchau.

E, com passo decidido, foi até onde estava Conrad. Ele vestia um elegante terno grafite e uma camisa branca. Priscilla sorriu. Aquele homem era a elegância personificada.

A uns metros para chegar a dele, de repente, Priscilla o viu dar meia-volta, abrir os braços, abraçar uma loura e depois beijá-la com carinho. Rapidamente a identificou. Era a chef. A mulher com quem ele havia tido uma vida paralela durante mais de dois anos.

Priscilla parou e os observou a menos de dois metros de distância. Aquele que beijava a loura com verdadeira devoção era o homem com quem Priscilla fora casada durante anos; o homem que, devido a um problema de infância, não pudera lhe dar filhos, e o homem que ainda era seu marido.

Com o coração batendo forte, ela o contemplou enquanto beijava a outra. Nem em seus melhores momentos ele a havia beijado daquele jeito.

Recordou o dia em que o pai os havia apresentado. Conrad era um homem já vivido, advogado, e, sem poder evitar, ela ficou deslumbrada por ele. Era tão cega que só de ele sorrir para ela e a chamar de princesa já se sentia recompensada.

O namoro durou dez anos. Ele foi o primeiro amor dela, a primeira experiência sexual. Na noite em que Conrad tirou-lhe a virgindade, em um hotel nos arredores de Londres, Priscilla pensou ter encontrado o homem de sua vida.

Mas, de repente, ali, ao presenciar aquele beijo apaixonado, percebeu de uma vez por todas a crua realidade. Ele nunca a amara. Para ele, ela fora um simples degrau na vida para ter acesso a outro nível social. Agora que havia conseguido, Priscilla sobrava, e só aceitaria ficar com ela em troca da mansão impressionante que o pai dela tinha na Cornualha.

— Eu realmente mereço coisa melhor — murmurou para si mesma.

Petrificada, continuava observando-os quando pararam de se beijar. Eles saíram andando e deram de cara com ela. Durante alguns segundos se olharam, até que Conrad pronunciou seu nome:

— Priscilla.

Paralisada por dar de cara com a realidade quando menos esperava, ela não sabia o que dizer. Mas, então, ele insistiu, em tom contrariado:

— Priscilla, o que está fazendo aqui?

Imobilizada ao ver que seu ex-marido não largava a jovem, pestanejou, quando, de repente, sentiu umas mãos fortes a pegando pela cintura. Ao olhar, viu que era Aidan, que com um sorriso esplendoroso, puxava-a para si e murmurava antes de beijá-la:

— Linda, você está aqui!

Alucinada, ela aceitou o beijo. Os lábios de Aidan eram doces e tentadores. Aquele beijo cheio de desejo, de carinho, de ternura, a fez entender que a vida podia lhe oferecer mil coisas melhores que um idiota como Conrad.

Quando afastou os lábios dos dele, disse com um lindo sorriso:

— Olá...

Ao ver seu olhar e compreender que ela havia entendido o motivo de sua atitude, Aidan sorriu. E, tirando-lhe a fivela do cabelo para que caísse sobre seus ombros, disse:

— Como já lhe disse mil vezes, assim você fica muito mais bonita.

Segurando-se em Aidan para não cair, Priscilla assentiu. Teria que agradecer pelo resto da vida a esse garoto pelo que havia acabado de fazer por ela. E ele, ainda por cima, estendeu a mão a seu ex e disse:

— Prazer, sr. Grant, sou Aidan Gallagher.

Conrad apertou-lhe a mão. Sem perder o sorriso, Aidan estendeu a mão à mulher também. Então, Conrad, surpreso, perguntou:

— Nós nos conhecemos?

Aidan assentiu. Deu um beijo carinhoso no rosto de Priscilla e disse:

— Sim. Eu trabalho na clínica onde Elora está internada. Eu me lembro de já o ter visto lá, alguma vez.

Ao ver o ex surpreso por vê-la nos braços de outro homem, Priscilla de repente se sentiu forte e poderosa. Se ele podia refazer a vida, por que ela não poderia? E, sem lhe dar o presente que havia comprado, murmurou:

— Hoje é seu aniversário...

— Sim.

Então, ela olhou para a mulher, que a observava receosa depois do que Priscilla havia aprontado meses antes no restaurante em que se encontraram, e disse:

— Lamento pelo que aconteceu aquele dia. Perdi a compostura e a culpei por algo que não devia. Porque, afinal de contas, quem era casado comigo era ele, e não você.

A mulher assentiu. Gostou do que ela disse. Então, Priscilla, soltando-se de Aidan, abriu a bolsa, tirou a maldita pasta que a deixara louca nos últimos meses e, estendendo-a a seu ex, disse:

— Aqui estão os papéis do divórcio assinados.

Conrad pestanejou, e ela, sorrindo, acrescentou:

— Feliz aniversário!

A cada instante mais aturdido diante da aparente tranquilidade dela, Conrad pegou a pasta que Priscilla lhe entregava e perguntou, sem poder acreditar:

— Você assinou?

Ela assentiu.

— Sim. — E, ao ver como ele a olhava, sentenciou: — Assinei sabendo muito bem o que estava fazendo, porque eu me amo e espero mais da vida. E porque não estou disposta a ter você comigo só porque quer algo de que gosta e que pertence a minha família, e que precisamente não sou eu.

Conrad praguejou, e a loura, que não entendeu nada, perguntou:

— Como?

Priscilla esclareceu com tranquilidade:

— Conrad fez um acordo com meu pai. Continuaria comigo se meu pai passasse para seu nome a casa que minha família tem na Cornualha.

— O quê?! — exclamou a loura.

Priscilla assentiu e, passando a mão pela cintura de Aidan, olhou para o ex e murmurou:

— Ao que parece, Conrad queria continuar brincando com você e comigo. Mas comigo não mais. Comigo acabou o joguinho.

Irritado pelo que estava ouvindo, Conrad protestou:

— Priscilla, você é minha mulher, e...

— Ex-mulher — pontuou ela. — Acabei de lhe entregar os papéis assinados. Não era isso que você queria?

A loura, descobrindo o jogo dele, fitou-o, irritada, e, soltando-se de seu braço, deu meia-volta e se afastou.

Priscilla, ciente de haver retomado as rédeas da vida, continuou:

— Nós vamos indo, Conrad, para que você possa ir atrás dela e suplicar seu perdão. E, antes que fique imaginando o que eu estava fazendo aqui, vim buscar Aidan, que frequenta essa academia. Quando vi que ficava bem em frente ao seu escritório, pensei: por que não lhe dar os parabéns e lhe entregar os papéis do divórcio?

Então, ela apoiou a cabeça no ombro de Aidan, que sorria, e disse:

— Já podemos ir tomar alguma coisa, querido.

Confuso e impressionado pelo que havia visto, Aidan fez que sim com a cabeça, sem a soltar:

— Estou morrendo de sede.

Ela sorriu, e, dando uma piscadinha para Conrad, que estava aturdido, simplesmente acrescentou:

— Adeus!

Aidan e Priscilla deram meia-volta e começaram a se afastar dele. Quando estavam longe o bastante, ela sussurrou:

— Se me soltar, juro que vou cair feito um saco de batatas.

Aidan sorriu e, segurando-a com mais força, respondeu:

— Fique tranquila. Não vou soltá-la.

Capítulo 39

Na sexta-feira, às quatro da tarde, Lola levou Justin ao aeroporto. Ninguém, exceto ela, sabia da viagem.

Quando voltou para casa, tomou um banho e, como queria impressionar Dennis, pôs um vestido vermelho e um par de sapatos de salto alto da mesma cor. Prendeu o lindo cabelo em um coque alto e, quando acabou, olhou-se no espelho e murmurou:

— Perfeito!

Feliz pela companhia que teria durante a noite, digitou o número de telefone dele. Quando ele atendeu, disse:

— Olá!

O brasileiro, que esperava impaciente a ligação dela, enquanto andava de um lado para o outro da casa como um louco, respondeu:

— Olá!!!

Lola, animada, disse então:

— Como você não pode vir me buscar em casa, e também não é recomendável que nos vejam sozinhos em um restaurante, o que acha se eu levar você para jantar em um lugar bem discreto que conheço?

Dennis assentiu. Cada dia gostava menos de se esconder, mas murmurou:

— Tudo bem.

— Espero você no estacionamento em frente ao Museu Britânico, no segundo andar.

— Ora... outro estacionamento?

Ela sorriu.

— Estarei lá em uma hora.

Quando desligou, Lola correu para o banheiro. Estava com dor de barriga por causa do nervosismo.

Uma hora depois, esperava no segundo andar do estacionamento, dentro do carro de dois lugares, quando ouviu o ronco de uma moto. Lola

sorriu e, então, viu-o circular bem devagarinho até parar ao seu lado. Saiu do carro e se apoiou na porta. Quando Dennis tirou o capacete e a viu daquele jeito, deu um assobio e murmurou bem lentamente, em português:
— Delícia.
Ela sorriu. Adorava o modo como ele dizia isso.
Dennis estacionou a moto, foi até ela e a beijou. Desejava-a com todas as suas forças. Mas Lola, animada, murmurou, afastando-se:
— Vamos, entre no carro. Vou levá-lo a um lugar incrível.
Sorrindo, Dennis obedeceu. Então, com perícia, Lola tirou o carro do estacionamento e dirigiu durante pouco mais de uma hora e quinze, até chegar a uma cidadezinha chamada Peaslake, enquanto a voz sugestiva de George Michael os acompanhava cantando "Freedom"*.
Era noite, havia poucas luzes. Dennis, bem-humorado, perguntou ao ver que ela olhava ao redor:
— Estamos perdidos?
Lola sorriu. Sabia muito bem onde estava. Aproximou-se de uma propriedade e respondeu enquanto um portão se abria:
— Não, espertinho. Chegamos.
Boquiaberto, Dennis observou aquele lugar mais que luxuoso e perguntou:
— Vamos jantar aqui?
— Sim.
— Não esqueça que sou um simples professor e minha intenção é convidar você.
Ela sorriu e, dando uma piscadinha, replicou:
— Fique tranquilo, o jantar já está pago.
Dennis não gostou da resposta. Como assim, o jantar estava pago?
Mas decidiu se calar. Lola dirigia o veículo por um lindo jardim, até que um homem fez um sinal e ela estacionou. Assim que saíram do carro, o homem que a havia guiado, junto com outro, cobriu-o com um pano preto.
Dennis os observava. Lola, ao ver a cara dele, murmurou:
— Faz parte do jogo. Discrição total.
O brasileiro assentiu. Então, um daqueles homens se aproximou, procurou na lista o nome de Lola e, quando o encontrou, entregou-lhe duas máscaras pretas, dizendo:

---

* "Freedom", George Michael; Columbia, 1990. (N.E.)

— À direita fica o restaurante, onde podem jantar. À esquerda, a festa. Divirtam-se.

Cada vez mais aturdido, Dennis olhou para as máscaras na mão e perguntou:

— A que tipo de lugar você me trouxe?

Alegre pelo desconcerto dele, Lola respondeu:

— Você não disse que gostava de luxúria e sensualidade?

Ele assentiu, e ela acrescentou:

— Um grande amigo japonês organizou esta festa exclusiva. Primeiro, vamos jantar em uma sala privada, só você e eu, e, depois, se quisermos, poderemos ou não entrar na festa, desde que usemos estas máscaras.

Dennis sorriu. Parecia um bom plano.

Já dentro da casa, dirigiram-se à direita. Não cruzaram com ninguém no caminho, mas ouviam murmúrios de gente conversando. Dennis e Lola caminharam por corredores confeccionados com cortinas de lona preta, atrás das quais se ouviam vozes. De repente, um garçom abriu uma delas e anunciou:

— Sua mesa está pronta, senhores.

O lugar era lindo: uma mesa redonda para dois com flores no centro e uma vela. Os talheres, os cristais... tudo era requintado.

— Obrigada — disse Lola enquanto entrava.

Tão logo o garçom foi embora e a cortina se fechou, Dennis a olhou e perguntou, baixando a voz:

— Aonde você me trouxe?

Lola observou a linda mesa, aproximou-se e se sentou em uma das cadeiras. A seguir, pegou uma garrafa de champanhe no balde de gelo, serviu duas taças e, entregando uma a Dennis, que se acomodara em frente a ela, murmurou:

— Eu o trouxe a uma festa cheia de luxúria, da qual podemos participar ou não. Mas, primeiro, que tal jantarmos?

Ele sorriu. Disposto a lhe dar uma chance, deu-lhe uma piscadinha e respondeu:

— Jantemos.

Assim, Lola pegou um sininho que havia em cima da mesa, tocou-o e, segundos depois, um garçom entrou e começou a servi-los.

A comida era maravilhosa. Dennis e Lola curtiram como nunca aquelas horas. Ali, escondidos entre aquelas quatro paredes de tecido preto, podiam se beijar, se tocar, rir e brincar sem medo de que outros olhos os vissem e os acusassem.

Acabado o jantar, o garçom serviu a sobremesa: uma deliciosa torta de três tipos de chocolate e sorvete de baunilha.

— Dennis — perguntou Lola, então, cravando os olhos nele —, já ouviu falar de...

Mas, antes que pudesse acabar, o pano preto se abriu e, ao ver seu amigo, ela se levantou.

— Akihiko! — cumprimentou.

O japonês, um homem alto de cabelos escuros, aceitou o abraço e posteriormente um rápido beijo nos lábios. Dennis não gostou disso, e menos ainda quando o homem a afastou um pouco, olhou-a de cima a baixo e murmurou:

— Minha linda garota de fogo.

Lola sorriu e, quando ia dizer algo, o homem murmurou em japonês:

— Que bom vê-la aqui, mesmo sem Justin.

Ela assentiu e respondeu, também em japonês:

— É sempre um prazer vê-lo.

Quando sorriram, Dennis os fitou, sério. Só havia entendido o nome de Justin.

— Akihiko, este é Dennis — disse Lola, em inglês.

O japonês cravou o olhar no brasileiro e, antes de lhe oferecer a mão, tornou a perguntar em seu idioma:

— Amigo, amante, vizinho?

— Digamos que amante — respondeu ela, nervosa.

O homem sorriu e, estendendo a mão a Dennis, cumprimentou-o em inglês:

— É um prazer conhecer o amante de minha garota de fogo. Espero que se divirta na festa, Dennis.

Desconcertado, mas sem querer ser estraga-prazeres, Dennis apertou a mão que o japonês lhe estendia e respondeu:

— Obrigado pelo convite. O jantar estava delicioso.

Akihiko segurou a mão do brasileiro durante alguns segundos. Ao ver a seriedade com que o observava, sussurrou, dirigindo-se a Lola em japonês:

— Gostei dele. — E, antes que ela pudesse dizer qualquer coisa, acrescentou em inglês, passando lentamente a mão pela cintura dela: — A festa, garota de fogo, você já sabe onde é. O que desejar, terá.

Lola sorriu, sob o olhar sério de Dennis, e respondeu:

— Obrigada.

Em seguida, o homem tornou a cravar o olhar em Dennis e, afastando o pano preto, desapareceu.

Incomodado, o brasileiro olhou para Lola e sibilou:

— Você não sabe que falar em outra língua diante de um terceiro, quando todos falam um mesmo idioma, é falta de educação?

Lola sorriu, mas, quando ia pegar-lhe o braço, ele o retirou.

— Não sei o que está acontecendo aqui, *garota de fogo* — disse Dennis com ironia —, mas não estou gostando nem um pouco deste lugar e do seu amiguinho de olhos puxados.

— Ouça...

— Seu *amante*? Por que disse a ele que sou seu amante?

Lola praguejou. Sabia que havia pisado na bola.

— Não sei aonde você me trouxe — continuou ele. — Não sei que lugar é este nem o que falou com esse sujeito sem que eu pudesse entender, e...

Então, ela o pegou de novo pela mão e, dando-lhe um puxão para que se calasse, murmurou com delicadeza:

— Dennis, querido, escute.

Ele ficou sem palavras ao ouvir como ela carinhosamente se referia a ele. Lola continuou:

— Akihiko é meu amigo. Ele me perguntou quem você era e...

— E você disse que sou seu amante. Ótimo!

Ela suspirou. Tentando encontrar algo positivo, murmurou:

— Ele disse que gostou de você.

Ao vê-la sorrir, por fim, o brasileiro também sorriu. Era um frouxo com ela; passando as mãos ao redor da cintura de Lola, perguntou, mais tranquilo:

— Pode me explicar o que é isto aqui?

Lola assentiu. Aproximou os lábios dos dele, roçou-os com tentação e disse:

— Já ouviu falar de *shibari*?

Dennis fez que não com a cabeça. Então, Lola o fez sentar, sentou-se no colo dele e começou a explicar:

— *Shibari* é o equivalente oriental ao *bondage* ocidental. Usam-se cordas e nós para despertar o erotismo e aumentar o prazer sexual.

Dennis pestanejou.

— Mas isso é...

— Não — disse ela, cobrindo-lhe a boca com a mão. — O *shibari* não é violento. É uma prática consensual, com limites bem definidos. Akihiko é um mestre, ou melhor, um *nawashi* no manejo das cordas. Ele tem conhecimento, destreza, paciência e...

— Lola, do que está falando? — perguntou Dennis, tirando-a de cima para se levantar.

Ela suspirou. Sabia que tudo aquilo, dito dessa maneira, parecia mais do que era. Pegou a máscara, colocou-a e, entregando a outra a Dennis, disse:

— Ponha a máscara e vou lhe mostrar do que estou falando.

Sem hesitar, ele a pôs. Lola segurou a mão dele e murmurou:

— Vamos.

Saíram de trás das cortinas pretas. Ao vê-los com as máscaras, um garçom indicou-lhes aonde deviam se dirigir.

Entraram por uma porta, e a primeira coisa que Dennis viu foi uma exposição de fotos. Em todas Akihiko aparecia, e em cada uma delas havia uma pessoa diferente com ele, suspensa no ar, com cordas por todo o corpo. Ao ver como ele olhava as imagens, Lola explicou:

— A arte do *shibari* é tão bonita que diversos fotógrafos fizeram exposições com pessoas amarradas e suspensas das maneiras mais belas e expressivas.

A seguir, pararam diante de uma daquelas fotos gigantes e ambos a contemplaram. Via-se uma mulher com máscara, as mãos amarradas aos braços de Akihiko. Dennis observou a imagem e, então, ao ler o título – "Minha garota de fogo" –, olhou-a e perguntou:

— É você?

Lola sorriu e assentiu.

— Sim. Akihiko me pediu permissão para expô-la. Não é linda?

— Divina — grunhiu ele.

Sem dizer mais nada, passaram para outra sala maior, onde havia umas vinte pessoas conversando, todas elas com máscaras.

Sem soltar as mãos, aproximaram-se de outro grupo que observava três pessoas penduradas por cordas.

— Essas pessoas que você vê aí, amarradas e suspensas, sentem prazer — murmurou Lola.

— Tem certeza? — inquiriu Dennis, olhando-as.

Ela sorriu.

— O *shibari* é prazeroso para a pessoa amarrada porque é perturbador. O toque das cordas em certos pontos sensíveis da pele provoca um grande prazer, e a falta da ação da gravidade é algo muito poderoso. Estar amarrada faz a pessoa se sentir indefesa, vulnerável, e isso provoca uma grande descarga de adrenalina, porque ela simplesmente se entrega e se limita a sentir e a gozar...

— Você ficou amarrada e suspensa desse jeito?

Ao sentir os olhos de Dennis sobre si, Lola respondeu:

— Não. Mas o fato de eu não ter passado pela experiência completa da prática não significa que não admire a beleza da arte do *shibari*.

Sem falar, passaram para outra sala, onde outras pessoas, nesse caso nuas, estavam ao redor de dois homens e uma mulher, que, suspensos, entregavam-se e curtiam. Dennis os observou.

Seguiram o caminho até chegar a outra sala, onde Akihiko, diante de vários espectadores, amarrava uma mulher, enquanto outras tocavam um enorme instrumento sentadas no chão. Ao ver como Dennis as olhava, Lola explicou:

— Isso que estão tocando é um instrumento de corda japonês chamado *koto*. No Ocidente é conhecido como harpa japonesa.

Ele assentiu e, voltando os olhos para Akihiko, observou-o em silêncio, assim como os demais. Com harmonia e destreza, ele passava as cordas lenta e pausadamente pelos seios da mulher.

— Esse movimento que ele está fazendo é conhecido como *as pérolas* — murmurou Lola.

Durante mais de meia hora, acompanhados apenas pela música do *koto*, o ruído do atrito das cordas e os suspiros dos presentes, Dennis, sem soltar a mão de Lola, contemplou aquele homem, aquele mestre, amarrar e suspender sua submissa, a pedido dela. Quando acabou, Akihiko a fitou e, diante de todos, a masturbou.

Lola, acalorada ao ouvi-la arfar, sussurrou:

— Quando acaba o processo de amarrar e suspender, o mestre e a submissa podem fazer muitas coisas. O jogo pode acabar quando ele conclui a imobilização ou pode continuar com uma masturbação, como neste caso, ou com sexo, como estão fazendo nas outras salas.

Dennis assentiu. Era um homem liberal, um homem do mundo. Mas fitou-a e disse:

— Não curto isso.

— Você não experimentou, não sabe.

— Eu sei — afirmou ele com convicção.

E, afastando-a do grupo para poder falar, acrescentou:

— Eu gosto de sexo. Adoro curtir pele com pele. Gosto de dar e receber prazer. E não curto o que estou vendo.

— E o que você curte?

Dennis ia responder, mas, de repente, deteve-se. Até conhecê-la, o que ele curtia era transar com uma ou várias mulheres ao mesmo tempo, mas agora só queria Lola. Mesmo assim, respondeu:

— Gosto de luxúria, sexo ardente, lascivo, prazeroso. Adoro saborear, gozar, tocar. E esse tipo de sexo não pode me proporcionar nada do que gosto.

Extasiada pelas palavras dele, Lola sorriu e, quando ia dizer algo, ele disse:

— Vamos embora daqui e me deixe realizar suas fantasias. Sei que você deseja sentir a excitação do sexo com outras pessoas. Vamos curtir o que gostamos de fazer.

Ouvindo-o falar assim, Lola sentiu até a alma esquentar. Mas nesse momento Akihiko se aproximou e, fitando-a, perguntou:

— Minha garota de fogo deseja alguma coisa?

Dennis não se mexeu. Simplesmente a fitou. E ela, segurando a mão dele, respondeu:

— Vamos indo, Akihiko. Obrigada pelo convite.

O japonês sorriu. Deu um abraço rápido em Lola, estendeu a mão ao brasileiro, que o observava, e disse:

— Dennis, foi um prazer conhecê-lo.

— Igualmente — disse Dennis, sorrindo por fim.

De mãos dadas, foram até a saída. Ali, um homem os acompanhou até o lugar onde haviam estacionado o carro e retirou a lona preta que o cobria. Então, Dennis pediu a chave do carro a Lola e sorriu ao pensar em Eric e Judith.

— Agora eu é que vou levar você — declarou.

Ela sorriu e entregou a chave. Depois de ajeitar o banco para que as pernas coubessem, o brasileiro ligou o motor e, seguindo as placas, voltaram à cidade.

Capítulo 40

Uma hora depois, quando passavam pela Trafalgar Square, ao ver no relógio do carro que era meia noite e quarenta e cinco, Dennis parou em um semáforo, olhou para Lola e disse:
— Conhece o Essence?
— Não. O que é?
Ele sorriu. Pousando a mão na perna dela, disse:
— Um clube mais que privado onde se faz sexo.
Lola assentiu.
— Você já foi lá? — perguntou ela.
Sem nenhuma necessidade de mentir, o brasileiro afirmou:
— Sim. Duas vezes desde que estou em Londres, antes de estar com você — pontuou.
Lola assentiu de novo. Arrancando com o carro, ele prosseguiu:
— Cheguei ao Essence por meio dos contatos de meus amigos Eric e Björn. É um lugar exclusivo e privado que poucos conhecem, onde as pessoas se reúnem para fazer sexo a qualquer hora do dia ou da noite. Gostaria de levá-la, posso?
Lola torceu as mãos, nervosa. Ao sentir o olhar dela, Dennis parou o veículo na lateral e perguntou:
— Que foi?
Ela se remexeu no banco do carro e, por fim, confessou:
— Estou nervosa.
Dennis sorriu e, sem poder evitar, inquiriu:
— Por quê?
Segura do que queria, ela balançou a cabeça e respondeu:
— Porque quero realizar minhas fantasias com você.
Dennis a fitou e, surpreso como em outras ocasiões ao vê-la tão nervosa, murmurou:

— Lola, você já foi mesmo a casas de swing com...

Não pôde concluir a frase. Ela cobriu-lhe a boca e respondeu:

— Sim, claro que fui. E, agora, quero que acelere o carro e me leve a esse lugar para realizarmos nossas fantasias.

Excitado, Dennis acelerou o carro de novo e dirigiu em silêncio até chegar a um edifício de aparência normal, onde parou em frente a uma garagem. Pegou um cartão na carteira. Ao introduzi-lo em uma fenda, a porta se abriu e o brasileiro guiou o veículo para dentro. Depois de estacionar atrás de uns painéis, ele pegou a mão de Lola e disse:

— Aqui a privacidade é primordial, como na festa em que estávamos. Você só deixa que a vejam se quiser.

Ela segurou a mão dele com força e entraram em um pequeno elevador que os levou até uma recepção, onde uma menina de aparência agradável os cumprimentou.

— 3226 — disse o brasileiro. — Dennis Alves.

A garota olhou no computador, checou sua identificação, deu-lhe um cartão e disse, entregando-lhes um par de números:

— Já pode entrar, sr. Alves. Quarto 32.

Sem soltar as mãos, dirigiram-se a um corredor. No caminho, Lola viu portas entreabertas e, penduradas em algumas maçanetas, plaquinhas cor de laranja que diziam: CASAL PROCURA MULHER, CASAL PROCURA HOMEM, HOMEM PROCURA MULHER, ORGIA, DOMINATRIX PROCURA SUBMISSO etc.

Vendo o que ela estava olhando, Dennis sorriu e murmurou:

— Isso a excita?

Lola simplesmente assentiu.

Quando chegaram diante de uma porta sem plaquinha nenhuma, Dennis a abriu e disse:

— Entre, querida.

A jovem entrou. O quarto tinha paredes pintadas de cinza, a cabeceira da cama era branca, e os lençóis, pretos de cetim. Aquilo era pura luxúria. Então, Dennis, deixando as chaves do carro em uma mesinha de centro, onde havia um vaso com lindas rosas verdes, foi até um frigobar e, sem perguntar nada, preparou duas bebidas.

— Rosas verdes, nunca vi. Que lindas! — murmurou Lola.

Ele sorriu, entregou-lhe uma das taças e sussurrou antes de beijá-la:

— Eu sei do que você gosta, querida.

Ela sorriu. Bebeu um gole da bebida e indicou a mesa. Além das rosas verdes, havia nela uma bandeja com as mesmas plaquinhas que vira penduradas nas maçanetas dos quartos. E, sem que precisasse perguntar, Dennis respondeu:

— Quando escolhermos o que desejamos, é só pendurar a plaquinha na porta e a fantasia aparecerá.

— E se não gostarmos?

— É só dizer a palavra "não" e ela desaparecerá.

Lola sentia seu baixo-ventre vibrar e sua fenda ficar úmida. Estava muito excitada com o que Dennis lhe mostrava. E estava gostando. O brasileiro pegou-lhe a mão e a levou para diante de um aparelho de tevê. Pegou um controle remoto, ligou a tevê e apareceu na tela uma sala cheia de gente que parecia se divertir. Durante alguns segundos ambos olharam a tela de plasma, até que ele disse:

— Aqui há cinco salas comunitárias, e há quartos privados como este, para quem não quer ser visto. Essa na tevê é a sala número um. Nela as pessoas se veem, fazem contato e escolhem com quem querem ou não fazer sexo.

Lola assentiu e, ao reconhecer um dos homens na sala, murmurou, surpresa:

— Mas esse aí não é...

— É — interrompeu Dennis. — É esse político mesmo, que veio aqui para fazer o mesmo que você e eu. Curtir o sexo, a discrição, o tesão.

Então, mostrando-lhe o número 42 que a recepcionista lhe havia dado, disse:

— Se quiséssemos estar nessa sala à procura de alguém para brincar, teríamos que usar o número que nos deram. A discrição é total, mas a segurança é ainda maior.

— E os que não têm número? — perguntou ela ao ver que alguns não tinham.

— Isso significa que não querem sexo. Querem só olhar.

Lola assentiu de novo. Dennis, apertando várias vezes um botão para ir mudando as imagens, disse:

— Sala dois: jacuzzi; três: masmorras; quatro: camas redondas; e cinco: *glory holy*... Sabe o que é?

Lola sorriu. Extasiada pelo que via na televisão, murmurou sem perceber:

— Justin adora.

Dennis não gostou de ouvir esse nome. Incomodava-o recordar o que estava fazendo. Ao perceber, Lola murmurou, aproximando-se de Dennis:
— Desculpe. Não vou mais falar dele.
As bocas de ambos se aproximaram. Feliz, ela enfiou a língua na boca de Dennis, curtindo-o. Um beijo levou a outro, e a outro, e a temperatura entre os dois foi aumentando, até que Dennis murmurou:
— Desejo fazer tantas coisas com você...
Abraçados, tocaram-se, excitaram-se, esquentaram, e ela murmurou:
— Faça. Faça todas essas coisas comigo.
Ele a fitou. A fim de brincar, indicou as plaquinhas para pendurar nas maçanetas das portas. A seguir, pôs uma música suave, que começou a sair pelas caixas de som, e disse:
— Escolha uma, a que quiser, e eu concordarei.
Lola olhou aquelas plaquinhas e, com segurança, pegou a que dizia: CASAL PROCURA HOMEM. Quando a entregou a ele, sentiu o estômago se contrair.
— Pode ser? — sussurrou.
— Sim — assentiu ele.
Excitado, pegou a plaquinha, abriu a porta e a pendurou na maçaneta de fora. Então, deixando a porta entreaberta, perguntou:
— Tem certeza?
Lola estremeceu, mas assentiu. Ao notar o tremor dela, Dennis se aproximou e insistiu:
— Está com medo?
— Não.
— Então, por que está tremendo, querida?
Ela o olhou e sorriu:
— Gosto que me chame de *querida*.
Dennis não disse nada. Só se limitou a sorrir também e a beijá-la. Notou que, mais uma vez, Lola havia desviado a conversa. O que estava acontecendo? Por que tinha sempre a sensação de que ela estava escondendo alguma coisa?
De repente, ouviram umas batidas e a porta se abriu. Surgiu diante deles um moreno de uns trinta e cinco anos. Parado na porta, perguntou:
— Posso entrar?
Dennis olhou para Lola. Ela tinha que decidir o que ia acontecer ali.
Ao ver que o homem esperava sua resposta, por fim Lola assentiu:
— Sim.

Dito isso, o jovem pegou a plaquinha CASAL PROCURA HOMEM, fechou a porta e, deixando-a em cima da mesa, murmurou:
— Meu nome é Steve.
Dennis assentiu. Percebendo a excitação de Lola, declarou:
— Esta é Keira, e eu sou Dennis.
Ao ouvir isso, ela o fitou. Havia omitido o verdadeiro nome para protegê-la. Sem olhar para ela, Dennis prosseguiu:
— Tire a roupa, Steve.
Sem perder um segundo, o rapaz se despiu, enquanto Lola e Dennis o observavam. Era um homem de muito boa aparência. Alto como Dennis, de cabelos castanhos e olhos escuros.
Quando ele tirou toda a roupa, o brasileiro beijou Lola e perguntou:
— Fica com tesão com o que vê?
Com a boca seca, ela assentiu. Então, Dennis, abrindo completamente o zíper do vestido dela, tirou-o. Deixando-a só de calcinha e sutiã, olhou-a e murmurou:
— Vamos continuar.
A cada segundo mais acesa pelo modo como os dois homens a olhavam, Lola fez que sim com a cabeça. Dando um passo para trás, Dennis se apoiou na mesa e disse:
— Steve, continue.
O rapaz se aproximou dela e, com delicadeza, passou a mão por sua cintura. Tocou-a com tranquilidade, sem pressa, e subiu por suas costas. A respiração de Lola se acelerou. Quando ele abriu-lhe o sutiã e os seios ficaram expostos, Dennis pediu:
— Keira, segure os seios com as mãos e ofereça-os a Steve.
Excitada, quase sem conseguir respirar, ela obedeceu, e o desconhecido mordiscou os mamilos com carinho, com delicadeza. Chupou-os, sugou-os, deixou-os duros como pedras. Ao vê-los totalmente eretos, ele segurou a cintura dela com as mãos e, em seguida, desceu até a calcinha.
Lola sentiu o homem introduzir os dedos na tira da calcinha e começar a abaixá-la, ao mesmo tempo que ele também se abaixava, ficando ajoelhado. Com a calcinha no chão, a jovem levantou um pé e depois o outro. Quando a peça de roupa estava nas mãos de Steve, ouviu-o dizer:
— Afaste as pernas.
Estimulada e exaltada, Lola fez o que ele pediu. Então, as mãos dele pousaram nos tornozelos dela e começaram a subir, até chegar à face interna das coxas e à vagina, e, levando o nariz a ela, o desconhecido a cheirou.

Depois de afastar os lábios com os dedos, roçou a língua no clitóris de Lola e ela arfou.

Dennis, que curtia o que via, começou a se despir. Lola o observava enquanto aquele homem brincava com a língua entre suas pernas e ao mesmo tempo segurava com força seu traseiro para que não se mexesse.

Uma vez que o brasileiro estava completamente nu diante dela, sorriu e, tocando o ombro de Steve para que o escutasse, disse:

— Sente-se na cama e ofereça-a a mim.

Lola nunca havia participado de um jogo tão excitante com dois homens. O desconhecido se acomodou na cama, pegou-a, sentou-a sobre as pernas e passou as mãos por baixo das coxas para abri-las.

Então, um estranho tremor dominou o corpo de Lola quando o ouviu murmurar:

— Isso mesmo, Keira. Deixe-me manipulá-la. Você tem uma flexibilidade incrível.

Exposta por completo, Lola olhou para Dennis e viu a luxúria em seus olhos. Sem sombra de dúvida, estava gostando daquilo tanto quanto ela. Ele pegou uma jarra de água que estava em cima do criado-mudo e um pano, molhou-o e o passou na vagina de Lola. Ela ficou grata pelo frescor. Deixando o pano em uma bandeja, o brasileiro pousou as mãos na face interna das coxas de Lola e as beijou.

Sentindo o toque doce e assolador, Lola fechou os olhos, extasiada, enquanto Dennis distribuía uma infinidade de beijos pelas coxas, até acabar em seu sexo aberto e fervente. Sem afastar o olhar do rosto dela, Dennis pôs a língua para fora e, passando-a lenta, muito lentamente, por seus lábios vaginais, a fez gemer. Então, introduziu um dedo em seu interior quente, movimentou-o para lhe dar prazer e murmurou:

— Este é o início das fantasias ardentes que eu adoro. Como vê, não têm nada a ver com estar amarrado.

Lola não pôde responder. Steve continuava segurando-lhe as coxas abertas enquanto dizia palavras eróticas em seu ouvido e Dennis a masturbava sem afastar os olhos dela.

Prazer...

Gozo...

Exaltação...

Entrega...

Totalmente entregue, Lola arfava, gemia, contorcia-se enquanto os dois jogadores talentosos sabiam muito bem o que tinham que fazer para lhe proporcionar tesão e prazer.

Quando Dennis a sentiu molhada como queria, levantou-se, pegou um preservativo na carteira e o colocou. Então, apoiou a ponta do pênis inchado na entrada da vagina fervendo dela e pouco a pouco o introduziu, enquanto dizia:

— Isso mesmo... Assim... Abra-se para mim... Assim.

Pousando as mãos na cintura dele, Lola ia dizer algo quando ele perguntou:

— Está gostando, querida?

Ela assentiu, e o brasileiro, sem aviso prévio, penetrou-a por completo, fazendo-a se encolher e gritar, surpresa.

Dennis sorriu e perguntou de novo:

— Está gostando, querida?

Lola assentiu de novo, e ele deu outra estocada que dessa vez fez ambos gemerem. Enlouquecido, Dennis continuou bombeando sem parar dentro dela, enquanto Lola, com o olhar, mostrava que estava gostando e que não queria que ele parasse. Mas ele não podia atendê-la, pois tinha que ir devagar para retardar o clímax.

— Steve... — murmurou Dennis. — Quando eu acabar, vou oferecê--la a você.

Ao ouvir isso, Lola arfou. Por fim, havia entendido o que era aquilo de oferecer. Fechando os olhos, curtiu... Curtiu e curtiu.

Não podia falar. Estava experimentando um tipo de sexo que jamais havia imaginado. Estava fazendo coisas com o homem que adorava e que a fazia se sentir viva. Lola pousou as mãos no traseiro duro dele para puxá-lo mais para dentro de si. Gritou. Gritou de prazer, de exaltação.

Vê-la tão entregue e ardente deixou Dennis louco. Ele mexia os quadris em círculos para se aprofundar mais alguns milímetros, enquanto a mulher que o dominava tremia em seus braços e gemia de prazer.

— Estou total e completamente dentro de você, querida — conseguiu sussurrar.

— Sim — gemeu Lola.

A luxúria se apoderou deles. Tremendo enquanto se olhavam nos olhos, ele murmurou, em português:

— Delícia...

Dessa vez, quando ele foi dar marcha à ré, Lola não permitiu. Apertou--se contra ele e, com as mãos, puxava-o pelo traseiro em sua direção, e, no momento em que os espasmos a sacudiram, Dennis, liberado, começou a bombear sem parar enquanto ela se remexia, extasiada, em seus braços.

O tempo parou para os dois. Só existia o prazer enquanto os corpos se aliviavam na doce dança do sexo e as bocas se encontravam o tempo todo, trocavam centenas de carícias e demonstrações de afeto.

Quando iam atingir o orgasmo, Dennis segurou Lola. Steve, retirando as mãos das coxas dela, permitiu que o brasileiro a levantasse e ambos chegassem ao clímax abraçados.

Com a respiração entrecortada, olharam-se durante alguns segundos. Estavam sem ar, e, sem saber por quê, os dois sorriam. Assim permaneceram alguns instantes, conectados com o corpo e com o olhar. Até que Dennis, observando a linda boca de Lola, sussurrou:

— Tenho um amigo que reserva a boca dele e a da mulher só para eles. Desejo e suplico que, a partir deste momento, sua boca e a minha sejam só para nós.

Ao ouvi-lo, Lola estremeceu. Teria adorado, mas as circunstâncias não lhe permitiam prometer. Porém, quando ia falar, Dennis insistiu:

— Só minha, só sua, quando estivermos juntos.

Então ela entendeu e, segura do que prometia, afirmou:

— Prometo.

Depois desse momento tão íntimo entre ambos, Dennis a beijou como se fosse a primeira vez. Saboreou aquela boca que tanto adorava e, quando os lábios se separaram e ele saiu dela, Lola murmurou, enfeitiçada:

— Ofereça-me.

Sem esperar um segundo, Dennis se sentou na cama, depois se recostou e, olhando para Lola, pediu:

— Sente-se e deite em cima de mim.

Sem hesitar, ela obedeceu. Quando se deitou, sentiu as mãos do brasileiro abrirem os lábios vaginais molhados. Dennis murmurrrou:

— Steve, masturbe-a para mim e depois a foda.

O corpo de Lola amoleceu ao ouvir a palavra obscena.

Era a primeira vez que estava com dois homens. A primeira vez que a ofereciam e que ela se oferecia, e era a primeira vez também que permitia que utilizassem essa palavra tão vulgar em um momento assim. Mas permitiu porque gostou. Ficou excitada.

Ao sentir o hálito de Steve entre as pernas, Lola tremeu. Dennis, fitando-a, murmurou, em português:

— Não deixe de olhar para mim.

— O quê? — arfou ela. — O que você disse?

Sorrindo, ele deu um beijo na ponta do nariz dela e repetiu, em inglês:

— Não deixe de me olhar.

Lola assentiu, bem no momento em que sentiu o desconhecido pousar a boca em seu sexo. Durante alguns segundos, ele a lambeu, mordiscou, até que levou a língua até o clitóris inchado de Lola e traçou pequenos círculos.

— Você vai ter um orgasmo incrível — murmurou Dennis. — Duas pessoas a masturbando. Ele com os dedos e a boca, e eu, com o olhar. Deixe-se levar e olhe para mim o tempo todo.

Enfeitiçada pela voz dele, Lola sentiu o corpo tremer de novo enquanto Steve sugava com carinho seu clitóris e introduzia um dedo na vagina, depois dois e, por fim, três. Ele começou a mexê-los, enquanto Dennis a olhava com intensidade e a segurava pela cintura, imobilizando-a, para que o jogo fosse mais excitante e ardente.

Lola gritava, arqueando as costas a cada nova estocada dos dedos do desconhecido, enquanto suas pernas tremiam e um calor de prazer percorria seu corpo.

— Não deixe de olhar para mim... — murmurava Dennis. — Não deixe de olhar para mim.

Encharcada, excitada, aturdida, Lola pulou na boca do brasileiro, e ele, mordendo-lhe o lábio inferior e sentindo-a descontrolada, sussurrou:

— Goze... goze para mim.

A sensação de calor começou a ficar mais e mais forte. Tudo era puro delírio, e Lola desejava que nunca acabasse. Nunca.

Mas o orgasmo não tardou a chegar. Ondas de prazer úmido e quente percorreram seu corpo, fazendo-a tremer enquanto Dennis a segurava e murmurava o tempo todo em sua língua:

— Delícia... Você é minha delícia.

Quando o desconhecido tirou os dedos de sua vagina, Lola sentiu dois tapinhas na bunda e, então, ele colocou o pênis duro na entrada molhada. Dennis continuava sussurrando, acalorado:

— Não deixe de olhar para mim.

Fascinada diante dos mil sentimentos que ele a fazia experimentar com o olhar, a voz e o corpo, e sentindo-se preenchida por Steve, Lola abriu a boca em busca de ar. Sem afastar o olhar do de Dennis, suspirou. O brasileiro sorriu e, com voz profunda, murmurou algo em português que ela não entendeu. As veias do pescoço dele estavam tensas.

As estocadas de Steve sacudiam os dois. Dennis, que não havia afastado os dedos da vagina dela, podia sentir aquele homem a penetrando repetidamente. Sentir seu corpo e o dela se mexendo diante das arremetidas daquele desconhecido o deixava louco. E, sentindo a própria ereção crescer entre suas pernas, sussurrou, em português:

— Você me deixa louco.

Com a boca seca, Lola o beijou. Mergulhou em um beijo ávido de desejo, enquanto as estocadas de Steve se aceleravam. Ela o ouvia arfar e sentia a dura ereção de Dennis.

Tudo era uma loucura. Uma loucura maravilhosa, nada comparável ao sexo frio e impessoal que até o momento tinha experimentado.

Segundo a segundo, minuto a minuto, os dois curtiam com deleite o momento, até que Steve não aguentou mais e, depois de mais uma estocada, chegou ao clímax.

A seguir, ainda ofegante pelo esforço, saiu dela. Ao ver a dura ereção de Dennis, pegou a jarra de água que estava no criado-mudo e um pano limpo e, molhando-o, refrescou Lola, que lhe agradeceu com um gemido de satisfação.

Então, Steve se dirigiu ao banheiro em silêncio. Lá, tirou o preservativo, lavou-se e, quando saiu, ouviu Dennis dizer:

— Obrigado, Steve. Foi um prazer.

O desconhecido assentiu. Conhecia muito bem as normas do lugar. Depois de pegar a roupa, tirou um cartão da carteira e, deixando-o em cima da mesa, disse:

— O prazer foi meu. Aqui está meu telefone.

Assim que Dennis e Lola ficaram sozinhos no quarto, ela se levantou e desapareceu no banheiro.

Incendiada, olhou-se no espelho. Havia acabado de fazer a coisa mais excitante e inquietante de sua vida. Tremia de novo ao recordar, mas, sabendo que Dennis a esperava no quarto, jogou água na nuca e saiu.

O brasileiro a esperava em pé, nu, ao lado da cama. Quando ela se aproximou, viu os lençóis de cetim preto cobertos de pétalas de rosas verdes e sorriu. Dennis, aproximando-a, murmurou:

— Agora vou fazer amor com você em cima das rosas de que tanto gostou.

Com um rápido movimento, Dennis fez Lola cair na cama, debaixo dele. Abriu-lhe as pernas e, sem preservativo, guiou a dura ereção até o centro do desejo dela e murmurou, em português:

— Você é linda. Muito linda.

Com carinho, olhavam-se enquanto Dennis se introduzia no corpo de Lola. Essa mulher o havia enfeitiçado. Gostando ou não, era prisioneiro dela. Prisioneiro de seus desejos e, pouco a pouco, sem perceber, também de seu amor.

— Dennis... pare... pare.

Ao ouvi-la, ele obedeceu.

— Você não pôs a camisinha — murmurou ela, alarmada.

Vendo a cara de preocupada de Lola, ele passou os lábios pelos dela e, em um suspiro, murmurou:

— Desculpe... eu me deixei levar.

Mas, quando ia sair, Lola o pegou pela bunda e, extasiada pelo contato da pele dele contra a sua, sussurrou:

— Não... Continue.

O brasileiro a olhou, viu-a morder o lábio, e perguntou:

— Tem certeza?

Lola assentiu e, mexendo os quadris em busca de prazer, arfou.

Então, ele a segurou e murmurou:

— Devagar. Não temos pressa, eu quero fazer amor com você.

Quase sem se mexer dentro dela, Dennis acariciou-lhe os seios com as pontas dos dedos, para depois, com extrema lentidão, cobri-los de beijos. Os mamilos de Lola estavam duros e eretos e, quando ele os levou à boca, chupou-os com deleite. Fechando os olhos, ela gemia enquanto ele tentava se saciar daquela mulher de pele suave e cabelo vermelho sedoso que havia tocado seu coração.

— Acabei de marcar sua pele — murmurou.

Lola sorriu, feliz.

— Não pare de marcar.

Dentro dela, sem se mexer, Dennis se deleitava. E, quando ela traçou com a língua pequenos círculos úmidos no peito dele e mexeu os quadris em busca de mais, foi ele quem arfou.

Comovido, fitou-a. Seu cheiro era majestoso, fresco, delicioso. No momento em que afundou o nariz no pescoço de Lola, ela se mexeu. Ele perguntou:

— Cócegas?

— Muitas.

— Humm... Bom saber — brincou Dennis, mordendo-lhe o pescoço e fazendo-a gargalhar.

Mas o movimento suave e pausado dos quadris do brasileiro prosseguia. Ele continuava dentro dela. Lola, quando parou de rir e o fitou, demonstrou o desejo urgente. Então, disposto a satisfazê-la, Dennis a imobilizou debaixo de si e fez amor com ela sem descanso, enquanto Lola levantava os quadris e enroscava as pernas em volta dele para mantê-lo em seu interior.

Sua vagina molhada, quente e lubrificada o aceitava, estremecia, adaptava-se perfeitamente à ereção dele, e o desejo carnal, somado à luxúria e ao momento, fez com que ambos ficassem loucos.

Foram momentos de prazer, de gemidos, de delícia e gozo, em que se perderam na ruidosa batalha de corpos e mentes. Voaram juntos, até que a paixão os devorou e, após um prolongado grito de êxtase, chegaram ao clímax como nunca antes nenhum dos dois havia chegado.

Depois ficaram quietos, calados; as palavras eram desnecessárias. Os dois pensavam no que havia acontecido, enquanto seus olhares ardorosos e enfeitiçados, cheios de sentimentos, falavam por si e se comunicavam com ternura e amor.

Três horas mais tarde, depois de uma noite repleta de sexo e amor, quando saíram daquele edifício já estava amanhecendo. De repente, Dennis olhou para Lola e declarou:

— Como você disse que Justin viajou, vou lhe propor algo que nunca propus antes e que é muito importante para nós dois.

Ela sorriu. Estava disposta ao que ele quisesse. Então, ele lhe entregou uma rosa verde e disse:

— Passe a noite comigo.

Ao ouvir isso, Lola parou de sorrir.

Se fizesse isso, se acordasse ao lado dele, se desfrutasse de uma noite completa com ele, seu mundo seria ainda mais horrível. Dominada pelas centenas de emoções que o brasileiro lhe despertava, replicou:

— Não.

Pararam em um semáforo. Dennis perguntou, boquiaberto:

— Por quê?

— Porque não.

— Você está sozinha em casa. Venha para a minha, se preferir. Dormiremos juntos, e amanhã...

— Não.

Surpreso com a resposta, ele protestou, contrariado:

— Lola, o que há com você? Acabamos de passar uma noite perfeita.

Ela sabia. Não era preciso que ele lhe recordasse. E, tentando acalmá-lo, disse:

— Não acho uma boa ideia.

— Por quê?

— Você e eu sabemos o que há entre nós e...

— Do que está falando? — exclamou Dennis, dando um tapa no volante. — Não entendo. Você está de brincadeira?

Nervosa, Lola esfregava uma mão na outra. Sabendo o que tinha que fazer para que ele se irritasse muito mais, sentenciou, com a voz fria e distante:

— Não quero passar a noite com você. Vamos para o estacionamento e depois cada um para sua casa.

Desconcertado diante da segurança dela, Dennis não insistiu.

Queria ficar com ela, dormir com ela, acordar com ela, mas, como Lola não queria o mesmo, calou-se. Magoado até as profundezas de seu ser, dirigiu em silêncio até o estacionamento.

Uma vez ali, a frieza os dominou. Ambos desceram do veículo e ele logo montou na moto. Então, Lola o fitou e, quando ia dizer algo, Dennis sibilou:

— Não diga nada. É melhor.

Transtornado, ele pôs o capacete, ligou o motor e foi embora sem sequer olhar para ela. Enquanto Lola o observava se afastar, teve certeza de que havia cometido um erro.

Capítulo 41

Na manhã seguinte, quando Lola acordou, uma estranha sensação de decepção e culpa se apoderou dela.

Pensou em Justin. Adorava-o, mas seu casamento era uma farsa. Uma farsa que a cada dia era mais difícil aceitar.

Dennis era fantástico, atencioso, carinhoso. Como homem era incrível, e o sexo com ele era o melhor do melhor.

O que estava fazendo?

Recordar o olhar frio de Dennis quando se afastara a fez perceber que era uma idiota. Decidida a corrigir seu erro, ligou para ele, mas o brasileiro não atendeu.

Dennis dormia em casa quando o telefone o acordou. Ao ver na tela que era Lola quem estava ligando, rapidamente se sentou na cama, mas, quando ia atender, deteve-se. Não podia continuar assim. Não podia permitir que uma mulher o manipulasse como Lola estava fazendo. E não podia continuar pelo caminho que ia porque algo dentro dele gritava que iria sofrer.

Por isso, com toda a força de vontade, deixou o telefone tocar e, quando parou, praguejou e o enfiou na gaveta do criado-mudo. Então, cobriu a cabeça com o travesseiro e decidiu continuar dormindo. Mas não conseguiu.

Lola ligou várias vezes, mas Dennis não atendia. Pensou em ir à casa dele e conversar, mas, no fim, decidiu não fazer isso. Talvez fosse melhor mesmo que não atendesse.

De repente, o telefone tocou. Atendeu sem nem olhar para a tela:

— Até que enfim. Eu queria tanto que você me ligasse...

Justin sorriu.

— Puxa, pequena, nunca pensei que você sentiria tanta saudade de mim.

Ao ouvir a voz de Justin, Lola cobriu os olhos. Deixando-se cair na cama, murmurou:

— Oi! Tudo bem em Nova York?

Ainda surpreso pela efusividade dela, Justin sorriu e respondeu, olhando para Henry, que estava ao seu lado:

— Perfeito. Henry mandou um beijo.

— Mande outro para ele.

Falaram durante alguns minutos. Onde quer que estivessem, sempre se comunicavam para saber se o outro estava bem. Antes de desligar, Justin perguntou:

— Você está bem? Parece meio desanimada.

Rapidamente Lola sorriu e, tentando ser a mesma de sempre, respondeu:

— Acabei de acordar. O que você esperava?

Justin sorriu também, despediu-se da mulher e desligou. Porém, dentro de si sentiu que alguma coisa estava acontecendo com Lola. Ele a conhecia bem demais.

Lola se levantou da cama e, ao sentir as partes íntimas meio doloridas, murmurou:

— Isso mesmo, faça-me lembrar de quanto me diverti na noite passada...

Sorrindo, apesar da pouca vontade que tinha, foi para o chuveiro. Despiu-se, e ao se olhar no espelho, exclamou:

— Mas o que é isto?

Sobre o seio direito, em cima do mamilo, ela tinha um chupão enorme. Na hora, recordou que enquanto Dennis brincava por aquela área havia dito: "Acabei de marcar sua pele".

Horrorizada, olhou o chupão.

O bom era que, onde estava, não se via. O ruim era que era um chupão!

Contrariada, enfiou-se embaixo d'água e tomou um banho rápido. Saiu do chuveiro. Estava olhando o seio de novo, quando tocaram a campainha. Lola rapidamente pôs o roupão e, ao ver no porteiro eletrônico que era Priscilla, abriu.

Ela entrou e, quando viu a irmã de roupão às onze da manhã, ia dizer algo, mas Lola, mostrando-lhe o seio direito, advertiu-a:

— Não me pergunte quem fez isto.
— Mãe do céu! É um chupão?
— Sim, e devo dizer que odeio quem me fez isto, apesar da noite fantástica de sexo que passei com ele.
Priscilla balançou a cabeça e murmurou:
— Bem, se ele estiver livre, diga para fazer isso comigo hoje à noite.
Surpresa, Lola ia replicar quando Priscilla sussurrou:
— Tenho que lhe contar uma coisa.
— Se for sobre o imbecil, melhor nem me contar.
A irmã soltou uma risada e, mostrando-lhe a mão sem a aliança, anunciou:
— Tirei. E ontem lhe entreguei os papéis do divórcio assinados!
Lola olhou boquiaberta para a irmã e, quando ia perguntar, Priscilla a apressou:
— Vamos, vista-se. Vamos ver mamãe e depois lhe conto tudo.
Sem dizer mais nada, Lola foi para o quarto. O que Priscilla havia feito era, no mínimo, um milagre! Pegou uma calça jeans e uma camiseta básica branca de manga comprida, vestiu-se e foi para a sala:
— Estou pronta. Vamos!
Um tempo depois, na clínica, Lola viu a irmã sorrindo para o auxiliar quando ele passava por elas. Ia perguntar, mas Priscilla a cortou:
— Depois... depois conversamos.
Lola assentiu. Passaram duas horas com Elora, que estava supertranquila. As irmãs se despediram da mãe e foram almoçar.
Sentaram-se no restaurante e, depois de fazer os pedidos, Priscilla olhou para a irmã e disse:
— Antes que você me conte sua noite sórdida de sexo e confesse quem lhe deu esse chupão, tenho que lhe contar que sou oficialmente uma mulher divorciada e que ontem tive um encontro maravilhoso.
Lola sorriu, e então Priscilla lhe contou tudo o que acontecera no dia anterior. Lola a escutava surpresa e, quando ela acabou, perguntou:
— Aidan?
— Sim.
— Mas você não disse que o sr. Beijo Perfeito era muito novo para você?
Priscilla assentiu. Continuava pensando isso, porém, afirmou:
— Só fomos jantar e ele me levou em casa. Só isso!
— Só isso?!
— Sim.

— Por Deus, Priscilla, vocês não são mais crianças!

Ela assentiu, mas, segura a respeito do que havia vivido na noite anterior com Aidan, disse:

— Eu sei. Mas adorei o fato de o respeito reinar acima de tudo.

Justo nesse momento o celular vibrou. Era uma mensagem. Ao lê-la, Priscilla sorriu.

Vamos nos ver hoje à noite?

Sem hesitar, mostrou a mensagem a irmã e sussurrou:

— Ontem foi legal, mas acho que dois dias seguidos seria demais, não é?

Lola sorriu e, com segurança, replicou:

— Você é uma mulher solteira e pode fazer o que quiser.

Priscilla digitou a resposta no celular e o deixou em cima da mesa.

— Pronto. Disse que não.

Ao ouvi-la, Lola sorriu de novo. Priscilla perguntou:

— Por que está sorrindo?

— Você acabou de me fazer a irmã mais feliz do mundo.

— Porque eu disse não a Aidan?

— Não, boba. Porque por fim deu um pé na bunda de Conrad e me fez sentir orgulho de você.

Priscilla se emocionou. E, então, Lola, pegando-lhe a mão, sugeriu:

— Que tal se fôssemos fazer compras?

— Para...?

— Para renovar o guarda-roupa. Como eu disse, você é uma mulher livre de novo e vai querer ficar bonita, não?

Priscilla se olhou. Estava bem vestida, mas, comparada com Lola, parecia uma velha coroca.

— Você tem razão — afirmou. — Renovar-se ou morrer.

Fizeram compras durante toda a tarde. Priscilla comprou um novo casaco vermelho, várias calças, entre elas jeans, duas blusas, várias camisetas básicas, um vestido longo como os que Lola usava e, claro, lingerie. Queria se sentir sexy.

Quando acabaram, as duas irmãs entraram em um café para beber alguma coisa. Mereciam. Então, Lola, ao notar Priscilla meio calada, perguntou:

— Você está bem?

— Sim...

— Tem certeza de que está bem?

— Sim. É só que agora me conscientizei de como minha vida vai mudar...

— Vai mudar para melhor.

— Aff... Você vai ver quando o papai souber que eu assinei os papéis.

Bem-humorada, Lola sussurrou:

— A vida é sua, irmãzinha, não dele. Não permita que ninguém a roube de novo, a não ser que seja correspondida.

Priscilla a fitou e perguntou:

— E você, quando vai permitir que lhe roubem a vida por amor?

— Estamos falando de você, não de mim — resmungou Lola.

— Não entendo como me dá conselhos sobre o amor sendo que sua vida é um verdadeiro desastre. E o mais engraçado é que, quando fala comigo, você parece que vai engolir o mundo. Mas, no fim, o mundo é que engole você.

Lola não respondeu.

— Foi o professor Alves quem lhe deu esse chupão, não foi? — perguntou Priscilla.

Lola a olhou e por fim respondeu:

— Sim.

— E por que essa cara?

— Porque estou assustada, porque ele me faz sentir coisas que nunca senti, e tenho medo.

Priscilla, entendendo-a, assentiu.

— É normal ter medo. Um homem lindo e talentoso tocou seu coração. Mas, no que se refere a Justin, eu já disse uma vez e repito: se ele a ama, vai ter que entender. Ele não lhe dá o amor, o carinho, as carícias e os beijos de que você necessita. A farsa de vocês precisa acabar; você precisa ficar livre para ser feliz.

Lola apoiou a testa na mesa.

— Não é só isso. É papai, Justin, Dennis... Eu amo aos três, mas sinto que vou perder um deles pelo caminho.

Priscilla sorriu. Tocando o cabelo ruivo da irmã, afirmou:

— Se eles a amam como você a eles, não vão permitir que isso aconteça.

Lola assentiu. Ambas ficaram mergulhadas em seus pensamentos, até que Priscilla, mudando o tom de voz, sussurrou:

— Hoje de manhã, quando levantei, fui ao salão da Connie e enfim decidi fazer a depilação brasileira.

Lola soltou uma gargalhada no mesmo instante em que o celular de Priscilla vibrou de novo. Ela o olhou e viu que era Aidan outra vez, insistindo para que se vissem à noite. Olhou para a irmã e, depois de digitar algo, deixou o celular em cima da mesa de novo. Morrendo de rir, disse:

— Mudei de ideia em relação a Aidan. Acabei de marcar com ele. Alguém tem que ver minha linda depilação brasileira.

Capítulo 42

Quando Lola chegou à porta de sua casa à noite, depois de passar o dia com a louca da irmã, estava garoando. Ela desceu do táxi e correu para o portão. Mas, de repente, sentiu alguém segurar seu braço. Ao se virar, viu Dennis.

Olharam-se durante alguns segundos sem dizer nada. E, então, ele, sério, disse:

— Justin não está e quero ficar com você.

Sem pensar, Lola assentiu. Subindo os degraus até a porta, abriu-a com a chave. Já dentro, quando a porta se fechou, ela o beijou sem acender as luzes. Devorou-o e, quando separaram as bocas, Lola murmurou:

— Desculpe por ontem. Não sei o que me deu...

Dennis, que não havia parado de pensar nela, beijou-a de novo. Desejava-a. Necessitava-a. Tirou-lhe o casaco, que caiu no chão do hall e, fitando-a, declarou:

— Se me permitir, vou despi-la e fazê-la minha nesta casa que tanto odeio porque é com outro que você mora aqui, e não comigo.

Seduzida, dominada pela paixão que ele demonstrava, Lola assentiu. Começaram a despir um ao outro. De repente, ouviram um barulho. Ao olhar para o chão, viram que se tratava das coisas que Dennis levava no bolso da jaqueta.

— Depois eu pego — disse ele, pois não estava a fim de interromper o momento.

Continuaram tirando a roupa. Já completamente nus no hall da casa, o brasileiro virou a jovem, apoiou-a de frente na porta de entrada e, pegando a volumosa ereção, passou-a pelos quadris e ânus dela.

— Quer foder ou fazer amor? — perguntou ele, com a voz rouca e cheia de paixão.

Acesa e instigada, não só pelo que ele dizia, Lola fechou os olhos. E, então, Dennis, eufórico, deu-lhe um tapa na bunda que a fez arfar. Insistiu:

— Diga... O que você quer?

Incitada pelo desejo, pela loucura e pelo frenesi do momento, Lola murmurou:

— Me foda.

Dennis ouviu, mas, dando-lhe outro tapa na bunda, insistiu:

— O que você disse?

— Me foda!

— Repita.

Ela sentia necessidade dele e se sentia incitada pela excitação de pronunciar essa palavra. Então, Lola suplicou, apoiando a testa na porta:

— Me foda... me foda... me foda...

Então, atiçado pelo desejo que captava no tom de voz dela, a fim de brincar com algo que sabia que os dois adoravam, Dennis disse, com voz autoritária:

— Afaste as pernas e arqueie o corpo para a frente.

Ela obedeceu, trêmula. Afastou as pernas e curvou as costas como ele pedia e, então, passando a boca pelo delicado pescoço dela, Dennis sussurrou:

— Ontem à noite você me explicou que no *shibari* há um mestre e um submisso, não é?

— Sim — arfou ela.

— Você não gosta de participar do *shibari*, mas fica excitada de olhar... ver... sentir... E ontem à noite, quando eu a dividia com outro homem, percebi que você se excita quando lhe dão ordens.

— Sim — gemeu ela, louca.

Com voz rouca, ele prosseguiu:

— Sente-se estimulada ao ser possuída quando está curtindo suas fantasias. Para mim, é excitante, imensamente excitante, querida.

A voz dele...

O jeito como a tocava...

As coisas que dizia, inclusive a palavra "querida"...

— Me foda — sussurrou ela.

Ao ouvi-la, Dennis tremeu.

Lola o deixava louco, tanto com o lado dominador quanto com o submisso. Ele colocou a dura ereção na entrada quente do sexo dela, segurou-a pelos quadris e, de forma lenta e pausada, introduziu-se nela. Lola, com a testa apoiada na porta, gemia, extasiada.

Enlouquecido pela situação, sendo dono e senhor do momento porque ela havia consentido, movimentava-a a seu bel-prazer. Fodeu-a como ela pedia, gemia de puro prazer, com a boca seca.

Sem descanso, repetidamente, Dennis entrava nela ansiando arrancar-lhe os melhores gemidos de sua vida. Desejava possuí-la como ninguém nunca a havia possuído. Até que o clímax não os deixou prosseguir e, felizes, renderam-se a ele.

Sem fôlego, Lola respirava com esforço com a testa na porta, enquanto Dennis suspirava com a sua apoiada nas costas dela. Mas ambos queriam mais. Quando o brasileiro se afastou, Lola fitou-o e disse:

— Vamos para meu quarto.

Sem hesitar, Dennis a seguiu.

Juntos subiram a escada até chegar diante de uma porta branca. Dennis a abriu, levou Lola para a cama, deitou-a e, dessa vez, fez amor com ela com carinho e doçura, sem saber que era algo que ela fazia pela primeira vez naquele quarto.

Às três da madrugada, depois de uma noite de sexo ardente e possessivo, ambos estavam nus e esgotados, olhando para teto. Dennis murmurou:

— Sexo com você é incrível... incrível.

Lola sorriu.

— Digo o mesmo.

Gargalharam. E, então, Dennis disse:

— Você está suando, querida.

Ao ouvi-lo, ela replicou, com humor:

— Desculpe, sr. Alves, mas eu não suo, eu brilho!

O brasileiro soltou uma gargalhada. Adorava as respostas dela. Quando pararam de rir, ele perguntou, fitando-a:

— O que aconteceu ontem à noite?

Lola suspirou e tentou se explicar:

— Dennis, talvez não me entenda, mas, desde que estou com você, meu mundo é diferente. Ontem à noite, ou esta noite mesmo, o que fizemos foi incrível. Alucinante. Eu nunca fiz sexo desse jeito, e eu... não sei... Fiquei assustada e...

— Por que ficou assustada? — perguntou ele, surpreso.

Lola desviou o olhar. Como ela não respondia, Dennis murmurou:

— Não sei o que é, mas sei que há algo que você não me conta.

— Por que diz isso? — disse ela, tentando levar na brincadeira.

O brasileiro se levantou nu da cama e, fitando-a, afirmou:

— Porque eu sinto. Sinto que há alguma coisa que você não me conta.

Lola não pôde sustentar o olhar dele.

— Você fez de novo — disse ele, então.

— O quê?

A cada segundo mais convencido de que alguma coisa estava acontecendo, Dennis insistiu:

— Seu olhar... Seu olhar, quando você o afasta, fala por si só.

— Não diga bobagens!

Dennis bufou. Aquela teimosa o tirava do sério. Mas não queria se aborrecer, e murmurou:

— Vou ao banheiro um segundo.

Sem sair da cama, Lola o viu entrar no banheiro do quarto. Quando o perdeu de vista, fechou os olhos. Dennis era intuitivo e, cedo ou tarde, descobriria o que ela estava escondendo. Então, passados alguns minutos, ele saiu de novo do banheiro e, fitando-a, perguntou:

— Por que em seu banheiro só há um roupão, uma escova de dentes e produtos femininos?

Lola não sabia o que dizer. E, levantando-se, inquiriu:

— Você ficou fuçando o meu banheiro?

— Como?!

Então, ela gritou, fora de si:

— Eu o deixo entrar em minha casa e você fica mexendo nas minhas coisas?!

Isso só alertou mais o brasileiro. Disposto a saber mais, saiu do quarto. Lola o seguiu. Dennis abriu a porta do quarto ao lado e o cheiro do perfume de Justin inundou suas fossas nasais. Não se deteve. Abriu o armário. Só havia roupa de homem ali. Depois, foi até o banheiro e, ao ver produtos masculinos e um roupão escrito "Justin", perguntou:

— Você e seu marido dormem em quartos separados?

Lola estremeceu. Não sabia o que dizer. Dennis insistiu:

— Quer fazer o favor de responder?

Se respondesse, exporia Justin e, não, não podia fazer isso com ele. De modo que ergueu a voz e replicou:

— Respondo se eu tiver vontade.

— Lola...

Angustiada pelo que estava acontecendo, ela sibilou:

— Você vem a minha casa, eu o deixo entrar nela e em meu corpo, e não tem outra coisa melhor para fazer que invadir minha privacidade com perguntas que não são da sua conta?

— O quê?!

— Isso mesmo! — gritou ela. — Quem você pensa que é?

Arrasado por ver que não conseguia chegar a ela, Dennis balançou a cabeça e, dando meia-volta, começou a descer a escada. Lola o seguiu e, então, ciente de que havia perdido o controle, murmurou:

— Desculpe.

Ele não a olhou. Seguiu seu caminho. Lola, segurando-o pelo braço para detê-lo, insistiu:

— Desculpe... Desculpe...

Mas o brasileiro, irritado, livrou-se da mão dela, chegou ao hall, recolheu a roupa do chão, vestiu-se e, quando acabou, murmurou em tom neutro:

— Está mais que claro que, além de sexo, você não quer nada comigo.

E assim saiu da casa de Lola, deixando-a boquiaberta e sem saber o que dizer.

Capítulo 43

Nervosa, Priscilla esperava Aidan em frente à saída do metrô onde haviam combinado.

Seria uma loucura sair com ele?

Aidan não era Conrad. O rapaz com quem havia combinado de jantar não tinha o nível econômico a que ela estava acostumada, mas isso não lhe importava. Dinheiro não era tudo na vida. E, além do mais, Priscilla queria se divertir, não namorar.

Enquanto observava a mão na qual já não ostentava a aliança que Conrad lhe havia dado tempos atrás, pensou no ocorrido e sorriu. Desde que a havia tirado sentia-se livre. Livre e feliz.

— Inglesa, o que está fazendo aqui?

Ao ouvir isso, Priscilla se voltou e sorriu.

— Vovó... Olá!

Ao ver a neta que adorava perto da entrada do metrô, Diana estranhou. E, quando ia acrescentar algo, Priscilla respondeu:

— Assinei os papéis do divórcio e vou sair com um rapaz lindíssimo para jantar e, depois, beber alguma coisa.

— Ah, minha vida, que felicidade!

Diana a abraçou. Quando a soltou, perguntou, pestanejando:

— Como o ignorante do seu pai encarou isso?

Priscilla deu de ombros.

— Acho que ele não sabe ainda. Não me ligou.

Diana sorriu e, abraçando-a de novo, disse:

— Você nem imagina quanto fico feliz por finalmente você buscar a oportunidade de ser feliz. Agora só falta Lola também fazer o mesmo, Daryl encontrar uma boa garota, e então minha felicidade será completa.

Priscilla sorriu. Sua avó sempre era muito insistente em relação ao amor. Segundo ela, pelo menos uma vez na vida era preciso encontrar essa pessoa especial, como fora para ela seu marido. Estava fitando-a com um sorriso quando Diana disse:

— Sei muito bem que Justin não a faz feliz, e sei porque vi mais do que deveria.

— Ai, vovó — murmurou Priscilla, angustiada. — O que você viu? O que você sabe?

A velha balançou a cabeça. Sem dúvida, Priscilla sabia o mesmo que ela.

— Eu sempre soube que Justin não era para Lola — murmurou. — Gosto dele porque é um homem encantador, mas, há alguns anos, fui trabalhar em uma festa do Dia do Orgulho Gay e o vi. Ele não me viu, mas eu o vi.

Escandalizada só de pensar no que a avó pudesse ter visto, Priscilla cobriu a boca com a mão. Mas, então, Diana sussurrou:

— Você nem imagina o que eu senti ao vê-lo beijar um homem. Minha amiga teve que me segurar para eu não ir até ele e lhe arrancar os olhos. Ele tinha bebido, e o sem-noção se sentou à mesa de minha colega, Pinky, para ler o futuro.

— Vovó... por que não me contou?

A mulher suspirou.

— Porque eu não sabia o que você sabia e não queria ser indiscreta em relação a Lola. Mas, filha, agora que vejo que você também sabe, pode me dizer o que sua irmã está fazendo com ele?

Sem perder um segundo, Priscilla contou à avó tudo que sabia. No fim, a mulher entendeu o que segurava Lola. Sibilou:

— Maldito covarde esse Justin. Escondeu-se atrás de minha neta quando ela era uma menina, e continua, apesar dos cabelos brancos.

Priscilla balançou a cabeça. Diana perguntou, então:

— O que sabe me dizer sobre o homem dos olhos fascinantes?

Sabendo de quem ela estava falando, Priscilla sorriu.

— Eles se encontram, e Lola sente um frio na barriga quando fala dele.

Ao ouvir isso a mulher fechou os olhos. Sorrindo, disse, juntando as mãos:

— Então há esperança. A propósito, que negócio é esse que ouvi você dizer a Lola... Você caça Pokémon?

Estavam rindo quando um jovem com uma jaqueta cinza parou diante delas e as cumprimentou:

— Olá.

Priscilla, sorrindo, disse:

— Vovó, este é Aidan. Aidan, esta é minha avó.

Surpresa, Diana observou o jovem de jeans e jaqueta e perguntou:

— Eu o conheço. Onde o vi?

Ele sorriu.

— A senhora me viu na clínica onde está Elora, mãe de Priscilla. Trabalho lá, sou um dos auxiliares que a atendem.

Diana assentiu e disse, animada:

— É verdade... Eu me lembro.

Comparar Aidan com o engomadinho Conrad era como comparar a noite com o dia. De repente, a velha pegou a mão do jovem e perguntou:

— Posso?

Aidan assentiu, animado. Sabia perfeitamente qual era a profissão de Diana.

Olhando as linhas da mão dele, ela disse:

— Sua linha do coração é profunda. Você é apaixonado. Ela também é longa e sem interrupções, e isso quer dizer que você é fiel. Mas também vejo que você não é um homem que se apaixona com facilidade; é desconfiado.

— Verdade — respondeu Aidan.

Ela balançou a cabeça e continuou:

— A linha da cabeça indica que você é de pensamentos claros e centrados. E que, quando quer uma coisa, não para até conseguir. — Ambos riram. — Quanto à linha da vida, é profunda e longa, e isso quer dizer que você tem uma grande vitalidade e uma grande capacidade de superar obstáculos complicados.

Os três sorriram, e Diana concluiu:

— Sua linha da sorte está interrompida e muda de direção.

— E isso é ruim? — perguntou Aidan, sorrindo.

— Não. Mas indica que, por algum motivo, você teve que mudar radicalmente de vida, não é?

— Sim — assentiu ele, com mais seriedade.

Ao ver que o jovem parava de sorrir, Diana soltou-lhe mão, deixando-a entre as de Priscilla, que a pegou.

— Sua vida está bem, rapaz — declarou a seguir. — Você é um lutador. Sorria, pois você merece.

Aidan sorriu e, ao sentir a mão na de Priscilla, segurou-a com força. Então, ela disse:

— Bem, vovó, vamos indo. Temos uma reserva para o jantar.
A mulher sorriu e, depois de dar dois beijos em cada um, foi embora.
Quando ficaram sozinhos, Aidan olhou alegre para Priscilla e perguntou:
— Você caça Pokémon?
Priscilla soltou uma risada. E, felizes, saíram andando de mãos dadas.

Capítulo 44

Durante o jantar não faltaram risos.

Estar com Aidan era diferente de estar com Conrad.

Com o jovem, Priscilla podia ser ela mesma. Podia falar de Pokémon, de filmes, beber Coca-Cola, ao passo que com Conrad tinha sempre que medir as palavras e, se algo o incomodasse, sempre acabava irritado com ela.

A diferença de idade entre os dois surgiu na conversa, e Aidan a fez ver que idade era só um número. Priscilla sorriu e deixou para lá. Para o que ela queria aquela noite, o número era o de menos.

Depois do jantar, Aidan a levou a um bar com música ao vivo. Ao entrar, Priscilla se sentiu jovem. Havia anos que não tinha essa sensação, porque Conrad só gostava de ir a locais requintados, onde, via de regra, as pessoas tinham certa idade e não gritavam, pulavam ou dançavam.

Feliz da vida, olhou ao redor. Durante anos perdeu tudo aquilo. Esquecendo a idade, dançou com Aidan, sem se importar com mais nada.

Um bom tempo depois, sedentos e com calor, foram até o bar. Foi quando a música mudou e ficou mais lenta. Priscilla viu vários casais se abraçando, acariciando-se, sem ligar para os olhares das pessoas.

Aidan reparou em como ela observava tudo ao redor. Quando o garçom chegou, ele perguntou:

— O que quer beber?

— Um rum com laranja.

— Para mim uma Coca-Cola — pediu ele.

Ao ouvir isso, ela perguntou, bem-humorada:

— Quando vai tomar um drinque comigo?

Feliz e sorridente, quando o garçom deixou o copo com gelo diante dele, Aidan o pegou e, dando uma piscadinha, disse:

— Agora mesmo, não vê?

Priscilla sorriu, alegre. Ao ver que ela se mexia, nervosa, o jovem a pegou pela cintura e perguntou:
— Quer dançar?
— Mas acabamos de parar!
Aidan assentiu, mas, sem afastar os olhos dela, insistiu:
— Desta vez, vamos dançar coladinhos.
Priscilla sentiu o coração bater a mil por hora. Aidan era sexy, sedutor, e ela não estava acostumada a essas coisas. Consciente de que agora era dona de sua vida, aceitou.
Feliz por ter conseguido avançar mais um passo, Aidan segurou-lhe a mão com força. Andaram até a pista e, ao chegar, ele fez Priscilla girar. Ela sorriu, e Aidan puxou-a para si e a abraçou.
Estava tocando "Like I'm gonna lose you"*, cantada por Meghan Trainor e John Legend. Abraçados, moviam-se ao ritmo da música. Priscilla sorria apoiada no ombro de Aidan e curtia a canção romântica.
Havia muitos anos que ela e Conrad não dançavam assim. Dançar desse jeito tão meloso, segundo o ex-marido, era coisa do passado, algo que só se fazia no começo de uma relação.
Deixando-se levar pela canção, Priscilla curtia o momento de intimidade. Quando sentiu os lábios quentes de Aidan pousarem em seu pescoço, fechou os olhos e perguntou:
— Você vem aqui com muita frequência?
Curtindo a proximidade com Priscilla, ele assentiu e, aspirando o maravilhoso perfume dela, respondeu:
— De vez em quando.
Continuaram dançando, mas a curiosidade que Priscilla sentia a fez perguntar:
— Com alguma garota?
Aidan sorriu e, olhando-a nos olhos, repetiu:
— De vez em quando.
Priscilla assentiu, ruborizada. Ao ver como ele a olhava, praguejou. Por que tinha perguntado isso?
Ao ver a cara dela, Aidan intuiu o que ela estava pensando. Achando graça, esclareceu:
— Eu não estou saindo com ninguém, se é o que quer saber.

---

* "Like I'm gonna lose you", Caitlin Smith, Justin Weaver, Meghan Trainor; Epic, 2015. (N.E.)

— Eu não perguntei isso!

— Eu sei — disse ele e, beijando-lhe a ponta do nariz, acrescentou: — Mas quero que saiba.

Ambos sorriram. E, então, ele perguntou, enquanto dançavam ao compasso da linda canção:

— Como você está?

— Bem.

Ele balançou a cabeça, mas queria saber mais, de modo que insistiu:

— Fico feliz, mas o que realmente quero saber é como está depois do que aconteceu aquele dia com seu ex.

Entendendo, ela deu de ombros.

— Estou bem. Fiz o que devia fazer. — E, suspirando, acrescentou: — Embora odeie saber que vou receber uma ligação do meu pai me chamando de louca por perder um homem como Conrad.

Aidan assentiu. Morria de vontade de beijá-la, mas, controlando os instintos, murmurou:

— Nunca permita que ninguém mande em sua vida. Sua vida é sua, e só você deve decidir o que fazer com ela.

Ao ouvir as palavras de Aidan e ver seu olhar, Priscilla recordou algo que a avó havia mencionado.

— Está dizendo isso por algum motivo especial? — perguntou.

Ele não respondeu, e ela insistiu:

— Sei que talvez não devesse tocar no assunto, mas minha avó comentou, entre outras coisas, que você teve que mudar de vida.

Aidan assentiu de novo. O passado estava sempre ali. Olhou-a e disse, parando de dançar:

— Venha comigo.

— Mas estamos dançando...

O jovem a fitou.

— Eu sei. Mas quero lhe contar uma coisa. Depois, se quiser, continuamos dançando.

Sem saber o que estava acontecendo, de mãos dadas com Aidan, Priscilla voltou ao lugar onde estavam as bebidas. Ele pegou a Coca-Cola e, depois de beber um gole, começou a explicar:

— Antes de ser auxiliar de geriatria, eu era DJ na Irlanda.

Priscilla se surpreendeu. Ele prosseguiu:

— Meus pais nunca foram exemplares, e desde os dezessete anos vivo por minha conta. Aos dezoito conheci uma garota chamada Tara. Ela me introduziu ao mundo da música e da noite, e com ela aprendi muitas coisas. Entre elas, beber dia e noite sem parar. Foi assim até que fiz vinte e três anos e entrei em coma alcoólico. Quase morri.

A expressão de Priscilla ia mudando. Aidan via, mas prosseguiu:

— Quando saí do coma e vi como estava, percebi que não queria viver assim. Ou eu fazia alguma coisa, ou meu futuro seria trágico. Quando saí do hospital, Tara me deixou, porque eu não queria continuar com aquele estilo de vida. Ela me expulsou da nossa casa, meus supostos amigos me deram as costas, e, então, decidi que era hora de dar uma virada radical.

Com a boca seca, Aidan bebeu o refrigerante. Priscilla, incapaz de disfarçar o que sentia, olhava-o com os olhos arregalados.

— Me mudei para Londres. Comecei a frequentar as reuniões do Alcoólicos Anônimos e, com força de vontade e ajuda, consegui superar. Mas, muitas vezes, achei que seria mais fácil pular de uma ponte que continuar. Conheci pessoas maravilhosas no AA. Pessoas que me ajudaram, que ficaram de olho em mim para que eu não pulasse da ponte e, quando minha recuperação era mais que visível, ajudaram-me a me matricular em uma escola, onde concluí os estudos que havia largado quando adolescente. Depois, inscrevi-me em um curso de especialização no cuidado de doentes em casas de repouso e, quando terminei, consegui um emprego onde sua mãe está internada.

Confuso em relação ao olhar de Priscilla, Aidan acrescentou:

— Atualmente, vou uma vez por semana às reuniões dos Alcoólicos Anônimos e ajudo quem precisa, como antes me ajudaram. Faz quase oito anos que não bebo uma gota de álcool — esclareceu. — Nunca mais bebi nada que não fosse refrigerante, água, chá ou café, porque sou alcoólatra.

Priscilla pestanejou. Agora entendia por que ele não tinha bebido nada de álcool. Qualquer um que visse Aidan, tão atlético, tão saudável, nunca poderia imaginar o que ele havia acabado de confessar.

— Gosto de você — disse ele ao ver a cara dela. — Gosto muito. Eu a observo há anos na clínica e, acredite, quanto mais a via, mais gostava de você. Quando, certa tarde, ouvi você e sua irmã conversando sobre o que havia acontecido com seu ex-marido, confesso que vi minha oportunidade. Mas, depois, caí na real: como uma mulher tão linda, tão bem-sucedida e tão elegante como você repararia em mim? Eu não tenho nada do que você tem. Com esforço, posso pagar meu apartamento e, claro, não sou um homem do mesmo nível que seu ex. Tentei tirá-la da cabeça, tentei não olhar para você, mas era impossível, pois continuava te vendo na clínica.

E... bem, aqui estamos. Consegui sair com você, beijá-la, jantar com você, fazê-la me notar, e acho que este é o momento de ser sincero, para que desde o começo você saiba quem sou e nunca pense que tentei esconder um passado do qual não me orgulho.

Priscilla o olhava boquiaberta. Aidan, nervoso, murmurou:

— Eu sei. Não sou o homem que alguém gostaria de ter ao lado.

Ela, impressionada, não sabia nem o que dizer. Ele insistiu:

— Diga alguma coisa, por favor. Se quiser que eu vá embora, irei. Se quiser que a acompanhe até sua casa, acompanharei, mas, por favor, diga alguma coisa, quebre o gelo!

A cabeça de Priscilla estava a mil. Sem sombra de dúvida, sua vida e a daquele jovem não tinham nada a ver. Ela mal o conhecia, mas seu olhar, sua sinceridade e o modo como a tratava a fizeram entender que esse era o caminho que queria seguir. Então, lembrando-se de algo que havia visto a irmã fazer, pegou duas pedrinhas de gelo do copo e, depois de mostrá-las a Aidan, que a olhava alucinado, jogou-as no chão, pisou-as e, sorrindo, declarou:

— Gelo quebrado. Quer dançar comigo?

Dessa vez foi Aidan que ficou boquiaberto. Priscilla não parava de surpreendê-lo.

— Tem certeza? — perguntou.

Ela assentiu, no exato momento em que começava a tocar a canção romântica "Voy a apagar la luz"*, na voz de Luis Miguel.

— Nunca tive mais certeza de nada na vida — respondeu ela. — Vamos, adoro essa música.

Entre espantado e incrédulo, Aidan pegou a mão que ela lhe estendia e voltaram para a pista de dança. Ela girou diante dele e, quando o viu sorrir, aproximou-se e murmurou:

— Lamento por tudo que você passou. Deve ter sido difícil sair disso, mas fico feliz por saber que sua força de vontade o fez ser a pessoa incrível que você é hoje. Você me fala de alcoolismo. Eu tenho uma mãe com Alzheimer e, embora tenha feito os exames mais de uma vez para saber se posso herdar a doença e tenham dado negativos, sempre há uma possibilidade...

— Priscilla...

— Aidan, não sei o que vai acontecer entre mim e você. Não sei se daqui a uma semana vamos querer nos ver de novo, mas o que sei é que esta

---

* "Voy a apagar la luz", Armando Manzanero; WEA Internacional, 1997. (N.E.)

noite não quero que você vá embora, nem eu quero ir, porque quero que me acompanhe até minha casa para poder convidá-lo para entrar e fazer amor comigo. Acha uma boa resposta?

Meio zonzo, ele assentiu, quando a voz de Luis Miguel começou a cantar "Contigo aprendí"*. Enfeitiçado por ela, ele a beijou sem hesitar. E ela aceitou o beijo e o aprofundou.

Essa noite, como ela bem havia sugerido, acabaram na casa e na cama dela. Lá, Aidan a beijou com doçura enquanto a despia com carinho. Ele fez amor com Priscilla com tanta entrega e paixão que ela soube que havia tomado a melhor decisão.

---

* "Contigo aprendí", Armando Manzanero; WEA International, 1997. (N.E.)

Capítulo 45

Na quarta-feira, depois do feriadão, quando chegou ao colégio acompanhada por um Justin feliz, Lola estava desesperada para ver Dennis. O último encontro dos dois acabara em catástrofe e não haviam tornado a se falar. Se ele era teimoso, ela também era. Ao entrar na sala dos professores, não o viu. Estranhou, mas, sentando-se ao lado de Priscilla, perguntou:
— E aí?
A irmã sorriu e, suspirando, sussurrou:
— Ele adorou minha depilação brasileira.
Lola arregalou os olhos. Animada, ia dizer algo, quando Priscilla murmurou:
— Meu Deus, ele tem um abdominal sarado incrível, mas o melhor é que é encantador, carinhoso, romântico, sexy... O oposto do ranzinza do meu ex.
— Ranzinza, seu ex? Ora, ora, estamos progredindo.
Ambas riram. Então, Priscilla continuou:
— Lola, pela primeira vez em muito, muito tempo, eu me senti valorizada, desejada, cuidada e mimada. Que tal?
— Demais!
Estavam rindo quando a porta da sala dos professores se abriu e apareceu a mulher que estava substituindo Marian.
— Quem está de plantão hoje? — perguntou, olhando para os professores.
— Eu — respondeu o professor Emerson.
A mulher, que se chamava Brigitta, balançou a cabeça e, fitando-o, disse:
— Precisa pegar a classe do professor Alves. Hoje ele não vem. Parece que sofreu um acidente de moto.
Todos os professores se alarmaram. Lola ficou petrificada. E Justin perguntou:

— O que aconteceu?

Séria, Brigitta respondeu:

— Pelo que ele contou, na madrugada de sábado para domingo, quando estava voltando para casa, a moto derrapou em uma curva e ele perdeu o controle. Felizmente, só sofreu algumas contusões e levou uns pontos na mão direita.

Lola sentiu o coração se apertar. Certamente havia ido embora tão furioso da casa dela que... que...

Os professores comentavam o ocorrido enquanto Justin, querendo saber mais, saiu com Brigitta. Então, Lola viu Bruna pegar o celular.

Sentada na cadeira, Lola pensava no que havia acontecido. Pegou o telefone sem se importar com nada, procurou o número de Dennis e ligou. O celular dele estava desligado.

Desesperada, levantou-se e ligou de novo, mas nada. Enquanto olhava pela janela, os olhos se encheram de lágrimas. De repente, sentiu uma mão tocar o seu ombro e, ao olhar, viu que era a irmã. Ficaram alguns segundos em silêncio. E, quando a sala dos professores ficou vazia, Priscilla murmurou com carinho:

— Fique tranquila. Com certeza ele está bem.

Assim que conseguiu se recuperar, Lola olhou para a irmã e sussurrou:

— Eu o amo. Eu o amo e não lhe disse.

Priscilla sorriu e, balançando a cabeça, disse:

— Você nem imagina o orgulho que sinto de você hoje por finalmente ter acordado.

Nesse momento, a porta da sala se abriu de novo e o pai das moças apareceu. Aproximou-se, fitou-as sério e, quando ia dizer algo, Priscilla se antecipou:

— Papai, não quero lhe faltar com o respeito, mas, se veio falar sobre minha vida privada, é melhor não. Sim, assinei os papéis do divórcio e, de minha parte, o assunto está encerrado. E, como imagino que você tenha falado com seu maravilhoso Conrad, eu confirmo: sim, estou saindo com um homem mais novo que eu, que adoro e que não pretendo deixar de ver, a não ser que eu mesma decida.

— Ficou louca, Priscilla?

Lola olhou para a irmã, surpresa, quando a ouviu dizer:

— Louca estaria se seguisse seu conselho e aceitasse que você me trocasse por sua maldita casa na Cornualha. Portanto, você tem duas opções, papai. A primeira é me deixar viver minha vida, e a segunda, procurar outra professora de história para me substituir, porque não vou permitir que você continue me atormentando nem mais um dia. Portanto, decida se quer sua filha aqui ou uma suplente.

Contrariado e surpreso, Colin deu meia-volta e foi embora.

Lola sorriu fitando a irmã. O que ela havia acabado de fazer era inaudito.

— Não largue esse rapaz. Sem dúvida, ele lhe dá forças — murmurou Lola.

Priscilla sorriu. Deu um beijo na cabeça da irmã e disse:

— Fique calma. Dennis vai ficar bem.

O dia de Lola na escola se arrastou. Ela não parava de olhar o relógio, que parecia não se mexer. Não sabia como, mas tinha que ver Dennis. Sentia-se culpada pelo acidente. Ele tinha razão. Ela estava fugindo, e o que aconteceu a fizera ver que já era hora de tomar as rédeas da própria vida.

Depois de um dia terrível, quando acabaram as aulas e ela viu que Justin estava em reunião com o pai e outros professores, foi embora do colégio sem dizer nada.

Quando chegou ao edifício de Dennis, o coração palpitava com força. Precisava vê-lo. Queria tocá-lo e saber que ele estava bem. Subiu os degraus de dois em dois. Diante da porta, sem perder um segundo tocou a campainha. Quando a porta se abriu e Lola o viu, jogou-se sobre ele sem dizer uma palavra e o abraçou.

Essa visita era o bálsamo que Dennis necessitava para curar as feridas. Ele afundou o nariz no cabelo de Lola, apesar da dor que lhe causava o abraço dela, e murmurou:

— Estou bem, querida... Estou bem.

Ela assentiu. Nada no mundo a alegrava mais que saber disso. Ao se separarem e fecharem a porta, Lola perguntou:

— Por que não me ligou?

Dennis se sentou no sofá com cara de dor.

— Eu estava com muita raiva — disse. Então, acomodou-se e murmurou: — Caralho, no fim, vou ter que acreditar que sua avó é bruxa.

Lola não disse nada. Não estava a fim de brincadeira. A coisa poderia ter sido muito pior.

O silêncio caiu sobre eles quando Lola viu o capacete de Dennis. Estava arranhado, todo estragado. Ainda assustada, ela fechou os olhos, mas ouviu:

— Venha, sente-se. Temos que conversar, e muito seriamente, porque isto não pode continuar assim.

Ao ouvir essa frase tão lapidar, ela abriu os olhos. Sentou-se ao lado dele com medo do que imaginava que ele iria dizer. Então, murmurou com um fio de voz:

— Você vai terminar comigo, não é?

Dennis sentiu o coração se partir ao ouvi-la pronunciar essa frase, naquele tom e com aquele olhar. O mais saudável para os dois era terminarem. O relacionamento tumultuado não os levava a lugar algum. Mas, incapaz de calar por mais um segundo o que sentia, declarou:

— Eu te amo, e não posso terminar porque estou louco por você.

Ouvir essas palavras de amor, que Lola jamais havia ouvido, a fez levar a mão à boca enquanto sentia o coração disparar. A irmã, a avó, as pessoas que a amavam tinham razão. Ela precisava de alguém que a abraçasse com amor, que lhe dissesse palavras românticas. Estremeceu. Estremeceu pelo que quase perdera por ser tão cabeça-dura.

Desconcertado pelas próprias palavras e pela falta de reação dela, Dennis insistiu:

— Ouviu que eu disse que te amo?

Lola assentiu. E, afastando as mãos da boca, disse:

— Sim.

— E?

Emocionada, enternecida, comovida, ela sorriu e murmurou:

— Eu também te amo...

Comovido e eufórico, Dennis foi se mover para beijá-la, mas sentiu uma dor na costela. Ao notar, Lola sussurrou, aproximando-se dele:

— Shhh... Calma, eu o beijarei. — Ela beijou-o na boca. — E cuidarei de você. — E o beijou de novo.

E, quando seus lábios se separaram, olhando-o nos olhos, ela prosseguiu:

— Você é meu com a mesma intensidade com que eu sou sua. Foi difícil entender isso, mas, agora que sei a verdade, não quero desperdiçar nem mais um minuto.

Ele sorriu e, aproximando a boca da dela, beijou-a. Beijou-a com tranquilidade, com carinho, com paixão, e Lola se deixava beijar e curtia a maravilhosa sensação.

Terminado o beijo, ela enroscou os dedos no cabelo de Dennis e murmurou:

— Tenho que falar com você.

Dennis passou a mão pela cintura dela e brincou:

— Vai terminar comigo?

Lola sorriu e negou com a cabeça. Sem mais demora, relatou a Dennis sua vida. Falou de María, de Elora, de Justin e de seu pai. A expressão de Dennis não se alterou em momento algum, nem sequer quando lhe confessou que Justin jamais havia encostado um dedo nela. Mas, embora se mantivesse impassível, por dentro Dennis ardia de indignação por causa de algumas coisas. Tudo que ela relatava lhe interessava. Quando ela acabou, ele murmurou, pegando a mão de Lola:

— Obrigado por me contar.

Como se houvesse tirado um grande peso das costas, Lola disse:

— Lamento ter escondido tudo de você, mas a questão de Justin é complicada.

Ele assentiu. Agora entendia perfeitamente muitas das coisas que haviam acontecido. Tocando com carinho o rosto dela, sussurrou:

— Eu sabia que havia algo estranho, mas nunca imaginei nada disso que você me contou.

— Eu sei — disse ela. — Justin e eu representamos muito bem nossos papéis. E, como lhe disse, só essas três pessoas conhecem a realidade de nossa vida.

De certo modo, Dennis entendia que Priscilla, ou aquela amiga desconhecida chamada Carol, soubesse. Mas perguntou:

— Por que Akihiko?

Lola bebeu um gole de uma lata de Coca-Cola que estava diante deles e respondeu:

— Porque ele é um grande amigo e, ao me ver tão perdida no Japão, foi quem me ensinou a me valorizar, a me amar e a entender que minha vida sexual não tinha por que acabar só porque Justin não me tocava nem me desejava.

Dennis assentiu. Ela prosseguiu:

— O Japão tem outra cultura, e viver com Justin era novo para mim. De repente, eu me vi em outro país, com um homem que era meu marido, que tinha carinho por mim, mas que não me desejava. E me senti sozinha, muito sozinha. Como eu disse, Akihiko foi um grande amigo que me ajudou a não ficar louca.

Durante horas, Lola e Dennis conversaram e se abriram. Precisavam se comunicar. Quando ela, ao ver em seu relógio a hora, disse que tinha que ir, Dennis não gostou. Não queria se afastar dela. Queria tê-la ao seu lado, protegê-la, cuidar dela, mas entendia que deviam fazer as coisas direito, e, se essa noite ela não voltasse para casa, poderiam estragar tudo.

Quando o taxista tocou o interfone de Dennis para avisar que havia chegado, ele insistiu em acompanhá-la até a rua. Lola tentou impedi-lo. Dennis estava machucado e dolorido. Mas, no fim, foi impossível, e acabou desistindo. Desceram juntos.

Já ao lado do táxi, beijaram-se. E, quando Lola entrou, o brasileiro perguntou:

— Quer que a acompanhe?

Ela sorriu e, negando com a cabeça, respondeu:

— Não, querido. Suba e descanse. Você tem que se cuidar.

O brasileiro bufou. Não via graça nenhuma em ela ir embora. Mas Lola, para acabar o quanto antes com essa situação, sorriu e, fechando a porta, disse:

— Eu te amo.

Dennis sorriu também, mas, quando o táxi se afastou, soltou um palavrão.

Capítulo 46

Depois de pagar o taxista, Lola subiu os degraus que levavam à porta da casa. Era meia-noite e, por mais estranho que pudesse parecer, Justin não havia ligado para ela.

Ao entrar na casa, ouviu o som da televisão e foi até a sala, onde Justin estava acomodado com o lindo pijama listrado. Ele a fitou e perguntou, mostrando-lhe algo que tinha na mão:

— Chicletes de cereja no chão do hall?

Lola praguejou. Deviam ter caído do bolso da jaqueta de Dennis. Ela ia dizer algo, mas Justin tornou a perguntar:

— Você estava com ele, não é?

Incapaz de mentir sobre algo tão evidente, Lola respondeu:

— Sim.

Ele balançou a cabeça e, levantando-se, replicou:

— Você se preocupa com ele tanto assim?

— Eu o amo — confessou ela.

A firmeza das palavras fez Justin fechar os olhos. Quando tornou a abri-los, sibilou baixinho:

— Esse não era o trato.

— Justin...

— Você não pode amá-lo. Você e eu em primeiro lugar. Por acaso esqueceu?

Lola suspirou. Como poderia esquecer? E, tentando entender a postura dele, respondeu:

— Eu não esqueci nada, mas aconteceu, e não posso evitar.

— Mas precisa evitar.

— Não vou fazer isso. Já disse que o amo, Justin. Não está me escutando?

Irritado, ele jogou o pacote de chicletes de cereja na parede e, com o rosto enfurecido, gritou:

— Vou falar com seu pai. Vou inventar alguma coisa. Dennis tem que ir embora do Saint Thomas.

Alucinada, Lola pestanejou e, rangendo os dentes, advertiu-o:

— Não misture o trabalho nisso, Justin. Isso eu não vou admitir.

Transtornado, ele sorriu com frieza e, fitando-a, sibilou:

— Misturar o trabalho? E você, o que é que está fazendo?

— Justin...

— Se nos separarmos, seu pai vai receber aquela famosa carta do meu pai contando sobre minhas preferências sexuais. E o que acha que seu pai vai fazer?

Lola, entendendo, aproximou-se dele.

— Vou tentar evitar isso. Vou falar com ele, e ele vai compreender que...

— Você, justamente você, vai falar com ele? — ironizou Justin. — Não faça isso, ou vai piorar as coisas.

Nervosa, Lola contorcia as mãos. Sentia-se mal.

— Justin, escute...

— Não, escute você! — interrompeu ele. — Estamos casados há doze anos. Doze anos nos quais nossa união nos propiciou mais coisas boas que ruins. Nenhum dos dois se casou enganado. Você sabia muito bem quem eu era e a vida que a esperava comigo quando...

— Claro que eu sabia — disse ela, levantando a voz, cortando-o. — Mas eu era uma menina de apenas vinte anos, e você já era um homem de trinta e cinco quando nos casamos. Por acaso não pensou que um dia o amor poderia entrar em minha vida? O fato de você não querer se deixar levar pelo coração em relação a Henry não significa que...

— Pequena, se você se separar de mim, vai acabar com minha vida.

Lola fechou os olhos. O que ele estava dizendo era cruel. Ele não podia jogar sobre ela todo o peso do que estava acontecendo. Fitando-o em busca de um entendimento, murmurou:

— Justin, eu amo você. Você me ama. Nós nos amamos. Mas nosso amor é de irmãos, coisa que aceitamos há doze anos, quando nos casamos, para sair de uma determinada situação. Porém, já se passou muito tempo, e acho que chegou a hora de pôr nossa vida em ordem. Caralho, Justin, eu tenho trinta e dois anos e, pela primeira vez na vida, um homem me ama, me dá carinho, cuida de mim e...

— Eu não lhe dei carinho, não a amei e cuidei de você? Eu não lhe dei o que queria? Eu não lhe dei a liberdade que você sempre desejou? — perguntou ele, irritado.

Lola assentiu. Aproximando-se dele, pegou-lhe a mão e disse, olhando-o nos olhos:

— Claro que sim, e lhe serei grata pelo resto da vida. Mas você não me abraçou à noite na cama, não fez amor comigo, não me olhou com desejo fazendo-me sentir a mulher mais especial do mundo. É disso que eu preciso, e Dennis me dá isso.

Doeu em Lola ver a cara dele, mas ela prosseguiu:

— Eu te amo, e a última coisa que quero é machucar você. Por favor, Justin, pense bem, e não torne as coisas mais difíceis.

Ele se sentou no sofá, derrotado.

A clareza das palavras de Lola tocava-lhe a alma. Sabia que ela tinha razão. Sabia que ela merecia viver aquele amor, como ele desejava viver também. Mas, sem querer aceitar aquilo que ele mesmo sabia, sussurrou:

— Eu disse que podíamos ficar os três juntos. Fizemos isso uma vez com Aris...

— Aris não é Dennis.

Imaginar a cena de sexo fria que havia vivido com seu marido e Aris, e imaginar Dennis naquela situação fez seu estômago se revirar. Dennis não era Aris, e nunca se prestaria aos jogos a que o outro havia se prestado.

— Nós nos divertimos, não lembra? — insistiu Justin. — Aris possuía você e eu o possuía. Nós curtimos muito. Por acaso você esqueceu?

— Não quero dividir Dennis com você.

— Esse sentimento de posse que você tem em relação a ele não é bom.

Contrariada, Lola respondeu:

— Isso que você chama de *sentimento de posse*, eu chamo de *amor*. Achei que você soubesse a diferença.

Arrasado, Justin levou a mão à cabeça.

— Pequena, isso vai acabar com minha vida!

Lola foi lhe dar um abraço, mas ele se livrou das mãos dela, levantou-se e saiu, enquanto ela o observava com pena.

Capítulo 47

Passaram-se vários dias. Dias nos quais Justin e Lola, no colégio, disfarçavam o desconforto diante de todos, mas, ao chegar a casa, nem se falavam.

Lola tentava dialogar com ele, mas Justin se negava. Estava decepcionado, muito decepcionado com ela. E, embora por dentro soubesse que não estava agindo bem, o orgulho o impedia de reagir.

Dennis, por sua vez, continuava em casa. O médico havia lhe dado uma licença de uma semana pelo acidente. Mas só era feliz quando Lola ligava ou quando ia visitá-lo no fim da tarde.

O melhor momento do dia era quando a tinha ao seu lado. E, embora ela não dissesse nada, Dennis sabia que não estava bem. Bastava ver suas olheiras.

Priscilla, que usufruía a repentina felicidade que Aidan lhe proporcionava, observava em silêncio a irmã. Certa tarde, quando todos os professores haviam saído da sala e ficou a sós com ela, disse:

— Já chega. Não aguento mais. Que foi?

Lola a olhou, e Priscilla insistiu:

— E não diga que não foi nada, porque eu tenho olhos. Embora Justin e você sejam muito bons atores, eu os conheço e sei que alguma coisa está acontecendo.

Lola suspirou e, sem rodeios, contou a irmã tudo que estava acontecendo. Quando terminou, Priscilla perguntou:

— E o que vocês vão fazer?

— Não sei.

— Lola!

Agoniada, a jovem levou as mãos à cabeça.

— Dennis não diz nada, mas sei o que ele quer. Quer o mesmo que eu, e não sei como fazer isso. Não sei como fazer as coisas sem magoar demais Justin e...

— E o papai — finalizou Priscilla.

Desesperada, Lola afastou o cabelo do rosto e afirmou:

— Exato, e o papai. Com certeza, vou ouvir de novo: "Você é minha decepção!", e, dessa vez, sinto que terá razão. A filha em quem ele apostou, que aceitou apesar de tantas adversidades, no fim, vai lhe dar o desgosto do século quando souber da realidade entre mim e Justin. Eu adoraria explicar-lhe que o que sinto por Dennis é amor, que pela primeira vez na vida me apaixonei e quero buscar a felicidade com um homem que me ama e que pode me fazer muito feliz.

— Calma, Lola... Nós duas juntas tentaremos explicar.

Lola bufou e, ao imaginar a cena que seu pai iria fazer, disse:

— Com o papai vai ser duro!

— Eu sei — assentiu Priscilla. — Entre sua história com Dennis e a minha com Aidan, imagino que ele não vai andar de muito bom humor nos próximos tempos.

— Eu tento conversar com Justin — continuou Lola —, mas ele não facilita. Tem medo do que possa acontecer, e eu entendo, mas...

— Mas nada — interrompeu Priscilla. — Justin devia ter previsto que isso poderia acontecer. Você é uma mulher jovem, bonita e encantadora, e um dia alguém poderia cruzar seu caminho e... e... Por acaso Justin é idiota?

— Não, não é. Ele é uma boa pessoa que está apaixonada por um homem que vive em Nova York, mas não quer aceitar — defendeu-o Lola. — Seus próprios preconceitos e medos não o deixam viver, não o deixam ser a pessoa que no fundo quer ser. Ele está aterrorizado por causa da possível reação de papai.

Ficaram em silêncio, até que Lola murmurou:

— Estou apaixonada por Dennis. Pela primeira vez na vida eu me apaixonei, e adoraria gritar isso aos quatro ventos. Adoraria dizer ao papai como me sinto incrível agora que conheci o amor, mas...

Priscilla a abraçou. Sua alma se alegrava ao saber daquilo. A irmã tinha direito a conhecer o amor. Então, Lola declarou com um sorriso sincero:

— E o melhor de tudo é que Dennis sente o mesmo por mim.

A irmã sorriu, encantada, e, dando-lhe coragem, disse:

— Se isso for verdade e é o que você quer, não permita que ninguém estrague sua felicidade.

— O que acha de sairmos os quatro hoje à noite? — propôs Lola. — Dennis já está recuperado. O médico lhe deu alta, e na segunda-feira ele volta ao trabalho.

Priscilla pestanejou.
— Aidan, Dennis, você e eu. A gangue sem vergonha!
Lola sorriu.
— Sim. Poderíamos jantar e beber alguma coisa. O que acha?
Priscilla adorou a ideia. A fim de se divertir, assentiu.
— Perfeito! Vou avisar o Aidan.

Capítulo 48

Dennis e Aidan se deram bem desde o primeiro momento.

Os dois gostavam de motos, das mesmas bandas...

Assim que entraram no restaurante de Rosanna, esposa de José, ela rapidamente os levou até uma mesa onde poderiam ter privacidade.

Quando pediram vinho para o jantar, Aidan disse que preferia um refrigerante. Vendo Dennis e Lola o olharem, sem nenhuma vergonha falou a eles do problema que tinha com a bebida. Encerraram o assunto, e não se falou mais nisso.

Os dois casais curtiram uma noite agradável, com troca de confidências, carinhos e mimos. Isso era novo para Lola e para Priscilla, que, durante todo o tempo em que foram casadas com Justin e Conrad, não haviam tido uma noite assim.

Depois da sobremesa, as irmãs foram ao banheiro. Ao entrar, Priscilla disse:

— Ai, caramba... A depilação brasileira está crescendo, e pinica demais!

Lola se olhava no espelho, sorrindo, enquanto prendia o cabelo.

— É o preço que se paga — murmurou. — Tenho certeza de que Aidan gosta.

Priscilla sorriu, encantada, e perguntou:

— O que acha do problema de Aidan em relação à bebida?

Lola olhou para a irmã e, com sinceridade, respondeu:

— Acho que ele é um sobrevivente que apostou na vida. Ninguém melhor que ele para conhecer sua verdade, e que você para saber se essa verdade se cumpre.

Priscilla assentiu. Olhando para Lola, acrescentou:

— Ele comentou que, quando se viu no fundo do poço, prometeu a si mesmo nunca mais passar por aquilo, e eu acredito. Algo me diz que posso confiar nele.

Lola sorriu e, dando-lhe um tapinha, respondeu:

— Ele parece um bom menino, isso não vou negar.

— Sim. — Priscilla sorriu e, apoiando-se na pia, sussurrou: — Sabe? Desde que comecei com ele, sinto que estou vivendo uma segunda juventude.

— Eu sei. — Lola riu. — Estou vendo.

— Mas continuo preocupada com o assunto da idade.

Alegre, Lola olhou para a irmã. Só se lembrava de tê-la visto tão boba por alguém quando Conrad aparecera na vida dela, quando era novinha. Adorando vê-la sorrir assim, disse:

— Curta Aidan e esqueça essa bobagem. O que é que a preocupa?

— São dez anos!

— E daí?

Priscilla suspirou.

— Tenho que ser objetiva. Tenho quarenta e um, e ele, trinta e um. E, agora não, porque estamos na linda lua de mel do início da relação, mas e daqui a dez anos, quando eu tiver cinquenta e um e ele quarenta e um? Ou daqui a vinte?

Lola bufou. A irmã se preocupava demais com tudo.

— Faltam dez anos para isso. Dez longos anos, e muita coisa pode acontecer...

— Mas, se eu estiver apaixonada por ele e ele me trocar por outra, vou enlouquecer!

Lola suspirou e, fitando-a com carinho, disse:

— Eu continuo casada com Justin, apaixonada por Dennis e não sei o que vai acontecer daqui a dez dias, menos ainda daqui a dez anos. O que sei é que hoje, agora, neste instante, estou com a pessoa que amo, que me ama, e me recuso a pensar em outra coisa que não seja curtir e ser feliz com ele. Como dizia a mamãe, o que tiver que ser, será.

Priscilla sorriu. Olhando para aquela ruiva que tanto amava, murmurou:

— Parece mentira que a irmã mais nova seja você.

Sorriram, Lola, para não desperdiçar nem mais um segundo no banheiro, pegou o braço de Priscilla e disse:

— Vamos sair daqui e curtir a vida.

Depois do jantar, decidiram ir a um bar tomar um drinque. Divertiram-se até as três da madrugada, quando decidiram voltar para casa. Priscilla convidou Aidan para ir a sua casa, e Dennis e Lola foram para a casa dele.

Entraram pela porta se beijando. Dennis, sem a soltar, ligou o aparelho de som, apertou play e começou a tocar "You don't know me", de Michael Bublé. Olhando-a nos olhos, murmurou, enquanto começavam a dançar:

— Estou total e completamente louco por você.

Lola sorriu. Adorava ouvir isso. Então, roçando os doces lábios no rosto dela, ele prosseguiu:

— Quero passar muitas noites com você. Quero ter você de manhã quando acordar. Quero planejar viagens com você. Levá-la a Munique para conhecer meus amigos. Quero brigar com você e fazer as pazes e...

— Dennis... — interrompeu ela. — Você vai me amar daqui a dez anos?

Ao ouvir isso, ele a fitou. Vendo que ela esperava uma resposta, disse, seguro de suas palavras:

— Espero que tanto quanto você a mim.

Sorrindo, abraçaram-se e, com carinho, delícia e sentimento, fizeram amor, enquanto a música continuava tocando ao redor.

Horas depois, Lola voltou para casa e, como sempre que isso acontecia, um vazio se abriu no coração de Dennis.

Capítulo 49

Na quarta-feira de manhã, quando Lola estava concentrada em uma de suas aulas de balé, Cornelia, uma das secretárias de seu pai, abriu a porta.

Ao vê-la, Lola caminhou até ela.

— Aconteceu alguma coisa?

Cornelia lhe fez um sinal. Lola saiu da sala e, ao ver nas mãos da mulher um lindo buquê de rosas verdes, sorriu. Enquanto o entregava a Lola, Cornelia comentou:

— São lindas. Que marido você tem!

Lola assentiu.

Aquelas rosas verdes só podiam ser de uma pessoa. Dennis estava maluco?

Quando Cornelia foi embora com um sorrisinho nos lábios, Lola abriu o bilhete que acompanhava o buquê e leu:

Não te amarei só nos próximos dez anos, serão muitos mais. Te amo.
P.S. E eu que dizia que não era romântico...

Lola sorriu de novo. O que estava vivendo com Dennis era a coisa mais bonita que havia vivido na vida. Com cara de boba, entrou na sala de novo, desejando beijar o homem que dava aula no andar de cima.

Duas horas depois, as rosas verdes descansavam dentro de um vaso na mesa onde Lola mantinha o aparelho de som. Animada, ela dava outra aula quando ouviu a porta da sala se abrir de novo. Era Justin.

Nesse instante, tocou o sinal indicando o fim da aula. Depois de se despedirem de Lola, as meninas foram embora.

Quando todas já haviam saído, Justin entrou na sala e olhou as rosas verdes com desdém, mas não disse nada. Incomodada com o gesto dele, Lola se aproximou e perguntou:

— Você está bem?

Com o mesmo semblante sério dos últimos dias, ele a olhou e respondeu:

— Ligaram do hospital London Bridge. Parece que seu pai está internado com uma forte dor no peito.

Lola pestanejou. O coração acelerou, e ela disse:

— Eu não falei nada sobre nós para ele, e você?

Justin se apressou a negar com a cabeça. E, tentando não perder a compostura, respondeu:

— Eu também não.

Nervosa, Lola não podia deixar de se atormentar. E, então, ele, gaguejando, sussurrou:

— Ninguém sabe o que acontece entre nós, a não ser que Dennis...

Ao ouvi-lo, Lola fez que não com a cabeça e afirmou, convicta:

— Impossível. Dennis nunca diria nada. Não o culpe por algo que você não sabe.

Justin não respondeu. Então, fitando-a com uma expressão fria, disse:

— Troque de roupa, vamos ao hospital.

Lola assentiu. Entrou na salinha onde costumava se trocar, vestiu-se depressa e saiu de novo. Olhando para Justin, disse:

— Dennis não disse nada.

Ao chegar ao andar superior, o corredor estava cheio de crianças. Lola viu Dennis ao fundo, conversando com uns pais. Justin notou que ela olhava para ele e disse:

— Não é hora. Seu pai está no hospital.

— Eu sei muito bem onde meu pai está — replicou ela, irritada. — Vamos buscar minha irmã.

Caminhavam para a sala de aula de Priscilla quando deram de cara com ela. Cornelia, que era quem havia recebido a notícia, acabara de lhe contar.

Lola segurou a mão da irmã e murmurou:

— Fique tranquila.

Priscilla, que sentia vontade de vomitar, olhou para a irmã e o cunhado.

— Tenho certeza de que é culpa minha.

— Não diga bobagens — sussurrou Lola.

Ao que parecia, todos se sentiam culpados por algo que não sabiam. Mas Priscilla, histérica, insistiu:

— Desde que eu lhe disse que havia assinado os papéis do divórcio e lhe contei sobre Aidan, ele está muito bravo comigo.

— Quem é Aidan? — perguntou Justin, surpreso.

Sem responder, Lola olhou para a irmã, que voltava ao mesmo assunto:

— E se eu lhe causei essa dor no peito?

Incapaz de deixar Priscilla se culpar por aquilo, Lola insistiu:
— Não. Não é culpa sua.
Priscilla olhou para os dois e, mudando de expressão, sussurrou:
— Ai, meu Deus... Não me diga que papai soube de vocês e de Dennis!
Justin olhou para a mulher e sibilou:
— O que você contou a sua irmã?
— A verdade — esclareceu Priscilla, desafiando-o com o olhar. — E mesmo sabendo há anos, eu respeitei a decisão de vocês e, acima de tudo, respeitei você. Fique satisfeito.
Justin blasfemou. Lola replicou, olhando para a irmã:
— Acho que papai não sabe de nós. Pelo menos é o que espero.
Priscilla assentiu. Então, os três se encaminharam para a saída em silêncio. Porém, antes de chegarem, Dennis se interpôs no caminho e, ao ver a cara séria de Lola, perguntou, sem tocá-la:
— O que aconteceu?
Com vontade de chorar de tanta angústia que sentia, ela ia responder quando Priscilla se antecipou:
— Acabaram de avisar que o papai está no hospital, internado por causa de uma forte dor no peito.
Dennis balançou a cabeça. Aquilo não parecia bom. E, olhando para Lola, disse:
— Eu os acompanho.
Era tudo que Lola mais queria. Mas Justin, colocando-se entre os dois, sibilou:
— Não. Você não vai.
Dennis lançou-lhe um olhar desafiador. E, quando ia replicar, Justin esclareceu, baixando a voz para que ninguém o ouvisse:
— Lola é minha mulher, apesar de ir para a cama com você. Você não tem nada o que fazer no hospital.
Furioso, a veia do pescoço de Dennis inchou. De certo modo, ele tinha razão. E, olhando para Lola, perguntou:
— Quer que eu vá com você?
Ela não sabia o que dizer. Mas, consciente de que isso poderia criar uma situação constrangedora, por fim, respondeu:
— É melhor você me esperar em casa. Prometo que vou para lá quando sair do hospital.
E, sem mais, afastou-se com a irmã e o marido, enquanto Dennis os observava contrariado, mas ciente de que era o mais sensato.

Ao chegar ao carro de Lola, que não era o de dois lugares, sem nem olhar para a mulher, Justin disse com seriedade:

— Dê-me as chaves, eu dirijo.

Nervosa, ela as tirou da bolsa e, entregando-as, disse:

— Claro, é melhor.

Enquanto Justin dirigia, Lola, no banco do passageiro, observava a chuva pela janela. Ninguém falava. Ninguém podia dizer nada. Sem saber na realidade o que havia acontecido, todos se sentiam culpados pela situação de Colin.

Depois de parar no estacionamento do hospital, rapidamente foram ao balcão e se informaram. Disseram-lhes que o sr. Colin Gabriel Simmons estava internado no terceiro andar, no quarto 323.

Já em cima, uma enfermeira os acompanhou ao quarto. Justo quando chegaram, a porta se abriu e um médico saiu.

— São familiares do sr. Simmons? — perguntou.

— Seus filhos — disse Priscilla.

O médico assentiu. Com profissionalismo, olhou para os três e declarou:

— O sr. Simmons está estável e, como disse à companheira dele, podem ficar tranquilos.

— Mas o que aconteceu? — perguntou Lola.

O médico a olhou e respondeu, impassível:

— Seu pai estava fazendo sexo quando começou a se sentir mal. Teve dificuldade de respirar, sudorese excessiva e sentia uma pressão no peito. Ficaram assustados e vieram para o hospital. Por sorte, controlaram a tempo algo que poderia ter sido muito pior.

Alucinadas, Priscilla e Lola se entreolharam, e, sem dizer nada, entenderam-se. Como o pai delas estava fazendo sexo de manhã, em horário de escola?

Porém, não estavam a fim de perguntar mais, nem de imaginar a intimidade dele com Rose.

— Mas ele está bem? — perguntou Priscilla.

— Sim — garantiu o médico. — Vai ficar esta noite em observação e, amanhã, se tudo continuar bem, terá alta. Mas eu já lhe disse que a partir de agora seu ritmo de vida tem que mudar, tanto profissional quanto sexual. Com setenta e um anos precisa se cuidar para evitar certos problemas.

— Pobre Rose — murmurou Justin. — Que susto deve ter levado!

Ao ouvi-lo, Lola pegou o braço dele, mas ele rapidamente se soltou. Priscilla notou, mas não disse nada. O médico assentiu:

— Sim. Ela estava muito alterada. Mas já está mais tranquila.

Depois da conversa, o médico foi embora. Priscilla, mais calma, disse:

— Tudo bem, chega de susto e culpa. Vamos ajudar Rose com o Smurf Ranzinza, que, se bem conhecemos, deve estar insuportável.

Justin assentiu. E, olhando para as irmãs, comentou:

— Na última reunião que tive com ele, há pouco mais de um mês, ele falou de continuar por mais quatro anos como diretor do colégio. Não quer se aposentar antes dos setenta e cinco.

— Pois parece que vai ter que reconsiderar, se quiser chegar aos setenta e cinco — respondeu Lola.

Os três assentiram. No entanto, quando abriram a porta, ficaram sem palavras. Colin estava prostrado na cama, e ao lado dele estava María, a mãe biológica de Lola.

Ficaram olhando para ela, paralisados.

O que ela estava fazendo ali?

Sem notar que três pares de olhos os observavam, os dois continuavam de mãos dadas. Até que Lola, incapaz de se calar, gritou:

— Você!

Ao ouvi-la, Colin e María se afastaram, sobressaltados.

— Olá, filha — disse ela, fitando-a.

Irritada, Lola a ignorou e disse, dirigindo-se a seu pai:

— Da última vez, você me disse que o assunto estava encerrado. Você me prometeu, e por isso me calei e não disse nada a Rose.

Colin fechou os olhos. Lola tinha razão. Depois da última vez que ela os havia flagrado na casa de Diana, ele havia prometido que nunca mais voltaria a ver María. Mas a mulher o dominava, sempre o dominara, e, por mais que ele resistisse, no fim acabava cedendo.

Mas María, que não se importava com nada, disse, dirigindo-se à filha:

— Ouça, minha menina, nós...

— Não sou sua menina. Não sou sua filha. Quando vai entender isso? — replicou Lola. E, olhando para o pai, sibilou: — Você prometeu!

Justin e Priscilla se entreolharam. Não sabiam do que ela estava falando. Lola, ao ver a cara deles, esclareceu:

— No Natal, eu os flagrei na casa da vovó transando como coelhos.

— Lola! — protestou Colin.

— Papai! — exclamou Priscilla e, cobrindo a boca, sussurrou: — Pobre Rose...

Lola assentiu. E, sem se importar, afirmou:

— Exato, pobre Rose! E não pobre sr. Decência e Primor.

— Lola! — recriminou-a Justin.

Mas ela, transtornada, grunhiu, olhando para aquela mulher:

— Por sua culpa, minha mãe foi infeliz durante muitos anos. Não posso mudar o passado, mas posso evitar que Rose, a mulher maravilhosa que está com meu pai, sofra. E garanto que vou tentar.

— E eu me sentindo culpada... — lamentou Priscilla.

A partir desse instante, trocaram-se mais que palavras naquele quarto, até que María, levantando a voz, disse:

— Colin e eu já somos grandinhos, e vocês não decidem nada.

— Está enganada! — gritou Lola. — Meu pai precisa que lhe recordem quem é, com quem está e quem é você. E, caso tenha esquecido, você é uma aproveitadora sem escrúpulos que só aparece por aqui em busca de dinheiro de tempos em tempos para...

— Lola... chega! — sentenciou Colin.

Ele, melhor que ninguém, sabia quem era María. Com o olhar pediu ajuda a Justin, que disse:

— Por favor. Estamos em um hospital.

Lola assentiu. Não era lugar para falar disso, e menos ainda depois do que havia acontecido com o pai. No exato momento em que Lola sentiu a irmã pegando-lhe a mão, a porta da quarto se abriu e apareceu Rose, assustada.

— Ai, meu Deus... Ai, meu Deus...

A coitada estava tão nervosa, tão alterada, que ao entrar correu para Colin. Ao seu lado na cama, perguntou, enquanto Priscilla se aproximava para tranquilizá-la:

— Meu querido, o que aconteceu? Como você está? Cornelia me ligou e me contou. Oh, Colin — soluçou. — Nunca mais me dê um susto desses, senão juro que... que...

Não pôde continuar. As lágrimas transbordavam dos olhos. Então, de repente, olhou para o outro lado da cama e, ao ver aquela morena de cabelos pela cintura e olhos penetrantes, perguntou:

— E você, quem é?

Sentindo-se o centro dos olhares de todos, ela sorriu e respondeu:

— María, o único amor de Colin.

Lola, Priscilla e Justin não podiam acreditar.

Por acaso havia ficado louca?

Rose balançou a cabeça. Ver aquela mulher bonita e juvenil a fez se sentir feia e velha. Dirigindo-se a Colin, sussurrou:

— Ela é...?

Ele fechou os olhos. Não sabia o que dizer ao ver a cara de Rose. E, de repente, ela desmaiou. Priscilla correu para segurá-la, mas Justin, que chegou rapidamente, disse:

— Calma. Estou segurando.

Eles a carregaram até a poltrona e começaram a abaná-la.

— Justin, avise uma enfermeira — pediu Lola.

Ele saiu do quarto, e ela, olhando com fúria para o pai, disse:

— É isto que você quer, não é?

Colin não respondeu. Gostando ou não, nessa ocasião o desonesto era ele. Olhando para María, que permanecia em pé ao seu lado, disse:

— Vá embora.

— Mas, amor... — protestou ela.

— Por favor — insistiu ele, mal-humorado. — Vá embora.

María, ofendida, ergueu o queixo e, sem dizer nada, saiu do quarto no mesmo momento em que Justin entrava com uma enfermeira.

Lola, olhando para o pai, sibilou:

— Você questiona tudo que fazemos porque tudo lhe parece errado. Agora, responda se for capaz: como nós devemos encarar isso?

— Lola, deixe para lá. Pense em Rose — murmurou Priscilla.

Mas a irmã, irritada devido à situação inesperada em que se encontrava, depois de olhar para a pobre Rose, sentenciou, dirigindo-se a seu pai:

— Você não ama ninguém. Como uma vez ouvi mamãe dizer, não ama nem a si mesmo.

Dito isso, deu toda a atenção a Rose. A coitada merecia.

Capítulo 50

Na sexta-feira à tarde, depois de sair do colégio, Lola foi à casa do pai para vê-lo. Por sorte, tudo havia corrido bem e ele já havia recebido alta do hospital.

Apesar da relação complicada com ele, Lola o amava. O pai podia ser um Smurf Ranzinza insuportável, mas, por mais que discutissem, sentia amor por ele.

Nunca notara qualquer distinção da parte dele entre Priscilla, Daryl e ela. Ele sempre a havia feito se sentir mais uma filha – embora a chamasse de *fera desembestada*.

Ao entrar na casa da família, onde Lola havia vivido a adolescência, Philipa, a governanta, foi recebê-la. Fitando-a, murmurou:

— Ele está no escritório. Rose não está porque foi embora, e há uma mulher na cozinha preparando o jantar que está me deixando louca.

Surpresa por María estar ali, Lola balançou a cabeça:

— Fique calma!

Philipa pegou a bolsa e foi embora, enquanto Lola caminhava até o escritório do pai. Depois de bater à porta, abriu-a. Ele levantou a cabeça, fitando-a.

— Como está, papai?

Ao vê-la, Colin balançou a cabeça e, sem abandonar o tom severo, respondeu:

— Bem.

Lola foi até ele e lhe deu um beijo no rosto. Ele sentiu-se grato por isso, mas não disse nada. Lola se sentou na cadeira em frente a ele e o olhou. Ficaram em silêncio durante vários minutos, até que ele inquiriu:

— Que foi?!

Lola, que nunca tivera medo do pai, diferentemente da irmã, respondeu:

— Não te entendo...

— Não comece.

— O que essa mulher está fazendo aqui?

Colin suspirou.

— Papai, essa mulher me usou, quando eu era uma menina, para ganhar a vida, e agora está usando você. Como pode ser tão idiota? Acha mesmo que ela sente algo por você? O que ela quer é o que sempre quis: seu dinheiro.

O homem levantou da cadeira e insistiu:

— Lola, não quero discutir. Quer mais alguma coisa?

A frieza se apoderou de novo de Colin. Ela se levantou da cadeira e disse:

— Só vim vê-lo, mas, como vejo que está bem, vou indo. Tchau.

Lola se levantou e, sem lhe dar o beijo que havia dado quando entrara, dirigiu-se à porta. Mas, então, ouviu-o dizer:

— Eu sei. Eu prometi.

— Sim, papai, prometeu. E eu acreditei em você porque te amo. Porque, embora discutamos todos os dias e me chame de *fera desembestada*, você é meu pai e não posso, nem desejo, esquecer que, quando eu era pequena, você era meu herói.

Essas palavras tocaram o coração de Colin. Olhando para a filha, ele ia dizer algo quando ela prosseguiu:

— Nunca questionei suas escolhas porque sei que, com o que aconteceu com a mamãe, você tinha todo o direito do mundo de refazer sua vida. Mas, papai, você está com Rose. Uma mulher que te adora, que nos adora e faz bem a você. Como acha que ela se sentiu ao descobrir sua traição?

Ele não respondeu.

— Essa mulher é tão importante para você? — perguntou Lola. — O que precisa acontecer para que você abra os olhos de uma vez por todas?

— Eu sempre a amei — respondeu ele, então, surpreendendo-a. — E cada vez que ela me procura, eu... eu não consigo...

— Tem que conseguir — disse Lola, ocultando os sentimentos. — Ela não é boa nem para você, nem para mim, nem para ninguém. Nem sequer é boa para a mãe dela. No Natal, como você não deve ter lhe dado dinheiro, ela roubou da vovó.

— O quê?!

— Ela roubou o dinheiro que a vovó tinha em casa, papai. Tirou todo o dinheiro que a vovó havia economizado trabalhando durante meses, sem se importar de deixá-la sem nada.

— Meu Deus! — murmurou ele, afastando o cabelo do rosto. E irado, sibilou: — Eu lhe dei dinheiro. Dei-lhe uma boa quantidade de dinheiro para que desaparecesse.

Lola balançou a cabeça. Sem levantar a voz, murmurou:

— Ótimo. Então, ela roubou da vovó e debochou de você. A coisa só melhora.

Nesse instante, a porta do escritório se abriu e María apareceu com uma bandeja. Lola e ela se olharam, e esta última, erguendo o queixo, disse:

— Amor, trouxe um caldinho de peru.

Lola a contemplou, incrédula. Como podia ter tanta cara de pau? E, sem poder se calar, disse:

— Que vergonha eu sentiria se fosse você! Roubar da própria mãe e não se preocupar com ela... Só pessoas más fazem isso.

María a olhou e, com expressão de puro desgosto, sibilou:

— Eu devia ter abortado. Cada dia tenho mais consciência do meu erro.

— María, pelo amor de Deus, o que está dizendo?! — grunhiu Colin.

Lola a olhou. O que a mulher havia dito era imensamente desagradável, mas, como não queria lhe dar o prazer de ver que estava ofendida e queria ir embora dali, porque, se ficasse, a coisa iria ficar feia, olhou para o pai e disse:

— Tchau, papai, amanhã eu ligo.

Colin observou a filha sair e, sem dizer mais nada, olhou para a mulher que se aproximava dele com uma bandeja. Com uma força e uma raiva que nunca havia sentido antes, ordenou:

— Largue essa maldita bandeja e sente-se. Temos que conversar.

Capítulo 51

Ao sair da casa de Colin, Lola foi direto para a clínica. Precisava ver a mãe. Ela, que sempre a amara e cuidara sem se importar com quem a havia parido.

Ao chegar, viu-a sorrindo, sentada em uma cadeira. Feliz, aproximou-se. Deu-lhe um beijo no rosto e murmurou com carinho:

— Olá, mamãe.

Elora, que não parava de sorrir, ao senti-la ao seu lado, fitou-a e disse:

— Estou namorando.

— Que ótimo — exclamou Lola. — E quem é?

A mulher apontou para um familiar que acompanhava um paciente e sussurrou:

— Ontem ele me pediu para fugirmos, mas eu tirei essa ideia da cabeça dele porque, se a mamãe ou o papai ficarem sabendo, podem ficar muito bravos.

Com carinho, Lola olhou para a mulher que tanto adorava e, com tristeza, murmurou:

— Fez bem, mamãe... Fez muito bem.

Durante uma hora, ouviu a mãe dizer coisas sem sentido, mas não saiu do lado dela. Até que Aidan apareceu com um iogurte e uns biscoitos e, dando uma piscadinha, disse, aproximando-se de Elora:

— Sei que você está com fome, mas não sei se quer o iogurte ou os biscoitos.

Elora observou o que o jovem levava nas mãos e, pegando os biscoitos, respondeu:

— Isto. Prefiro isto.

E, sem mais, abriu o pacote e começou a comer os biscoitos.

Ao ver o olhar triste de Lola, Aidan se sentou ao seu lado e perguntou:

— Você está bem?

Lola assentiu e, olhando-o nos olhos, murmurou:
— Sim. É que às vezes a vida é complicada.
Ele assentiu. Conhecia essa sensação.
— Você é forte — disse ele. — Sua irmã me disse isso centenas de vezes, e...
— Aidan... — interrompeu Lola —, posso lhe dizer uma coisa? Não vai pensar que sou louca?
— Claro — respondeu ele, sorrindo.
Segura de que precisava falar, Lola o olhou e disse:
— Eu mal o conheço, mas gosto de você. No entanto se fizer minha irmã sofrer, juro que vou atrás de você, arranco seus olhos e quebro suas pernas. Entendeu?
Aidan sorriu e afirmou:
— Mensagem recebida. Mas, fique tranquila, eu só quero fazê-la feliz e curtir nossos momentos ao máximo.
Lola sorriu e foi sentar-se perto de Aidan. Enquanto os dois olhavam Elora comer biscoitos, ela lhe contou coisas sobre Priscilla que, certamente, ele precisava saber.
Uma hora depois, quando Lola chegou em casa, ligou para Rose, mas ela não atendeu ao telefone. E, quando caiu na caixa postal, disse:
— Rose, sou eu, Lola. Sei que você está com raiva do papai pelo que aconteceu, mas, por favor, ligue para mim. Quero falar com você e saber como está. Eu te amo, você sabe. Ligue-me.
Depois de deixar a mensagem, pensou em Justin. Com certeza, estava fazendo compras.
Morrendo de sede, foi até a cozinha e, em cima da pia, encontrou um bilhete do marido dizendo que ia passar o fim de semana fora. Havia ido embora? Precisava saber, então ligou para ele.
— Que diabos você quer, Lola? — disse ele com rudeza.
Nos doze anos de casamento, essa era a primeira vez que ele falava assim com ela.
— Você vai embora e eu tenho que ficar sabendo por um bilhete? — sibilou ela, contrariada.
Justin não respondeu. Então, depois de um suspiro, informou:
— Ficarei em Bristol com uns amigos até domingo à noite.
— Justin, temos que conversar, isto não pode continuar assim.
— Eu não tenho nada para falar.
— Justin...

— Lola, estou com uns amigos e quero me divertir. Por que não me esquece?

Ela ficou sentida com a indiferença dele. Então, ele insistiu:

— Vá ficar com Dennis. Não é o que você quer?

Lola não respondeu, e Justin sentenciou:

— Você é quem sabe o que quer fazer da sua vida, mas não esqueça que sua decisão trará consequências para os dois.

Ele a machucava e torturava, fazendo-a se sentir culpada. Lola sussurrou:

— Justin, escute, eu...

Não pôde dizer mais nada porque ele desligou o telefone. Estava mais que claro que as coisas iam de mal a pior.

Angustiada, Lola olhou ao redor, abriu a geladeira e pegou um refrigerante.

Ficava enjoada ao pensar em seu pai e naquela mulher. Odiava ter ouvido o que ela dissera e sentia que Diana certamente havia tido que aguentar coisas como essas e muito mais.

María era egoísta e aproveitadora. Lola nunca esqueceria uma conversa que havia ouvido entre ela e a avó, quando era adolescente. María dizia com toda a frieza do mundo à mãe que Lola, por ser uma Simmons, era sua fonte de renda, e que isso nunca acabaria. O choro de Diana naquela noite ficara gravado no coração de Lola, e ela prometera a si mesma ressarci-la por todo o sofrimento que María lhe causava.

Angustiada, a fim de esquecer aquela mulher má, ela se sentou no lindo sofá. Apoiando a cabeça nele, pensou na vida – que, ultimamente, estava complicada. Discussões com Justin, discussões com o pai... Os problemas a torturavam. Mas, de repente, viu sobre a mesinha o pacote de chicletes de cereja que devia ter caído do bolso de Dennis no dia em que ele estivera ali.

Com um sorriso, olhou-o, e reparou em um folheto publicitário que havia ao lado. Pegando o papel, viu que se tratava de um hotel em Edimburgo. Estava olhando-o, curiosa, quando, de repente, o celular vibrou. Era uma mensagem de Dennis:

Pode falar?

Ao lê-la, Lola sorriu. Podia falar e fazer o que quisesse. Digitou o número dele e, quando ele atendeu, perguntou:

— Você está em casa?

— Sim.

Levantando-se, e segura do que ia fazer, Lola disse:

— Espere-me. Daqui a uma hora estarei aí.

* * *

Lola chegou em frente à casa dele com um sorriso nos lábios. Como Aidan havia dito, ela também pretendia curtir os momentos com Dennis ao máximo. Subiu a escada depressa, bateu na porta e, quando ele abriu, perguntou:

— É sério que você vai me amar por dez anos e muitos mais?

Surpreso diante da pergunta, ele assentiu.

— Esse é o plano.

Satisfeita com a resposta, Lola fez outra pergunta:

— Quer jantar comigo?

— Precisa perguntar? — respondeu ele com um sorriso.

Adorando, ela não se mexeu. E, segura de si, disse:

— Vou lhe pedir algo que desejo com todas as minhas forças e que espero que você deseje também, tanto quanto eu.

— Diga...

— Passe a noite comigo.

Dennis pestanejou. E, sem saber se havia ouvido bem, inclinou a cabeça e perguntou:

— O que você disse?

Sem sair da porta, Lola sorriu. Nunca haviam passado uma noite inteira juntos. Então, ela repetiu:

— Passe a noite comigo, ou melhor — disse, mostrando-lhe uns papéis —, passe o fim de semana comigo em Edimburgo. Sei que é uma loucura — acrescentou, acelerada —, que é uma viagem surpresa, mas quero estar com você, dormir com você, acordar com você e poder andar de mãos dadas sem medo de olhares indiscretos.

— Lola...

— O voo sai às nove, às dez e meia podemos estar em Edimburgo — prosseguiu ela, ansiosa. — E, bem... Eu me deixei levar pela impulsividade, comprei as passagens e reservei um hotel maravilhoso para que você e eu passemos um lindo fim de semana romântico juntos. Você não pode dizer não...

Dennis a olhava sem acreditar. Passar o fim de semana com ela era o que mais queria no mundo. Nunca tinham mais que duas ou três horas para estar juntos, e pensar em poder ficar com ela mais de quarenta e oito, onde quer que fosse, era um sonho realizado.

Nervoso, ele olhava os papéis que ela lhe mostrava quando a ouviu dizer:

— Um táxi está nos esperando lá embaixo. Vamos fazer essa loucura! Pegue qualquer coisa, enfie em uma mochila e vamos!

Dennis não hesitou. Entrou no quarto, pegou uma mochila e enfiou algumas peças de roupa dentro. Quando acabou, foi para a sala de jantar, onde Lola o esperava com um sorriso. Soltando a mochila, foi até ela e deu-lhe um beijo com sabor de vitória.

— Será um prazer passar todo o tempo que quiser com você — murmurou, quando afastou a boca da dela.

Capítulo 52

Sem poder acreditar, quase no escuro, Dennis observava o sono da mulher que o estava deixando louco e que havia conseguido roubar totalmente seu coração.

Ficara sentido com o que ela havia lhe contado sobre a tal María. Como aquela mulher podia ter dito algo tão horrível?

Com amor, afastou uma mecha do cabelo vermelho dela e, com o olhar, percorreu com doçura a fina curvatura do pescoço, enquanto pensava no que lhe dizer quando acordasse.

Lola estava dormindo nua entre os lençóis e ele, com medo de que aquilo fosse um sonho, não conseguia nem dormir, temendo que tudo desaparecesse. Não sabia o que estava acontecendo com ele. A única coisa que sabia era que aquela mulher o fazia ser protetor como nunca havia sido com ninguém. E isso o preocupava. Não queria sufocá-la.

Estava fitando-a como um bobo quando, de repente, o alarme do celular de Lola tocou e ela deu um pulo na cama.

— Calma... calma... — murmurou Dennis, desligando o toque estridente.

Lola sorriu:

— Bom dia.

Com um largo sorriso, Dennis aproximou a boca da dela. Deu-lhe um beijo rápido e sussurrou:

— Bom dia, dorminhoca.

Sem mais, acoplaram os corpos e, antes do que haviam imaginado, estavam fazendo amor.

Meia hora depois, estavam esgotados.

— Nesse ritmo, não vamos chegar ao domingo — brincou Dennis.

Lola soltou uma gargalhada. Ele tinha razão. Desde que haviam entrado no quarto, na noite anterior, haviam transado pelo menos oito vezes. Rindo e se abanando, ela disse:

— Vamos dar uma trégua para nos recuperarmos.

Entre risos, levantaram-se da cama e foram para o chuveiro. Depois do banho, vestiram-se e saíram do quarto. Ao fechar a porta, Dennis disse:

— Salvos de morrer desidratados.

Encantados, felizes e de mãos dadas, saíram do hotel e foram caminhar pela cidade.

O hotel situava-se em frente à praça Grassmarket, uma área cheia de vida e restaurantes. Estavam famintos e, por isso, não hesitaram e entraram em um deles, onde almoçaram com tranquilidade. Durante o almoço falaram de mil coisas e tiraram mil fotos. Na hora da sobremesa, um menino de uns dois anos se aproximou da mesa deles, seguido pela mãe, e sorriu.

Bem-humorados, eles fizeram gracinhas. E, quando a criança se afastou, Lola disse:

— Que graça, não?

Dennis assentiu e, contemplando-a, perguntou:

— Você pensa em ter filhos?

Ao ouvir isso, Lola o fitou e, sem hesitar, afirmou:

— Sim. Mas com Justin era complicado. E você?

Dennis assentiu.

— Sim, mas com Justin também acho complicado — debochou. — Com você eu adoraria, especialmente se sair com seus lindos olhos verdes.

Apaixonada por aquele homem, ela aproximou os lábios dos dele e o beijou. Com ele tudo era perfeito e único. Depois do beijo, Dennis perguntou:

— Justin sabe que você está comigo?

Lola negou com a cabeça.

— Ele está em Bristol com uns amigos.

O brasileiro assentiu e, com seriedade, disse:

— Sei que com o problema de seu pai talvez não seja o momento mais oportuno, mas falou com Justin de novo sobre nós?

— Eu tento, mas é impossível. Ele se recusa e só diz para eu pensar no que vou fazer, para não cometer um erro se decidir arriscar tudo por você...

— E o que você acha? Considera-me um risco?

Lola o fitou e, sem necessidade de mentir, respondeu:

— Não fique bravo, mas claro que o considero um risco. Se eu me separar de Justin, além de prejudicá-lo, vou ter que suportar meu pai. E sinto pavor ao pensar que talvez não dê certo entre nós.

Dennis assentiu. Entendia perfeitamente o que ela estava dizendo.

— Só posso dizer que quero que dê certo tanto quanto você — respondeu.

Lola sorriu. Aproximou sua boca da dele e murmurou:

— Você é meu risco, e eu te adoro.

Encantado, e esquecendo-se de tudo, Dennis a beijou. Nesse momento, o celular dela tocou. Ela olhou e viu que era Priscilla. Então, ele se levantou e murmurou:

— Vou ao banheiro enquanto você fala com ela.

Lola assentiu e, quando ele se afastou, atendeu:

— Olá!!!!!

Priscilla, que estava sentada em casa ao lado de Rasputin, respondeu:

— Olá, bonita. Onde você está? Estou ligando para sua casa, mas você não atende.

Lola, que observava Dennis se afastar, suspirou:

— Estou em Edimburgo.

Ao ouvir isso, Priscilla perguntou, descendo o cachorro do sofá:

— O que está fazendo em Edimburgo?

A irmã voltou a sorrir.

— Estou com Dennis. Demos uma escapada romântica.

Priscilla se ajeitou no sofá e grunhiu:

— Pelo amor de Deus... Do jeito que estão as coisas você só pensa em dar uma escapada romântica?

— Sim. Eu precisava me afastar de tudo antes que minha cabeça explodisse.

Priscilla assentiu.

— Papai me disse que você esteve lá.

— Sim.

— E que viu aquela maldita mulher.

— Sim — afirmou de novo Lola, sem vontade de falar de María.

— Ela foi embora.

— Fico feliz.

Vendo que a irmã não queria falar desse assunto, Priscilla perguntou:

— O que disse a Justin para poder ir a Edimburgo?

— Não disse nada. Quando cheguei em casa, tinha um bilhete dele dizendo que ia para Bristol com uns amigos. E garanto que o que ele menos fará lá será beber umas cervejas.

Priscilla assentiu, sua irmã tinha razão. E, baixando a voz, como se alguém a pudesse ouvir, sussurrou:

— Tudo bem. Não me escandalizo por você estar com Dennis, sabe que sou a primeira a te apoiar nesse sentido. Mas por que foram tão longe?

Alegre, Lola respondeu:

— Porque eu queria andar de mãos dadas com ele, beijá-lo em público, fazer amor durante horas, passar a noite com ele e... bem...

— Ui, irmãzinha. Esse "bem" me deixou curiosa.

Lola soltou uma risada.

— Hoje à noite quero ir a uma casa de swing e ter uma noite cheia de sexo e luxúria com ele.

Boquiaberta, Priscilla murmurou:

— Mas, Lola, Dennis também gosta disso?

Rindo ao imaginar a cara da irmã, Lola disse:

— Sim, querida, e eu adoro!

— Será que você não pode arranjar um homem normal? — protestou Priscilla.

Lola estava gargalhando quando Dennis se sentou ao lado dela. Fitando-o, disse:

— Garanto que ele é normal. Tão normal quanto você e eu.

E, ao ver como ele a olhava, disse:

— Agora vou desligar e explicar a Dennis por que estou tendo esta conversa tão estranha com você.

Nesse momento, tocaram a campainha na casa de Priscilla. Levantando-se, ela disse:

— Tudo bem. Mas tenha cuidado. Beijinho.

Quando desligou, Priscilla foi abrir a porta. Ficou boquiaberta ao encontrar Aidan diante dela com uma sacola.

— Comida chinesa e o filme *Orgulho e preconceito e zumbis*. É um bom plano? — disse ele.

Ouvindo isso, Priscilla o fez entrar e, depois de beijá-lo com doçura, afirmou:

— Meu tesouro, o plano é perfeito.

Lola desligou o telefone e o deixou em cima da mesa. Vendo como Dennis a olhava, esclareceu:

— Eu conto tudo a Priscilla.

— Tudo... tudo?

— Tudo — afirmou ela.

Dennis assentiu, achando graça, e então Lola perguntou:

— Está a fim de ir hoje àquele lugar sobre o qual comentei ontem à noite?

Ao ouvi-la, Dennis sorriu. E, aproximando-se dela, perguntou:

— Espero que não esteja propondo isso porque está carente de sexo...

Encantada, Lola se levantou da cadeira, sentou-se no colo dele e, depois de beijá-lo, respondeu:

— Você satisfaz todas as minhas necessidades, mas quero continuar realizando mais fantasias com você.

Com carinho e excitação diante da proposta dela, o brasileiro murmurou:

— Que fantasias?

Olhando-o fixamente nos olhos, Lola sussurrou:

— É excitante quando me oferecem a você, e depois quando você me oferece, entre outras coisas.

Dessa vez quem sorriu foi Dennis. Com ela, havia um mundo inteiro a se descobrir.

— Então, está resolvido — decidiu. — Vamos a esse lugar.

O resto da tarde passaram andando de mãos dadas. Edimburgo era uma cidade linda para passear. Depois de Dennis comprar para Lola lindos brincos em uma barraca de uma feirinha de artesanato e um lenço azul que ela adorou, voltaram para o hotel.

Capítulo 53

Imagination.

Esse era o nome do lugar em que Lola e Dennis entraram de mãos dadas.

Acostumado à liberdade de ir sozinho a esses lugares, de repente o brasileiro se sentiu superprotetor em relação à mulher que tinha ao lado. E entendeu de uma vez por todas a reação dos amigos Eric e Björn quando estavam na Sensations e algum homem se aproximava de suas mulheres.

Sem soltar a mão de Lola, para que todos ali soubessem que ela estava com ele, sentaram-se ao balcão da primeira sala para beber alguma coisa. Ela bebeu um gole de sua bebida e, fitando-o, disse:

— Com Justin não era assim.

— E como era?

— Quando íamos juntos a algum lugar como este, cada um ia para um lado quando entrávamos, e marcávamos uma hora para voltar para casa.

Dennis balançou a cabeça. Ouvia-se a voz de Sade cantando "Your love is king"*. Ele a olhou e disse:

— Pois comigo pode esquecer isso. Viemos juntos e juntos ficaremos o tempo todo.

— Acho bom — ameaçou Lola, sorrindo e fazendo-o sorrir também.

Enquanto conversavam, a jovem notava como as mulheres observavam Dennis. Por sorte para ela, ele era um dos homens mais atraentes do local. Aproximou a boca da dele e murmurou:

— Estão devorando você com os olhos.

Ele sorriu. Sabia disso. Mas, vendo como alguns homens contemplavam Lola, disse:

---

* "Your love is king", Gordon Matthewman, Sade Adu, Stuart Matthewman; Epic, 1984. (N.E.)

— Estão devorando você também. Não te conhecem, você é nova aqui e chama atenção.

Ela voltou a cabeça para a direita e, ao ver que a olhavam, ia dizer algo quando Dennis perguntou:

— O que você fazia quando Justin ia embora e a deixava sozinha?

Lola, que observava um casal ao lado e via como a mulher, sentada no banquinho, masturbava-o disfarçadamente, respondeu:

— Procurava um homem que me agradasse e íamos a um quarto reservado.

Percebendo o que o casal ao lado estava fazendo, Dennis insistiu:

— Tudo tão rápido?

Ela, corada, explicou:

— Eu não estava à procura de conexão nem de conversa. Simplesmente queria sexo. Nada mais.

Dennis assentiu. Não queria pensar nisso, porque o ciúme o mataria.

— Iremos pouco a pouco — disse ele.

— Tudo bem...

A seguir, depois de olhar para o sujeito que se deixava masturbar pela mulher, o brasileiro indicou:

— Se os virem, vão lhes chamar a atenção. Não se pode chegar ao clímax nesta sala.

Lola assentiu. Então ele, olhando-a nos olhos, sussurrou:

— Vamos falar de suas fantasias.

Ela ficou vermelha como um tomate. Ao ver isso, ele soltou uma risada.

— Querida, que foi?

Sentindo-se arder, Lola tocou o rosto. E, quando ia falar, Dennis, beijando-a, disse:

— Todo mundo tem fantasias. Eu também.

— Que fantasias?

Ele bebeu um gole de sua bebida.

— Eu queria fazer *ménage à trois* com duas mulheres, e fiz muitos, como também fiz com outro homem e uma mulher. Participei de orgias, camas redondas...

Lola, excitada, murmurou:

— Sem dúvida, você leva uma certa vantagem nesse negócio de fantasias.

Dennis sorriu. Aproximando os lábios de novo dos dela, murmurou:

— Mas a melhor de todas elas é você. Desejo curti-las com você.

Dessa vez foi Lola quem sorriu e, aceitando o beijo, sussurrou:

— Até você aparecer em minha vida, eu só conhecia o sexo frio e impessoal. Depois que o conheci, passei a fazer amor. Mas não vou negar que gostei muito do que fizemos aquela noite no Essence com Steve. Naquele dia eu percebi que... Bem...

— Bem... — Ao ver que ela se calava, Dennis a animou: — Querida, quero realizar suas fantasias. E, a não ser que me peça uma atrocidade, concordarei com elas. Vamos, diga o que a excita, o que gostaria de fazer comigo esta noite.

Lola sorriu. O que ia dizer era uma loucura, mas, por fim, ousou:

— Quando estou navegando na internet, às vezes, abrem-se umas páginas e vejo uma mulher com vários homens. Isso me excita.

— Safadinha... — brincou Dennis.

Lola balançou a cabeça e, baixando a voz, sussurrou:

— Fico com muito tesão ao imaginar outro homem entrando em meu corpo ainda se contraindo de prazer por causa do anterior, enquanto outro segura minhas mãos...

Então, o brasileiro a olhou fixamente e reconheceu:

— Eu participei desse tipo de fantasia com outros casais, mas nunca na posição em que me encontro agora.

— E em que posição se encontra agora?

Com carinho, Dennis acariciou o rosto de Lola e murmurou:

— De homem apaixonado.

Lola sorriu, e ele continuou:

— Agora entendo meus amigos de um modo que nunca pensei que poderia. Sinto que você é a única coisa que importa aqui. E você é a única coisa importante porque a sinto minha, e por nada neste mundo eu permitiria que alguém lhe fizesse algo que a pudesse ferir ou...

Lola o beijou.

Ouvi-lo falar dessa forma a excitou. Murmurou:

— Você é meu.

— Total e absolutamente, querida — afirmou ele, apaixonado.

Esquecendo-se de onde estavam, tornaram a se beijar com paixão e entrega. Quando o beijo chegou ao fim, Dennis enfiou as mãos entre as pernas dela e disse, ao senti-la tremer:

— O que acha do homem que está a sua direita, de camisa preta? Esse que está com mais dois?

Lola olhou. O que Dennis indicava era bem alto. E, antes que pudesse responder, ele murmurou:

— Tenho certeza de que ele adoraria enfiar a mão onde está a minha.

Lola sentiu um nó no estômago. Percebendo, o brasileiro passou os lábios pelos dela e perguntou:

— Quer fazer isso?

Ela nunca havia brincado daquilo com ninguém, mas Dennis disse:

— Não tenha medo de me dizer o que quer. Quando eu disse que iremos pouco a pouco, foi porque quero que você curta o que nunca curtiu. Querida, viemos em busca de excitação e fantasia e, se lhe pergunto algo tão remotamente louco, é porque eu mesmo gostaria de vê-lo, senti-lo e vivê-lo.

A cada instante mais excitada, Lola assentiu. Então, Dennis, depois de fazer um sinal ao homem escolhido, beijou-a e sussurrou:

— Fique tranquila.

Lola se remexia no banquinho em que estava sentada. Fitando-o, disse:

— Se você me olha assim e diz "fique tranquila" nesse tom, como quer que eu fique calma?

Ele voltou a sorrir e disse, beijando-a:

— Nunca faremos nada que ambos não queiramos. Lembre-se disso.

Lola fez que sim com a cabeça, bem no momento em que o outro homem se aproximava e dizia:

— Meu nome é Brodick.

— Dennis, e ela é...

— Lola.

O brasileiro sorriu. Com ele, Keira deixava de existir. Durante alguns minutos os três conversaram, enquanto a voz maravilhosa e sensual de Sade inundava o local com sua música. Brodick comentou que era de Glasgow. Pediu outra rodada de bebidas e disse:

— Dennis, sua mulher tem um cabelo lindo.

Dennis e Lola se entreolharam e sorriram ao ouvir o homem dizer "sua mulher". Então, Dennis disse:

— Herança da bisavó materna dela, que era irlandesa.

A seguir, Brodick pousou a mão na perna dela e, deslocando-a para a face interna da coxa, murmurou:

— E é suave também.

O brasileiro assentiu. O jogo havia começado e, olhando para Lola, declarou:

— Imensamente suave.

Exaltada por causa do jeito que aqueles dois homens a observavam, naquela sala onde as pessoas conversavam e se conheciam ao som da música,

Lola tremeu. Aquilo era novo para ela. Nunca a haviam tocado assim diante de tanta gente. Quando a mão de Brodick e a de Dennis subiram por sua coxa, ela lhes facilitou o acesso. Encantado com a reação dela, Dennis a beijou no pescoço e perguntou:

— Gosta disso?

— Sim.

A mão de Dennis continuou subindo até chegar à calcinha dela. Ele murmurou:

— Quer que a masturbemos aqui?

— Sim — arfou Lola, incapaz de reprimir o tesão que sentia.

Enfeitiçado pelo olhar brilhante dela, o brasileiro sorriu.

— Disfarce... Ninguém pode saber.

Lola fechou os olhos. Disfarçar não era difícil. Então, eles, com perícia, afastaram a calcinha para o lado e, depois de acariciar o sexo, enfiaram juntos os dedos nela.

— Quente e úmida — murmurou Brodick.

Lola arfou. Dennis, ao ver seu olhar e intuir que ela não conseguiria disfarçar, sorriu e disse:

— Vamos para dentro.

As mãos dos dois homens saíram dentre as pernas dela. Eles trocaram algumas palavras, que Lola não ouviu. Mas não se importou. Estava tão excitada que nada lhe importava. Ao ver a cara de decepção dela, Dennis sorriu e, pegando-a pela cintura, disse:

— Eu disse que nesta sala não se pode chegar ao clímax, querida.

Lola olhou para Dennis e, antes que pudesse dizer qualquer coisa, ele disse enquanto caminhavam:

— Uma vez que ultrapassarmos essas portas pretas, tudo será possível.

Ela assentiu, enquanto via Brodick se dirigir às portas. Com tesão, continuou andando ao lado do homem que estava lhe abrindo um novo mundo no sexo. De mãos dadas com ele, ultrapassou as portas. Entraram em uma sala com várias camas redondas, onde as pessoas faziam sexo em grupo, em mil posições diferentes.

Dennis murmurou, pegando-a no colo:

— Aqui sim, querida. Aqui você vai gozar.

Aproximando-se por trás, Brodick colocou as pernas dela ao redor da cintura de Dennis e, levantando-lhe a saia na frente de todos, que, excitados, faziam seus próprios jogos, afundou os dedos em seu sexo molhado e a masturbou.

Exaltada, visto que foi pega de surpresa, Lola olhava para uma das camas, onde uma mulher cercada por homens usufruía deles, um a um. Dennis notou e, atraindo seu olhar de novo para si, exigiu, em português:

— Não deixe de olhar para mim.

Lola o fitou, enquanto o calor do tesão do momento a aquecia mais e mais. Ele pediu:

— Beije-me.

Excitada, Lola o beijou. Devorou-lhe os lábios com verdadeira paixão, sentindo aquele estranho a masturbar no colo do homem que adorava. Gemeu, enlouquecida, sobre a boca dele.

Assim ficaram alguns minutos, até que Lola chegou ao clímax. Ficou apoiada no ombro de Dennis, que perguntou, ao vê-la olhar de novo ao redor:

— Vamos a um quarto reservado, querida?

— Sim.

Com a boca seca, nos braços de Dennis, os dois sozinhos entraram em um quarto azul que nada tinha a ver com o lindo quarto do Essence. Dennis ia dizer algo quando Brodick entrou e perguntou:

— Estão com sede?

— Muita — afirmou Lola.

Brodick desapareceu, e, então, olhando para Dennis, ela pediu:

— Tire a roupa.

Arrebatada pelo que o olhar dele a fazia sentir, Lola deu meia-volta e acrescentou:

— Mas, antes, ajude-me a tirar o vestido.

O sorriso de Dennis se intensificou. Pondo-se atrás dela, baixou a zíper do vestido enquanto sussurrava em seu ouvido, em português:

— Delícia. Você é linda. Você é minha.

Lola sorriu. E quando o vestido caiu no chão e ela ficou coberta apenas com um arrebatador conjunto de lingerie vermelha, voltou-se para olhar para ele e sussurrou:

— Agora você. Tire a roupa.

Sem dizer nada, ele se livrou dos sapatos e, depois, com toda a sensualidade do mundo, desabotoou a camisa botão por botão, até que por fim tirou-a e a deixou em cima de uma cadeira, junto com o vestido de Lola.

A seguir, tirou a calça e a cueca. E, tendo-o já totalmente nu como um deus diante dela, a jovem murmurou na língua do amante:

— Delícia.

Dennis sorriu. Então, sentando-se na cama de lençóis brancos, ela ordenou:
— Venha aqui.
Ele se aproximou bem no momento em que Brodick entrava com três taças. Ao vê-los, Lola se deteve e, sedenta, exigiu:
— Dê-me algo para beber.
O homem se aproximou e entregou as taças a ambos. Eles beberam e as deixaram em cima de uma mesinha.
Enfeitiçada, Lola beijou com delicadeza o membro de Dennis. Passava-o pelo rosto, pela testa, pelo pescoço, para no fim abrir a boca e introduzi-lo. O brasileiro arfava e todos os pelos de seu corpo se arrepiavam. Ela, encantada com a reação dele, acelerava os movimentos, até que sentiu as mãos de Dennis em seu cabelo. Ao olhar para ele, Dennis murmurou:
— Devagar, querida. É todo seu, não há pressa.
Lola gemeu. Sem dúvida, Dennis sabia provocá-la. E provocou mais ainda quando disse:
— Brodick, tire a roupa.
O homem obedeceu. Deixou a roupa junto com a deles e, aproximando-se, murmurou:
— Posso entrar na brincadeira?
Lola olhou para Dennis, que, trêmulo, disse:
— Você decide, querida. É a sua fantasia.
Excitada, com a outra mão Lola pegou o pênis ereto de Brodick. Não era tão grosso e grande quanto o de Dennis. Alternadamente, foi introduzindo-os na boca, curtindo a fantasia e fazendo-os curtir também.
Assim ficaram vários minutos, até que o brasileiro, agachando-se, pegou-a no colo.
— Venha, querida.
Lola estremeceu ao contato de sua pele. Deitando-a na cama, ele a beijou e, quando os lábios se separaram, murmurou:
— Está com gosto de sexo.
— Gosto de sexo com você.
Sorriram. Dennis murmurou:
— Você gosta de ser observada?
— Sim...
— Está excitada?
— Sim.
— Louca de tesão?

— Você é meu tesão... — arfou Lola.

Sabendo que a deixaria louca, sem afastar os olhos dela, Dennis pediu:

— Brodick, vá buscar seus amigos e mande-os entrar.

Ao ouvir isso, um calor invadiu o corpo de Lola. Vários homens, Dennis e ela. Essa era uma de suas mais ardentes fantasias. O brasileiro, que sabia disso, sorriu e, aproximando os lábios dos dela, murmurou:

— Minha garota de fogo é um tesão.

Sozinhos no quarto, beijaram-se com carinho. Os corpos gritavam um pelo outro, necessitavam-se, buscavam-se. Quando Lola sentiu a glande dele passando por sua vagina molhada como se fosse uma língua quente, gemeu.

— Me coma...

Dennis sorriu. E, mexendo os quadris para que ela o sentisse e vibrasse, respondeu:

— Vou comer quando eles entrarem e estiverem olhando.

A cada segundo mais acalorada e enlouquecida, Lola gemeu de novo.

Levantou-se para beijá-lo, mas Dennis, brincalhão, afastou-se, segurou as mãos dela acima da cabeça e chupou os mamilos.

A cortininha da porta se abriu e, então, Brodick apareceu com mais dois homens. Todos estavam nus, todos os contemplavam, querendo participar daquele jogo ardente.

Dennis, com segurança, disse, fitando-a:

— Você é minha, e vai gritar de paixão quando eu a possuir.

E, introduzindo o pênis inteiro nela, fez Lola gritar. E uma vez dentro, apertando o corpo contra o dela, Dennis murmurou:

— Gosta de me sentir dentro de você?

Lola assentiu, excitada, tremendo devido ao que ele a fazia sentir. E tremeu mais ainda quando ele murmurou:

— Está vendo esses homens?

Enlouquecida, ela os olhou. O brasileiro, a cada instante mais apaixonado, prosseguiu:

— Estão morrendo de vontade de comer você, de abrir suas pernas e fazê-la gritar como eu faço. E eu fico louco de pensar, de sentir, de saber que é sua fantasia e que vamos curti-la juntos.

Lola arqueou as costas, extasiada. Dennis tinha razão. Toda a razão do mundo. Ficava excitada de ver aqueles homens vendo o que eles faziam. Quando Dennis começou a bombear dentro e fora dela como um louco, ela suplicou:

— Não pare.
— Está gostoso, querida?
— Sim... Não pare.

Os movimentos de Dennis tornaram-se mais bruscos, mais selvagens, e os gemidos de Lola, que eram quase uma súplica para que não parasse, excitavam-no mais e mais.

— Ponha as pernas em meus ombros.

Ela obedeceu e ele entrou mais ainda nela, soltando um gemido másculo. Quando Lola foi tocá-lo, Dennis sorriu e, olhando para um daqueles homens, pediu:

— Você, segure as mãos dela acima da cabeça.

Rapidamente, o homem fez o que Dennis pedia. Então, pegando-a pelos quadris, Dennis a penetrou mais forte. E, quando Lola gritou, exigiu:

— Diga... mas diga sem medo se quer mais alguém depois de mim.

Lola assentiu. Deixando-se levar pela luxúria do momento, balbuciou, arfante:

— Sim... sim...

O brasileiro sorriu e, depois de uma última estocada certeira que a fez tremer, gozou dentro dela.

Quando saiu de dentro dela, Brodick se apressou a lavá-la. E, depois de um olhar de Dennis, pôs um preservativo, subiu na cama e, colocando-se entre as pernas de Lola, penetrou-a com seu membro teso.

Entregue ao momento, Lola gritava de prazer, enquanto um dos desconhecidos segurava suas mãos. Brodick bombeava dentro dela e Dennis os observava.

Dennis bebeu um gole de sua bebida e se sentou ao lado dela para beijá-la, mimá-la e cuidar dela enquanto dirigia a fantasia e a via vibrar de prazer.

Depois que Brodick chegou ao clímax, saiu dela. Estava lavando-a quando o brasileiro perguntou:

— O terceiro e o quarto estão preparados e morrendo de vontade de foder você. Quer?

Ambos sabiam qual seria a resposta. Quando Brodick largou a jarra de água, Dennis disse, olhando para um daqueles sujeitos:

— Coma a minha mulher.

Essa linguagem tão vulgar enlouqueceu Lola e a fez tremer de excitação. Em momentos assim, isso a excitava. E mais ainda quando sentiu outro homem, cujo rosto não havia visto, situar-se entre suas pernas e, depois de abrir-lhe com os dedos os úmidos lábios vaginais, colocar um preservativo e entrar nela.

— Curta, querida... Curta tanto quanto eu.

Lola gritava enquanto Dennis, controlando tudo para que nada saísse errado, aprisionava sua boca e a beijava. As estocadas daquele homem sacudiam a ambos. Quando ele saiu dela e o último homem a penetrou, Lola arqueou o corpo. O prazer era inigualável.

Entregue totalmente a esse jogo de luxúria, sendo beijada por Dennis com verdadeira paixão, extasiada pela múltipla posse que ela havia desejado e que ele lhe havia proporcionado, tomando cuidado para que tudo corresse bem, Lola chegou ao clímax de novo.

O último homem saiu dela e tirou o preservativo. Bem quando ele começava a lavá-la, Dennis perguntou:

— Foi o suficiente?

Com a respiração agitada, sentindo sobre si o olhar daqueles homens, ao ver o pênis duro de Dennis, Lola murmurou:

— Agora quero você.

Ele sorriu. Colocando-se com delicadeza sobre ela, sussurrou:

— Insaciável.

Com cuidado, ele afundou em sua mais que dilatada vagina e começou a se mexer, murmurando em português: "Não deixe de olhar para mim".

A frase, a voz dele, a posse, os homens os observando e o jeito como Dennis roçava seu clítoris inchado ao se mexer dentro dela fizeram Lola se entregar completamente. Sem mais aguentar, ela levantou a bunda da cama e, deixando-se levar ao clímax, deu um grito que soou libertador.

Minutos depois, Dennis relaxou sobre ela. Com um sinal, pediu aos homens que saíssem do quarto. Uma vez sozinhos, ainda deitada na cama, Lola murmurou:

— Nós fizemos... Meu Deus, nós fizemos!

Apoiando-se em um cotovelo para olhar para ela, Dennis, suado, sorriu.

— Só espero que tenha sido como você imaginava.

Ela assentiu e, excitada, sussurrou:

— Com você ao meu lado, nada podia dar errado.

Ao ouvir isso, Dennis a abraçou.

Meia hora mais tarde, depois de tomar um banho que os deixou novos, saíram juntos do quarto e se dirigiram ao balcão para beber alguma coisa. Brodick os deteve no caminho e, depois de se despedir de Lola, deu a Dennis seu telefone, para o caso de voltarem lá.

Encantada, morrendo de sede, a jovem continuou caminhando para o balcão, mas, ao se apoiar nele, pisou no pé de alguém. Ao se virar para pedir desculpas, ficou petrificada ao ver um rosto conhecido.

— O que está fazendo aqui? — inquiriu.

Capítulo 54

Daryl, que havia aterrissado naquela tarde em Edimburgo e saíra com duas lindas mulheres que, certamente, iriam lhe proporcionar uma noite de sexo selvagem e excitante, ao ver a irmã ali, retrucou surpreso:

— Não, Lola. Melhor você me dizer que diabos está fazendo aqui.

Ela olhou para as duas louras que estavam com ele e grunhiu:

— A mesma coisa que você pretende fazer quando ultrapassar essas portas pretas.

Alucinado pelo que a irmã havia acabado de admitir, Daryl olhou para os lados e perguntou, segurando-a pelo braço, irado:

— Onde está o imbecil do Justin? Vou matá-lo... Vou...

Dennis, que se aproximava nesse instante, quando viu o sujeito segurando o braço de Lola, voou para cima dele sem nem pensar. Deu-lhe um soco que o fez cair no chão e sibilou:

— Se tocar de novo em minha mulher, juro que o mato.

— Dennis! — protestou ela, empurrando-o.

A seguir, Lola ajudou Daryl a se levantar. Este, sem entender nada, mas cada vez mais furioso, disse:

— Por que diabos esse sujeito disse que você é mulher dele?

Totalmente travada por encontrar o irmão ali, Lola olhou para o brasileiro e se apressou a esclarecer, antes que os dois saíssem no braço:

— É meu irmão, Daryl.

Dessa vez o alucinado era Dennis. Então, Daryl, aproveitando o momento de distração, deu um soco em Dennis que o fez cair contra o balcão, e afirmou, massageando o punho:

— Sim... Sou irmão dela.

— Daryl! — protestou Lola, empurrando-o.

Os seguranças do local apareceram com rapidez e os convidaram a se retirar. Não admitiam brigas ali.

Já na rua, Daryl, transtornado, gritava, olhando para a irmã:

— Não sei quem é esse sujeito! Não sei o que faz aqui! Não sei por que você está nesse tipo de lugar e...

Então Lola, dando um soco na barriga do irmão que o fez se calar, replicou:

— O nome dele é Dennis. Estou passando o fim de semana com ele, e imagino que eu estava nesse lugar pelo mesmo motivo que você.

Daryl se apoiou na parede. A irmã era um animal.

— E o imbecil do Justin? — perguntou.

Depois de olhar para Dennis, que limpava o sangue do nariz enquanto os observava, ela respondeu:

— Justin está em Bristol com uns amigos.

Passados alguns segundos de tenso silêncio, Daryl se levantou e sibilou:

— Uma coisa é você não estar com Justin, e outra muito diferente é eu a encontrar onde a encontrei. — E, olhando para Dennis, grunhiu: — E você, não se aproxime mais de minha irmã, senão...

Lola deu-lhe outro soco no estômago que o fez se dobrar ao meio de novo. Ao ver isso, Dennis se aproximou dela e murmurou:

— Pare... Você o está machucando.

Lola sorriu e, observando o belo irmão, respondeu:

— Calma, querido. Foi ele quem me ensinou a me defender.

Daryl praguejou e avisou:

— Lola, você está me irritando, e muito.

Ela assentiu. Entendia o que ele devia estar sentindo.

— Meu acompanhante se chama Dennis — replicou —, e saiba que antes de conhecê-lo eu já ia sozinha a casas de swing em Londres ou onde me desse na telha. Portanto, não pense que ele me trouxe aqui para se aproveitar de mim, porque não é verdade.

Daryl a olhava boquiaberto. E ela, decidida a se abrir com o irmão, disse:

— Estou apaixonada por Dennis, ele é um homem maravilhoso, que me ama, que me escuta, que cuida de mim e me dá o que necessito. Sinto muito ter encontrado você aqui, mas a única dona da minha vida sexual sou eu, e pretendo continuar vivendo-a como tiver vontade, como imagino que você viva a sua. Ou por acaso estava aqui com essas duas louras para fazer ponto cruz?

Daryl olhou para Dennis e, ao vê-lo sorrir, ia dizer algo, quando Lola o cortou:

— Não me interessa a sua vida sexual, e espero que a minha também não lhe interesse. E, se acha que eu estava fazendo algo errado, a censura serve para você também, porque tinha as mesmas intenções que eu.

Surpreso, tentando entender o que estava acontecendo, Daryl afirmou:

— Lola, já somos grandinhos para fazer o que quisermos, mas, entenda, vê-la aqui me deixou perplexo. Não só encontro minha irmã em uma casa de swing, em Edimburgo, como também, ainda por cima, com um homem que não conheço. O que queria que eu pensasse?

O irmão tinha razão. Dando de ombros, Lola afirmou:

— Vou me separar de Justin.

Dennis a fitou. Desejava ouvi-la dizer isso havia muito tempo e, por fim, ela o havia dito.

Então, Daryl se levantou e afirmou:

— Irmãzinha, você acaba de me dar a maior alegria da vida.

— O quê? — perguntou ela, surpresa.

— Já era hora de você acordar e parar de dar cobertura ao imbecil do seu marido para esconder a orientação sexual dele. Porque, tudo bem, gosto de Justin e não duvido de que seja um cara bacana, mas eu sempre desejei coisa melhor para você.

A seguir, estendendo a mão a Dennis, que os observava, disse:

— Desculpe, cara. Eu não sabia que você era tão importante para minha irmã. Mas, se você a fez abrir os olhos e a faz feliz, está tudo certo.

O brasileiro pegou a mão de Daryl e, apertando-a, disse:

— Como você disse, está tudo certo.

Sem poder acreditar no que o irmão havia dito, Lola ia dizer algo quando ele perguntou:

— O Smurf Ranzinza já sabe?

— Não. Mas como você soube de Justin?

Daryl sorriu, e Lola murmurou:

— Quando eu vir Priscilla, vou lhe cortar a língua.

— Não a mate — sussurrou o irmão —, entenda, era algo preocupante demais para que ela guardasse só para si. Ela precisava dividir com alguém e me contou. E, como pode ver, nós dois guardamos o segredo. Não fique brava com ela.

Lola assentiu. Abrindo os braços, o irmão acrescentou:

— Ande, dê-me um abraço, e desculpe meu comportamento tosco. Mas é que quando a vi, me...

Não disse mais nada. Lola o abraçou, diante do olhar encantado de Dennis, e disse:

— A partir de agora, cada vez que eu for a um lugar desses, vou ligar antes para saber se você não está lá.

Daryl soltou uma risada. Voltando-se para Dennis, disse:

— Sim, por favor. Eu não gostaria de ver a intimidade de vocês.

Os três riram; então, Lola comentou:

— Lamento ter estragado sua noite com aquelas meninas.

Daryl sorriu. Se havia algo que tinha de sobra eram mulheres. Dirigiu-se a Dennis e perguntou:

— Vamos beber alguma coisa? — E, segurando a irmã, sussurrou: — Acho que vai precisar de mim quando o Smurf Ranzinza souber que você trocou de marido.

Lola olhou para Dennis, que assentiu, sorrindo. E, então, a jovem deu os braços aos dois e disse:

— Muito bem. Vamos beber alguma coisa e conversar.

Capítulo 55

A volta à realidade foi complicada.
Estar de novo disfarçando toda vez que via Dennis no colégio era tão difícil para ela quanto para ele.
Quando a jovem voltou para casa, depois de passar o melhor fim de semana de sua vida, o pai disse que havia terminado com María. Lola assentiu, mas não acreditou. Dessa vez, não confiou nele.
Rose não ligou. Priscilla e ela lhe telefonaram várias vezes, mas ela não atendia às ligações. No fim, decidiram dar-lhe um tempo. Certamente, Rose estava muito magoada.
Depois do fim de semana, Lola tentou conversar de novo com Justin. Surpreendentemente, dessa vez conseguiu, e ambos concordaram em resolver o problema quando acabasse o ano letivo. Enquanto isso, Justin pedia discrição. Sem hesitar, ela aceitou.
Contudo, quando contou a Dennis, ele não concordou.
Por que esperar?
Por que entrar no jogo de Justin?
Mas, depois de conversar com Lola, ela o fez entender que isso beneficiaria a todos, e, por fim, contrariado, o brasileiro aceitou.
O que eram poucos meses se depois ele a teria por toda a vida?
Daryl chegou de Edimburgo. Ninguém soube de seu encontro com a irmã e Dennis. Era melhor assim.
No dia seguinte à chegada de Daryl a Londres, ele foi ao colégio para buscar as irmãs, o cunhado e o pai para almoçar. Ao cruzar com Dennis no corredor, não se cumprimentaram, mas ambos sorriram.
Depois do almoço, Colin e Justin foram embora, e os três irmãos foram visitar Elora. Mas, quando saíram da clínica, o humor de Daryl já não era o mesmo. Ver a mãe se consumindo pouco a pouco fazia seu coração doer.

Assim se passaram alguns dias, nos quais Daryl pôs-se a par, surpreso, de tudo que havia acontecido nos últimos meses em sua família. Uma noite, saiu com as irmãs e os novos acompanhantes. Quando eles não estavam perto, olhou para Priscilla e Lola, e, alegre, perguntou:

— Muito bem, quem são vocês e o que fizeram com minha inglesa e minha irlandesa?

Daryl estava encantado. Priscilla estava feliz com Aidan, Lola com Dennis, e ele ficou feliz por elas. Porém, tudo desandou certa manhã, quando ligaram da clínica dizendo que a saúde de Elora havia piorado.

Os três irmãos, preocupados, foram rapidamente à clínica, acompanhados por Justin. Assim que os viu entrar, Aidan quis abraçar Priscilla, mas, ao ver Colin aparecer também, conteve-se. Não era hora nem lugar.

Avisado por Aidan, Dennis ligou para Lola. Quando o celular tocou, Lola, que estava sentada ao lado do pai enquanto esperavam o inevitável, viu quem era, levantou-se e, afastando-se uns metros, atendeu:

— Oi.

— Querida, você está bem?

Ela conteve as lágrimas e, como pôde, respondeu:

— Não.

Compreendendo de imediato o estado em que ela se encontrava, ele disse rapidamente:

— Vou agora mesmo para a clínica. Quero que...

— Não. Não venha — interrompeu ela. E, levando a mão à testa, murmurou: — Aqui você não pode fazer nada, e meu pai não entenderia.

— Mas, Lola...

— Eu disse que não — insistiu ela. — Por favor, não torne as coisas ainda mais difíceis do que, infelizmente, já estão.

Dennis cedeu. Por mais que quisesse estar ao lado dela para consolá-la e abraçá-la, tinha que entender a situação. Por fim, respondeu:

— Tudo bem. Mas mantenha-me informado.

Lola assentiu. Sorrindo com tristeza, murmurou antes de desligar:

— Te amo.

A seguir, voltou para junto da família. Nenhum deles saiu dali a noite inteira. Até que, às cinco e quarenta e cinco da manhã, a vida de Elora se apagou definitivamente.

Na manhã do enterro, Lola e os irmãos estavam arrasados. A mãe, a maravilhosa mãe deles, havia morrido. Partira para sempre.

Colin, que não havia se afastado dos filhos em momento algum, voltou depois para a casa da família com os demais presentes no enterro. Com o olhar perdido, sentado em uma poltrona perto de uma grande janela, observava o jardim. Aquele jardim de que Elora havia cuidado com carinho anos antes em suas horas livres e do qual, posteriormente, ele havia encarregado alguém de cuidar.

Lola, que falava com todo mundo, apesar da dor, sentiu o coração se encolher ao ver o pai. Era a primeira vez que o via tão frágil, tão triste, tão emocionado. Era raro vê-lo chorar. Aproximando-se, perguntou:

— Papai, você está bem?

Colin, o duro Colin, assentiu e murmurou:

— O jardim está lindo. Ela vai adorar.

A jovem olhou para onde o pai olhava e, com um sorriso, assentiu:

— Claro que vai.

Permaneceram alguns segundos em silêncio, até que ele, indicando com o dedo, disse com um fio de voz:

— Elora plantou as flores brancas quando Priscilla nasceu. As azuis, quando Daryl nasceu, e as verdes, quando você chegou.

— Eu sei, papai... Eu sei — disse ela, emocionada.

— Ela foi uma boa mulher, uma excelente professora e uma mãe inigualável. Não merecia um homem como eu na vida, e menos ainda o que lhe aconteceu. Não merecia.

Lola assentiu. O que o pai dizia sobre si mesmo era muito duro. Sentando-se ao seu lado, respondeu:

— Escute, papai, entendo o que está dizendo, mas tenho certeza de que, se mamãe nascesse de novo e pudesse repetir sua vida, escolheria estar com você de novo. Ela o amava muito. Amava muito a todos nós...

— Elora foi a melhor coisa que tive na vida, e eu não soube valorizá-la. Só lhe causei problemas. Desgostos. Eu a culpei de tantas coisas, e a decepcionei muitas vezes, mas, mesmo assim, ela sempre me recebia com um sorriso — disse ele, soluçando.

Comovida com as palavras do pai, Lola pegou a mão dele. Fitando-a, ele acrescentou:

— Só fui visitá-la uma vez em todos esses anos na clínica porque não podia enfrentar a realidade. Não podia vê-la internada. Não podia ver como sua mente brilhante havia se deteriorado a ponto de ela não saber nem quem era. Eu não podia... E, agora, sinto-me o ser mais desprezível que existe sobre a face da Terra.

Enternecida pelo pai, que estava abrindo o coração, Lola pousou a cabeça no ombro dele e sussurrou:

— Tenho certeza de que ela o perdoou.

Colin assentiu. E, engolindo o nó de emoções que sentia, pediu:

— Lola, olhe para mim.

Ela o olhou e ele disse:

— Eu dei a María noventa mil libras da última vez que você a viu.

— O quê?

— Noventa mil libras em troca de que ela assinasse um documento se comprometendo a se afastar de todos nós, inclusive de sua avó. Se ela não cumprir, será detida e processada pelo roubo de umas joias de sua mãe. Eu tenho provas. Ela as levou, e tenho as provas.

Lola pestanejou. Não estava entendendo nada. E Colin confessou:

— Eu nunca disse nada a vocês porque as recuperei, mas, mesmo assim, como um estúpido, continuei me encontrando com ela porque essa mulher me enfeitiçava, eu me transformava em um idiota. Porém, outro dia, quando a ouvi dizer a maior barbaridade que poderia ter dito a você, eu me dei conta do mal que estava lhe fazendo e...

— Papai... — murmurou Lola, impressionada.

— Lola, quando ouvi aquilo, meu coração a odiou, fechou-se definitivamente para ela. Como eu poderia permitir que ela dissesse isso na minha frente? Você é minha filha! A menina que me considerava seu herói em dado momento da vida.

— Papai, calma...

Alterado, Colin enxugou as lágrimas e prosseguiu:

— Eu fiz o que tinha que fazer, e não me arrependo. María é venenosa, uma pessoa má. Mas, agora, não sei se fiz bem ou mal incluindo sua avó nesse documento, e precisava contar isso a você.

Lola sorriu com tristeza. E, sentindo-se querida por ele, afirmou:

— Papai, você fez bem. Muito bem.

— Devemos contar a Diana?

Lola pensou na avó. Contar só lhe faria mal. Olhou para aquele homem de olhos molhados e murmurou:

— Não. É melhor não. Embora ela não acredite, será bom se María desaparecer de sua vida para sempre. Será um segredo de nós dois.

Colin assentiu. Lola, aproximando o rosto do dele, deu-lhe um beijo e declarou:

— Obrigada, papai.

As palavras da filha e o gesto carinhoso aqueceram o coração de Colin. Especialmente quando ela tornou a apoiar a cabeça em seu ombro e disse:

— Papai, a vida às vezes não sai como desejamos. E o passado não se apaga nem se esquece, simplesmente se aceita e se supera. Como diria a mamãe, o importante é termos ao lado pessoas que nos amem e que amemos. Só assim podemos ser felizes.

Colin assentiu. E, pousando os lábios na testa de sua filha, beijou-a.

Assim ficaram um tempo, até que Rose apareceu. Lola a olhou com um sorriso. A mulher se aproximou e cumprimentou:

— Colin. Lola.

Ambos se levantaram e, quando ele foi pegar a mão de Rose, ela se afastou e disse:

— Meus mais sinceros pêsames pelo que aconteceu com Elora.

Lola assentiu, emocionada, e Rose a abraçou. Amava muito essa mocinha, e sabia quanto ela a amava também.

Depois do abraço, ao encontrar o triste olhar de Colin, Rose disse, sem tocá-lo:

— Só vim prestar meus cumprimentos. Elora foi uma grande mulher.

Ao ver Rose se virar para ir embora, Colin murmurou:

— Rose...

Mas ela não se deteve. Continuou andando e desapareceu entre as pessoas.

Vendo que o pai olhava para a porta, Lola pegou-o pela mão e o fez sentar-se ao seu lado.

— Eu mereço — sussurrou ele, fitando-a. — Sou uma pessoa má.

— Não diga isso, papai.

Colin balançou a cabeça. Ninguém sabia melhor que ele como era na realidade.

— É a verdade, filha. Sou um homem complicado e sempre acabo fazendo mal a quem me ama.

A jovem o olhou, mas não respondeu. Diante disso, não tinha nada a dizer.

— Lola, embora eu nunca diga, e apesar de às vezes parecer o contrário, preciso que saiba que amo você e seus irmãos. Sempre fui um homem frio, mas...

Colin não pôde continuar. Desabou. Lola, abraçando-o, sussurrou:

— Fique tranquilo, papai. Nós também te amamos.

Ficaram um bom tempo em silêncio, mergulhados em seus pensamentos, até que ambos ouviram:

— Irlandesa.

Ao olhar, Lola viu a avó. Levantou-se rapidamente e a abraçou.

Elora e Diana haviam sido os dois grandes pilares de sua vida. Abraçada a ela, a jovem murmurou, diante do olhar velado do pai:

— Eu te amo, vovó... Amo, amo, amo.

Diana sorriu. E, com carinho, entendendo como a neta estava emocionada, beijou aquele cabelo vermelho de que tanto gostava e afirmou:

— Eu também te amo, minha vida.

Quando Lola a largou, Diana olhou para o homem que continuava sentado com os olhos vermelhos e disse:

— Sinto muito por Elora, Colin.

Ele assentiu e esboçou um triste sorriso.

— Eu sei, Diana... Eu sei. Obrigado.

Surpresa por ele a chamar pelo nome e ser gentil com ela, a velha olhou para a neta. Quando, segundos depois, as duas saíam da sala, Diana sussurrou:

— Precisa levar seu pai ao pronto-socorro. Acho que está delirando.

— Vovó...

— Sério, minha vida. É a primeira vez, desde que o conheço, que ele me chama pelo nome e diz "obrigado".

Lola suspirou. Ela também estava surpresa com o que ele havia lhe contado. Afirmou:

— Ele está triste e cansado. Quando se recompuser, voltará a ser o Smurf Ranzinza de sempre.

— Onde estão seus irmãos?

Sem soltar o braço da mulher, que muitos dos presentes fitavam com estranheza por causa daquele lenço de moedinhas na cabeça, Lola disse:

— Venha. Estão no jardim.

Enquanto caminhavam, a jovem viu Dennis. Estava conversando com outros professores em uma lateral. Quando, durante uma fração de segundo, seus olhares se encontraram, Lola sentiu seu calor e sorriu para ele.

O brasileiro não estava bem. Queria estar com Lola, abraçá-la, consolá-la, mas sabia que não era o momento. Embora estivesse sendo muito difícil para ela, respeitou.

Ao ver para onde a neta olhava, Diana afirmou:

— Gosto muito dele para você. Olhos Fascinantes é seu homem.

Lola não disse nada.

Quando se aproximaram de Daryl e Priscilla, a mulher os abraçou com carinho. E, ao ver como Daryl estava aflito, consolou-o com ternura.

Ver aquele grandalhão chorar partia o coração de qualquer um. Quando o acalmou, Diana disse, sentando-se ao seu lado:

— Ouça, meu querido, sua mãe não iria gostar de vê-lo assim, e você sabe.

— Eu sei... eu sei.

Lola e Priscilla estavam mais inteiras que ele. Para tentar animá-lo, as irmãs se entreolharam e Lola disse:

— Vovó, você sabe que ele sempre foi um chorão.

Daryl sorriu. Quando era pequeno, elas o chamavam de chorão. Ia dizer algo quando Diana interveio:

— Não se preocupe, *highlander*, nem a irlandesa nem a inglesa podem com meu menino.

Lola e Priscilla sorriram e o abraçaram com carinho.

À noite, quando Lola estava de novo sentada ao lado do pai, o celular vibrou em várias ocasiões. Era Beckett, para confirmar o encontro do dia quinze. Ela já havia cancelado vários encontros e, afastando-se de Colin, digitou, para acabar com aquilo:

Obrigada por esses anos, mas acabou.

A seguir, apertou "Enviar" e, como havia imaginado, Beckett não respondeu. Assunto encerrado.

Estava guardando o celular no bolso quando sentiu uma presença ao seu lado. Ao se voltar, encontrou Dennis. Durante alguns segundos se olharam, até que ela, sem tocá-lo, disse:

— Obrigada por estar aqui.

Ele assentiu. E, preocupado, perguntou:

— Você está bem?

— Sim. — Afastando o cabelo do rosto, sussurrou: — Você devia ir. É tarde.

— Quero ficar com você — respondeu ele, vendo seus olhos vermelhos. — Você precisa de mim.

Lola sorriu e, incapaz de não o tocar, pegou-lhe a mão e, apertando-a, murmurou:

— Você estará comigo mesmo se for embora, de verdade.

Sem poder abraçá-la nem acariciá-la como desejava, o brasileiro ia protestar quando Justin, aproximando-se, pegou Lola pela cintura e, dirigindo-se a Dennis, pediu:

— Pelo bem de todos, é melhor você ir. Colin não vai entender por que um de seus professores está com a família.

Dennis o fitou, transtornado.

— Prometo cuidar dela — sussurrou Justin para suavizar a situação.

Esse comentário não o tranquilizava nem um pouco. Quem queria cuidar dela era ele. Quando ia protestar, Lola insistiu:

— Por favor, vá.

Sem vontade de discutir, e sentindo-se rejeitado, Dennis assentiu. Dando meia-volta, afastou-se, enquanto Lola ficava de coração partido por saber como o estava magoando.

Sem olhar para trás, o brasileiro caminhou para onde estavam Priscilla e Aidan, que pareciam discutir. E, interpondo-se entre eles, disse:

— Aidan, vamos embora.

Tão incomodado quanto Dennis, Aidan assentiu. Despediu-se de Priscilla sem tocá-la e se afastou com o outro. Em silêncio, caminharam para onde Dennis havia deixado a moto, arrancaram e foram embora, sem saber que olhos cheios de tristeza e frustração os observavam.

Capítulo 56

Na manhã seguinte, quando Lola acordou, ficou um tempo olhando o teto, sem se mexer. As visitas à clínica haviam acabado. A mãe estava morta e nunca mais teria que voltar lá.

Durante um tempo, a sós, permitiu-se chorar. No dia anterior procurara não o fazer, tentara estar forte por todos, e havia conseguido. Porém, ali, nesse momento e sozinha, precisava desabafar.

Meia hora mais tarde, depois de tomar um banho, quando desceu à cozinha encontrou um bilhete de Justin dizendo que havia ido ver Colin. Em silêncio, Lola tomou um café. Quando acabou, vestiu-se e, sem hesitar, dirigiu-se à casa de Rose.

Uma vez ali, entrou pelo portão e subiu os degraus. Ao chegar à porta, tocou a campainha. Quando Rose abriu, Lola a cumprimentou com um sorriso:

— Olá, Rose.

A mulher sorriu ao vê-la e rapidamente disse:

— Entre, filha... entre.

Lola entrou. O apartamento não tinha nada a ver com a casa onde Rose havia vivido os últimos quatro anos com o pai de Lola. Tinha apenas quarenta metros quadrados. Assim que ouviu Rose fechar a porta atrás dela, olhou-a e declarou:

— Sei que eu não deveria estar aqui, mas...

— Se veio falar de seu pai, prefiro não ouvir.

Lola assentiu. Estavam começando com o pé esquerdo.

— Quer beber alguma coisa? — perguntou Rose.

— Um pouco de água.

A mulher foi até a cozinha americana e Lola a viu procurar algo. Quando voltou com um copo de água, Rose pediu:

— Sente-se, Lola.

Ela obedeceu. Pegou o copo de água que Rose lhe estendia e, tão logo esta se sentou, bebeu sem dizer nada. Terminou a água, deixou o copo em cima de uma mesinha, e a mulher começou a falar:

— Entendo o que quer fazer. Você é filha dele... mas essa mulher sempre vai se interpor entre nós como se interpôs entre sua mãe e ele.

Lola agradeceu o fato de ela não se referir a María como "sua mãe".

— Papai me disse que rompeu definitivamente com ela, e eu acredito — declarou Lola.

Rose suspirou e, balançando a cabeça pequena, murmurou:

— Fico feliz por ele. Essa mulher nunca lhe fez bem.

Então, Lola se levantou, sentou-se ao lado dela e, pegando-lhe as mãos, insistiu:

— Se você ama o papai, por favor, volte, porque ele deseja isso. Você, eu e meus irmãos sabemos que ele é um homem muito frio, que não demonstra os sentimentos, mas...

— Não, Lola. Não vou voltar.

— Mas, Rose... ele te ama.

— Ele me ama? — disse Rose com ironia. — Seu pai não ama ninguém. É tão orgulhoso que é capaz de se afogar em sua própria bile antes de fazer algo que mostre que ele tem coração.

Lola assentiu. Rose o conhecia tão bem quanto ela. Mesmo assim, decidiu insistir:

— Ele mudou, acredite.

— Duvido. Colin Gabriel Simmons jamais mudará e, se mudou, que prove! Talvez então eu pense.

Lola suspirou. Era normal que Rose pensasse assim. Por fim, sussurrou:

— Mas quero que fique claro que, embora não estejam mais juntos, eu continuo amando você e desejando que faça parte de minha vida, ok?

Tão emocionada quanto Lola, a mulher assentiu. Abraçando-a, declarou:

— Claro que sim, querida. Nunca duvide disso.

Depois, as duas se levantaram e caminharam para a porta. Trocaram beijos, e quando Lola a abriu para sair, Rose soltou um gritinho de surpresa ao encontrar diante de si Colin, com um buquê de flores na mão.

Ambas o olharam, boquiabertas. Ele, limpando a garganta e cumprimentando a filha com o olhar, pediu:

— Por favor, Rose, posso falar com você?

A mulher, aturdida, olhou para Lola, que, aproximando-se, sussurrou:

— Eu disse que ele mudou, e aqui está para provar.

Rose suspirou e, dando um passo para trás, respondeu:

— Tudo bem, Colin, vamos conversar.

Lola sorriu ao ouvir isso. Beijando-a de novo, saiu pela porta. Beijou o pai também, olhou-o nos olhos e sussurrou:

— Lembre-se, o importante é amar e se sentir amado. Vá com tudo, papai!

Colin sorriu com timidez. Uma vez que a filha saiu e fechou a porta, ele por fim abriu o coração para Rose.

À noite, quando Lola tocou a campainha da casa de Dennis e ele abriu a porta, ela o olhou com um sorriso e exclamou, jogando-se em seus braços:

— Eu te amo, você me ama, e tudo vai dar certo.

Capítulo 57

Os dias se passaram enquanto, cada um do seu jeito, superavam a perda de Elora.

Depois de visitar Rose, Colin havia conseguido que ela o escutasse. E, embora houvessem retomado o relacionamento, dessa vez ela se negara a voltar para a casa dele, e Colin teve que aceitar. Dessa vez, teria que fazer as coisas como ela queria.

Certa tarde, Dennis entrou na sala dos professores para tomar um café e encontrou Justin. Estavam os dois sozinhos. Depois de pensar bastante, foi até a mesa onde ele corrigia umas provas e perguntou:

— Posso me sentar com você?

Justin o olhou e assentiu, ciente de que esse momento teria que chegar. Dennis se sentou diante dele e disse:

— Quando quiser, podemos conversar de homem para homem.

— Não tenho nada para conversar com você — replicou Justin.

— Ouça...

Transtornado, o outro fechou a pasta e, fitando Dennis, sibilou:

— Você não só come a minha mulher, como também a afasta de mim. Por quê? Por acaso não estou sendo permissivo com vocês?

O brasileiro suspirou.

— Eu a amo. E quero que ela fique comigo para fazê-la feliz.

— Deixe-me em paz.

Ao ouvir isso, Dennis se alterou e disse, ríspido:

— Você só precisa dela para esconder seu segredo. Eu preciso dela porque a amo, porque desejo fazê-la feliz, ter uma linda vida com ela e...

— Durante doze anos eu proporcionei essa linda vida a ela. Do que está falando?

Frustrado por não conseguir fazer Justin compreender o que estava fazendo com Lola, Dennis replicou:

— Estou falando de amor, de romantismo, de carícias, de beijos, de filhos... Você lhe dá tudo isso?

Justin balançou a cabeça.

— Eu lhe dou liberdade. Acha pouco?

— Essa liberdade que você lhe dá não é o que ela necessita. Não percebe que...

— Percebo perfeitamente tudo — interrompeu Justin. — Eu sempre atendi às necessidades dela em todos os sentidos. Não pense que por não me deitar com ela e não lhe dar prazer na cama não lhe proporcionei o mesmo, deixando-a fazer o que queria, com quem queria e quando queria.

Ao ouvir isso, Dennis sentiu ciúmes. Ciente disso, Justin se levantou, mas, quando ia sair da sala, o brasileiro o impediu.

— Dennis, já aceitei minha derrota — murmurou Justin. — Você ganhou, já falei com ela. Quando acabarem as aulas, tudo vai se resolver. Ela não lhe disse?

— Sim, disse — afirmou Dennis.

— Tenho quarenta e oito anos — prosseguiu Justin. — Sou homossexual e, embora você não acredite, eu a amo. Eu a conheci quando era uma menina, e ela se fez mulher ao meu lado. Lola é maravilhosa e, por mais que me doa me separar dela, desejo que seja feliz. E se ela é feliz com você, vou aceitar. Nesses anos, ela foi minha melhor amiga, minha melhor conselheira, nunca falhou comigo, e me sinto na obrigação moral de não falhar com ela. Só lhes peço um tempo. Tempo para aceitar o que me espera.

Dennis assentiu. Olhou nos olhos daquele homem e, quando Justin estendeu a mão para ele, não hesitou e a apertou.

Depois dessa conversa entre Dennis e Justin, a atitude deste último mudou. Lola, feliz, voltou a curtir no colégio e em casa o maravilhoso marido que sempre tivera, enquanto, à noite, curtia o homem que a amava e mimava, que a abraçava e agradava.

A relação entre os três se tornou incrível. Nos corredores do colégio, quando se viam, sorriam, e, na sala dos professores ou no refeitório, brincavam, como sempre haviam feito.

Lola estava feliz. Justin e Dennis, também. Que mais podiam pedir?

Capítulo 58

Na sexta-feira à noite, após jantarem em casa com Justin, que depois se recolheu, Lola e Dennis foram para o quarto dela. No instante em que o brasileiro fechava a porta, o telefone dela apitou. Uma mensagem. Dennis olhou para ela e perguntou:

— Quem é?

Com tranquilidade, ela pegou o celular no bolso da calça e leu:

Keira, hotel Novos, quarto 56. Amanhã, às sete.

Surpresa por receber uma mensagem de Beckett quando julgava que tudo já havia ficado claro entre os dois, ela se apressou a guardar o telefone e esclareceu:

— Propaganda. Essa operadora é um saco.

Dennis sorriu. Mas o telefone tocou de novo. Dessa vez, era uma ligação. Lola, ao ver na tela que era Priscilla, mostrou o aparelho ao brasileiro.

— Acho que essa ligação vai longe — brincou ele, com humor.

Então, sentando-se na cama, pegou no criado-mudo o livro que Lola havia lhe dado de presente, pôs os óculos e começou a ler.

— Olá, bonita — cumprimentou Lola.

Priscilla, que estava em casa jogada no sofá com Aidan, disse:

— Rose acabou de me ligar. Ligou para você também?

— Não. Aconteceu alguma coisa?

Deitada sobre Aidan, que via televisão, Priscilla disse:

— Ao que parece, o papai insiste em que ela vá morar de novo com ele, e ela não quer. Dá para acreditar?

Lola sorriu e, então, Priscilla sussurrou:

— Sem dúvida, o papai vai ter que reconquistá-la.

Lola olhou para Dennis, que, interessado na leitura, ajeitava os óculos.

— Pois que se esforce — disse. — Ele pisou na bola, que ajeite as coisas.

Durante um tempo conversaram sobre o assunto, até que Aidan passou a mão pela coxa de Priscilla, e ela, ao ver suas intenções, murmurou com um sorriso:

— Vou desligar, irmãzinha. Aidan está propondo um plano que sou incapaz de recusar.

E, sem mais, desligou. Lola, alegre, olhou para Dennis. Nesse instante, recebeu outra mensagem:

Keira, hotel Novos, quarto 56. Amanhã, às sete.

Contrariada por causa da insistência, Lola o desligou, sem se dar conta de que Dennis a observava. Quando deixou o celular no criado-mudo, ele perguntou:

— Propaganda outra vez?

Ela sorriu.

— Sim. São muito chatos. — E, fitando-o, murmurou: — Eu já disse que você fica muito sexy com esses óculos?

— Não.

— Pois fica sexy... Apetitoso... Pecaminoso... E acho que vou comer você.

Dennis sorriu. Então, Lola tirou-lhe o livro das mãos, deixou-o cair no chão e perguntou, manhosa:

— É interessante?

— Muito — disse ele, encantado. — Você me deu o livro de presente e disse que eu devia lê-lo, mas, pelo visto, com você ao meu lado vai ser complicado.

Lola sorriu. O livro, que ela havia comprado para ele, ia de sua casa à dele todas as noites.

— O que acha de agora esquecer a leitura e olhar para mim? — sussurrou ela, melosa.

— Humm... É um plano interessante — afirmou ele.

E, aproximando a boca quente da dela, beijou-a. Segurou-a pelo pescoço para que não se mexesse e, aprofundando o beijo, não parou até que ela gemeu. Adorava escutá-la, senti-la, agradá-la.

Minutos depois, quando o delirante beijo acabou, Dennis perguntou, bem-humorado:

— O que quer que eu olhe?

Encantada por senti-lo assim, Lola tirou-lhe os óculos, depois a camiseta e, quando os duros peitorais ficaram diante dela, respondeu:

— O que quiser. Pode olhar o que quiser.

Dennis ficava emocionado com a entrega que ela sempre demonstrava. Com delírio e desejo, continuaram se despindo, enquanto centenas de beijos lhes aqueciam a alma e o coração.

Já totalmente nus na cama, Lola se sentou sobre ele e, pegando o pênis mais que duro com a mão, colocou-o em sua entrada ardente. Deixando-se cair devagar sobre ele, murmurou entre gemidos:

— Meu Deus... Adoro você.

Dennis fechou os olhos. O prazer que ela lhe proporcionava era delirante. Tremia de luxúria e paixão, e isso animou Lola, que parou o movimento ondulante de quadris e começou a subir e a descer sobre ele com ímpeto.

O brasileiro vibrava e tremia. Adorava o que ela fazia, mas olhou-a e murmurou:

— Cuidado...

— Sou uma fera desembestada — sussurrou Lola.

— Cuidado para não se machucar — insistiu ele.

Mas, encantada com sua própria impetuosidade que tanto prazer lhe proporcionava, Lola replicou:

— Deixe-me... Quero fazer assim.

Ele sorriu e, relaxando, curtiu sua mulher, o jeito como ela fazia amor e o momento.

Lola estava entusiasmada, e acelerou. Cada vez deixava-se cair sobre ele com mais força, com mais brio. O prazer os deixava arrepiados, loucos. Mas, de repente, bateram a cabeça um no outro. Dennis soltou um grito de dor e, rapidamente, a tirou de cima dele.

Confusa, Lola o olhava enquanto tocava a testa dolorida.

— Que foi?

O brasileiro não podia responder. Sentia uma dor terrível no pênis. Ao olhá-lo e vê-lo azulado, exclamou:

— Caralho... Caralho, que dor!

Assustada ao ver que o brinquedinho de Dennis estava inchando e ficando azul, ela se levantou da cama e, confusa, perguntou:

— O que eu faço? Ai, meu Deus... O que eu faço?

Mas Dennis não podia responder. Retorcia-se na cama. A dor que sentia no pênis era terrível. Insuportável.

Trêmula, desconcertada, ela o olhava sem saber o que fazer, quando ouviu umas batidas na porta e Justin perguntar:

— Está tudo bem?

Aturdida, Lola olhou para Dennis. Ele se contorcia de dor. Correndo para a porta, abriu-a, desesperada, e disse:

— Ai, meu Deus, Justin... Não sei o que aconteceu, mas... mas Dennis... Acho que... Acho que...

Justin entrou no quarto e, ao ver o coitado se contorcendo na cama com as mãos em seu membro, disse:

— Vá buscar gelo.

— O quê?

Ao ver Lola tão desconcertada, Justin afastou-lhe o cabelo do rosto e, fitando-a, insistiu:

— Pequena, vá à cozinha e traga gelo. Já!

Sem entender muito bem para que, Lola foi apressada à cozinha. Abriu o congelador, pegou um saco de gelo e voltou para o quarto, onde Justin murmurava sentado na cama ao lado de Dennis:

— Fique calmo, vamos ao pronto-socorro.

Ao ver Lola chegar nua, o brasileiro sibilou, furioso:

— Vista-se.

Justin o olhou e disse:

— Estou casado com ela há doze anos...

Mas Dennis não estava para brincadeiras. Justin, ao ver como ele o olhava, disse, pegando o saco de gelo que ela lhe entregava:

— Vista-se antes que a cabeça deste troglodita exploda. — Então, acrescentou, dirigindo-se a ele: — Vou colocar o gelo sobre o lençol e você o posicione onde dói, está bem?

— Agora você é médico? — protestou Dennis, dolorido.

Justin suspirou.

— Não. Mas você não é o primeiro homem que eu conheço que passa por isso. Ande, coloque o gelo e, quando estiver melhor, vamos ao pronto-socorro.

Dennis xingou. Praguejou. Colocou o lençol com o gelo sobre as partes íntimas e gritou:

— Caralho!!!!!!

Lola se vestiu tremendo e, quando acabou, foi até Dennis, que pelo menos já não se contorcia na cama. Porém, quando foi tocá-lo, ele a advertiu:

— Não me leve a mal, mas não encoste em mim.

Ela estacou e afastou as mãos dele. Enquanto saía pela porta, Justin disse, apontando a testa de Lola:

— Pequena, ponha gelo nesse galo na testa e faça Dennis se vestir. Temos que ir ao hospital.

O brasileiro conseguiu se erguer e se sentar na cama. A dor o estava matando. Ao ver o pênis azulado e inchado, sibilou:

— Caralho!!

— Ai, meu Deus... Ai, meu Deus... — sussurrava Lola.

— Eu disse para ter cuidado.

Ela, assustada, olhava como aquilo estava ficando, enquanto ele se vestia.

— Desculpe... — murmurou. — Desculpe...

Dez minutos depois, ela, Justin e Dennis saíam lentamente da casa para ir ao hospital.

Ao chegar ao pronto-socorro, Justin, que conhecia um dos médicos que trabalhavam lá, conseguiu que atendessem Dennis depressa. Assim que o levaram, Lola foi atrás de uma lixeira para vomitar. Justin a segurava, preocupado.

Quando se recuperou, a jovem ligou para a irmã. Precisava dela ao seu lado. Assim que Priscilla chegou, acompanhada de Aidan, perguntou, assustada, ao ver o enorme galo que Lola tinha na testa:

— O que aconteceu?

Lola e Justin se olharam e, no fim, ela respondeu:

— Não sei. Estávamos fazendo... fazendo amor, e então ele gritou, e depois seu... seu... pênis ficou... e...

Aidan e Priscilla se entreolharam, atônitos. E ela, sem poder evitar, perguntou:

— Você quebrou o pênis dele?

— Caralho! — murmurou Aidan, fazendo cara de dor.

— Não!!! — disse Lola depressa. — Bem, não sei, mas não riam, que não tem nenhuma graça.

— Não... não tem graça — afirmou Aidan, olhando para o outro lado.

Priscilla queria saber do galo na testa da irmã, mas Lola não lhe deu importância.

O médico que conhecia Justin apareceu. Aproximando-se, disse:

— Não se preocupem, ele está bem.

— Mas o que aconteceu? — perguntou Lola, com vontade de vomitar outra vez.

O médico olhou para Justin e começou a explicar:

— Ele sofreu um rasgo na túnica albugínea e...

— O que é isso? — perguntou Priscilla, amparando a irmã.

Ao ver como as duas o olhavam, o médico respondeu:

— A túnica albugínea é uma camada que cerca as estruturas internas do pênis e que facilita a ereção. Mas, calma, a fratura é tão pequena que não vai precisar de cirurgia. Depois de algumas semanas de abstinência sexual, gelo, analgésicos e anti-inflamatórios, estará tudo resolvido.

— Ai, meu Deus — murmurou Lola, horrorizada.

— Sorte que não vai precisar de cirurgia como Michael — murmurou Justin, olhando para o médico. — Lembra?

Evitando sorrir, o médico assentiu e disse, olhando para Lola:

— Fique calma. Esses acidentes são mais comuns do que você imagina. O que acontece é que as pessoas não costumam falar sobre isso. Podem acontecer por uma pancada, nas relações sexuais ou na masturbação. No caso de vocês, pelo que ele comentou, aconteceu porque o pênis saiu da cavidade vaginal e, quando foi entrar novamente, bateu contra...

— Tudo bem... tudo bem... — interrompeu Priscilla. — Não precisa ser tão explícito.

O médico assentiu. Depois de se despedir deles, afastou-se conversando com Justin. Sentindo que as irmãs precisavam ficar a sós, Aidan se afastou também alguns metros.

— Meu Deus... — murmurou Lola. — O papai tem razão.

— Papai? O que o papai tem a ver com isso?

— Sou uma fera desembestada.

— Lola, não diga bobagens.

— Mãe do céu, Priscilla, o que foi que eu fiz!?

— Até parece que você quis quebrar o brinquedinho dele de propósito.

— Mãe do céu, quase o mato! — insistiu ela.

— Looola... você se deixou levar pelo momento e aconteceu.

Lola balançava a cabeça, horrorizada. Priscilla, tentando fazê-la sorrir, sussurrou:

— Veja o lado bom. Você já sabe como quebrar o brinquedinho de um sujeito se um dia ele passar dos limites.

Lola a olhou, surpresa, e a irmã murmurou:

— Tudo bem... Comentário desnecessário.

Então, Lola foi se sentar em uma das cadeiras. Recordando a cara de dor de Dennis e como ele havia falado com ela quando se aproximara para ajudá-lo, lamentou-se:

— E se agora ele não quiser me ver mais?

— Não diga bobagens.
— E se não quiser mais transar comigo?
— Lola... você ouviu o médico. É comum que isso aconteça, mas as pessoas não dizem nada por pudor.
— E por que teve que acontecer comigo?
Priscilla se sentou ao lado dela.
— Porque a paixão a fez se descontrolar.
Durante mais de uma hora aguardaram na sala de espera, até que, às três da madrugada, as portas do pronto-socorro se abriram e Dennis saiu.
Não viu muita graça em encontrar tanta gente ali o esperando. Mas, ao ver Lola e sentir seu olhar assustado, cravou os olhos nela. Recordando como havia sido grosseiro com ela, perguntou, observando o enorme galo em sua testa:
— O médico viu isto?
Lola assentiu.
— Não foi nada. Só a batida.
Sem afastar os olhos dela, Dennis sussurrou:
— Venha aqui, querida.
Com medo de tocá-lo, ela perguntou:
— Tem certeza?
Dennis sorriu. Precisando do carinho dele, ela o abraçou. Com ela ao seu lado, o brasileiro murmurou, beijando-lhe a testa:
— Desculpe por ter sido grosso com você, mas a dor era insuportável.
— Desculpe... Desculpe...
Dennis buscou o olhar dela e, com firmeza, replicou:
— Não diga mais isso, está bem?
— Mas eu...
Ele a beijou, então. Cobriu-lhe a boca para que não continuasse. Quando o beijo acabou, disse:
— Nós dois fizemos isso, certo?
Lola sorriu e, aproximando-se mais, murmurou:
— Que susto eu levei!
— Eu também — afirmou ele, ainda dolorido.
Justin, Aidan e Priscilla se aproximaram deles. Olhando para Justin, o brasileiro lhe estendeu a mão e disse:
— Obrigado. Muito obrigado por sua ajuda.
Justin deu de ombros e, apertando-a, respondeu:
— De nada. Estamos aqui para isso.

Sem se afastar de Dennis, Lola olhou para a irmã e, ao ver a cara dela, sussurrou:

— Se disser algo inapropriado, vai se arrepender.

Ao ouvi-la, o brasileiro olhou para Priscilla. E, ao ver sua expressão debochada, olhou para Aidan e comentou:

— Pode não acreditar, mas sua avó me advertiu sobre isso.

Recordando, Lola cobriu o rosto com as mãos, enquanto todos riam ao sair do hospital.

Capítulo 59

Por sorte, na segunda-feira, Dennis já podia andar normalmente. Apesar de estar bem melhor, decidiu deixar a moto na garagem; ainda não conseguia subir nela. Também ligou para a escola de dança para cancelar as aulas, pois era impossível dançar.

Ao chegar ao colégio, tanto Justin quanto Priscilla perguntaram disfarçadamente como estava. Sorrindo, Dennis disse que estava bem. Fizeram algumas brincadeiras com o que havia acontecido, mas o brasileiro decidiu encarar tudo com bom humor.

Os professores, ao ver o enorme galo na testa de Lola, ficaram preocupados. Com um sorriso, ela lhes contou que havia batido em um armário da cozinha. Todos acreditaram, e o assunto foi encerrado.

Durante vários dias Lola dormiu com Dennis na casa dele. Queria cuidar dele, e ele aceitou, encantado. Mas o fato de tê-la perto todas as noites era uma tentação, e Lola teve que brigar com ele para que tirasse as mãos de cima dela.

Uma das tardes, depois de sair do colégio, ela foi dar aula de salsa, e Dennis foi embora direto para casa. Precisava tirar a calça e ficar à vontade. Embora estivesse melhor depois do infeliz acidente, às vezes sentia pontadas que incomodavam.

Depois de trocar de roupa, pegou no criado-mudo o livro que Lola lhe havia dado e foi para a sala. Antes de se sentar, pegou gelo triturado no congelador, colocou-o em um saquinho de pano que havia comprado e voltou para a sala. Sentou-se, colocou o saquinho de gelo sobre as partes doloridas e começou a ler o livro. Estava interessante.

Assim ficou um bom tempo, até que o celular tocou. Era Eric.

— Como está, amigo? — disse Eric.

Feliz por receber essa ligação, Dennis fechou o livro e, ajeitando o saco de gelo, respondeu:

— Bem, poderia estar melhor.
— O que aconteceu? — perguntou Eric.
Já com o gelo onde tinha que estar, o brasileiro respondeu:
— Nada... Nada...
Intuindo, pela resposta de Dennis, que algo estava acontecendo, Eric mudou de tom.
— Dennis, somos amigos, e sei que está acontecendo alguma coisa... Que foi?
Ao notar a preocupação na voz de Eric, Dennis suspirou e lhe contou o ocorrido, enquanto olhava para o saco de gelo. Quando acabou, notando o silêncio de Eric, disse:
— Tudo bem. Já pode rir!
A gargalhada do amigo foi descomunal. Quando conseguiu se controlar, Eric disse:
— Desculpe... Desculpe, Dennis, mas...
— Eu sei. É engraçado. Mas, amigo, espero que não aconteça com você, porque a dor é de enlouquecer. E isso só por uma fissurinha de nada.
— E como vai o período de abstinência?
Ao pensar em Lola, Dennis sorriu.
— Terrível. Minha mulher é excessivamente tentadora.
Eric balançou a cabeça. Estava a par do que acontecia na vida de Dennis. Achando graça, disse:
— Sem dúvida, Lola cuida bem de você.
— Muito bem. Mas ela briga comigo se tento... você sabe...
Eric riu de novo, dessa vez com Dennis. Quando se acalmaram, o brasileiro perguntou:
— Bem, agora que você já riu da minha desgraça e sabe que estou em período de abstinência, para que me ligou?
— Na segunda-feira que vem tenho uma reunião em Londres às nove da manhã. Que tal sairmos para almoçar?
— Legal!
— Jud vai também. Foi ela quem me pediu para marcar com você e para lhe dizer que, se achar uma boa ideia, você poderia levar Lola para conhecê-la.
Dennis sorriu e sussurrou, alegre:
— Jud e Lola juntas... Que perigo!
Sentado na confortável poltrona do escritório, Eric olhou o retrato da mulher sorrindo que estava a sua frente e debochou:

— Vai ver quando ela souber o que aconteceu com você.
— Não se atreva a lhe contar, que eu a conheço — advertiu Dennis.
— Tudo bem, vou tentar — disse Eric, sem muita convicção.

Ambos riram de novo e, por fim, marcaram para segunda-feira à uma. Dennis lhe deu o endereço do Community, o restaurante de Rosanna. Era a melhor opção para Lola. Até que ela se separasse de Justin, tinham que ser discretos, e Eric entendeu.

Capítulo 60

Na escola de salsa, Lola dançava com os alunos, divertia-se e todos curtiam o ritmo. Quando uma das canções acabou, Lola pôs o lenço azul para não pegar frio na garganta e foi ao banheiro.

Estava olhando no espelho o galo esverdeado na testa quando Jeremiah entrou. Ela perguntou:

— O que está fazendo aqui?

Ele sorriu e baixou a voz:

— Vamos beber alguma coisa depois?

Lola olhou para ele. O que ele estava propondo era outra coisa.

— Não, Jeremiah. E com relação ao que aconteceu...

— Foi selvagem — afirmou ele, sorrindo. — Você é uma fera na cama.

Lola também sorriu, mas, pensando em Dennis, disse:

— Sou, você nem sabe. Porém, o que aconteceu não tornará a acontecer.

O jovem assentiu, mas, encurralando-a contra a porta, passou uma ponta do lenço azul no próprio pescoço e, baixando a voz, sussurrou:

— Pois eu morro de vontade de tirar sua roupa de novo.

Lola suspirou. Era difícil de o sujeito entender as coisas. Mas, quando ia protestar, ele pegou o celular, aproximou o rosto do dela e bateu uma foto. De imediato, Lola o empurrou.

— Posso saber o que está fazendo?

Jeremiah sorriu.

— Como você é arisca quando quer! Mas é tão docinha em outras ocasiões...

Ela rangeu os dentes.

— Quando quiser — acrescentou ele —, pode ir a minha casa pegar a calcinha que me deu de presente. Prometo pôr Metallica enquanto faço aquilo de que você tanto gostou.

Transtornada, ela o empurrou de novo. E, aproximando-se dele com uma atitude intimidadora, sibilou:

— O que aconteceu, aconteceu, ponto-final. E agora estou dizendo não. Que tal se me respeitar um pouquinho? E, agora, faça o favor de sair do banheiro das mulheres, ou juro que vai se arrepender.

Ele sorriu e, dando uma piscadinha, disse enquanto se afastava:

— Calma, fera... Só pensei que você poderia estar a fim.

Uma vez que Jeremiah saiu do banheiro, Lola praguejou. Qual era o problema daquele sujeito?

Mas não queria mais pensar nisso. Saiu do banheiro e se dirigiu à sala onde dava aula de salsa. Tirou o lenço azul e, pondo uma música, voltou-se para os alunos e gritou:

— Vamos... vamos... Todos dançando!

À noite, quando chegou à casa de Dennis, omitindo o que havia acontecido com Jeremiah, tirou umas xícaras da bolsa e, mostrando-as a ele, disse:

— O que achou?

Ao ver o nome deles nelas, o brasileiro afirmou:

— Lindas.

Encantada, Lola as deixou na pia da cozinha.

— Uma das minhas alunas tem uma loja de presentes personalizados e eu as encomendei — explicou. — Nossas primeiras xícaras!

Dennis se aproximou dela, carinhoso. E, depois de checar o estado do escandaloso galo verde, beijou-a.

— Querido... — Lola o deteve ao perceber suas intenções —, não podemos.

Dennis assentiu e, suspirando, murmurou:

— Eu sei, mas talvez... se fizermos com cuidado...

Lola respondeu, surpresa:

— Pelo amor de Deus, Dennis, seu brinquedinho está quebrado e, se não cuidarmos bem dele, talvez quando precisarmos ele não funcione direito. É isso que você quer?

Ao ouvi-la, o brasileiro afastou as mãos dela e respondeu, transtornado:

— Não. Claro que não.

Lola sorriu ao ver a frustração no rosto dele.

— Pois então, por favor, não proponha de novo, porque estou com tanto desejo de sexo quanto você, e a abstinência está começando a me consumir.

Sem poder fazer nada, Dennis assentiu. Apoiando a testa na parede, deu uma suave batidinha e replicou:

— Tudo bem... tudo bem.

Quando ela desapareceu dentro do quarto para trocar de roupa, ele perguntou, bem no momento em que o celular dela vibrava e se iluminava ao receber uma mensagem:

— Avisou Justin que vai ficar aqui?

— Sim, ele já sabe.

Então, o brasileiro olhou o celular. Queria saber de quem era a mensagem. Pegando o telefone, entrou no quarto onde Lola trocava de roupa e disse, entregando-o a ela:

— Acabou de chegar uma mensagem.

Lola pegou o celular e leu:

Keira, hotel Rovski, quarto 236. Amanhã, às sete.

Lola rapidamente bloqueou a tela. Dennis, fitando-a, perguntou:

— De quem era a mensagem?

— De Priscilla.

Ele não perguntou mais, mas algo dentro de si o fez intuir que ela estava mentindo. Mesmo assim, calou-se e não insistiu.

Estava observando-a quando disse:

— Falei com Eric.

— Eric?! Que Eric?

— Eric Zimmerman. Um dos meus amigos de Munique.

— Ah, sim. Aquele que é casado com uma mulher chamada Judith?

— Esse mesmo — disse ele. — Na segunda-feira que vem ele estará em Londres a trabalho, e marquei de almoçar com ele.

— Que legal!

— Judith também vem. Quer conhecê-los?

Lola sorriu. Sabia do excelente relacionamento que Dennis tinha com eles. Alegre, afirmou:

— Eu adoraria.

Nesse instante, o celular vibrou de novo. Outra mensagem. Olhando para Dennis, disse:

— Vou tomar banho, e não se atreva a entrar no chuveiro comigo, senão, juro que o mato, entendido?

Ele sorriu. Mas Lola, séria, repetiu:

— Entendido?

— Sim, querida... Entendido — assentiu Dennis. — Vamos cuidar do brinquedinho até que se recupere.

Quando Lola entrou no banheiro, abriu a torneira do chuveiro e leu a nova mensagem que havia acabado de receber:
Keira, hotel Rovski, quarto 236. Amanhã, às sete.
A jovem praguejou, mas, com paciência, digitou:
Eu já disse que acabou.
Quando enviou a mensagem, deixou o telefone em cima do vaso sanitário. Quando ia entrar no chuveiro, o aparelho vibrou de novo. Transtornada, Lola o pegou e leu:
As coisas não acabam assim.
Estava praguejando quando o telefone tornou a vibrar. Outra mensagem:
Não vou parar até que a veja uma última vez.
Espantada, por fim Lola decidiu desligar o telefone. E, deixando-o de novo em cima do vaso sanitário, tomou banho.
Que diabos estava acontecendo com Beckett?

Capítulo 61

Depois de examiná-lo, o urologista disse a Dennis que tudo ia de vento em popa e que durante um tempo teria que agir com certo cuidado. Ao ver a cara dele, Lola murmurou:

— Sorria, querido, já está quase passando.

Ele a olhou resignado e assentiu.

Nessa noite, Lola o convenceu a sair. Um pouco de vida social o animaria. Então, ligou para Aidan e Priscilla e marcaram de se encontrar em um bar.

Ao chegar, encontraram George, colega de Dennis na escola de dança e antigo parceiro de salsa de Lola. Ao vê-los, ele os cumprimentou, encantado.

Os grupos de George e de Lola se juntaram, formando um só. Durante horas reinou o alto-astral entre todos. Em dado momento, ao ver Dennis beijando Lola, George, surpreso, aproximou-se dele, quando ela se afastou e perguntou:

— Talvez eu esteja me metendo onde não devo, mas você sabe que ela é casada?

— Sim — afirmou Dennis. — Eu sei, mas é por pouco tempo.

Sem entender realmente o que Dennis quisera dizer, George sorriu. Bem-humorado, disse:

— Lola é encantadora.

— Sim — sorriu Dennis.

— E muito gostosa.

O sorriso se apagou do rosto do brasileiro. Ainda mais quando o outro sussurrou:

— Foram três vezes, no chuveiro da academia, em minha casa e no carro dela. Mas, nossa, que três vezes!

Nesse instante, chegou uma das amigas de George e eles começaram a conversar. Dennis ficou grato por isso.

A partir desse momento, o brasileiro teve que atuar. Estava irritado, muito irritado, e disfarçou o máximo que pôde, até que foram embora. Ao chegar a casa, dirigiu-se a Lola e perguntou:

— Por que não me contou sobre George?

Lola, que estava tirando os sapatos, ficou olhando para ele.

— O que quer dizer?

Dennis andava pela sala como um leão enjaulado. Sem levantar a voz, pois já era tarde, sibilou:

— Você sabe muito bem o que quero dizer.

Lola praguejou. Ele tinha razão. Porém, quando ia responder, ele a interrompeu:

— Não, não diga nada. Agora não. Agora já sei como foi bom com ele no chuveiro da academia, na casa dele e no seu carro.

— Dennis...

— Lola, não. Não diga nada que possa estragar tudo ainda mais. Uma relação só funciona quando há sinceridade absoluta de ambas as partes. E mais ainda uma relação tão complicada como a nossa.

— Eu sei, mas...

— Agora não. Estou furioso e decepcionado.

Tentando fazê-lo relaxar, Lola se aproximou, mas, quando foi tocá-lo, ele recuou e perguntou:

— Há algo mais que você deva me contar? Porque, se for o caso, conte, como eu lhe contei o que você tinha que saber sobre mim.

Incapaz de falar sobre Beckett ou Jeremiah, Lola sussurrou:

— Você sabe que minha vida antes era...

— Eu sei como era sua vida — interrompeu Dennis. — Diga, há algo mais que você deva me contar, como deveria ter contado sobre George?

Depois de pensar no que dizer, ela por fim fez que não com a cabeça, mesmo sabendo que não estava agindo direito. Porém, ele estava tão irritado que, se lhe contasse sobre Jeremiah, ou sobre a insistência de Beckett, a coisa pioraria.

Com a respiração entrecortada, Dennis a fitava. Algo lhe dizia que ela não estava sendo sincera. Quando Lola ia se aproximar, ele deu um passo para trás e disse:

— É melhor você ir para sua casa.

— O quê?!

Incapaz de raciocinar, de tão irritado que estava, o brasileiro insistiu:

— Quero ficar sozinho.

— Você está me mandando embora?

Dennis não se mexeu, e Lola repetiu:

— Você está me mandando embora?

Quem estava com raiva agora era ela. Ele a estava mandando embora?

Então, depois de pegar a bolsa, enfiou os sapatos nela, abriu a porta, furiosa, e foi embora, deixando Dennis com raiva e pensando que havia cometido um erro.

Capítulo 62

Um barulho incessante acordou Lola. Percebeu que era a campainha de casa.

Alarmada, levantou-se a toda velocidade da cama, vestindo apenas uma camiseta comprida e calcinha. Encontrou Justin, que a fitou com a mesma cara de sono que ela.

— São três e meia da madrugada — murmurou. — Quem será?

Foram juntos até a entrada. Ao olhar pelo olho mágico para ver quem era, Justin suspirou e disse:

— É Dennis.

Lola se apressou a abrir a porta. Ao encontrar o olhar dele, ia dizer algo quando o brasileiro entrou na casa e, sem se importar com a presença de Justin, pegou-a pela cintura e, puxando-a para si, murmurou:

— Desculpe... Desculpe... Desculpe, querida. Agi de modo irracional.

Ela assentiu e, ao ver que Justin fazia tchau com a mão e desaparecia, murmurou:

— Calma. Não foi nada.

Durante alguns instantes se olharam fixamente nos olhos. Dennis perguntou:

— Posso beijá-la?

Encantada ao ouvi-lo dizer isso, ela sussurrou, dengosa:

— Experimente, e vai descobrir.

Pegando-a no colo, pousou os lábios sobre os dela, enfiou a língua na boca que tanto amava e desejava e, com loucura, devorou-a. Então, sem deixá-la no chão, murmurou, enquanto subia a escada para ir para o quarto dela:

— Eu te desejo...

— Certamente tanto quanto eu te desejo.

— A espera acabou.

— Dennis, não! O médico disse que...

Depois de fechar a porta do quarto, sem deixá-la no chão, Dennis apoiou as costas dela contra a parede e arrancou-lhe a calcinha com um puxão.

— Querido — arfou Lola, enlouquecida. — Não devemos... não devemos...

Mas ele, sem ouvir a voz da razão, desabotoou a calça e, tirando a dura ereção para fora, colocou-a na umidade escorregadia de Lola e murmurou, apertando os dentes:

— Vamos tomar cuidado, mas não aguento mais.

O contato tão íntimo, do qual ambos haviam se privado durante as últimas semanas, deixou-os loucos. Lola, agitada, assustada e imóvel, sentiu-o entrar pouco a pouco dentro dela. Quando já estava todo dentro, ele murmurou com prazer:

— Estou em casa de novo.

Ela sorriu. Senti-lo daquele jeito a fazia feliz, mas, no momento em que Dennis se mexeu com cuidado e um suspiro escapou de sua boca, ela sussurrou:

— Estou com medo...

Ele parou. Sentindo o prazer de estar dentro dela, murmurou, enquanto a beijava:

— Não tenha medo. Vai dar tudo certo.

Lola assentiu. Mas, incapaz de se mexer, quando os dois tremeram de novo devido ao contato, perguntou:

— O que estamos fazendo?

— Estamos nos amando — respondeu Dennis, excitado.

E, dando-lhe um tapinha na bunda, exigiu:

— Mexa os quadris, querida... Vamos... Mexa.

Com cuidado, Lola obedeceu. Com um fio de voz, ele sussurrou:

— Isso... Assim... Assim...

Durante vários segundos, Lola mexeu os quadris com extremo cuidado. Estava com medo. Não queria machucá-lo de novo. Mas, então, ele não aguentou mais e, acelerando o ritmo das estocadas, murmurou, em português:

— Não deixe de me olhar.

Encantada com o que ele provocava nela, ela cravou o olhar em Dennis. Sentia o pênis duro entrar e sair de dentro dela, proporcionando-lhe prazer, luxúria e descontrole. Até que Dennis soltou um gemido másculo e, depois de uma última investida que deixou claro a Lola que ele havia chegado ao clímax, ela também gozou.

Arfantes, ficaram em pé contra a parede. Então, Dennis, apoiando a testa na dela, sorriu e disse:

— Querida... Já sou eu de novo.

Lola sorriu. Com a respiração entrecortada, com ele ainda dentro dela, perguntou:

— Doeu?

Dennis fez que não com a cabeça. A fim de repetir aquilo, deixou-a no chão, tirou a calça e a cueca e respondeu:

— Vamos tentar de novo e eu direi se dói ou não.

Ao ouvir isso, Lola sorriu e simplesmente se deixou levar.

Capítulo 63

Na segunda-feira, depois de passar a manhã dando aulas, na hora do almoço Dennis e Lola saíram separados do colégio, mas se encontraram na esquina para ir ao restaurante ver Jud e Eric.

No táxi, Lola murmurou:

— Estou nervosa.

— Por quê? — perguntou ele com carinho, beijando-lhe o pescoço.

Lola suspirou. Enquanto o celular apitava indicando que havia recebido uma mensagem, ela respondeu:

— Porque vou conhecer Judith e Eric. Você me falou tanto deles que estou nervosa!

Dennis sorriu. Sabendo como eram os amigos, afirmou:

— Fique tranquila. Jud e Eric vão adorar você. Basta ser você mesma, está bem?

Ela assentiu. Depois, olhou o celular disfarçadamente e leu:

Keira, hotel Crownelly, quarto 123. Hoje, às oito.

Rapidamente apagou a mensagem. Havia tentado falar com Beckett para que ele parasse, mas ele não atendia ao telefone. Já não lhe escrevia só nos dias quinze ou trinta, e sim em qualquer dia. Isso estava começando a incomodá-la. Havia falado sobre isso com Justin e, assim como ela, ele não entendia nada. Tinham que resolver isso antes que fugisse do controle.

Dennis, que a viu olhar o celular, perguntou:

— Quem era?

Lola, guardando-o depois de desligá-lo disfarçadamente, respondeu:

— Minha irmã. Queria saber onde estou, pois não me viu no refeitório do colégio.

Ele sorriu. Aproximando-se para beijá-la, murmurou, feliz porque o galo verde por fim desapareceu:

— Hoje você é minha.

Quinze minutos depois, ao entrar no restaurante de Rosanna, Dennis a cumprimentou. Foi então que Lola, ao olhar para o fundo, viu um sujeito alto e louro, de terno e cara séria, e uma morena mais baixinha que ele.

Durante alguns segundos sentiu-se observada, até que cravou o olhar na jovem, que sorriu e lhe acenou.

Segurando a mão de Lola, Dennis se aproximou e, feliz, disse:

— Pessoal, esta é Lola. — E então, dirigindo-se a ela, prosseguiu: — Querida, estes são Judith e Eric.

Lola sorriu, nervosa. Enquanto Eric e Dennis se abraçavam, Judith se aproximou da ruiva, deu-lhe dois beijos e disse:

— Lola, é um prazer. E, por favor, me chame de Jud.

— Será um prazer! — disse Lola.

Depois, cumprimentou o homem louro, que a olhava sério, e murmurou:

— É um prazer conhecê-lo.

Ao ver como o marido observava a jovem, Judith disse, brincando:

— Fique tranquila, ele não morde.

Lola sorriu. E, quando Eric sorriu também, ela assentiu e respondeu:

— Obrigada por esclarecer.

Os quatro se sentaram à mesa e ficaram batendo um papo agradável para descontrair. Judith notou que Dennis buscava o tempo todo contato com a ruiva, e sorriu ao ver a mão de Eric apoiada sobre sua perna.

Na conversa citaram o Essence, e Judith compreendeu que Lola também gostava do tipo de sexo que eles curtiam. Poder falar tranquilamente sobre esses assuntos com outra mulher era um prazer. Ela só podia fazer isso com a amiga Mel, mulher de Björn, e lhe agradou ver que com Lola podia ser igual. Até combinaram de visitar o local os quatro juntos da próxima vez que fossem a Londres.

Terminado o primeiro prato, Judith olhou para a jovem e disse:

— Fique sabendo que o chato do Dennis não para de falar de você. Eu estava morrendo de vontade de conhecê-la.

Lola sorriu e, alegre, perguntou:

— E fala bem?

Jud sorriu e respondeu, travessa, quando sentiu Dennis apertar sua mão:

— Sim, mesmo você quase o tendo deixado eunuco pelo resto da vida.

— Judith! — repreendeu-a Eric.

— O quê?!

O alemão, olhando para a mulher, sussurrou:

— Eu disse a ela para não comentar.
— Por que contou a ela? — perguntou Dennis, surpreso.
Eric praguejou e, quando ia responder, Judith se antecipou:
— Ele me contou porque não há segredos entre nós. Além do mais, Eric mente muito mal. Quando me disse que havia falado com você, um sorrisinho torto o delatou, e não sosseguei até saber o motivo.
Então, baixou a voz e perguntou:
— Você está bem, ou ainda não funciona?
Eric e Dennis se entreolharam. Quando o brasileiro ia responder, Lola esclareceu:
— Funciona. Mas tenho medo de forçar demais a máquina e o motor quebrar de novo.
— Está brincando! — zombou Judith.
— Pois é.
— Nossa, se o motor dele quebrasse — sussurrou Jud, indicando o marido —, eu não saberia o que fazer. O motor de Eric é importante demais para mim.
Dennis e Eric tornaram a se olhar, surpresos com a conversa delas. Mas, então, Lola respondeu:
— Pois, amiga, tenha cuidado e vá com muito carinho, porque, ao que parece, o motor quebrar é algo mais comum do que pensamos.
— Sério?
Lola assentiu e acrescentou em voz baixa:
— No dia que tivemos que ir à oficina, o mecânico disse que esse tipo de problema é muito comum quando o motor dele e o pistão dela batem e...
— Ei! — protestou Dennis.
— Estamos aqui! — acrescentou Eric.
As meninas sorriram. Judith, querendo perguntar mil coisas a Lola sobre o ocorrido, disse:
— Preciso ir ao banheiro. Você me acompanha?
Lola se levantou e, deixando o guardanapo em cima da mesa, respondeu:
— Claro.
Uma vez que as meninas desapareceram, Dennis olhou para o amigo com cara de felicidade e afirmou:
— Eu sabia que iam se dar bem.
Eric assentiu.
— Bem demais, amigo... — sorriu —, bem demais.

Uma vez no banheiro, Judith sussurrou, interessada:

— Tudo bem... Eu sei que é chato falar disso, mas preciso saber o que você fez para não fazer igual. Não quero estragar meu motor incrível.

Lola assentiu, bem-humorada.

— Ele estava sentado na cama, e eu montada nele, e, bem... Assumi o comando, acelerei o ritmo subindo e descendo, até que não entrou direito e, zás, quebrou! Sofreu uma pequena fissura em uma coisa chamada túnica de não sei o quê.

— Coitado...

— Oh, sim. Precisava ver como ele se contorcia de dor. Isso foi o que mais me assustou. Eu nunca o havia visto assim, e juro que não sabia nem o que fazer.

— Normal... Comigo teria acontecido a mesma coisa — afirmou Judith.

— Foi uma sorte Justin estar em casa.

— Seu marido?!

Lola assentiu.

— Foi ele quem me mandou buscar gelo para pôr no motor quebrado. Assim que Dennis conseguiu se levantar e andar, Justin levou-nos ao pronto-socorro. Lá, o médico disse que, apesar da dor, por sorte era uma fissurinha bem pequena, não grave o bastante para precisar de cirurgia.

— Mãe do céu! Que susto!

— Você nem imagina!

— Mas ele já está bem?

Lola assentiu e, com um sorriso maroto, afirmou:

— Sim. Tudo parece estar em perfeito estado. Mas reconheço que agora tomo muito mais cuidado quando sou eu quem toma a iniciativa.

Elas riram e, então, Judith disse:

— Sabe, quando soubemos que você era casada, a primeira coisa que aconselhamos a Dennis foi que a esquecesse. Homem ou mulher casados e infiéis sempre são fonte de problemas. Mas, no dia que Dennis contou a Eric o que acontece entre seu marido e você, e depois meu marido me contou, mudamos de opinião. Ainda mais sabendo o que estava acontecendo entre você e Dennis.

Lola assentiu. E, fitando-a com um sorriso triste, sussurrou:

— Entendo, e agradeço sua sinceridade.

— Dennis é da família, Lola — afirmou Jud. — Nós o conhecemos no Sensations, a casa de swing que frequentamos em Munique, e, então, acasos da vida, encontrei-o de novo um dia que tinha uma reunião com o professor do meu filho. E era ele.

Lola sorriu.

— Eu sei. Dennis me explicou, e disse que vocês dois não sabiam o que dizer.

— Imagine a situação! — riu Judith ao recordar.

Ambas sorriram, mas logo Lola ficou séria e declarou:

— Estou apaixonada por Dennis. Não duvide disso, Judith. Só quero fazê-lo feliz como ele me faz feliz, e não vejo a hora de o ano letivo acabar e podermos resolver tudo isso.

Jud sorriu.

Aquela garota de cabelo vermelho tinha boas vibrações. Feliz pelo que havia ouvido, abraçou-a e disse:

— Não duvido de você. Não mais. E não esqueça: em Munique você tem uma casa e uma amiga para o que quiser.

Capítulo 64

Maio estava chegando ao fim, e tanto Dennis quanto Lola sabiam que, em um mês, assim que acabassem as aulas, resolveriam tudo, quando fossem, com Justin, contar ao diretor o que estava acontecendo.

Durante o dia, Lola e Dennis davam as aulas no Saint Thomas e, à noite, passavam maravilhosos momentos românticos ou de sexo na casa dele ou dela.

O problema do motor de Dennis estava resolvido e esquecido. Tudo funcionava perfeitamente, e já faziam amor de novo com o ímpeto de sempre.

Uma dessas noites, quando Lola chegou à casa de Dennis depois de dar aula de salsa, sentiu o estômago embrulhado. Devia ter comido algo que lhe caíra mal. Ao entrar, viu que ele estava falando com alguém ao telefone. Logo entendeu que se tratava da mãe dele. Por sinais, Dennis lhe pediu que falasse com ela, mas Lola, horrorizada, fez que não com a cabeça.

O brasileiro insistiu, e ela, rindo, pulou por cima do sofá e entrou correndo no quarto. Quando ele a seguiu com o telefone, ela abriu a porta do banheiro e, com gestos, indicou que ia tomar banho.

Ela fechou a porta. Dennis sorriu e continuou falando com a mãe.

Lola estava se despindo no momento em que o celular vibrou. Uma mensagem.

Keira, hotel Shepiro, quarto 326. Às oito.

Ao ler a mensagem, suspirou. Tirou a calcinha, digitou o número de Justin e, baixando a voz, disse, assim que ele atendeu:

— Beckett acabou de me mandar outra mensagem.

— Caralho! — murmurou Justin, contrariado. — Já perdi a conta dos e-mails que lhe mandei dizendo para ele parar, ou terá um grave problema. Mas, ao que parece, ele está a fim de problemas.

Lola assentiu e, sem levantar a voz, sussurrou:

— Estou preocupada. Não falei a Dennis sobre Beckett, e agora não sei mais o que fazer.

Justin estava em sua casa com um amigo preparando o jantar.

— Calma, querida. Vamos resolver isso.

Assim, desligaram, bem no momento em que a porta do banheiro se abria e Dennis perguntava:

— Que negócio é esse de não querer falar com minha mãe?

Lola sorriu. Franzindo o nariz, respondeu:

— Meu amor, entenda. Steve vai chegar, e eu queria tomar um banho.

Ao ver a cara dela, o brasileiro inquiriu:

— Amor, você está bem?

— Sim. É que devo ter comido algo que me caiu mal. Mas, fique tranquilo, estou bem.

Então, ele entrou no banheiro, olhou para ela e disse, preocupado:

— Vou cancelar. Vou ligar para ele e dizer que não venha.

— Não, estou bem.

Dennis cravou o olhar nela. Pensar que algo pudesse acontecer com ela o deixava louco. Quando ia insistir, Lola acrescentou:

— Quero muito que Steve venha. Já falamos sobre isso, quero curtir sexo selvagem com você.

Ele sorriu. Se Lola queria aquilo, não devia estar tão mal. Mas, negando com a cabeça, disse:

— Está de castigo.

Sem entender a que ele se referia, ela perguntou:

— De castigo?!

Dennis assentiu e, com o olhar cheio de determinação, declarou:

— Acabo de cancelar o encontro com Steve.

Surpresa, Lola insistiu:

— Mas eu disse que estou bem.

Ele a olhou meloso e murmurou:

— Você não quis falar com minha mãe, e isso acarreta um castigo.

Bem-humorada, Lola caminhou até ele, nua. Ficando na ponta dos pés, aproximou a boca da dele para provocá-lo.

— Será um prazer receber esse castigo — sussurrou.

Dennis deu um sorriso travesso e, sem aceitar os lábios que ela oferecia, replicou:

— Não vai perguntar qual é o castigo?

Aproximando mais os lábios dos dele, Lola os roçou; fazendo uma careta, perguntou:

— Vai doer?

Com carinho, Dennis passou a língua pelos lábios dela e respondeu:

— Eu nunca permitiria que nossas fantasias lhe causassem dor. Nunca, querida.

Lola ficou mais tranquila. Sem afastar os olhos dos dele, disse:

— Com você ao meu lado, tudo bem.

Dennis sorriu, tirou-a do banheiro e, pegando no bolso de trás da calça duas tiras de seda vermelha, pediu:

— Junte os punhos e ponha-os para a frente.

Encantada com a proposta, Lola obedeceu. O brasileiro passou a fita ao redor dos pulsos dela, e o toque frio da seda fez os dois se arrepiarem. Com ela amarrada, puxou-a para si e, pousando os lábios sobre os dela, murmurou:

— Quer continuar com o castigo?

Lola sorriu. Ele acrescentou:

— Vai ser uma fantasia diferente. Uma fantasia minha.

— Sua?!

Dennis assentiu, excitado, passando os dedos pelo corpo nu dela. Depois de beijá-la e senti-la vibrar entre seus braços, sussurrou:

— Quero ouvi-la suplicar.

Lola sorriu. Ele, desejando o corpo dela, querendo brincar e curtir, com lentidão premeditada deslizou um dedo pela cintura, quadris, coxa. Quando o dedo roçou a vagina de Lola e ela tremeu, murmurou:

— Você vai suplicar... Eu sei.

Adorando a brincadeira, que a estava deixando a mil, Lola sorriu no momento em que ele puxou as pontas da fita para levantar-lhe os braços. Fitando-a, disse:

— Não se mexa.

Lola viu Dennis passar as fitas por cima da porta do banheiro. Ela ia perguntar, mas ele repetiu:

— Não se mexa.

Depois de colocar as fitas por cima da porta, Dennis a fechou. Fitando a jovem, que estava com as costas coladas à porta, sorriu e disse:

— Mesmo que puxe, você não vai conseguir se mexer; só vai suplicar.

Ela tentou. Tentou se mexer, baixar os braços, mas o tecido, preso entre o batente e a porta, não lhe permitia. Sentindo-se imobilizada, a adrenalina se apoderou dela.

Extasiado com o momento, o brasileiro deu um passo para trás e a observou. Lola estava linda. Então, depois de pegar algo de cima do criado-

-mudo, foi de novo até ela, levantou-lhe o cabelo no alto da cabeça e colocou uma fivela. Ao ver o belo pescoço de sua mulher desnudo, murmurou:

— Divina.

Excitada e indefesa, Lola sorriu. A cada segundo que passava, sentia o corpo se aquecer mais e mais diante do olhar inquietante dele. Então, afastando-se, Dennis foi até o aparelho de som e murmurou:

— Um pouco de música sempre cai bem.

Lola sorriu quando começou a soar a voz sensual de Sade. Nesse instante, tocaram a campainha. Dennis, aproximando-se dela, perguntou:

— Ainda quer continuar com a fantasia?

Ao sentir o olhar ardente, ela assentiu.

— Sim.

Dennis sorriu, deu meia-volta e desapareceu do quarto. Aguçando o ouvido, Lola o ouviu chegar à porta da rua, abri-la e depois fechá-la. Tentou escutar algo mais, mas foi impossível. Dennis entrou de novo no quarto e, fitando-a, disse:

— Lola, esta é Sophia.

Entrou no quarto uma mulher de cabelos pretos e olhos escuros, como os do brasileiro, com uma mochila azul. Lola pestanejou. Não esperava encontrar uma mulher. Olhando para Dennis, ia dizer algo quando ele, sem afastar o olhar dela, disse:

— Sophia, pode se lavar e se preparar no banheiro de fora. Quando estiver pronta, entre no quarto sem bater.

Depois de observar com certa luxúria o corpo imóvel de Lola contra a porta, a mulher assentiu.

Assim que ela saiu, Dennis se aproximou de Lola e disse, passando as mãos por sua cintura:

— É amiga de Steve. Ele a recomendou quando perguntei se conhecia uma mulher ardente e possessiva.

Lola assentiu. E, fitando-o, murmurou:

— Você não me amarrou aqui para eu ficar olhando vocês, porque se é isso...

Dennis não a deixou continuar, calando-a com um beijo. A seguir, enquanto suas mãos passeavam pelo ventre dela até acabar em seu sexo, disse:

— Quando você quiser, pode me dividir com uma mulher, como eu faço quando a divido com um homem. Mas, por ora, Sophia veio para outra coisa.

Empolgada com o que ele estava dando a entender, Lola perguntou com um fio de voz:

— Para que ela veio?
Encantado por vê-la tão excitada, Dennis passou a língua por aquele pescoço de que tanto gostava. E, então, respondeu, faminto:
— Veio para ouvi-la suplicar.
Surpresa, Lola o encarou no momento em que Sophia entrava nua no quarto e Dennis se afastava para se sentar na cama.
O silêncio excitante só era quebrado pela música. Então, Sophia se aproximou de Lola, acalorada, e, depois de passar a mão pela face interna das coxas e subi-la até o sexo, disse:
— Quero você mais molhada para mim.
Quando ela retirou a mão, Lola, nervosa, em uma tentativa de acalmar o que o momento a fazia sentir, esfregou as coxas uma na outra.
— Não... Isso não... — disse Sophia. — Afaste as pernas.
Estimulada pela voz da mulher, por suas carícias, pelo olhar de Dennis e a música, Lola fez o que ela pedia. Os dedos brincalhões da mulher tornaram a se aproximar da vagina de Lola, que fechou as coxas. Então, a mulher sussurrou, sorrindo:
— Vamos, querida... Abra as pernas e deixe-me tocá-la, ou vou ter que abri-las à força.
Inquieta, agitada e imensamente excitada, Lola afastou de novo as coxas. Nesse momento, Sophia pousou a palma da mão no sexo dela e, fitando-a a poucos centímetros do rosto, sussurrou:
— Isso... Muito bem... Deixe-me agir...
Lola fechou os olhos. O jeito possessivo com que aquela mulher a tocava a deixava louca. Quando um dos dedos dela chegou ao seu clitóris, instintivamente ela tornou a fechar as pernas. E, então, a mulher sorriu e murmurou:
— Eu avisei.
Sem saber a que se referia, com a respiração entrecortada, Lola a seguia com o olhar. Viu-a se aproximar de Dennis, que abria a mochila azul e tirava algo dela. Era uma tornozeleira com separador de pernas, como as que já havia visto uma vez. Murmurou:
— Não...
Ao ouvi-la, ele se levantou da cama, enquanto Sophia vestia uma cinta de couro preto com um pênis de silicone e a amarrava à cintura. Quando acabou, não se mexeu. Dennis perguntou, aproximando-se de Lola:
— Se quiser, podemos parar.
Ela olhou para a mulher. Vê-la com aquela cinta e aquela barra nas mãos era excitante. Estimulada, murmurou:
— Quero continuar.

O brasileiro assentiu. Sorriu e deu-lhe um beijo na boca. Depois, olhou para Sophia.

— Continue — disse.

Dessa vez, Dennis não saiu do lado de Lola. E, quando a mulher se aproximou, segurando com a mão a ponta daquele pênis de silicone, passou-o pelas pernas da jovem e murmurou:

— É para você, se pedir.

Depois, ajoelhou-se diante dela. Primeiro prendeu uma tornozeleira, e depois a outra, enquanto Dennis se despia ao seu lado. Ao ver Lola com os olhos fechados, ele perguntou:

— É excitante o que está imaginando?

Ela abriu os olhos de novo e, fitando-o, assentiu. Ao ver a luxúria no olhar dela, o brasileiro sorriu e insistiu:

— Você vai ter que suplicar.

Agitada, enlouquecida, Lola não podia fechar as pernas, separadas pela barra de ferro. Então, Sophia, abrindo as dobras do sexo de Lola, afundou o rosto entre suas coxas.

A jovem deixou cair o corpo solto encostada na porta, segura pelas fitas que prendiam os pulsos. A boca de Dennis capturou a sua. Ao sentir o hálito quente de Sophia sobre sua intimidade, Lola gritou. Arqueou o corpo e deixou escapar um gemido de prazer ao se sentir totalmente possuída por duas bocas: uma sobre a sua e outra sobre seu sexo quente e úmido.

Dennis a beijava com carinho e prazer, e uma das mãos de Sophia subia pouco a pouco, até tocar seu seio. Depois, massageou-o até sentir o mamilo duro, e apertou-o sem parar.

Ao ver aquilo, Dennis passou a brincar com o outro mamilo. Quando afastou a boca uns milímetros, murmurou:

— Gosta?

Lola se remexia, eletrizada, enquanto sentia o orgasmo nascer na sola dos pés e começar a percorrê-la, disposto a se liberar. Mas nem Sophia nem Dennis o permitiram. Donos do corpo de Lola, cada vez que sentiam que a liberação aconteceria em segundos, paravam. Afastavam as mãos e a boca, e Lola tremia de frustração.

Dennis sorria, encantado, vendo o desejo no rosto de Lola. Sem se afastar, murmurou:

— Vamos... Suplique. Diga a Sophia o que quer.

Com o suor encharcando a pele, Lola o olhou, bem no instante em que Sophia voltava a sugar o clitóris, arrancando-lhe uma forte onda de prazer.

Então, Lola puxou as fitas. Precisava tocá-los. Precisava enroscar-se no corpo dos dois. Até que não aguentou mais e sussurrou:
— Me foda...
Vendo como Lola ancorava a pelve sobre a boca de Sophia, que chupava e sugava com deleite o manjar que ela lhe oferecia, Dennis murmurou:
— Repita o que disse... Suplique a Sophia, ela não ouviu.
— Me foda... Me foda... Me foda, Sophia, por favor... Por favor... — insistiu Lola, aumentando o tom de voz.
Ao ouvi-la, a mulher parou o que estava fazendo e, sorrindo, levantou-se. Com perícia, introduziu dois dedos na úmida e quente vagina de Lola e disse:
— Peça... Suplique.
Desesperada como poucas vezes na vida, Lola olhou para aquela mulher e, com os olhos quase fora das órbitas, rogou, sentindo as pernas tremerem de prazer:
— Sophia, por favor... Por favor... Por favor... Me foda!
Dennis sorria, enlouquecido, sentindo a ereção prestes a explodir. Dando um tapinha na bunda de Sophia, murmurou:
— Você ouviu. Coma minha mulher.
Pronta para realizar seus desejos, Sophia aproximou a ponta do pênis de silicone da barriga de Lola. Passou-a por ela enquanto a jovem arfava. Roçou-lhe o clitóris e a ouviu gemer; então, levou-o até a fenda escorregadia e, lenta e torturantemente, introduziu-o. Lola se arqueava de prazer e se deixava levar, e Sophia curtia a posse.
— Diga que está gostando...
Fora de controle, fustigada pelo desejo, Lola mal podia responder. Mas, então, sentiu a mulher lhe dar um tapa de leve na bunda para devolvê-la à realidade e repetir:
— Vamos... Diga que está gostando.
— Sim... Sim... Sim... Eu gosto...
Ao ver Dennis as observando, Lola puxou ar e pediu:
— Você com ela... Você com ela.
Ao entendê-la, ele se apressou a pôr um preservativo. Colocando-se atrás de Sophia, apoiou o pênis no sexo dela e, afastando de lado a fita que segurava a cinta, penetrou-a com uma estocada certeira. Incitada, Sophia avivou os movimentos, enquanto Lola observava Dennis buscar o próprio prazer. Ficou excitada ao vê-lo se afundar dentro daquela mulher. E, quando seus olhares se encontraram, Lola sussurrou, em português:
— Não deixe de me olhar.

Ao ouvi-la, Dennis sorriu. Olhando-a profundamente nos olhos, prosseguiu.

Os suspiros ecoavam no quarto.

Três suspiros...

Três respirações...

Três gemidos...

Os movimentos cresceram, tornando-se selvagens, bárbaros, exigentes. Com as estocadas, Sophia conseguia fazer Lola se levantar nas pontas dos pés, enquanto Dennis fazia o mesmo com ela. O orgasmo estava próximo. A liberação esperada estava quase chegando. E, por fim, um clímax arrebatador fez os três se deixarem levar pelo momento.

Esgotados, nenhum deles se mexeu durante vários segundos. Então, quando Sophia foi beijar a boca de Lola, Dennis a segurou pelos cabelos e, fitando a mulher que continuava com os braços e pernas imobilizados, disse alto e claro:

— A boca é só minha.

Ao ouvir isso, apaixonada e ardente, Lola sorriu.

Três horas mais tarde, depois de terem continuado brincando na cama, buscando o prazer em mil posições e maneiras deliciosas para Lola, Sophia foi embora. Quando Dennis fechou a porta da rua e se virou, encontrou sua garota vestindo apenas uma camisa sua.

Encantado, observou-a caminhar para a cozinha, abrir a geladeira e pegar uma Coca-Cola. Aquela mulher era seu mundo, sua vida, sua sexualidade. Sem ela, o jogo excitante deixaria de ter sentido. Estava observando-a absorto enquanto ela bebia da lata quando disse:

— Nunca imaginei que essa minha fantasia pudesse ser tão provocante.

Ao ouvi-lo, Lola o olhou e sorriu, contente.

— Eu também. E menos ainda com uma mulher.

Dennis assentiu. Aproximando-se dela, pegou a bebida, deu um gole e perguntou, olhando os pulsos dela:

— Como está?

Lola voltou a pegar a lata e, depois de lhe mostrar que não havia se machucado, respondeu, segura de si:

— Excitante. Sem dúvida, vou querer repetir.

Capítulo 65

Em junho, a academia onde Lola dava aulas de salsa organizou um jantar de fim de curso. Justin, Dennis, Aidan e Priscilla também foram.

Todos aproveitaram. Lola e Dennis já haviam aprendido a curtir esses momentos com Justin, que era uma excelente companhia e evitava comentários sobre o casamento deles. Ao ver o alto-astral que reinava entre ele, a mulher e o brasileiro, o que menos as pessoas imaginavam era a confusão que havia ali.

Depois do jantar, o grupo todo foi a um lugar da moda para dançar.

Enquanto bebia no balcão com Aidan, Priscilla e Justin, Dennis observava Lola dançando com os alunos na pista. Tocava "La bicicleta", de Shakira e Carlos Vives. Sorria ao vê-la se divertir. Estava contemplando-a embasbacado quando, de repente, Priscilla perguntou:

— Vai passar as férias em algum lugar?

Dennis a olhou. Com a confusão que era sua vida com Lola, nem havia pensado nisso.

— Não sei — respondeu. — Mas vou tentar levar Lola a algum lugar especial.

— Talvez eu vá à Grécia e, depois, a Nova York — disse Justin.

Então, Aidan olhou para Priscilla e perguntou:

— E você, onde quer passar as férias?

Priscilla não sabia o que responder. Ele acrescentou:

— Eu tenho duas semanas livres no fim de julho e uma em agosto.

Ela assentiu e, sorrindo, sussurrou:

— Eu não acampo.

Surpreso, Aidan perguntou:

— Por que está dizendo isso?

— Porque, com exceção dos Pokémon, não gosto de bichos — esclareceu ela.

Aidan assentiu e, visivelmente incomodado, deu meia-volta e se afastou. Ao ver isso, Priscilla perguntou:

— O que deu nele?

Dennis e Justin se olharam, e este último disse:

— Acho que você o ofendeu.

— O quê?! — gritou ela, surpresa.

Dennis sorriu, e então Justin explicou:

— Seu comentário deu a entender que você o considera um coitado que não pode pagar um hotel.

Perplexa, Priscilla ia dizer algo quando Aidan voltou e disse, com a voz cheia de tensão:

— O fato de eu acampar com meus amigos não quer dizer que não possa pagar um hotel. Talvez eu não vá a hotéis luxuosos como você costuma ir, mas garanto que...

Não pôde dizer mais nada. Priscilla o abraçou. E, depois de beijá-lo diante de todos para fazê-lo se calar, disse:

— Nessas semanas de julho e agosto iremos aonde você quiser. Mesmo que seja para ficar caçando Pokémon.

Aidan sorriu.

— Caçar você — suspirou — já é mais que suficiente para mim.

Então os dois correram para a pista para dançar.

Justin e Dennis ficaram sozinhos. Enquanto observava Lola dançar "Single ladies"*, da Beyoncé, com os alunos, alegre com o jeito como ela se mexia, o brasileiro comentou:

— As aulas terminam daqui a alguns dias. Você lembra, não é?

Justin assentiu. Lembrava melhor que ninguém. Disse:

— Fique tranquilo. Falaremos com Colin, como prometi, e resolveremos tudo.

Feliz, Dennis bateu a taça na de Justin. Então, uma aluna de Lola se aproximou, pegou Justin pela mão e o levou à pista.

Enquanto todos dançavam, o brasileiro observava sua garota. Estava sorrindo quando ouviu ao seu lado:

— Sem dúvida, você está olhando para a professora.

Voltando-se para o homem que estava ao seu lado, ele assentiu.

---

* "Single ladies" (Put a Ring on It), Beyoncé Knowles, Christopher "Tricky" Stewart, Thaddis Harrell, The-Dream; Music World Music/Columbia, 2008. (N.E.)

— Lola é ótima dançando.

Ambos sorriram. Estendendo a mão, o homem acrescentou:

— Sou Jeremiah, professor de hip-hop. E você?

— Dennis — respondeu ele, sem mais.

O ritmo da canção aumentou e todos gritaram, encantados. Jeremiah, apoiado no balcão ao lado de Dennis, comentou:

— A fera está se divertindo.

Ao ouvir isso, o brasileiro o fitou, e o outro esclareceu, em tom de brincadeira:

— A fera é a professora.

Dennis sorriu. Querendo saber mais, perguntou:

— Você a chama de *fera* na aula?

Jeremiah sorriu e, aproximando-se mais dele, esclareceu:

— Não. Eu a chamo de *fera* porque a impetuosidade dela dançando é a mesma que demonstra em outros momentos.

Ao ouvir isso, Dennis ficou em alerta. Quando ia dizer algo, o outro acrescentou:

— Cara, se puder, leve-a para a cama! Ela é ardente e gosta de brincar. Ela deixou uma calcinha comigo e morro de vontade de que ela volte para pegar.

Isso era mais do que Dennis podia suportar. Fechando os punhos, sibilou:

— Por que está me contando isso?

Jeremiah sorriu. Então, pegou o celular e lhe mostrou uma foto. Dennis a olhou, surpreso. Na imagem se viam Lola e aquele sujeito, ambos com o lenço azul que ele lhe havia dado de presente em Edimburgo em volta do pescoço. Mas, acima de tudo, o que lhe chamou a atenção foi o galo que ela tinha na testa. O brasileiro praguejou. O outro, guardando o celular, sussurrou:

— Cara, não sou cego, e você é o escolhido para esta noite. Ou vai me dizer que não reparou em como ela olha para você? Aproveite, senão, eu vou no seu lugar.

Nesse momento, Lola apareceu diante deles, acalorada de tanto dançar. E, ao ver a expressão de Dennis, rapidamente intuiu o que havia acontecido. Olhando para Jeremiah com ar acusador, perguntou:

— Posso saber o que você lhe contou?

Com o sorriso de sempre, ele deu dois tapinhas na bunda de Lola. Isso foi demais para Dennis, que lhe soltou um soco de direita que o fez cair em cima do balcão. Então, sibilou, dirigindo-se a Lola:

— Ele me contou o que você deveria ter me contado.

Horrorizada, ela ia responder quando Jeremiah se levantou e se jogou sobre Dennis. Em décimos de segundo, explodiu a Terceira Guerra Mundial. As mesas rolavam, as pessoas gritavam e voavam socos a torto e a direito. Justin, Priscilla e Aidan, que estavam dançando, ao ver aquilo correram para ajudar.

Lola gritava. Tentava separar Dennis e Jeremiah, mas Aidan chegou e, empurrando-a, disse, enquanto olhava para Priscilla:

— Saiam daqui as duas, já!

Sem hesitar, Priscilla puxou a irmã e Justin foi atrás delas. Ele não era homem de briga. Dez minutos depois, quando Lola estava à beira do infarto, apareceram Aidan e Dennis, ambos com sangue na boca e no nariz.

Assustadas, as meninas correram para eles. Aidan se deixava cuidar por Priscilla, ao passo que Dennis olhava para Lola e gritava, furioso:

— Você se envolveu com uma merda de sujeito como esse?!

Lola não sabia o que responder. Ele berrava, frenético:

— Qual critério você usa para escolher? Que sejam linguarudos?

Ao ver que Lola não respondia, Justin a pegou pela mão para que não se sentisse tão mal. E, tentando acalmar os ânimos, interveio:

— Dennis, por favor. Já chega.

Furioso, o brasileiro limpou o sangue da boca, enquanto Priscilla, que tentava ajudar Justin a impor a calma, insistiu:

— Por favor, Dennis, relaxe. Talvez esse idiota não tenha sido a melhor escolha de minha irmã, mas o passado já foi. Ou seu passado é todo perfeito e você não tem nada do que se envergonhar?

Dennis bufou, frustrado. Ouvir o que o sujeito havia lhe contado e ver aquela foto deixara-o louco. Dando meia-volta, foi embora, sem notar que Lola começava a vomitar.

Capítulo 66

No dia seguinte, quando viram Dennis aparecer no colégio com o lábio cortado e um olho roxo devido ao soco que havia levado na noite anterior, os colegas do brasileiro se alarmaram.

O burburinho era tanto que o diretor foi vê-lo na sala dos professores antes de começarem as aulas. Vendo-o sentado com Justin, perguntou:

— Professor Alves, o que aconteceu?

Dennis, que não estava excessivamente comunicativo essa manhã, olhou para Justin, que já o havia prevenido, e mentiu, enquanto os demais professores saíam apavorados:

— Um sujeito tentou me assaltar ontem à noite.

Quando ficaram os três sozinhos, Colin se aproximou mais e, apoiando a mão no ombro de Dennis, sentenciou:

— Espero que o outro tenha se dado mal.

— Eu também espero — afirmou o brasileiro, sem vontade de brincadeira.

Justin olhou para o sogro e interveio:

— Eu estava lhe dizendo que fosse para casa. Com o rosto assim ele não pode dar aula.

— Boa ideia — disse Colin. — É melhor ir embora.

— Senhor, estou bem.

— Não duvido de que esteja bem, mas os alunos não devem vê-lo assim.

Nesse instante, Lola apareceu na porta da sala dos professores e, ao ver o pai ali com os dois, perguntou, assustada:

— Que foi?

Ao vê-la, Colin mudou de expressão e respondeu:

— Nada. Só vim ver se o professor Alves estava bem.

E, voltando a olhar para ele, sentenciou:

— Vá para casa. Eu o proíbo de dar aulas com o rosto assim.

Lola olhou para Dennis, mas ele não olhou para ela. Quando ia entrar na sala, seu pai, pegando-a pelo braço, levou-a para fora.

De novo a sós com Justin, Dennis sibilou, mal-humorado:

— Não quero ir para casa.

— Seus alunos não devem pagar pelo...

— Não vão pagar — interrompeu ele. — Sei muito bem separar meu trabalho de minha vida privada.

Justin assentiu.

— Ouça, Dennis. Talvez nesses anos Lola não tenha agido muito bem em relação a certas coisas, mas, acredite: eu tenho parte da culpa disso. De certo modo, nosso relacionamento a levou a esse tipo de sujeitos que...

— Justin, esse sujeito me mostrou uma foto tirada há muito pouco tempo, e Lola vai ter que me explicar.

Justin balançou a cabeça. As coisas estavam se complicando.

— As aulas acabam amanhã — disse —, e...

Dennis não o queria escutar. Levantou-se, pegou o capacete e saiu da sala dos professores. Talvez fosse melhor ir para casa.

No corredor, Lola e o pai conversavam sobre a apresentação do dia seguinte quando a porta da sala se abriu e Dennis, sisudo, saiu por ela. A jovem o olhou à espera de receber um sorriso, mas ele a ignorou por completo. Simplesmente seguiu seu caminho sem olhar para trás.

Estava olhando para ele quando o pai perguntou em voz baixa:

— O que é que há com você? Está com uma cara péssima.

Ela não queria lhe contar que havia passado a noite vomitando por causa do desgosto que passara com Dennis. Sorriu e, suspirando, mentiu:

— É a menstruação, papai. Está me matando.

Ao ouvir algo tão íntimo da filha, o homem não quis perguntar mais e mudou de assunto:

— Rose e eu estamos indo bem.

Lola sorriu.

— Que bom, papai. Muito bom.

Colin assentiu e se afastou, sorrindo.

Lola o olhou. Ver o pai sorrir não era muito comum. Mas, voltando a pensar em Dennis, entrou na sala dos professores. Justin, ao vê-la, perguntou:

— Está melhor, pequena?

Ela assentiu. Na realidade, estava um trapo, mas respondeu:

— Sim. Mas o nervosismo está me matando.

Pegando-a pela cintura, Justin a puxou para si e interrogou:

— Que foto é essa que você tirou com Jeremiah?

Surpresa, Lola ficou parada. Que ela soubesse, nunca havia tirado uma foto com aquele sujeito. Mas, de repente, recordou o último encontro dos dois no banheiro feminino e disse:

— Por que está me perguntando isso?

Baixando a voz, Justin murmurou:

— Dennis disse algo sobre uma foto sua com Jeremiah que você vai ter que explicar.

Ao pensar na foto, Lola suspirou. Dando meia-volta, respondeu:

— Vou indo. Tenho ensaio geral.

E, sem mais, saiu da sala. O corpo parecia falhar, mas, mesmo assim, continuou. Não podia parar.

À noite, Lola foi ao apartamento de Dennis. Abriu a porta com sua chave e encontrou a casa em silêncio. Depois de entrar e fechar a porta, viu o brasileiro sentado no sofá com um drinque nas mãos. Aproximou-se e ia falar, quando ele se antecipou:

— Eu jamais dependi de uma mulher como dependo de você, e estou começando a entender por que nunca me permiti isso.

Lola deixou a bolsa em cima de uma cadeira e, aproximando-se, murmurou:

— Jeremiah foi um erro do passado.

— Do passado?

— Sim — afirmou ela.

Dennis assentiu, bebeu um gole do uísque e, fitando-a, perguntou:

— O que é *passado* para você?

Então, levantou-se e, com um puxão, arrancou-lhe do pescoço o lenço azul que Lola estava usando. Mostrando-o a ela, gritou:

— Compramos isto em Edimburgo e, na foto que ele me mostrou, estava em volta do pescoço dos dois! Além do mais, você estava com aquele galo na testa... Isso é *passado*?

Lola entendeu. E, tentando não perder o controle como ele, esclareceu:

— Dennis, eu sei a que foto você se refere, mas...

— Ah... Você sabe a que foto me refiro... Por fim reconhece alguma coisa e não me faz parecer um louco!

A cada instante mais irritado, quando ela foi tocá-lo, Dennis disse:
— Você ficou com ele quando já estava comigo?
— Não.
— Nosso período de abstinência depois do acidente...
— Não — repetiu ela, contrariada. — O que está dizendo?
— Digo o que vejo.
— Pois vê muito mal, ponha os óculos! — gritou Lola, sentindo vontade de vomitar de novo. — A única coisa que esse... esse idiota quer é...
— Quando ficou com ele?
Entendendo que havia chegado a hora de dar explicações, ela disse por fim:
— Há meses, quando você e eu éramos como cachorro e gato, fiquei duas vezes com ele, mas...
— Essa foto é recente... Lola, não me irrite mais nem me faça parecer louco — sibilou Dennis.
Ela o olhou. Não importava o que contasse, era evidente que ele não ia acreditar. Então, ele gritou:
— Caralho!
Sem se deixar intimidar, e segura do que dizia, Lola o encarou.
— Escute, o que eu tive com Jeremiah é passado. Sim, aconteceu. Aconteceu duas vezes quando você e eu ainda não tínhamos nada sério, como aconteciam coisas entre outras mulheres e você. Mas, depois que nosso relacionamento começou de verdade, nunca mais tive nada com ele nem com ninguém. Por que insiste em ver fantasmas onde não há?
— Aquela foto diz o contrário — replicou Dennis.
E, incapaz de calar o que andava observando fazia tempo, sibilou:
— Sei que há algo mais que não me conta, e isso me faz desconfiar de você.
Ele quis lhe falar das mensagens que às vezes ela recebia no celular, mas, esperando que ela mesma se explicasse, não tocou no assunto. Acrescentou:
— Você é quem sabe se tem algo mais a me dizer.
Lola ficou em silêncio. A última coisa que imaginava era que ele havia notado aquelas mensagens bestas. E, segura de si, por último respondeu:
— Não sei do que está falando.
Dennis assentiu. Sentou-se de novo no sofá onde estava minutos antes e pegou o controle da televisão. Procurou um canal de esportes e, ignorando-a, concentrou-se na tela.

Lola praguejou e, com todo o mau humor do mundo, entrou no quarto, onde se despiu e entrou no chuveiro.

Nessa noite dormiram na mesma cama, mas cada um virado para um lado. Pela primeira vez não estavam separados por alguns centímetros. Um mundo os separava.

Capítulo 67

O último dia de aula era sempre uma grande festa para os alunos. Quando, às onze da manhã, todos entraram no salão nobre para assistir à apresentação final, os nervos estavam à flor da pele.

Lola, ajudada por Priscilla, com um sorriso atendia a seus alunos. Todos estavam nervosos. Iam dançar em público o que haviam preparado durante o curso, e Lola tentava curtir, apesar da grande confusão que estava sua cabeça por causa de Dennis.

Quando acordara aquela manhã, ele já havia se levantado e, assim que a viu entrar na sala, foi tomar banho. Era evidente que continuava com raiva e não queria ficar perto dela.

— Como vão as coisas por aqui?

A voz de Rose fez Priscilla e Lola olharem para trás. Correram para abraçá-la. Tê-la de novo perto da família era a melhor coisa que podia acontecer. No momento em que iam dizer algo, a mulher olhou para Lola e perguntou:

— Que foi? Você está muito pálida.

— Eu disse a mesma coisa — afirmou Priscilla.

Lola se apressou a dizer:

— É o nervosismo, quero que tudo saia direitinho. Todos os anos é a mesma coisa.

Nesse instante, Colin apareceu. Depois de olhar as crianças, que, vestidas de patinhos, corriam por ali, disse, pegando a mão de Rose:

— Daqui a alguns dias vamos para Roma.

Surpresas, Priscilla e Lola olharam para ele. O pai ia tirar férias?

— Eu o convenci, meninas. Vamos para Roma! — disse Rose, feliz.

Os quatro sorriram. E, antes que dissessem mais alguma coisa, Colin acrescentou:

— Tenho que falar com vocês e com Justin.

— Por quê? — perguntou Priscilla.

— Temos que conversar muito seriamente e resolver certos assuntos — disse Colin.

Ambas ficaram paralisadas. Rose, ao ver a cara delas, disse:

— Mas isso quando as aulas acabarem. Agora cuidem de seus alunos e lembrem-se: amanhã à noite quero vocês lindas no jantar de fim de ano. Vai ser perfeito!

Ambas assentiram. E, tão logo eles se afastaram, Lola murmurou:

— Ai, meu Deus... Estou com uma sensação ruim.

— Eu também — afirmou Priscilla.

Dez minutos depois, o evento começou.

A primeira apresentação foi a do grupo de teatro de sra. Susanetta, que interpretou uma versão original de "Romeu e Julieta". Finalizada a obra, houve um intervalo. Todos fizeram um lanchinho, e Lola pôde ver Dennis, de soslaio.

Quando seus olhos se encontraram, ela sorriu, à espera de uma resposta, mas ele simplesmente a ignorou e continuou falando com os alunos.

Depois do intervalo, todos voltaram ao salão nobre. Era a vez de os alunos de Lola se apresentarem.

Os pequenos começaram. Vestidos de patinhos, encenaram a coreografia o melhor que puderam. Depois deles entraram outros um pouco maiores, e, por último, os mais velhos. Com eles, Lola dançou e esqueceu todos os problemas. A dança era sua vida. Quando a apresentação acabou, ela sorriu, enquanto todos os alunos a abraçavam no palco e lhe entregavam um buquê de flores.

Ofuscada pelos holofotes, Lola sorria, sabendo que Dennis estava na plateia. Só esperava que ele sorrisse e aplaudisse como o resto das pessoas.

E, sim, Dennis sorria e aplaudia cercado por todos, mas o sorriso era frio. Olhava para a mulher que o havia deslumbrado desde o primeiro dia, mas sabia que aquela noite, no momento em que conversassem, tudo poderia mudar.

Uma hora depois, quando a maioria dos pais e alunos havia saído do colégio para dar início às férias de verão, Lola estava bebendo alguma coisa na sala dos professores com os outros professores, o pai e Rose.

Em meio a risos, brindes e bom humor, todos falavam do ano que haviam passado juntos. Lola sorria como todos os outros, mas não podia evitar olhar para Dennis e ver Bruna e Shonda lhe dando atenção, enquanto o estômago parecia uma centrífuga. Ao notar isso, Priscilla baixou a voz e sussurrou, dirigindo-se à irmã:

— Quando elas souberem que o gato é seu, vão querer morrer.

Lola sorriu. Era o que ela queria.

Cada dia suportava menos ver aquelas duas borboleteando perto de Dennis, especialmente Bruna, que, ainda por cima, já estivera na cama dele. Estava pensando nisso quando viu o brasileiro sorrir para ela. Uma pontada de ciúme atravessou o coração de Lola.

Reparando na expressão de sua mulher, Justin dirigiu os olhos para onde ela olhava. Interpondo-se, pegou-lhe a mão e disse, puxando-a para si:

— Fique tranquila, nós sabemos por quem ele é louco.

Lola assentiu. Confiava em Dennis. Então, Justin disse:

— Seu pai me disse que vai para Roma com Rose.

— Sim.

— Também me disse que quer falar conosco. Você sabe sobre o quê?

Lola fez que não com a cabeça. Ele murmurou, preocupado:

— Isto não me cheira bem, pequena.

— Por quê? — perguntou ela.

Ajeitando a gravata, ele respondeu:

— Porque ele me disse que tem que resolver um assunto delicado comigo.

A jovem suspirou. Não sabia o que estava acontecendo, mas, sem dúvida, boa coisa não parecia ser.

O estômago de Lola cada vez a incomodava mais. Então, foi ao banheiro e vomitou. Quando voltou, Justin apontou para Dennis, que sorria ao lado daquelas duas, e perguntou:

— Vocês conversaram?

— Não. Ele está muito bravo.

Ele suspirou e, ao ver a cara de Lola, segurou-lhe o queixo e disse:

— Fique tranquila, tudo vai se resolver. É impossível brigar com você.

Então, ela olhou para ele e murmurou:

— Sinto muito, Justin.

Ele suspirou. Tentando não se deixar levar pela melancolia, respondeu, baixando a voz:

— Eu também. Vou sentir muito sua falta, mas você merece ser feliz.

Emocionada pelas palavras dele, Lola o abraçou, sem notar que Dennis os observava de longe, impassível.

Pouco a pouco, a sala dos professores foi se esvaziando, até que ficou menos da metade das pessoas. Lola, que estava sentada conversando com a irmã, pegou o celular na bolsa e, ao ver que estava com pouca bateria, olhou para o marido e perguntou:

— Justin, você está com o carregador?

Ele assentiu. Pegou-o em sua maleta marrom e o entregou a ela, dizendo:

— Não se esqueça de me devolver, que é o que salva minha vida.

Lola sorriu e pôs o telefone para carregar.

Durante um bom tempo todos faziam brincadeiras, até que bateram à porta e pediram a Lola que saísse ao corredor um instante. Surpresa, ela olhava ao redor quando Justin a pegou pelo braço e a tirou da sala. Atrás deles saíram também os outros professores, exceto Dennis. Ao que parecia, as alunas mais velhas de Lola queriam lhe entregar uma placa.

Enquanto todos observavam o mimo feito pelas crianças, Dennis, que havia ficado sentado à mesa, viu o celular de Lola se iluminar várias vezes e vibrar. Isso significava que estava recebendo mensagens.

Fechou os olhos.

Sentia-se péssimo pelo que estava prestes a fazer, e hesitou. Devia fazê-lo? Se fizesse, não haveria volta, pois isso significava quebra total de confiança. Mas, como precisava saber a verdade, estendeu a mão, pegou o celular. Como sabia a senha, digitou-a e, sem perder tempo, entrou na pasta de mensagens. Havia acabado de receber duas. A primeira delas dizia:

Keira, hotel Guzkar, quarto 766. Hoje, às quatro.

E a segunda:

Se não vier, irei à festa de seu pai.

O coração de Dennis quase parou ao ler isso. Porém, marcou as mensagens como não lidas, deixou de novo o telefone onde estava e disfarçou. Sentia o corpo entrar em ebulição e tinha vontade de matar alguém.

Ela, a mulher que amava, enganava-o. Brincava com ele e, como um idiota, Dennis havia caído em sua rede. E não havia mais volta.

Minutos depois, os demais professores entraram de novo na sala. Então, Dennis se levantou e, depois de olhar para Lola, sorridente com a placa na mão, decidiu ir embora sem dizer nada. Nada mais importava. Quando estava saindo pela porta, o diretor Simmons o deteve e lhe recordou:

— Esperamos você amanhã no jantar.

Com um sorriso frio, ele assentiu e disse, antes de sair:

— Estarei lá.

Lola olhou para Justin com dor no coração. Aproximando-se dela, ele lhe deu um beijo na testa e murmurou:

— Calma... Dê-lhe um tempo.

Depois de deixar a placa em cima da mesa, Lola correu de novo para o banheiro e vomitou. Passou uns minutos ali, se recompondo, e então voltou à sala dos professores. Ao se sentar, viu o celular piscar. Havia recebido alguma mensagem. Ao vê-la, bufou e, aproximando-se de Justin, grunhiu:

— Mas qual é a desse cara?

— Caralho! — murmurou ele, lendo as mensagens.

Com raiva, Lola desligou o celular.

— E ainda por cima se dá o direito de ameaçar ir à festa de meu pai. Como será que ele soube?

Justin praguejou. Fitando-a, sibilou:

— Acabou. Vou ao hotel acabar com isso de uma vez.

Mas Lola, negando com a cabeça, sentenciou:

— Não, eu vou. E juro que, quando vir Beckett, ele vai desejar jamais ter me conhecido nessa maldita vida.

Capítulo 68

Às três e meia, Dennis já estava nas imediações do hotel, sem saber realmente o que queria fazer. Olhar as mensagens de Lola, intrometer-se em sua intimidade, era uma das coisas mais vergonhosas que já havia feito na vida.

Dennis havia acabado de fazer aquilo que o levara a discutir com outras mulheres que fizeram o mesmo, e sentia-se péssimo. Cada vez que olhava para o hotel, o estômago se revirava. Às três e quarenta e cinco, por fim, entrou no estabelecimento e, sem pensar, pegou um elevador que o levou ao sétimo andar. Andou pelo corredor até o quarto 766 e, ao chegar e ver a porta entreaberta, não hesitou e entrou, disposto a sair no tapa com quem fosse necessário. Porém, não havia ninguém ali.

Ao comprovar que o quarto estava vazio, olhou para a cama. Sobre ela havia um delicado conjunto de lingerie preta e a peruca verde de Lola, a mesma que ela usava quando a conheceu no aeroporto.

Atordoado, ficou olhando aquilo e se sentindo o maior otário do mundo. Julgava-se tão esperto; como podia ter sido enganado pela ruiva?

Estava absorto em seus pensamentos quando ouviu o barulho do elevador. Rapidamente, deixou a porta do quarto como a havia encontrado e entrou no banheiro, deixando também a porta entreaberta.

Transtornada por ter que estar ali, Lola caminhava pelo corredor em busca do quarto 766. Quando o encontrou, parou em frente a ele. A vontade de vomitar voltou, mas respirando fundo duas vezes, conseguiu contê-la. Como sempre, Beckett havia deixado a porta entreaberta. Reunindo forças, ela entrou e disse:

— Beckett, já estou aqui.

Caminhou pelo quarto. Não havia ninguém ali. Só viu na cama uma peruca verde igual à sua e um conjunto de lingerie. Estava olhando aquilo quando percebeu alguém atrás de si. Ao se voltar e ver quem estava saindo do banheiro, não soube o que dizer.

Diante dela estava Dennis, fitando-a com a expressão mais furiosa que ela jamais vira nele. Disse:

— Beckett? — E, sem deixá-la falar, continuou: — Viu como ainda tinha algo para me contar?

— Dennis... O que está fazendo aqui?

Mal-humorado e fora de si, ele gritou:

— Não. É melhor você me dizer que diabos está fazendo aqui, querida Keira!

Lola torcia as mãos, nervosa. Aquilo parecia o que não era. Tentando organizar as ideias, respondeu:

— Você não vai acreditar, mas...

— Faz tempo — interrompeu ele — que vejo seu celular vibrar o tempo todo. Todas as vezes eu lhe perguntei quem estava mandando mensagens e todas as vezes você mentiu com todo tipo de desculpas. Mas eu sabia que havia alguma coisa aí. Sabia que estava me escondendo alguma coisa, e eu, tolo, permiti. Hoje, justamente hoje, fiz a coisa mais deplorável, que nunca pensei que seria capaz de fazer: olhei seu celular quando você saiu para pegar a placa de suas alunas.

Isso explicava a presença dele ali. Lola sentia falta de ar. Ele continuou:

— Você nem imagina a decepção que tive com você. Nem imagina o ódio que sinto por você neste momento, porque achei que você era especial; achei que era a mulher que eu sempre procurei, e esqueci minha sensatez para conhecê-la mais e ficar com você. Mas por fim abri os olhos. Por fim sei quem você é.

— Não, Dennis... Você está enganado. Deixe-me explicar.

— Agora você quer explicar?

— Sim.

— Ah, não... Keira. Agora não.

— Dennis...

— Agora não precisa, porque, assim que eu sair deste quarto, você deixará de existir para mim.

Então, ele se dirigiu para a porta, mas Lola se interpôs em seu caminho. Tentando fazê-lo compreender, disse:

— Escute-me. Deixe-me explicar.

— Não.

— Sinto muito. Se não lhe disse nada antes foi...

— Não! — interrompeu ele. — Eu disse que agora não.

Com força, ele a afastou para o lado, mas ela, segurando-o desesperada, insistiu:

— Por favor, acredite em mim. Isto é um engano. Beckett faz parte do passado, terminou quando comecei com você...

Então, puxando Lola para si, Dennis sibilou:

— A menos que queira trepar comigo como se fosse seu maldito Beckett, solte-me!

— Por favor... Escute — insistiu ela.

Mas, ao ver que ele a olhava com ódio, por fim o soltou, e Dennis foi embora, deixando a jovem parada no meio do quarto.

Assim ficou por alguns minutos, até que, fechando os olhos, agachou-se e começou a chorar.

Com o coração partido, uma hora depois Lola chegou a sua casa. Justin, ao vê-la, perguntou:

— O que aconteceu?

Desesperada, soluçando, ela se jogou em seus braços. Embalando-a, ele murmurou:

— Calma, pequena, eu vou cuidar de você. Vou cuidar de você.

Capítulo 69

Quando Lola acordou no dia seguinte, sentiu-se mal assim que abriu os olhos. Tão mal que teve que se levantar e ir correndo ao banheiro vomitar. Ficou sentada no chão durante um bom tempo, até que se sentiu melhor e voltou para a cama.

Estava deitada quando a porta do quarto se abriu e Justin apareceu, com uma bandeja de café da manhã.

— Bom dia, pequena.

Lola olhou para ele.

— Bom dia.

Justin, que parecia estar com certa pressa, aproximou-se e, deixando a bandeja na cama, disse:

— Tenho que ir à alfaiataria de Felipe buscar o terno que encomendei para hoje à noite. Não sei quanto vou demorar.

— Vá, eu estou bem. Não se preocupe.

— Tem certeza, pequena?

Lola sorriu.

— Certeza, seu chato. Vá!

Depois de dar-lhe um beijo carinhoso no rosto, Justin saiu do quarto. Lola olhou para a bandeja, cravou a vista na geleia de morango e, sentindo o estômago se revirar, fechou os olhos e murmurou:

— Minha mãe do céu... Mãe do céu, não posso acreditar!

Um pouco mais tarde, com uma cara terrível, foi até a farmácia mais próxima e comprou dois testes de gravidez. Voltou para casa e, entrando no banheiro, seguiu as instruções da bula. Assim que acabou, fechou-os. Tinha que esperar uns minutos.

Angustiada e histérica, pensando que poderia estar grávida, foi pegar o telefone e ligou para Dennis. Tinha que falar com ele, mas ele não atendeu. E, quando caiu na caixa postal, ela desligou.

Passados alguns minutos, Lola entrou de novo no banheiro, sentou-se no vaso sanitário, pegou os dois testes de gravidez e, sem esperar nem mais um segundo, abriu-os. Ao olhá-los, murmurou com um fio de voz:
— Perfeito.
Levantando-se do vaso sanitário, parou em frente ao espelho e, olhando-se, sussurrou:
— Por que tudo tem que sair ao contrário comigo? Por que tenho que estar grávida?
Guardou os testes em uma gaveta e, sem poder evitar, chorou.
Durante horas, sozinha em casa, Lola chorou e riu. Sem dúvida, estava ficando louca. Quando Justin chegou e a viu com os olhos inchados, alarmado, ligou para Priscilla. Precisava de ajuda.
Lola estava deitada no escuro no momento em que a porta do quarto se abriu e a irmã entrou. Olhou para Priscilla com os olhos inchados. A irmã, aproximando-se, perguntou em tom afetuoso:
— O que aconteceu, querida?
O pranto se apoderou dela de novo. Priscilla a abraçou, e Justin disse:
— Está assim há horas, não sei mais o que fazer!
Priscilla assentiu. Pedindo-lhe que saísse do quarto, murmurou:
— Vamos... Vamos... Conte-me o que você tem.
Mas Lola continuava chorando, e a irmã se assustou. Em geral, era Priscilla quem sempre desabava, chorava e se queixava. Lola era forte, sempre havia sido, e vê-la assim a preocupou.
Quando Priscilla conseguiu acalmá-la, omitindo sobre a gravidez, Lola lhe contou o que havia acontecido com Dennis. Priscilla, suspirando, murmurou:
— Sei que não é hora, mas eu disse que os encontros clandestinos com esse tal de Beckett não podiam trazer nada de bom.
Lola levou a mão à testa. A cabeça doía horrores de tanto chorar. Entendendo o que a irmã dizia, assentiu:
— Eu sei. E você tem toda a razão.
Priscilla suspirou. E, então, ouviu-a prosseguir:
— Mas não entendo. Beckett sempre foi um homem muito discreto. Não nos vimos só duas ou três vezes. Em todos esses anos, devemos ter nos encontrado mais de cinquenta vezes, e ele nunca, nunca fez nada errado, porque tanto ele como eu sabíamos que era sexo sem compromissos nem explicações.
A porta do quarto se abriu. Então, Justin entrou e, olhando para Lola, perguntou:
— Está melhor, minha pequena?

Ela assentiu com tristeza. Gesticulando, ele disse:

— Graças a Deus. Que susto você me deu! Nos doze anos que temos de casados, eu nunca a vi chorar assim.

Lola se levantou e, ao se olhar no espelho e ver seu estado desastroso, disse:

— Acho melhor vocês irem sozinhos à festa. Digam ao papai que...

— Nada disso, bonita — retrucou Priscilla. — Você vai conosco, e por vários motivos. O primeiro é porque, se Dennis vai seguir com a vida dele, você tem que lhe mostrar que também é capaz de seguir com a sua. Foi isso que você disse para eu fazer com Conrad.

— É verdade — afirmou Justin.

— O segundo motivo — prosseguiu Priscilla — é que, se eu disser que você não se sente bem, do jeito que estão estranhos ultimamente, papai e Rose são capazes de cancelar a viagem a Roma. E, sim, eu me recuso a permitir isso! E, terceiro motivo, porque Aidan vai à festa comigo, e eu preciso de você ao meu lado para aguentar o ataque do papai quando o vir.

Lola, surpresa pelo fato de a irmã ter convidado Aidan, começou a rir sem parar. Passou do choro ao riso de uma maneira surpreendente. Olhando para Justin, Priscilla murmurou:

— Tem certeza de que ela não tomou ácido?

Ele observou Lola, que ria sem parar, e respondeu:

— Na verdade, estou começando a ficar em dúvida.

Lola continuava rindo, até que, de repente, parou e perguntou a irmã:

— Você ficou louca? Aidan no jantar?

— Eu ia lhe fazer a mesma pergunta — disse Justin.

— Por quê? Qual é o problema?

— Que ideia é essa de convidar Aidan para ir a um jantar desses? — insistiu Lola.

Levantando-se da poltrona onde ficara espremida com a irmã durante a última hora, Priscilla alisou o lindo vestido longo champanhe e esclareceu:

— Convidei Aidan porque tenho quarenta e um anos, sou dona da minha vida e quero curtir o homem que me faz feliz em um evento de que eu gosto. Sei que o papai vai olhar para ele com estranheza, já adverti o pobre Aidan. E, quando se conhecerem, o papai vai olhar feio para ele porque Aidan não é o tipo de homem que quer para mim. Para começar, é mais novo que eu. Para continuar, é um simples auxiliar que trabalha em uma casa de repouso. E, para acabar, não é um rico banqueiro ou um advogado de renome. É simplesmente um homem que me ama, só isso.

As duas irmãs sorriram. Priscilla continuou:

— Mas, com gente em volta, o papai não vai poder armar um escândalo. Quero que Aidan conheça meus colegas de trabalho como eu conheço os dele e, se o papai parar de falar comigo por estar apaixonada por um homem que me faz feliz, tudo bem. Vou sair do colégio e começar uma nova vida como professora em outro lugar. E farei tudo isso por amor, Lola. Porque, no pouco tempo em que estamos juntos, Aidan me ensinou o verdadeiro significado da palavra *amor*, e eu não quero viver sem ele.

Ao ouvir isso, Lola levou as mãos à boca e, emocionada, murmurou:

— Priscilla, estou tão orgulhosa de você!

Priscilla sorriu. E, depois de abraçar Lola, entregou um lenço de papel a Justin, que chorava, emocionado.

— Portanto — disse a seguir —, agora mesmo você vai pôr esse lindo vestido vermelho que a deixa tão bonita e vai mostrar a Dennis que continua aqui e que, se ele a ama, vai ter que lutar por você como você luta por ele.

— Ele não quer me ver, Priscilla. Não quer nada comigo. Liguei mil vezes hoje, mas ele não me atende. Ele acha que sou uma pessoa horrível, malvada, fria...

— E você é?

Ao ouvir a pergunta da irmã, Lola respondeu:

— Não.

— Pois, então, ponha o maldito vestido e lute por ele. Se vir que a luta não adianta nada, afaste-se, levante a cabeça e siga seu caminho com dignidade, como a mamãe nos ensinou. Porque, irmã, se superamos a morte da mamãe e aprendemos a viver sem ela, garanto que podemos superar tudo que vier pela frente.

As palavras da irmã tocaram o coração de Lola. Como a mãe lhe havia ensinado, em um momento assim, quando um bebê estava crescendo dentro dela, a vida devia continuar, com ou sem Dennis. Resolvida a não decepcionar Elora nem Priscilla, levantou-se e disse:

— Justin, pegue o vestido e os sapatos vermelhos. E você — acrescentou, olhando para a irmã —, ajude-me com a maquiagem. Não temos tempo a perder.

Capítulo 70

Dennis chegou à festa com um terno escuro, gravata e camisa cinza, e uma linda mulher pendurada em seu braço.

Bruna logo o localizou, e fez uma careta ao vê-lo acompanhado. Quem era aquela mulher?

Assim que entrou, um garçom se situou à frente deles com uma bandeja. Dennis, galante, perguntou:

— Quer champanhe, Cristina?

Ela aceitou e, pegando uma taça, disse:

— Humm... Que delícia!

Dennis sorriu. Cristina era uma amiga de José e, quando dissera a seu amigo que precisava de uma acompanhante para essa noite, ela rapidamente ligara para Dennis.

Dennis lhe apresentou vários professores, e estavam conversando com eles quando viu entrar Justin, seguido de Lola, Priscilla e Aidan. Porém, seus olhos se cravaram em Lola. Estava linda com aquele vestido de *chiffon* vermelho e um coque alto no cabelo.

Ao virar o pescoço para poder ver a mulher que o deixava aturdido, seus olhos encontraram os de Aidan. Pegando o braço de Cristina, foi a seu encontro.

Com um sorriso, trocaram um aperto de mãos. Dennis lhe apresentou a mulher que o acompanhava. Durante alguns minutos os três ficaram conversando, até que Cristina pediu licença para ir ao banheiro. Quando ficaram sozinhos, Dennis brincou:

— Que elegante!

Aidan assentiu e, tocando o terno, murmurou:

— Priscilla deixou bem claro, meio milhão de vezes, que eu não podia vir de jeans.

Ambos sorriram. E, então, Aidan perguntou, baixando a voz:

— O que aconteceu entre você e Lola?

Incomodado com a pergunta, Dennis tomou um gole de sua bebida e respondeu:

— Acabou.

Incapaz de se calar, o jovem insistiu:

— Ora, Dennis, tenho certeza que tudo pode ser resolvido. Você é um homem que...

— Aidan — interrompeu Dennis —, não me leve a mal, mas, por favor, a partir de agora, prefiro não falar mais nela. Não é um assunto agradável para mim.

Aidan assentiu. Nunca havia sido enxerido nem gostava de se meter na vida de terceiros. Olhando para Dennis, afirmou:

— Assunto encerrado.

Contrariado por ter tido que falar daquele jeito com Aidan, ao vê-lo olhar ao redor, Dennis perguntou:

— O pai de Priscilla sabe que você está aqui?

— Não — bufou Aidan. — E não sei como me deixei convencer.

O brasileiro sorriu. E, tentando lhe dar coragem, disse:

— Quando forem apresentados, olhe para ele diretamente nos olhos e aperte-lhe a mão com força. Ele vai gostar.

— Você acha?

— Sim — afirmou Dennis, seguro. — E, quando tiver que falar com ele, não se acovarde. O Smurf Ranzinza está acostumado a que todos concordem com tudo que ele diz. Mas, quando alguém o enfrenta, por mais que resmungue, ele gosta. Lembre-se disso.

Aidan sorriu.

— Vou me lembrar.

Nesse momento, Priscilla se aproximou. E, quando ia se dirigir a Dennis, ele alertou:

— Não. Não vou falar de minha vida privada.

— Mas, Dennis... — retrucou ela.

— Não é não, Priscilla. Sejamos adultos.

E, dizendo isso, deu meia-volta e foi até onde estava Cristina.

Ao ver que o brasileiro segurava aquela desconhecida pela cintura, Priscilla murmurou:

— Não me diga que ainda por cima ele veio com essa mulher.

— Sim — respondeu Aidan.

— Aff... — sussurrou ela, olhando ao redor em busca de Lola. — Isso complica tudo. Não sei como minha irmã vai reagir.

Aidan assentiu. Não gostaria de se ver na pele de Lola.

— Fique calma — disse ele.

Priscilla suspirou. Aquilo causaria mais dor à irmã. Então, ao ver o pai entrar com Rose na sala, aprumou-se e disse:

— Muito bem, querido, chegou a hora de lhe apresentar o Smurf Ranzinza.

Lola, que estava cumprimentando uns professores em companhia de Justin, de soslaio havia observado Dennis conversando com Aidan, e visto como saíra com a chegada de Priscilla. Aquilo não parecia bom. E, então, quando viu que ele se aproximava de uma mulher que ela não conhecia, que sorria e passava a mão pela cintura dela, quis morrer. Quem era aquela?

Foi até a irmã e Aidan, interceptou-os e perguntou:

— Quem é a mulher que está com Dennis?

Priscilla olhou para o namorado, que respondeu, constrangido:

— Cristina, sua acompanhante.

— Ele trouxe uma acompanhante? — inquiriu Lola.

Aidan assentiu. E, quando Lola, com cara de raiva, começou a ranger os dentes, Priscilla murmurou:

— Disfarce. Como diria o papai, você é uma Simmons.

Lola ficou alterada ao saber que Dennis havia ido à festa acompanhado. Mas, tentando ouvir as palavras da irmã, ia responder quando ouviu a voz do pai dizer:

— Aqui estão minhas lindas filhas.

Colin apareceu diante deles acompanhado de Rose. Ao ver a cara de Priscilla, Lola ia falar, mas a irmã, surpreendendo-a, antecipou-se:

— Papai, Rose, este é Aidan Gallagher, meu acompanhante e o homem por quem estou apaixonada.

Colin cravou o olhar naquele jovem que segurava com força a mão de sua filha mais velha. E, quando ia replicar, Lola, que o conhecia bem, advertiu:

— Papai, depende de você que fiquemos para o jantar ou que vamos as duas embora.

O homem olhou para ela e sibilou:

— Lá vem você me provocar!

— Colin! — censurou-o Rose, constrangida.

De forma rude, Lola grunhiu:

— Não estou te provocando. Só estou te advertindo, se não quiser que a fera desembestada que habita em mim apareça e estrague a sua linda festa.

— Lola... — murmurou Priscilla ao ver o gênio ruim da irmã emergir.

Durante alguns instantes, a tensão no ambiente poderia ser cortada com uma faca. Lola era especialista em provocar o pai. Então Colin, sem saber o que dizer, olhou primeiro para Priscilla e depois para Lola e, a seguir, estendeu a mão ao jovem. E, mudando para um tom de voz mais afável, cumprimentou-o:

— Prazer em conhecê-lo, Aidan.

— Igualmente, sr. Simmons.

— Colin — corrigiu-o, diante do espanto de todos.

Com força e decisão, Aidan apertou a mão de Colin, que acrescentou:

— Espero que se divirta na festa.

Aidan assentiu e, olhando-o nos olhos, respondeu:

— Certamente vou me divertir, Colin.

Lola e Priscilla respiravam aliviadas enquanto Rose o cumprimentava, encantada:

— Aidan, que nome lindo! Sou Rose, é um prazer conhecê-lo.

Ele beijou a mão dela, galante, e disse com um sorriso:

— O prazer é meu, Rose.

Sem necessidade de mais nada, Aidan e Colin trocaram olhares, bem no momento em que um garçom parava ao lado deles com uma bandeja cheia de bebidas. Todos pegaram vinho branco, exceto Aidan e Lola, que optaram por um refrigerante de laranja.

Ao ver que o pai observava Aidan por ter escolhido o refrigerante, Priscilla pensou que iria atacá-lo por isso, mas, para sua surpresa, ouviu-o dizer:

— Aidan, vejo-o mais tarde na mesa, durante o jantar.

Priscilla e o namorado se olharam quando Rose e Colin seguiram seu caminho.

— Se eu não tivesse visto, não acreditaria — murmurou Lola.

Com um sorriso, Aidan contemplou a mulher, que tremia como uma vara verde ao seu lado, e perguntou:

— E esse é o Smurf Ranzinza?

A pergunta fez os três rirem e relaxarem.

Dennis, que havia observado o ocorrido a distância, sentiu o coração vibrar ao ver Lola sorrir. Aquela mulher tinha o sorriso mais bonito que ele havia visto na vida. Mas, decidido a cumprir o que tinha decidido fazer, continuou falando com os professores sem soltar Cristina. O assunto Lola estava encerrado.

Em várias ocasiões, Lola se aproximara dos grupos em que Dennis estava conversando em companhia daquela mulher, mas, assim que ela entrava na conversa, ele desaparecia disfarçadamente.

Lola se sentia muito incomodada por vê-lo andar de braços dados com aquela mulher bonita, e tinha que fazer grandes esforços para não armar um escândalo cada vez que ela ria e se apoiava no brasileiro.

Mais tarde, todos os presentes foram para a sala de jantar, sentaram-se às mesas e a refeição começou.

Dennis, que havia se acomodado em uma mesa o mais longe possível da de Lola, ria e parecia se divertir, enquanto ela, angustiada, sentia vontade de vomitar. Não suportava aquilo. Era incapaz de permanecer impassível.

— Pequena, relaxe, ou, no fim, todos vão perceber o que está acontecendo.

Lola assentiu. Justin estava certo. Pegando um copo de água, bebeu e respondeu:

— Você tem razão.

Justin entrelaçou as mãos nas dela e, beijando-lhe os nós dos dedos, murmurou:

— Você é mil vezes mais bonita que ela.

— Obrigada, Justin. — Lola sorriu, com o coração apertado.

Durante a sobremesa, Colin se levantou e pronunciou umas palavras, diante do olhar atento de todos. Quando acabou, os docentes e demais funcionários do Saint Thomas, com seus acompanhantes, aplaudiram. O diretor sorria, encantado.

Depois do jantar, o hotel havia disponibilizado uma sala para que pudessem tomar um drinque em um ambiente descontraído e com música. Rose havia convencido Colin a fazer isso. Todos aplaudiram ao ver a orquestra os esperando.

Satisfeito de ver todo mundo tão feliz em uma noite como aquela, Colin tentou falar com todos. Ao chegar a Dennis, este lhe apresentou a mulher que o acompanhava. E, quando ela começou a conversar com outra mulher que estava ali, Colin pegou o brasileiro pelo braço e o levou para o lado.

— Dennis, quero que saiba que você me surpreendeu — comentou sem formalidade.

— Por quê?

— Em todos os anos trabalhando na docência, nunca vi uma turma de matemática com tantos aprovados. Sem dúvida, você é um grande professor, e seu método para chegar às crianças funciona.

Ambos sorriram. E, então, Dennis disse, sem formalidade também:

— Como eu disse, os alunos se envolvem mais nas aulas quando, além da matéria, compartilham algo mais com o professor. O fato de eu ter compartilhado aqueles momentos com eles durante o curso serviu para que deixassem de me ver como um inimigo a combater e me vissem como um amigo a escutar, com quem também podem se divertir.

Colin assentiu. O que Dennis havia proposto anteriormente e que havia lhe parecido uma loucura dera resultados muito positivos. Fitando-o, disse:

— Espero que no próximo ano letivo seja igual ou melhor.

O brasileiro assentiu. E, tirando um envelope do bolso, disse:

— Lamento dizer, mas no próximo ano letivo não estarei aqui.

Ao ouvir isso, Colin ficou estupefato.

— Aqui está minha carta de demissão — prosseguiu Dennis. — Foi um prazer trabalhar com você, Colin.

O diretor olhou o envelope fechado que Dennis lhe estendia. Sem entender nada, perguntou:

— Por quê? Achei que estava bem aqui.

Impassível, Dennis repetiu, evitando dar explicações:

— Por favor, Colin, aceite minha carta de demissão.

O homem pegou o envelope e, uma vez que o guardou no bolso, insistiu:

— Mas, por quê?

Sem vontade de explicar o verdadeiro motivo, Dennis disse:

— O colégio onde trabalhei em Munique me fez uma oferta interessante.

— Eu a igualarei!

— Não.

— Duplicarei! — insistiu Colin.

Dennis negou com a cabeça. O diretor murmurou:

— Rapaz, estou lhe oferecendo muito dinheiro. Por que não pensa no assunto?

Dennis sorriu.

— Colin, a decisão está tomada, e dinheiro não é tudo para mim na vida. Por favor, aceite minha demissão e vamos continuar aproveitando a festa.

Como não queria mais insistir, Colin assentiu. A partida de Dennis significava a perda de um excelente professor. Estendeu-lhe a mão e disse, enquanto a apertava:

— Foi um prazer trabalhar com você, e sempre haverá uma porta aberta se em algum momento decidir voltar.

Dennis sorriu e, depois de soltar-lhe a mão, afastou-se e voltou para junto de Cristina.

Capítulo 71

Nervosa, Lola olhava ao redor enquanto as pessoas dançavam ao som da orquestra. Dennis parecia muito compenetrado naquela mulher, e ambos não paravam de rir. Isso a tirava do sério.

Aproximando-se dela, Justin a pegou pela cintura e disfarçadamente perguntou:

— Como você está, pequena?

Lola não pôde responder. Ver Dennis dançando com aquela mulher a deixava arrasada.

Nesse instante, o pai se aproximou e, com um grunhido, exclamou:

— O professor Alves vai nos deixar.

— O quê?! — perguntaram ambos em uníssono.

Colin, que estava bebendo um brandy, olhou para a filha e o genro e repetiu:

— Ele vai nos deixar.

— Como pode? — perguntou Justin, olhando para Lola.

— Não sei — respondeu Colin. A seguir, perguntou: — Sabem se aconteceu alguma coisa, ou se ele estava incomodado no colégio por algum motivo?

Lola e Justin rapidamente negaram com a cabeça.

Aturdido com a notícia, Colin prosseguiu:

— Estou com a carta de demissão dele no bolso. Ao que parece, vai voltar para Munique, para o colégio onde dava aula no ano passado. Disse que lhe fizeram uma oferta excelente, e, embora eu a tenha duplicado, ele não quis aceitar.

Lola sentiu uma imensa vontade de vomitar. Ele estava indo embora para Munique?

Olhou para Dennis. Pensou em ir falar com ele, mas sabia que, se o fizesse, as coisas poderiam fugir do controle e acabariam fazendo um escândalo na frente de todos.

Enquanto Justin e Colin continuavam comentando o assunto, Lola se dirigiu ao balcão e pediu um suco de laranja. Quando o garçom a servia, Priscilla se aproximou e disse, bem-humorada:

— Rose e Aidan estão se dando maravilhosamente bem. Veja como dançam!

Lola olhou para o lugar que a irmã indicava com o dedo, mas, em vez de olhar para Rose e Aidan, observava Dennis, que sorria e parecia feliz.

— Fantástico, Priscilla.

Voltando-se para o copo de suco de laranja, Lola o pegou, bebeu um gole e anunciou:

— Dennis vai embora. Entregou ao papai uma carta de demissão e vai voltar para a Alemanha.

Boquiaberta, Priscilla a olhava sem saber o que dizer. Ao ver a irmã com os olhos marejados, passou o braço por seus ombros e perguntou:

— Quer ir embora?

Lola fez que não com a cabeça. Furiosa pelo modo como as coisas estavam acabando, rangeu os dentes.

— Lola... Eu a conheço — disse Priscilla ao ver a cara da irmã.

Com amargura, Lola sorriu. Estava furiosa, irritada, triste. Havia um turbilhão de sentimentos dentro de si que nem ela mesma entendia. Então, suspirou em busca de ar e, quando encheu os pulmões, sibilou:

— Tudo bem. Ele decidiu. Agora quem vai agir sou eu.

Incomodada com a situação, Priscilla baixou a voz e perguntou:

— O que você vai fazer?

Engolindo a raiva que sentia, Lola olhou para a irmã e, erguendo o queixo, declarou:

— Sou uma fera desembestada, você pode imaginar!

Então, começou a caminhar na direção de Dennis, que lhe dava as costas. Assustada, Priscilla a seguiu e, quando Justin a olhou disfarçadamente, fez-lhe um sinal com a cabeça para pedir ajuda.

— Lola... O que vai fazer?

— Deixe-me, Priscilla.

— Lola...

Mas ela não a escutava. Justin se aproximou e, pegando-a pela cintura, puxou-a para a rua, seguido de Priscilla.

— Por que me trouxe até aqui?! — gritou Lola, furiosa.

— O que você ia fazer? — perguntou Justin.

O ar da rua bateu no rosto de Lola. Entendendo que o que ia fazer teria piorado as coisas, ela balançou a cabeça. E, deixando cair os ombros, respondeu:

— Ia fazer uma bobagem.

— Eu sabia — murmurou Priscilla. — Eu a conheço, quando você range os dentes, sai da frente!

Lola respirou. Estava cega de fúria e, às vezes, como o pai sempre dizia, era uma fera desembestada.

— Obrigada por me deter — murmurou.

Priscilla abraçou a irmã e, tentando olhá-la nos olhos, disse:

— Ouça, querida, se quiser, vamos embora. Você não tem que ficar aqui vendo Dennis com aquela mulher. Vamos, outra hora vocês conversam.

Lola pensou. Talvez fosse melhor. Vê-lo e não o ter a estava matando. Mas não. Uma vida crescia dentro dela, e não ia se acovardar diante de nada nem ninguém. Era uma Simmons, e, se o pai havia sido capaz de deixar María ir embora e criá-la, ela também seria capaz de deixar Dennis ir embora e criar seu filho. Então, tentou sorrir e disse:

— Vamos voltar para a festa.

— Lola...

— Vamos voltar para a festa. Fiquem tranquilos, não vou fazer besteira.

— Você não está bem — sussurrou Priscilla.

Ela sorriu. Surpreendendo a ambos, declarou, chacoalhando os ombros:

— Quero me divertir, dançar, curtir o momento.

— Pequena... Não me assuste — insistiu Justin.

Ela olhou para ele e, pendurando-se em seu braço, perguntou:

— Justin, quer continuar casado comigo?

Ele a contemplava boquiaberto quando Priscilla protestou:

— Que bobagem você está dizendo?

Lola olhou para a irmã.

— Você, cale-se — disse.

— Lola... — grunhiu Priscilla. — Só porque você e Dennis terminaram não quer dizer que amanhã não possa aparecer outro homem por quem você se apaixone...

— Duvido — interrompeu ela. — Não pretendo me apaixonar de novo.

— Lola, você não sabe disso. Como você me disse há pouco tempo, o amor não avisa quando vai chegar! — replicou Priscilla.

— Pois, se chegar, não vai entrar — disse Lola.

Então, dirigindo-se a Justin, que a fitava incrédulo, insistiu:
— Quer ou não continuar comigo?
Ele olhou para Priscilla, que observava pasma a irmã, e disse:
— Acho que...
— Não! — sibilou Priscilla.
Mas Lola, que não queria escutar o que ela dizia, insistiu, fitando-o:
— Sim ou não, Justin? A resposta é muito fácil.
— Sim — disse ele com um sorriso.
Priscilla praguejou. A irmã estava cometendo outro erro. E, quando eles se abraçaram e viu Justin voltar para a festa com um sorriso de orelha a orelha, grunhiu:
— Não concordo. Eu sou contra.
Sorrindo tristemente, Lola olhou para a irmã. E, tentando impedir que as forças a abandonassem, insistiu:
— Priscilla... Vamos entrar e nos divertir. Preciso disso.
— Mas, Lola... Eu me recuso. Não quero que você volte a sua vida anterior. Não quero que...
— Priscilla — interrompeu Lola —, cale-se e vamos voltar para a festa.
De novo dentro do hotel, Aidan, que estivera procurando por elas, perguntou ao vê-las:
— De onde estão vindo?
— Fomos tomar um pouco de ar — respondeu Lola com um sorriso estranho.
Cinco minutos depois, Priscilla amaldiçoava enquanto observava a irmã dançar com o professor Emerson. Quem a visse pensaria que estava se divertindo. Mas Priscilla sabia que não era verdade. Lola estava fingindo, e incorporara de novo o papel perfeito da mulherzinha de Justin.
Depois de dançar com o professor Emerson, Lola dançou com vários outros. Ela era a professora de dança do colégio e tentava animar a festa dançando com todo mundo. Todos se divertiam, todos dançavam. Lola precisava se aproximar de Dennis de um modo que ele não pudesse escapar, então, foi falar com o diretor da orquestra e lhe pediu uma canção.
A seguir, com um lindo sorriso, dirigiu-se ao grupo onde Dennis estava conversando com sua acompanhante e outros professores, e perguntou diante de todos:
— Professor Alves, dança a próxima comigo?
Ele a olhou diretamente nos olhos. Passara a noite toda observando-a disfarçadamente. Sabia que não devia, mas os olhos escapavam para ela o tempo todo, por mais que tentasse evitar.

As pessoas que os cercavam sorriram diante da proposta de Lola. Dennis, que não queria passar por antipático, também sorriu. Depois de dar um beijo nos dedos da mulher que o acompanhava, respondeu:

— Claro. Já volto, Cristina.

A orquestra começou a tocar uma canção e Dennis bufou discretamente: muita coincidência que interpretassem justamente aquela. Foram até o centro da pista e Dennis passou os braços ao redor de Lola, puxando-a para si. Então, sibilou perto do ouvido dela:

— O que pretende com esta música?

Ela entendeu muito bem o que ele queria dizer. Aquela canção de Michael Bublé, "You don't know me", era muito especial para eles por vários motivos. Fitando-o, respondeu:

— Despedir-me de você.

Dennis assentiu. Sem vontade de falar mais com ela, levantou o queixo e continuou dançando. O aroma dela inundava seu nariz, seus sentidos e o torturava. Sentia o calor do corpo de Lola e sabia que, se continuasse assim, acabaria perdendo a pouca sensatez que lhe restava. Adorava aquela mulher, amava-a, mas não podia continuar com ela. Ela o enganara. Fizera-o de bobo, e isso Dennis não estava disposto a permitir.

Tomados cada um por uma infinidade de emoções, dançaram a música romântica e íntima, até que Lola disse:

— Não vai mesmo deixar que eu me explique?

— Não.

— Por favor... Por favor... Por favor...

Ao ouvi-la suplicar, o corpo de Dennis começou a tremer. Mas, sem se deixar vencer pelas emoções, grunhiu, afastando os olhos dela:

— Não é não.

Sem jogar a toalha, Lola o olhou e disse em português:

— Não deixe de me olhar.

Dennis a olhou, e ela, pensando em sua gravidez, murmurou:

— Eu te amo.

— Seu jeito de amar não me convence.

Lola bufou. Ele não estava facilitando.

— Tenho que lhe dizer uma coisa, mas não sei se vai gostar.

— Então não diga — sibilou ele.

— Mas...

— Não me interessa. Nada de você me interessa — interrompeu ele e, olhando para Cristina, que os observava, sorriu.

Notando isso, Lola perguntou:
— É tão fácil assim me substituir por outra?
Dennis cravou o olhar nela e disse, furioso:
— Tão fácil quanto é para você me enganar.
Lola balançou a cabeça. Definitivamente, o brasileiro não estava facilitando. Então, ao ver que o pai e Rose os contemplavam, sorriu e disse disfarçadamente:
— Meu pai está olhando para nós.
— E daí?
— Sorria e disfarce seu mal-estar por dançar comigo.
Praguejando, ele sorriu também. A última coisa que queria era continuar com aquele joguinho de dissimulação.
Então, Lola disse, sem deixar de sorrir:
— Soube que você vai embora.
— Sim.
— Por quê?
Dennis a olhou. A mulher pretendia torturá-lo até o último segundo. Ele estava ali, sentindo-se péssimo, e ela, com seu sorrisinho, o estava enlouquecendo.
— Quer a verdade? — replicou. — Ou prefere que...
— A verdade — interrompeu ela, com o coração a mil.
Ele assentiu. E aproximando-a mais de seu corpo para que ninguém o pudesse ouvir, levou a boca à orelha dela e disse:
— Vou embora porque não quero ver você. Vou embora porque decidi não te amar. Vou embora porque você não é a mulher que eu pensava que era. Vou embora porque preciso ter minha vida de volta. Vou embora porque...
— Tudo bem... Já deu... — sussurrou Lola com um fio de voz, afastando-se dele uns centímetros, mas sem deixar de sorrir.
Em silêncio, continuaram dançando a canção. Quando acabou, Dennis a fitou durante alguns segundos como se a quisesse transpassar e, por fim, murmurou:
— Espero que seja muito feliz.
A seguir, com frieza, sorriu para disfarçar e voltou para junto de Cristina. Segundos depois, foi embora com ela sem olhar para trás, sentindo sua vida ficar naquela sala e julgando-se o homem mais imbecil do mundo.
Lola, que caminhava para a irmã, sentia o coração se partir em mil pedaços. Tivera-o nos braços, olhara-o com amor, e ele foi embora.

Ao vê-la, Priscilla se aproximou. Mas Lola, ciente da realidade, declarou:
— Fique tranquila, não vou chorar.
— Você está bem?
— Não — afirmou. — Mas eu aguento isto e muito mais.

Quando a festa acabou, Justin e Lola entraram no carro vermelho dele. Fitando-a, ele disse:
— Pequena, odeio dizer isso, mas Felipe está me esperando na porta de casa. Se quiser, eu ligo e cancelo; ou...

Lola apoiou um dedo nos lábios dele. Só porque sua vida estava uma merda não significava que a de Justin tinha que estar também. Olhou para ele e disse:
— Fique tranquilo. Leve-me à casa de minha avó.
— Lola, eu posso...
— Não cancele nada. Por favor, leve-me à casa dela.

Justin assentiu e, em silêncio, dirigiu até a casa de Diana. Chegaram e Lola desceu do carro. Ele esperou até que a mulher abrisse o portão e foi embora.

Ao ouvir a voz da neta pelo interfone, Diana foi recebê-la no corredor de camisola.
— O que aconteceu? — perguntou ao vê-la.

Tentando sorrir, Lola respondeu:
— Nada, vovó, fique tranquila.

Entraram na casa. Diana fechou a porta e seguiu Lola até a sala. Ela se sentou no sofá, tirou os sapatos vermelhos, soltou o coque e, quando o cabelo caiu sobre os ombros, os olhos se encheram de lágrimas. Diana, então, levando as mãos à boca, murmurou:
— Essas lágrimas só podem ser por amor.
— Vovó...
— Problemas com Olhos Fascinantes?

Lola assentiu.

Sem dizer mais nada, a velha se sentou ao lado da neta e, quando ia dizer algo, Lola sussurrou com um fio de voz:
— Deixe-me chorar, vovó, e não faça perguntas. Só me deixe chorar.

E, dizendo isso, chorou, chorou e chorou, enquanto sua avó, em silêncio, consolava-a, estando ao seu lado e dando-lhe todo seu amor.

Capítulo 72

Depois de uma noite sofrida, sem conseguir dormir, Lola se levantou da cama e se dirigiu à sala. Diana a olhou e, levantando-se, disse:

— Bom dia, irlandesa.

— Bom dia, vovó.

A jovem se aproximou e lhe deu um beijo.

— Sente-se à mesa — disse Diana. — Vou trazer um café e umas madalenas que você tanto adora.

Sem protestar, Lola fez o que a avó pedia. A última coisa que queria era comer, mas não queria contrariá-la, de modo que se sentou e esperou.

Segundos depois, Diana apareceu com uma bandeja. Deixou diante de Lola uma caneca de café com leite e madalenas e disse:

— Tome seu café da manhã.

Lola suspirou e, fitando-a, ia protestar, quando Diana insistiu:

— Tome seu café da manhã.

Sem vontade, ela pegou o café e bebeu um gole. Pegou uma madalena e, quando a estava mordiscando, Diana disse:

— Ontem à noite não era hora, mas agora que está mais tranquila, vai me contar o que aconteceu.

Lola a fitou. Diana insistiu:

— E vai me contar porque, apesar de eu saber que seu marido beija homens e vai para a cama com eles...

— O quê?! — balbuciou Lola, surpresa.

A velha assentiu. E, ao ver a expressão da neta mudar e ela praguejar, esclareceu:

— Não, não foi Priscilla quem me contou. Eu mesma o vi há uns anos em uma festa na qual trabalhei, mas, por respeito a você e a ele, nunca disse nada. Porém, ontem à noite, você chegou à porta de minha casa como nunca a vi, e como espero nunca mais ver, e quero saber o que aconteceu.

Porque, se não me contar, juro por minha vida que não vai levantar desta mesa até o dia do Juízo Final.

Surpresa e boquiaberta diante do que a avó havia acabado de confessar, Lola se abriu com ela, omitindo a gravidez e aquela parte de sua vida privada que queria que continuasse assim. Não havia razão de ela saber de certos detalhes. Diana não a interrompeu nem uma única vez, esperou que ela terminasse e, quando Lola se calou, perguntou:

— E por que não foi sincera com Dennis em relação a esses homens?

— Vovó, eram parte do meu passado. Dennis também foi para a cama com outras mulheres, e eu aceitei. O problema é que nunca imaginei que esses homens fossem tão indiscretos. Achei que eram homens descolados, mas, de repente, parece que enlouqueceram, e, no fim, aconteceu o que nunca pensei que aconteceria.

— O amor é complicado.

— Demais — afirmou Lola.

Diana, já entendendo o que havia acontecido, pegou a mão da neta e disse:

— É normal casais discutirem, meu amor. É normal haver crises, mal-entendidos, ciúmes, mas, quando os dois se amam de verdade, superam tudo. E, pelo jeito como Olhos Fascinantes te olhava da última vez que o vi, algo me diz que ele não consegue se afastar de você.

Com tristeza, Lola sorriu.

— Está enganada, vovó... Ele não quer nem me ver. Acha que sou a pior pessoa do mundo e não me quer ao seu lado.

— E você vai se dar por vencida assim fácil?

A jovem a olhou e Diana insistiu:

— Lola, o amor não é aquilo que queremos sentir, e sim o que sentimos sem querer. E, se você ama esse homem e sabe que ele te ama, precisa tentar.

As palavras da avó tocaram o coração de Lola. Fitando-a, murmurou:

— Vovó... Estou grávida de Dennis.

Diana arregalou os olhos. E, antes que dissesse qualquer coisa, Lola a advertiu:

— Mas ninguém sabe. Ontem fiz um teste de gravidez. Tentei contar a Dennis ontem à noite, na festa, mas, no fim, não consegui, e...

Não pôde continuar. Diana a abraçou, apertou-a contra si. E, quando a soltou, murmurou:

— Diga que não vai continuar com o imbecil do Justin.

Lola suspirou. Havia pensado nisso a noite toda, então, respondeu:

— Não, vovó... Não vou continuar com ele. Não mais.

Levando as mãos ao peito, a mulher disse:

— Graças a Deus. Ainda lhe resta um pouco de sensatez. — E, pegando-lhe as mãos, disse: — Você está grávida, minha vida, e agora o bebê sente seu estado de ânimo. Portanto, pense bem antes de agir, porque depende de você que essa criança que cresce aí dentro seja feliz ou não.

— Meu Deus... Não me diga isso, vovó!

— Filha... É verdade. Estou dizendo a verdade. Agora, você precisa se cuidar.

Com tristeza, Lola sorriu. A avó insistiu:

— Vou ser bisavó! Você não sabe a alegria que isso me dá. Mas precisa contar a Dennis. Ele é o pai do bebê e merece saber. Não esconda dele uma coisa tão importante como um filho. Como dizia Elora, e como eu penso também, com filhos não se brinca, minha querida.

— Eu sei... Por isso tentei lhe contar, mas ele não me deixou.

— Tente outra vez, para que ele nunca a possa acusar de não ter tentado. Ache um jeito. Eu sei que vai encontrar.

— Não preciso dele para criar meu filho.

— Eu sei, minha vida — disse a mulher. — Somos muitos para mimar essa criança. Apesar de que seu pai, conhecendo-o como o conheço, no começo vai fazer um escândalo. Mas dê a Dennis a oportunidade de escolher. Ouça o que eu digo, querida. É melhor, ou você se odiará por isso para sempre.

Duas horas depois, Lola saía da casa da avó com a mesma dor no coração de quando havia chegado, na noite anterior. Parou um táxi, entrou nele, deu ao motorista o endereço de casa e suspirou.

Capítulo 73

Dennis continuava na cama.

A última coisa que queria era se levantar. O que havia acontecido deixara-o fora de combate.

Na noite anterior, depois de levar Cristina para casa e, de certo modo, deixá-la decepcionada, entrou em seu apartamento e, ao olhar ao redor, soltou um palavrão. Cada canto daquela casa o fazia recordar Lola. Especialmente porque não parava de ver coisas dela. Então, decidiu ir para a cama. Era o melhor a fazer.

Porém, não conseguira dormir a noite toda. O cheiro de Lola o cercava. E, embora odiasse fazer isso, fechar os olhos e imaginar a respiração dela quando dormia o reconfortava.

A única coisa que pudera fazer a noite toda fora olhar para o teto e pensar nela. Mas, cansado de ficar deitado, levantou-se e foi tomar um banho.

Quando acabou, bufou ao ver na pia o creme hidratante de Lola. Saiu do banheiro e acabou de se vestir no quarto. Mas ali também havia coisas de Lola, e na cozinha, e na sala... Então, transtornado, pegou uma caixa que guardava no armário, esvaziou-a na cama e começou a recolher as coisas dela. Não queria mais vê-las.

Acabada a tarefa de guardar as coisas de Lola, deixou a caixa sobre a mesinha da sala e sentou-se no sofá. Durante um tempo ficou observando-a, até que pegou o celular, digitou o número de Aidan, pediu-lhe que fosse buscar aquelas coisas e desligou.

A seguir, levantou-se do sofá, foi para a cozinha e preparou um café. Logo depois, olhou o relógio, pegou as chaves e saiu de casa. Caminhou até a loja mais próxima e perguntou se tinham caixas vazias. Deram-lhe algumas, e ele agradeceu.

De volta a casa, cada vez mais irritado, Dennis as montou e começou a guardar suas coisas. Quanto antes fosse embora dali, melhor.

O silêncio o estava matando. Então, ligou o aparelho de som e, imediatamente, começou a tocar "You don't know me", de Michael Bublé. Dennis a escutou sem se mexer. Seus pensamentos voltaram a Lola, àquela canção, àquela maldita mulher. Com brusquidão, deu *pause* na música. Tirou o CD do aparelho e o jogou dentro da caixa com as coisas dela, dizendo:

— Chega de romantismo.

Meia hora depois, enquanto fazia flexões para aliviar a frustração que sentia, ouviu a campainha. Pensou que era Aidan, mas, ao abrir, ficou aturdido ao ver Lola a sua frente.

Ela ainda estava com o vestido vermelho da festa. Fitando-a com desprezo, ele sibilou:

— Parece que sua noite foi longa e frutífera. Talvez com Beckett...

— Dennis...

Sem se mexer, o brasileiro grunhiu:

— Acho que você errou de casa.

Sem levantar a voz, ela sussurrou:

— Não errei. Só queria falar com você. Posso entrar?

— Não — replicou ele.

— Mas...

— Não é não, Lola. Eu já disse isso ontem à noite.

— Mas precisamos conversar — insistiu ela.

— Não tenho nada para falar com você.

— É importante.

— Lamento, pequena — disse ele com ironia —, mas entre você e mim já não há nada importante.

Lola suspirou, derrotada. Sem sombra de dúvida, esse não era um bom momento para lhe contar sobre a gravidez. Quando o olhou nos olhos, com toda a raiva do mundo, ele sibilou:

— Pare de se fazer de coitada e solte a fera desembestada que há em você. Já estou esperando. Não vou me assustar.

Desesperada pela dureza das palavras dele, Lola decidiu que não falaria da gravidez. Olhou para ele e disse:

— Preciso ir ao banheiro. Posso entrar?

— Não.

— Por favor... Por favor... Por favor...

Incapaz de lhe negar isso, Dennis se pôs de lado e disse:

— Entre, mas rapidinho. Vou esperar aqui na porta.

Sem olhar para trás, Lola entrou e correu para o banheiro da suíte, enquanto Dennis, transtornado, a esperava na porta.

Já no quarto, sem hesitar, Lola pegou o livro que Dennis mantinha no criado-mudo e o levou ao banheiro. Então, abriu uma gaveta onde sabia que havia uma caderneta e uma caneta e, arrancando uma folha, escreveu sem pensar:

Nossa história nunca foi normal. Nós nos conhecemos de um jeito estranho, nos apaixonamos em meio a confusões... e, embora você acredite que não há nada importante entre nós, há sim: estou grávida.

Eu ia lhe contar na festa, e também agora, na porta de sua casa, mas você não me deixou. Não me permitiu falar. E por isso optei por lhe contar dentro do seu banheiro, deste jeito nada normal.

A propósito, eu adoraria gritar e ser tão desagradável como você está sendo comigo, mas penso em meu bebê e, como não quero fazê-lo sofrer nem lhe causar nenhum trauma, me contenho para não liberar a fera desembestada que você sabe que habita em mim e lhe dizer as barbaridades que você sabe que eu sei dizer.

Eu te amo. Sei que te decepcionei, mas, embora não pareça, nada é o que você acredita que seja. Espero sua reação.

Lola

P. S. Lembre-se, amor não é o que queremos sentir, e sim o que sentimos sem querer.

Quando acabou, enfiou o papel dentro do livro e, ao sair do banheiro, deixou-o no lugar, em cima do criado-mudo. Com carinho, olhou para aquele quarto onde havia sido tão feliz, respirou fundo e saiu.

Dennis continuava parado junto à porta aberta.

— Por que demorou tanto? — Perguntou ao vê-la.

Lola se deteve e respondeu:

— Tentei me apressar.

Com o coração apertado, o brasileiro a observou. Queria abraçá-la, beijá-la, fazer amor com ela... Porém, disse:

— Pode sair da minha casa agora?

Lola assentiu, foi para o corredor e, fitando-o, fez uma última tentativa:

— Pensei que aqueles homens seriam tão discretos quanto as mulheres com quem você esteve. Não lhe falei deles porque não eram importantes, como certamente você não me falou de todas as mulheres com quem transou. A diferença é que, não sei por que, eles foram linguarudos.

— Talvez porque eu saiba selecionar com quem vou para a cama, e você não.

Lola assentiu.

— Talvez...

Dennis sentia o coração se partir.

Vê-la ali, submissa, sem brigar como fazia em outras ocasiões, estava acabando com ele. Como precisava terminar com aquela tortura, deu meia-volta, pegou a caixa que estava sobre a mesinha e, tirando algo de dentro e jogando-o no sofá, acrescentou:

— Já que você veio, pode levar isto. São suas coisas.

Lola foi até a caixa que ele indicava. Fazendo malabarismo, quando conseguiu pegá-la, murmurou:

— Passei a noite na casa de minha avó, e ela disse algo em que eu nunca havia pensado. Que amor não é o que queremos sentir, e sim o que sentimos sem querer.

— Sábias palavras de sua avó bruxa, mas pode me esquecer. Eu e você não temos mais nada em comum.

— Dennis, eu te amo e...

Lola não pôde dizer mais nada.

Com um sangue frio que fez a alma dela gelar, ele fechou a porta na cara dela, que ficou olhando para a porta durante alguns segundos e, por fim, balançou a cabeça e murmurou:

— Tudo bem. Eu tentei.

Dentro de casa, Dennis andava enlouquecido de um lado para o outro. A última coisa que desejava era o que havia acabado de fazer, mas fora necessário, para acabar com aquilo de uma vez. Amava Lola, desejava tanto aquela mulher que mais dois segundos vendo seu rosto corado o teria feito cair a seus pés de novo como um idiota. E, não, isso ele não podia permitir.

Abriu a geladeira e pegou uma garrafinha de água. Estava morrendo de sede. Estava bebendo quando a campainha tocou de novo. O coração se acelerou. Mas, quando abriu, encontrou Aidan, que o cumprimentou com um sorriso.

Afastando-se para o lado, Dennis lhe deu passagem e perguntou:

— Você viu Lola?

— Não.

Dennis fechou a porta e disse:

— Ela apareceu sem avisar e levou a caixa.

Aidan deu de ombros. Dennis perguntou:

— Quer beber alguma coisa?

Aidan assentiu e, apontando a garrafinha de água, disse:

— O mesmo que você, e, se for gelada, melhor.

Suado, Dennis se dirigiu à cozinha e pegou outra garrafinha na geladeira. Ao entregá-la, explodiu:

— Por quê? Por que ela não foi sincera desde o primeiro momento?

Aidan não respondeu. Dennis insistiu:

— Eu abri meu coração para ela como nunca o abri com uma mulher, e ela... Ela...

Não podia continuar. Então, Aidan pousou a mão em seu ombro e disse:

— Não sei responder a isso. Eu não conversei com ela, mas sei que ontem à noite Lola estava tão mal quanto você. Talvez fosse bom vocês conversarem.

Dennis o olhou. Fez que não com a cabeça e sentenciou:

— Não. Acabou.

Aidan assentiu. Evitando falar de Lola, perguntou:

— Priscilla me disse que você vai embora, que vai voltar a Munique.

— Sim.

Sentido, o jovem assentiu. Ciente de que Dennis não queria companhia, disse, estendendo-lhe a mão:

— Foi um prazer conhecê-lo. Quando precisar, sabe onde tem um amigo.

Com um triste sorriso, Dennis pegou a mão de Aidan e, apertando-a com carinho, afirmou:

— Digo o mesmo, Aidan. Digo o mesmo.

Quando Aidan foi embora, o brasileiro ficou andando pela casa furioso, de um lado para o outro. Olhou o CD de Michael Bublé que havia tirado da caixa antes de entregá-la a Lola e foi para o quarto para encher mais caixas. Pegou o livro no criado-mudo e as abotoaduras que havia usado na noite anterior e jogou-os dentro de uma delas com fúria. Depois, pegou a fita adesiva, fechou a caixa e a deixou em um canto do quarto.

Transtornado, digitou um número de telefone no celular e disse:

— Eric, preciso de um grande favor.

Falou mais de meia hora com ele e, depois, ligou para o amigo José. Quando desligou, Dennis ligou o notebook e, após reservar um voo para o dia seguinte, pegou o CD que havia deixado no sofá, tirou-o da caixinha e

colocou-o no aparelho de som. Quando os primeiros acordes de "You don't know me" começaram a tocar, murmurou, enquanto pegava mais caixas e continuava enchendo-as com seus pertences:
— Por mais que seja difícil, vou esquecer você.

Capítulo 74

Quando Lola chegou em casa, Justin estava sentado na cozinha. Assim que a viu, levantou-se e, tirando-lhe a caixa que carregava, perguntou:
— Como você está, pequena?
— Bem.
Ficaram em silêncio por alguns segundos, até que Justin perguntou:
— Quer falar sobre Dennis?
Lola negou. A última coisa que queria era falar sobre ele.
— Não, mas você e eu temos que conversar.
Justin assentiu com um sorriso:
— Quando quiser.
Lola ia se sentar, mas, pensando melhor, porque se sentia esgotada, disse:
— Depois conversamos. Agora vou tomar um banho e deitar um pouco.
— Sim, vá — disse ele. — Está com cara de cansada.
Lola entrou no quarto, em seu recanto de paz. Baixou as persianas para que ficasse escuro e se despiu. Tirou o vestido vermelho e foi direto para o banho.
Enquanto tomava banho, pensava em Justin. Depois que descansasse, falaria com ele e lhe comunicaria que, com Dennis ou sem ele, queria o divórcio. Esperava que ele entendesse.
Ao sair do banho, fez um rabo de cavalo alto e, sem se importar com o cabelo molhado, enfiou-se nua na cama. Passando a mão pela barriga, logo adormeceu, sentindo o cheiro de Dennis nos lençóis.
Quando acordou, não sabia quanto tempo havia dormido. Pensou em Dennis. Sem dúvida, ele ainda não teria aberto o livro, por isso não havia ligado nem aparecido. Com cuidado, sentou-se na cama e olhou o celular. Eram quatro horas da tarde.

Pegando uma calcinha na gaveta, uma calça jeans e uma camiseta, vestiu-se. Quando acabou, colocou o celular no bolso da calça, foi para a sala e não se surpreendeu ao ver que Justin não estava. No balcão da cozinha havia um bilhete:
Volto às seis.
Depois de ler o bilhete, Lola balançou a cabeça, abriu a geladeira e procurou alguma coisa para comer. Não havia nada que chamasse sua atenção, então a fechou de novo. Porém, ao se lembrar do bebê que crescia dentro dela, abriu-a mais uma vez e pegou uma maçã. Sempre era melhor que nada.

Enquanto a comia, pensou em Dennis. Teria adorado lhe dar a notícia da gravidez em uma situação diferente, mas as coisas haviam saído desse jeito e, por mais que sentisse raiva ou esperneasse, pouco podia mudar.

Ao olhar para a mesa da cozinha, viu a caixa que Dennis lhe havia entregado. Foi até ela e viu única e exclusivamente suas coisas. O lenço azul que ele havia lhe comprado em Edimburgo, as xícaras personalizadas com o nome dos dois, um álbum com as fotos da viagem a Edimburgo, duas camisetas, duas calças jeans, várias calcinhas, um kit de maquiagem, o creme hidratante para o corpo e sua escova de dentes.

Vendo tudo aquilo, Lola suspirou, mas, não se deixando vencer de novo pela melancolia, tirou a roupa da caixa e a levou para seu quarto. Abriu o armário, pegou a peruca verde e vários conjuntos de lingerie e, descendo para a cozinha, jogou tudo no lixo. Não queria mais saber de nada daquilo.

Depois, foi até a caixa cheia de recordações, pegou-a e foi com ela para a entrada. Na gaveta do móvel do hall, pegou a chave da porta que levava ao porão.

Abriu a porta e desceu sete degraus. Lola olhou para as prateleiras que havia ali e, enquanto procurava um lugar para colocar a caixa, apoiou-se na parede com os olhos marejados e chorou de novo.

Por que tinha que acontecer isso com ela?

Por que nunca podia ser totalmente feliz?

Ao pensar em Beckett, a fúria se apoderou dela. Pegando o celular no bolso da calça, procurou na agenda e escreveu:

Maldito filho da puta, espero nunca mais encontrá-lo na vida.

Assim que apertou "Enviar", escreveu outra mensagem:

Eu o odeio como nunca ninguém vai odiá-lo.

E a enviou também.

Apoiou-se na parede para enxugar as lágrimas, mas ouviu um barulhinho perto. Parecia a vibração de um celular. Olhou ao redor quando ouviu o barulho de novo e ficou alerta. Procurou dentro das caixas ao seu redor, mas não encontrou nada. Então, decidiu enviar outra mensagem:
Vou atrás de você.
Depois de mandá-la também, esperou alguns segundos e tornou a ouvir a vibração.
O coração estava a mil. Enviou outra mensagem, e outra, e outra, até que localizou o celular. Tirou-o de uma caixinha de madeira que estava embaixo de uma das prateleiras. Paralisada, ficou olhando para ele com a respiração entrecortada. Aquele era o celular que Justin e ela haviam dado a Beckett anos antes, para que o usasse somente para confirmar os encontros.
Por que estava em sua casa?
Com o coração acelerado, saiu do porão com o celular e o outro na mão, enquanto tentava encontrar uma explicação. Mas, de repente, algo absurdo passou por sua cabeça. Não quis dar-lhe importância, mas, conforme o tempo passava, era a única explicação possível que encontrava.
E se Justin havia pegado o telefone de Beckett depois de ela lhe enviar aquela última mensagem e, desde então, passara a transtorná-la enquanto estava com Dennis?
Angustiada, Lola bebeu água. Era uma loucura pensar nisso. Justin não era assim. Mas a conjectura, a cada segundo, a cada momento, foi ganhando peso.
Sentada na cozinha, ouviu a porta de entrada se abrir e, dois segundos depois, Justin entrou com umas sacolas. Deixando-as em cima do balcão, disse com um sorriso encantador:
— Pequena, comprei uns filés de primeira, vou fazê-los com pimenta, como você gosta. Também pensei que daqui a uns dias podíamos ir passar férias na casa de seu pai na Cornualha. Adoro ir para lá.
Lola o olhava. A alegria dele a deixava desconcertada. Durante um tempo, viu-o andar para lá e para cá na cozinha, até que ele, ao vê-la tão calada, perguntou:
— Que foi?
Ela quis lhe contar o que estava imaginando, mas não queria acusá-lo sem provas. Então sorriu e respondeu:
— Estou contente.
— Por quê?
— Porque, tendo você, quem precisa de um Dennis?

Justin assentiu, feliz.

— Claro que sim, pequena... Você e eu juntos somos invencíveis.

Lola sorriu. E, levantando-se da cadeira, comentou:

— Humm... Filé mignon na pimenta, que delícia! Vou tomar um banho e, quando descer, jantamos. Vai fazer batatinhas também?

— Claro — disse ele, motivado.

Lola se dirigiu à porta da cozinha e, antes de sair, disse, voltando-se para ele:

— Ah, Beckett me mandou uma mensagem. Marquei com ele às sete no hotel Zuleica.

Justin parou e olhou para ela. Lola, dando uma piscadinha, insistiu:

— Ande, prepare algo para eu comer, que tenho uma excelente noite de sexo com Beckett pela frente. Dennis que vá à merda!

Assim, saiu da cozinha e, com o coração na boca, foi para o andar superior.

Ao chegar ao seu quarto, abriu a porta e a fechou, mas em vez de entrar, ficou escondida na escada. Se Justin fizesse o que ela esperava que fizesse, dali poderia vê-lo.

Não se passaram nem dois minutos quando, como ela imaginava, Justin correu para a entrada, pegou na gaveta a chave do porão e abriu a porta sem fazer barulho.

Lola fechou os olhos. Justin, seu Justin, aquele que ela julgava ser seu melhor amigo, havia lhe passado a perna, havia jogado muito sujo. Então, descendo a escada sem fazer barulho, dirigiu-se à porta do porão, abriu-a e, ao encontrá-lo pegando a caixinha embaixo da estante, perguntou:

— Está procurando isto?

Ao ouvir sua voz, ele se levantou. Olhou para ela e, antes que pudesse dizer algo, Lola declarou:

— Nunca pensei que você fosse capaz de fazer uma coisa dessas comigo.

Sem mais, deu meia-volta e saiu do porão. Com coragem, caminhou para a sala decidida a não se alterar, pensando em seu bebê. Dois segundos depois, Justin apareceu na sala também.

Com a dor e a decepção refletidas no rosto, Lola olhou para ele e perguntou:

— Por quê?

— Pequena...

— Nunca mais me chame de "pequena" na vida, porque não sou mais. Para você, a partir de agora sou Lola. Entendeu?

Angustiado, envergonhado, Justin assentiu, e ela insistiu:
— Por que fez isso?
Ele se sentou no sofá. Arrasado, respondeu:
— Porque entrei em pânico pensando nas consequências da nossa separação.
Lola respirou fundo. E, tentando não gritar, disse:
— Mas eu achei que você havia entendido. Até me disse que eu merecia ser feliz! Você me ajudou com Dennis quando aconteceu aquele acidente aqui em casa...
— Era parte do plano — respondeu ele. — Eu sabia que, se ficasse contra vocês, ia perder, mas, se me aliasse a vocês, ganharia tempo para pensar em alguma coisa...
— Meu Deus, Justin...
Ele a olhou. Sempre existira a possibilidade de que ela acabasse descobrindo.
— Eu sei. Sou uma pessoa má — respondeu ele, envergonhado.
— É mesmo... Oh, sim... Claro que é — afirmou Lola, tentando não perder o controle.
— Eu me odiei por fazer isso, mas não podia parar. Preciso de você ao meu lado para que minha vida continue funcionando.
Sufocada pelos sentimentos que tentavam aflorar, Lola ia dizer algo quando ele confessou:
— Depois de receber sua mensagem dizendo que tudo havia acabado, Beckett me mandou um e-mail dizendo que deixaria o celular em um envelope no hotel Tursos. Ele nunca a incomodou. Fui eu. Eu peguei o celular, e pensei que, se semeasse a dúvida em Dennis mandando mensagens que você esconderia dele, vocês poderiam terminar e tudo voltaria a ser como sempre.
Lola suspirou. Agora entendia por que quase sempre recebia as mensagens quando estava com Dennis. Justin sempre sabia onde ela estava.
— Eu também paguei a Jeremiah — disse ele em seguida.
— O quê?!
— Jeremiah ficou sabendo que a escola de dança não renovaria o contrato dele e, uma tarde, quando fui buscar você, ele comentou isso comigo. Eu lhe ofereci uma quantia de dinheiro em troca de que ele fizesse o que fez aquela noite e...
Não pôde dizer mais nada. Lola se aproximou dele e, com toda a raiva do mundo, deu-lhe uma bofetada. Estava furiosa, raivosa. Como ele podia ter feito uma coisa dessas?

Justin não se mexeu. Só a olhou e, arrasado, disse:
— Eu mereço. Mereço toda sua raiva.
— Meu Deus, Justin! — gritou Lola. — Como pôde?
— Lola, eu tenho inveja da sua vida. Invejo o fato de aquele homem te adorar. Invejo tudo. E invejo porque sei que eu nunca poderei ter uma vida assim.

Tentando se acalmar, apesar do tremor das mãos depois da bofetada, Lola disse:
— Claro que poderia ter, Justin. É só você aceitar sua homossexualidade diante de todo mundo.
— E a primeira consequência seria perder meu emprego e...
— E, para você não perder seu emprego, eu tenho que perder o homem por quem me apaixonei? — interrompeu ela. — Acha justo?
— Não.
— Acha justo você fazer isso comigo sendo que, supostamente, sou sua melhor amiga? Que compartilhamos doze anos de nossa vida ajudando um ao outro? Justin... O que aconteceu com você?

Cobrindo o rosto com as mãos, ele começou a chorar. Havia feito coisas horríveis. Terríveis. Lola não merecia aquilo, e ficou desesperado.

Durante vários minutos, Justin chorou, e Lola andava de um lado para o outro como uma fera desembestada. Era impressionante. Quando conseguiu controlar a raiva, em benefício da vida que crescia dentro de si, Lola se sentou ao lado dele no sofá. Pegando-lhe as mãos, disse:
— Pare de chorar.
— Não posso. Sou um ser horrível!

Tentando relaxar, Lola fechou os olhos. E, quando os abriu de novo, murmurou:
— Ouça, Justin, a masculinidade não se mede pela quantidade de pessoas com quem você se deita, e sim pela coragem de fazer o que tem que fazer.

Ele continuava chorando. Ela, desesperada, insistiu:
— Você é um homem incrível. Um professor de física e química maravilhoso que os alunos respeitam e adoram. Você só precisa se dar uma oportunidade. Sei que você ama o colégio de meu pai, eu sei, mas a vida não vai acabar se não puder dar aulas lá. Se, pelo fato de ser homossexual, meu pai não quiser que você faça parte do quadro de funcionários dele, quem perderá será ele! Porque tenho certeza de que outros colégios maravilhosos vão se matar para contratar você. Você adora o Saint Thomas

porque não conhece mais nada. Você nunca quis pensar nisso, mas acho que chegou a hora de voltar a fazer o que quiser.

— Não sou tão corajoso quanto você, Lola.

— Pois precisa ser. Caralho, Justin, você tem quase cinquenta anos!

— Quarenta e oito — corrigiu ele.

Ela bufou: Justin não aceitava bem a idade. Como o feito, feito estava, disse:

— Nova York e Henry. Por que não se muda para lá?

— Que loucura!

— Loucura? — disse ela com ironia. — Loucura é não se deixar levar pelo que deseja.

— Lola... Eu não te mereço — balbuciou ele entre soluços.

— Não, não me merece — afirmou ela. — Mas, para sua sorte e minha desgraça, eu te amo e preciso que quebre sua maldita carapaça, que enfrente meu pai e tudo que vier pela frente e seja feliz.

— Não é tão fácil.

— Eu sei — murmurou ela, pensando em Dennis. — Mas, se não tentar, nunca saberá.

Ficaram em silêncio durante alguns minutos, absortos em seus próprios pensamentos, até que Lola, esquecendo o que acontecera entre eles, perguntou:

— Por que não começa uma vida nova, que lhe permita ser você mesmo? Conheça melhor Henry, apaixone-se loucamente por ele, case-se, se for o que deseja... e apague de sua vida quem não gostar de você por causa de sua condição sexual. Mas, caralho, Justin, seja feliz.

— Lola... Eu te amo.

— Não, você não me ama. Se me amasse, não teria feito o que fez comigo.

Justin gemeu ao ouvir a terrível realidade. E, inexplicavelmente, Lola começou a rir ao ouvi-lo.

— Tudo bem... — sussurrou —, você me ama, mas, por favor, mude seu jeito de me amar, porque assim não me faz feliz.

Justin soltou um novo gemido e balbuciou:

— Você não devia me amar. Sou um infeliz. Sou uma má pessoa.

— Justin... Você não merece, mas eu te amo. Estou muito decepcionada com você porque suas ações tiveram uma grave consequência para mim e para Dennis. Mas não sou como você. Quero sua felicidade. E se sua felicidade é começar uma nova vida, meus Deus, tome coragem e vá à luta. Pare de ser obcecado pelo Saint Thomas e seja feliz.

— Vou falar com Dennis — decidiu ele, então, levantando-se. — Vou à casa dele. Vou resolver as coisas. Vou lhe contar o que fiz e, se ele me der uma surra, tudo bem.

Lola pensou em Dennis. Sem dúvida, se Justin aparecesse lá contando aquilo, poderia ser muito pior. Fitou-o e disse, fazendo com que Justin se sentasse de novo ao seu lado:

— Não. Eu o proíbo.

— Mas, Lola...

— Não.

— E se eu ligar para ele?

— Justin, você quer me ajudar?

Ele assentiu.

— Então, não vá nem ligue para ele. E, por favor, se deseja mesmo me ajudar, prometa que não vai atrás dele.

Contemplaram-se. Lola tentou sorrir, apesar de seu olhar triste. E Justin, sentindo-se o pior homem da Terra por causa do que havia feito, afirmou:

— Eu prometo. Mas continuo achando que se eu falar com ele...

— Não — interrompeu ela. — Você não vai falar com Dennis. Primeiro, porque eu não quero e você me prometeu. Segundo, porque embora eu te ame, preciso de distância. E terceiro, porque você vai subir ao seu quarto, vai fazer as malas e vou levá-lo ao aeroporto, onde vai pegar o primeiro voo para Nova York e acertar sua vida de uma vez por todas com Henry neste verão.

— Mas, Lola...

— Não... Nada de mas.

— Mas seu pai...

— Já disse, nada de mas, Justin. Preciso que você vá embora. Preciso ficar sozinha para pensar e aceitar que, apesar de amá-lo, você é um canalha. E, se não for, aí sim vou ficar puta.

Essa noite, Lola acompanhou Justin ao aeroporto. Na despedida, ele não parava de chorar como uma criança. Por fim, foi embora. Ela respirou fundo, mas estava inquieta, porque Dennis ainda não havia dado sinal de vida.

Capítulo 75

Às três e meia da madrugada, precisando de carinho, Lola tocou a campainha da casa da irmã. Quando ela abriu a porta, com um estranho sorriso, perguntou:

— Posso dormir com você?

Priscilla esfregou os olhos, meio adormecida.

— Que foi? — quis saber.

— Nada. Só quero ficar com você — respondeu Lola, sorrindo.

A irmã assentiu. E, ao vê-la com aquele sorrisinho bobo, inquiriu:

— Você bebeu ou fumou um baseado?

— Não!!!

Priscilla a olhou de novo e, baixando a voz, disse:

— Aidan está em minha cama.

Lola deu de ombros.

— Não ligo, dormimos os três.

Ao ouvir isso, Priscilla por fim abriu os olhos e protestou:

— Ouça, gracinha... Não abuse, e menos ainda do meu namorado.

Lola riu, bem no momento em que Aidan aparecia pelo corredor. Ao vê-la, perguntou:

— Você está bem?

Priscilla ia responder, quando ela se antecipou:

— Aidan, quero me deitar na cama com você e minha irmã, mas, pode ficar tranquilo, você está a salvo. Não vou passar a mão nem...

— Lola! — grunhiu Priscilla.

Ele sorriu. Aproximando-se de Priscilla, deu-lhe um beijo nos lábios e decidiu:

— Vou dormir no quarto de hóspedes. Vamos, meninas, para a cama!

Quando ele desapareceu, Lola pegou a irmã pelo braço e sussurrou:

— Vamos, tenho uma coisa para lhe contar.

Enquanto caminhavam para o quarto, Priscilla disse:

— A propósito, falei hoje com o papai. Ele nos espera depois de amanhã às nove em seu escritório.

— Tudo bem — assentiu Lola.

Uma vez na cama, começou a contar a Priscilla o que Justin havia confessado. Priscilla não podia acreditar. Aquilo que a irmã estava explicando com toda a tranquilidade do mundo era uma coisa terrível. Quando Lola acabou, disse:

— E, mesmo assim, você ainda fala com esse filho de Satanás?

— Falo.

— Por quê? Ele destruiu sua vida.

Lola assentiu, com certo pesar.

— Ele estava assustado. Sem que esperasse, eu estraguei sua vida planejada e...

— Se eu o pegar — interrompeu Priscilla, furiosa—, vou arrancar os olhos daquele infeliz.

Lola sorriu. Enquanto fazia um rabo de cavalo alto, Priscilla perguntou:

— Contou a Dennis?

— Não.

— Por quê?

— Porque não. Estou esperando que ele reaja.

Atônita, Priscilla olhou para a irmã e protestou:

— Mas não percebe que isso esclareceria as coisas entre vocês? Se você ligar para ele e lhe contar a verdade, tudo pode se resolver.

— Não.

— Lola, não seja teimosa.

— Eu disse que não. Ele tem que reagir.

— Então, ligarei eu.

Ao ouvir isso, Lola segurou com força a mão da irmã e sentenciou, rangendo os dentes:

— Se fizer isso, nunca mais na vida falo com você. Pense muito bem no que vai fazer, se não quiser perder uma irmã.

Priscilla assentiu. Certa de que Lola cumpriria a ameaça, afirmou:

— Calma. Não quero perder minha irmã. Mas continuo sem entender por que você não liga para ele.

— Porque quero que ele decida se quer me amar ou não.

— E por que isso agora?

Os olhos de Lola se encheram de lágrimas. Fitando Priscilla, acrescentou:

— Ontem estive com vovó e ela me disse algo em que nunca havia pensado. Mas é a realidade mais verdadeira que já ouvi na vida.

— E o que ela disse?

— Disse que o amor não é aquilo que queremos sentir, e sim o que sentimos sem querer. E, se ele me ama sem querer, de verdade, Dennis vai voltar.

Então, enxugando as lágrimas que corriam por sua face, acrescentou:

— Se não, é melhor que cada um siga sua vida.

— Mas, Lola...

— Se ele decidir me amar e confiar em mim, vou lhe mostrar uma gravação que Justin deixou antes de partir, explicando, entre soluços, o ocorrido. E, se não decidir me amar, nunca a mostrarei.

— Mas ele sempre pensará que você é uma mulher desprezível.

Lola sorriu.

— Pois que pense. Dá na mesma!

Priscilla bufou e, balançando a cabeça, sussurrou:

— Nossa, você está estranha. Assim como chora, ri. Não há quem a entenda!

Lola deu risada. Tinha que estar bem, por seu bebê. Olhando para a irmã, murmurou:

— Tenho outra coisa para contar.

— Outra?

— Sim.

Priscilla suspirou e murmurou:

— É boa ou ruim? Eu já não sei o que esperar de você.

Lola sorriu.

— É louca. Digna de uma fera desembestada.

Priscilla suspirou de novo.

— Que medo... Mas ande, diga logo!

Lola sorriu, respirou fundo e, olhando para a irmã, confessou:

— Estou grávida.

— O quê?!

— Você vai ser titia!

Priscilla abriu a boca lentamente e, quando não pôde mais, gritou:

— Ai, meu Deus... Ai, meu Deus!!!!!

Estavam se abraçando quando Aidan entrou no quarto assustado e perguntou:

— Que foi? O que aconteceu?

Apertando a mão de Priscilla para que não dissesse nada, Lola olhou para ela. A irmã, entendendo, respondeu, voltando-se para o namorado com um sorriso de orelha a orelha:

— Nada, amor. Minha irmã e eu estamos conversando e nos deixamos levar.

Aidan assentiu. Morrendo de sono, disse antes de sair do quarto:

— Controlem-se e vão dormir, já é tarde.

Quando ele fechou a porta, Priscilla abraçou a irmã. Tocando-lhe a barriguinha inexistente, perguntou em voz baixa:

— Eu vou ser titia?

— Sim.

— Sério?

— Sim.

— E o pai é Dennis.

— Claro.

Priscilla gritou de novo.

— Ai, meu Deus... Ai, meu Deus, que confusão!

Aidan abriu a porta de novo, alarmado, e, ao ver as meninas rindo, comentou com ironia:

— Tudo bem... Deixaram-se levar outra vez...

Ele fechou a porta novamente e Priscilla perguntou, excitada:

— Lola, você não vai contar para ele?

— Já contei...

— Como?

— Eu contei, mas talvez ele ainda não saiba.

Sem entender nada, a irmã a fitou. Lola esclareceu:

— Ontem, quando fui à casa dele, deixei uma cartinha no livro que ele costuma ler à noite antes de dormir. Mas ele ainda não deu sinal de vida.

— Meu Deus, Lola... E como acha que ele vai reagir?

Lola suspirou e murmurou:

— Não sei. Eu conto quando souber.

Capítulo 76

Às onze da manhã, José estava com Dennis em seu apartamento enquanto uns homens levavam as caixas que o brasileiro havia arrumado durante a noite. Por sorte, não tinha muita coisa.

— Tem certeza de que quer ir embora?
— Sim — afirmou Dennis.
— E já tem casa em Munique?

Dennis sorriu. Olhando para José, disse:

— Sim. Meu amigo Eric, como você fez antes, já me arranjou um bom apartamento.

Apesar da boa amizade que tinha com José, Dennis não quis explicar o verdadeiro motivo de sua partida. Simplesmente disse que seu contrato em Londres havia acabado e que ia voltar para o colégio de Munique. José pareceu entender.

Quando os rapazes da empresa de mudança que José havia contratado acabaram de tirar as caixas do apartamento, entregaram a Dennis um recibo. Um deles disse:

— Daqui a dez dias estará tudo em Munique, no endereço que nos deu. — E, consultando o papel, acrescentou: — No campo "Observações", pus o telefone de seu amigo Eric Zimmerman. Ele é quem vai receber a mercadoria, certo?

Dennis assentiu:

— Exato.

Os homens foram embora. O brasileiro olhou ao redor e, quando viu que José ia dizer algo, disse:

— Vamos. Quero me despedir de Rosanna e do pessoal da escola de dança. Meu voo sai às nove da noite.

Ao chegar à rua, Dennis viu os rapazes colocando a moto no caminhão. Olhou para José, que o observava com certo pesar. Então, sem dizer nada, dirigiram-se ao restaurante de Rosanna.

Ali almoçaram, e, às quatro, chegaram os colegas da escola de dança: Iracema, Maycon e Georgina. Tão impressionados quanto José, eles queriam entender o motivo da repentina partida de Dennis. Mas ele só contou o que queria. Ninguém lhe arrancou mais nada.

— Então, agora vai sair de férias?

— Sim — disse ele, sorrindo. — Vou passar dez dias na ilha de Minorca, em busca de tranquilidade, sol e praia. Depois, vou para o Brasil ver minha família.

— Que legal! — disse Georgina.

Dennis sorriu de novo. Legal... Legal não sabia se seria, mas, sem dúvida, precisava se desligar de tudo antes de voltar a Munique.

Às sete da noite, José deixou o amigo em frente ao aeroporto de Londres. Depois de um abraço e um sorriso, Dennis jogou a mochila sobre o ombro e, sem olhar para trás, entrou no terminal. Olhou os painéis e viu que o voo para Minorca sairia na hora prevista. Ficou contente.

Como sempre que entrava em um avião, ele fechou os olhos quando a aeronave decolou. E, inevitavelmente, Lola surgiu em sua mente. Pensar nela o reconfortava. Fazia com que esquecesse a realidade. Apesar de que, assim que abria os olhos e se recordava do que havia acontecido, praguejava e se desesperava.

Quando, de madrugada, chegou ao hotel de Punta Prima, Dennis largou a mochila, jogou-se na cama e adormeceu pensando em Lola. Mesmo não estando ao seu lado, ela estava mais presente que nunca.

Capítulo 77

Às oito e cinquenta Lola e Priscilla entravam no colégio Saint Thomas. Era estranho percorrer aqueles corredores sem a agitação das crianças. Tentando relaxar, Priscilla comentou isso com a irmã. Lola concordou:
— Sim. Elas fazem falta.

Lola, de jeans e absorta em seu mundo, caminhava ao lado de Priscilla. Por que Dennis não havia dado sinal de vida em dois dias?

Havia decidido não chorar. Como sua avó lhe havia dito, chorar não resolve as coisas. As coisas se resolvem lutando, compartilhando. Era isso que ela julgava ter feito com Dennis. Porém, cada instante que passava sem que ele dissesse nada partia mais e mais seu coração.

Quando as meninas chegaram à sala de Colin, encontraram-no sentado em uma das cadeiras da secretaria. Ao vê-las, ele olhou o relógio e disse:
— Dois minutos antes da hora, maravilha!

Elas se entreolharam. Priscilla, ao ver seu pai sentado na secretaria, perguntou:
— Por que você não está na sua sala?
— E Justin?

Impassível, Lola mentiu:
— Surgiu um imprevisto, ele vem mais tarde.

Colin a fitou com seriedade. Aquilo não era coisa de Justin. Ele sempre punha o colégio à frente de qualquer outra coisa. Mas, sem dar maior importância ao fato, assentiu.

Quando o pai se virou, Priscilla olhou para a irmã, que sussurrou:
— Depois lhe contarei a verdade. Depois...

Voltando-se de novo, Colin pegou uma chave no bolso e perguntou:
— Estão vendo isto?

Elas assentiram, e ele disse:

— Este ano, só entrou alguém em minha sala com minha presença. Quando eu não estava, ninguém podia entrar.

Sem entender o que ele queria dizer com aquilo, que haviam tido que enfrentar durante todo o ano letivo, Lola ia falar quando o pai disse:

— E, agora, vou lhes explicar por quê.

Colin foi até sua sala, abriu-a com a chave que tinha nas mãos e disse:

— Vamos, entrem e sentem-se.

Quando entraram, ele notou os olhos vermelhos da filha Lola. Segurando-lhe o braço, perguntou:

— O que aconteceu?

Ao ver como ele a olhava, ela tirou um lenço de papel do bolso e, como já havia se preparado, respondeu:

— Estou gripada, papai — disse, sentando-se em uma cadeira. — Acho que o ar-condicionado da festa do outro dia me ferrou.

— Também — disse ele —, você não parou de dançar, deve ter pegado friagem.

— Com certeza — assentiu Priscilla, enquanto se acomodava em uma cadeira e ganhava uma olhadinha de Lola.

Já estando os três sentados, Colin tornou a lhes mostrar a chave com que havia aberto a porta da sala.

— Esta chave me evitou muitas dores de cabeça este ano — disse.

Nenhuma das filhas disse nada. E, então, olhando-as, ele perguntou:

— Lembra que começamos o ano com um ladrãozinho que roubava na sala dos professores?

Elas assentiram.

Colin prosseguiu:

— Graças a esta chave, eu descobri quem era e resolvi o problema.

Surpresa, Priscilla perguntou:

— E quem era?

— Vou lhes dizer, mas não pode sair daqui.

As meninas tornaram a assentir, surpresas. Seu pai acrescentou:

— Era Marian.

— Marian, sua secretária? — perguntou Lola.

— Ela mesma — afirmou Colin.

Lola e Priscilla se olharam, e esta última disse:

— Não pode ser.

— Pois é, filha.

— Mas ela me disse que estava indo embora porque a mulher de seu filho o havia abandonado e ele lhe pedira que o ajudasse com as crianças — disse Lola.

Colin assentiu. Olhando para a filha, explicou:

— Essa é a versão que combinamos que ela contaria. Foram muitos anos com Marian aqui no colégio, e eu não podia permitir que ela saísse pela porta dos fundos. Tive muita pena de ter que a demitir, mas fiz isso pelo bem do Saint Thomas.

Ambas se olharam, surpresas. E, então, Colin inquiriu:

— E não vão me perguntar como eu soube que era Marian?

— Papai — sussurrou Lola, impaciente —, quer fazer o favor de parar de nos tratar como se fôssemos idiotas e explicar o que aconteceu, de uma vez por todas?

Colin assentiu. Levantando-se, abriu com outra chave um armário que ficava no fundo da sala. Quando as meninas viram a parafernália ali montada, Priscilla perguntou:

— O que é isso, papai?

Diante delas havia uma espécie de monitor e, ordenadas por data, diversas fitas de cor escura.

Apertando um botãozinho, Colin ligou o monitor. Lola, olhando para a tela, perguntou:

— Isso não é a sala dos professores?

— Sim, filha, é.

— O quê?! — exclamou Priscilla, alucinada.

Ao ver a surpresa no rosto de suas filhas, Colin explicou:

— Antes de começar o ano, sem que ninguém soubesse, contratei uns especialistas em segurança para que instalassem várias câmeras na sala dos professores, que ligam automaticamente quando alguém entra e desligam quando não há ninguém dentro.

Sem poder acreditar, Lola olhou as fitas e grunhiu:

— Papai, você não sabe que isso é ilegal?

Ele assentiu.

— Ninguém vai saber. Só vocês. Elas me ajudaram a resolver um problema, o resto não me interessa.

— Cuidado com essas coisas, ou alguém pode denunciá-lo — disse Priscilla.

— Vocês vão contar a alguém?

Ambas fizeram que não com a cabeça. Elas não iam dizer nada. Mas Lola insistiu:

— Mesmo assim, você deveria tirar as câmeras antes do começo do novo ano letivo.
— Por quê?
— Porque é ilegal, papai, já disse. E, se alguém souber, pode causar um belo problema para o colégio.
— Mas só há câmeras na sala dos professores.
— Não importa, papai... Dá na mesma.
— Às vezes, é como assistir a um programa ao vivo.
— Papai... — protestou Priscilla.
— Você fica sabendo de cada coisa... — disse ele, limpando a garganta.
Ao ouvir isso, Lola cravou o olhar no pai. Do que estava falando, exatamente? Inquieta, perguntou:
— O que quer dizer com isso?
Fazendo suspense, Colin olhou para ela e respondeu:
— Diga você, que parece saber.
Lola e Priscilla trocaram um olhar. Aquilo cheirava mal. E Lola disse:
— Justin me disse que você tinha que falar sobre um assunto delicado com ele. O que é?
Sem entender por que de repente a filha estava erguendo a voz daquela forma, Colin a olhou e disse:
— Vou esperar que ele chegue para falar.
Lola praguejou. Não podia suportar o fato de o pai ter brincado com ela também. Lembrava-se de ter flertado com Dennis naquela sala, entre outras coisas. Fitando-o, sibilou:
— Muito bem, papai, chega de bobagens. O que é que você sabe?
Colin olhou para a filha e, sem hesitar, deu-lhe corda.
— Você sabe o que eu sei. E faça o favor de conter essa fera desembestada que há em você.
Priscilla levou a mão à boca. Ia dizer algo quando Lola deu um passo à frente e, olhando para o pai, gritou:
— Você está dizendo que o tempo todo sabia o que estava acontecendo e ficou calado como uma velha raposa, sendo que tudo poderia ter se resolvido e agora eu poderia ser feliz, em vez de estar arrasada porque tudo nos fugiu do controle?!
A cada instante mais surpreso com o que ela dizia, em vez de esclarecer as coisas, ele a fitava com aquele olhar que sabia que a desesperava. E Lola explodiu:
— Ótimo, papai, ótimo! Eu passei um ano de merda, angustiada, com medo de que você soubesse que estou apaixonada por Dennis, e agora aca-

ba que você sabe de tudo. Sabe que desde que me casei com Justin, minha vida com ele é uma farsa porque ele é gay, e... e... — e rangendo os dentes, gritou, fora de si: — Por quê? Por que com você tudo é sempre tão difícil? Por que não podia me chamar para esclarecer as coisas?!

Ao notar que a irmã estava perdendo o controle, Priscilla se aproximou dela e murmurou:

— Fique calma. Não é bom você ficar assim.

Mas Lola já era a fera desembestada de sempre. Soltou pela boca todo tipo de impropérios e palavras inadequadas, enquanto o pai a olhava com seriedade e tentava processar tudo que ela dizia. Quando por fim Lola fechou a boca, ele sibilou:

— Sente-se, acalme-se e vamos conversar.

Lola praguejou. Olhou para a irmã e, pegando a bolsa, decidiu:

— Vou embora. Vou para minha casa, porque, se continuar assim, vou cometer um assassinato.

— Lola, sente-se! — gritou Colin.

Ela o fitou, mas, com fúria, respondeu:

— Não, papai, agora não.

E, sem mais, saiu do escritório, batendo a porta e deixando Colin imensamente aturdido.

Assim que Priscilla e ele ficaram a sós, ela olhou para o pai com cara de paisagem. E ele esclareceu:

— Não sei do que sua irmã estava falando, mas você vai me contar tudo. Vai me contar porque só vi as fitas até que resolvi o problema com Marian. Descobri que o professor Emerson rói as unhas, que Clarissa tira o ranho do nariz com o dedo mindinho e que Shonda e Bruna competiam pela atenção de Dennis. Mas parece que nessa sala dos professores aconteceram mais coisas que eu não sei, e que estou disposto a saber.

Priscilla suspirou. E, então, o pai gritou, fora de si:

— Que história é essa de que Justin é homossexual e que sua irmã está apaixonada por Dennis? Pelo amor de Deus, que loucura é essa?!

Ao vê-lo tão nervoso, Priscilla se sentou ao seu lado. Sabendo que ela era quem teria que resolver e esclarecer toda aquela confusão com ele, murmurou:

— Papai, prometo lhe contar tudo que sei se você se acalmar.

Com os olhos fora das órbitas, Colin gritou sem parar. Assim como Lola, era como uma fera desembestada sempre que perdia o controle. Quando por fim se calou, Priscilla o olhou e perguntou:

— Não sabe mesmo do que ela estava falando?
— Não, claro que não!

Ela suspirou. Depois de pegar as fitas e indicá-las a ele, tornou a se sentar e disse:

— Não sei o que há gravado aqui, mas nada melhor que estas fitas para explicar o que está acontecendo.

Colin assentiu. As mãos e o pescoço transpiravam. Tirando a gravata, olhou para a filha e disse:

— Vou ligar para Rose e avisar que não me espere para almoçar. E você devia fazer o mesmo com esse rapaz, Aidan. Daqui não sairemos até que eu saiba direitinho o que acontece com sua irmã e o imbecil do marido.

Priscilla sorriu. O fato de ele ter pensado em Aidan com normalidade significava muito para ela. Sorrindo, beijou o pai no rosto e disse:

— Calma, papai. Vou lhe explicar o que for necessário.
— Ah, vai mesmo... — insistiu ele.

Priscilla assentiu, mas sabia que, em relação a Lola, nem tudo poderia ser esclarecido.

Capítulo 78

Lola andava furiosa pela rua.

Como o pai podia ter brincado com ela também?

Caminhou durante horas, até que, ao pensar no bebê, respirou fundo e tentou se acalmar. Seu estado de ânimo o prejudicaria, e essa era a última coisa que queria.

De tanto caminhar, chegou à casa de Dennis. Quando notou aonde os pés a haviam levado, sem hesitar entrou pelo portão. Tinha que falar com ele de qualquer maneira e esclarecer as coisas.

Ao chegar à porta e vê-la entreaberta, chamou:

— Dennis...

Mas, quando abriu a porta totalmente, o coração quase parou. Exceto os móveis que ela conhecia, a casa estava nua, vazia. Lola entrou no hall. Uma garota saiu do quarto dos fundos e perguntou:

— Você veio ver o apartamento?

Lola não estava entendendo nada. Olhou para a moça e respondeu:

— Não. Estou procurando Dennis.

A garota sorriu, então, e respondeu:

— Dennis não mora mais aqui. Foi embora.

Quando Lola ouviu isso, a sala começou a girar. Apoiando-se no sofá onde tantas vezes havia estado com ele, sentou-se e murmurou:

— Por favor, pode me dar um copo de água?

A garota, assustada, rapidamente lhe deu a água. Depois que Lola a bebeu e parecia se recompor, perguntou:

— Está melhor?

Lola assentiu. Estava péssima, mas não pretendia reconhecer isso diante daquela desconhecida. Sorrindo como pôde, disse:

— Sim. É que minha pressão caiu.

Dois minutos depois, enquanto Lola saía daquela casa sentindo o coração querer sair do peito, passou a mão na barriga e sussurrou:

— Calma, bebê... Mamãe vai cuidar de você.

Mas, irritada, odiou o pai por ter escondido que estava a par do seu problema, odiou Justin por tê-la enganado com aquela frieza, e odiou Dennis por tê-la feito acreditar que ela era sua mulher e o centro de seu mundo.

Não queria mais continuar caminhando pela rua, então parou um táxi e foi para casa. Era o melhor que podia fazer. Precisava descansar.

Poucos minutos depois de chegar, tocaram a campainha. O coração acelerou. E se fosse Dennis? Foi abrir correndo, mas sofreu uma enorme decepção ao ver a avó, que inquiriu:

— Por que você não atende ao maldito telefone?

Lola se afastou para que a mulher entrasse e, enquanto a observava, disse:

— Vovó... Não estou de bom humor.

Diana, que carregava uma sacola na mão, tirou dela um pote com comida, mostrou-o a Lola e perguntou:

— Comeu alguma coisa?

Lola fez que não com a cabeça. Diana, resmungando, sibilou:

— Já imaginava. Ande, vamos para a cozinha; fiz refogado de vitela, e sei que você gosta.

Sem reclamar, Lola acompanhou a avó à cozinha, sentou-se em uma cadeira e deixou que ela aquecesse a vitela. Diana pôs dois pratos em cima da mesa e se sentou ao lado de Lola, que murmurou, sorrindo:

— Que cheiro bom!

— O gosto está melhor ainda. Coma.

Lola começou a comer. Ambas comeram em silêncio. Quando acabaram, Lola olhou para a avó e sussurrou:

— Eu lhe contei. Como você disse, encontrei um jeito de lhe contar, mas ele foi embora. Pegou as coisas e foi embora.

Diana balançou a cabeça. Não sabia o que responder. E, então, Lola se levantou e disse, colocando o prato na lava-louças:

— Vamos para a sala. Quero me deitar um pouco.

A mulher se levantou e ajudou a neta a ajeitar a cozinha. A seguir, já na sala, quando Lola se deitou, Diana deu-lhe um beijo na testa e murmurou:

— Descanse. Você está precisando.

Durante duas horas Lola ficou deitada de olhos fechados, enquanto a avó olhava umas revistas ao seu lado. A tranquilidade reinava na sala quando tocaram a campainha. Lola pulou do sofá e correu para a porta. Seria Dennis?

Mas seu rosto se contraiu ao ver o pai e Priscilla.

Durante alguns segundos contemplou Colin com desdém, até que ele disse:

— Filha, o que foi que você fez?

Lola bufou. Priscilla, que a fitava, recomendou:

— Ouça-o antes de falar, Lola, por favor.

Nesse instante, Diana chegou à porta. Dirigindo-se a Colin, murmurou:

— Era só o que faltava, o rei do mundo!

Ao vê-la ali, Priscilla se aproximou de Diana. Fez um sinal pedindo que se calasse. Ficaram todas em silêncio para que Colin se explicasse:

— Quando eu disse a Justin que tinha que falar com ele sobre um assunto delicado, foi porque o ano letivo que vem é o último que vou passar como diretor. Pensei em nomear Priscilla e você diretoras do Saint Thomas, e sabia que ele não ia gostar da minha decisão. Por isso usei a palavra "delicado".

Lola pestanejou.

— Eu não sabia nada do que estava acontecendo em sua vida, filha, mas, ao ver sua reação, quis fazê-la acreditar que sim. Mas agora eu sei. Sei sobre o descerebrado do Justin, e sei sobre Dennis.

Lola não falou nada. Priscilla, ao ver a cara séria da irmã, insistiu:

— Lola, o papai não sabia de nada. Acredite, é verdade.

Sem falar nada, ela caminhou para a sala. Diana, então, olhando para Colin, sussurrou:

— Ela não está muito bem. Não a pressione.

Vendo que em um momento como aquele sua avó podia complicar ainda mais as coisas, ao ver a cara do pai, Priscilla pegou a mulher pelo braço e disse:

— Vovó, vamos preparar um chá.

Quando elas desapareceram, Colin seguiu Lola até a sala, parou diante dela e perguntou:

— Por quê? Por que você se casou com Justin?

Ela fechou os olhos e, respirando fundo, respondeu:

— Porque precisava fugir de você.

— De mim?

Lola assentiu:

— Sim, papai, de você. Você queria que eu estudasse algo que eu não queria. Eu era uma menina, e achava que a melhor maneira de poder seguir meu caminho era me tornando independente. Por isso me casei com ele.

— Pelo amor de Deus, que loucura!

Lola sorriu. Já sem nada a perder, afirmou:

— Ele e eu tínhamos problemas com a família, com nossos respectivos pais, e pensamos que casar seria a solução.

Levando as mãos à cabeça, Colin sibilou:

— Mas, filha, Justin é homossexual... Como você pôde?

— Acabei de explicar, papai. Fiz isso para fugir de você.

Ele estava aturdido, e ia dizer algo quando Lola se antecipou:

— Justin foi um excelente marido durante todos esses anos.

— Mas ele é gay!

— E daí? — perguntou Lola.

— Santo Deus, filha! — gritou ele. — Se eu soubesse que esse... esse... sem-vergonha era homossexual...

— Esse sem-vergonha, como você diz — interrompeu Lola —, foi a pessoa que nos últimos doze anos te ajudou a tornar o colégio Saint Thomas um dos mais valorizados do país. Ele se preocupou com você e resolveu centenas de problemas quando você era incapaz de resolvê-los. Justin deu o sangue em cada aula, com cada aluno e a cada ano, por e para você. Como pode julgá-lo por sua sexualidade?

Colin fechou os olhos. Sentando-se no sofá ao lado da filha, murmurou:

— Lola, eu pertenço a outra geração, e na minha geração...

— Na sua geração havia os mesmos gays que hoje em dia — interrompeu ela. — O que acontece é que se escondiam por vergonha, faziam o que Justin fez comigo durante esses anos, esconder-se atrás de mim. Mas não se engane, papai. Escondendo-se ou não atrás de uma mulher, a orientação sexual deles continuava sendo a mesma. Caso não tenha percebido, estamos no século XXI, e as pessoas são pessoas independentemente de serem homossexuais ou heterossexuais. E, enquanto isso não entrar nessa sua cabeça teimosa, o colégio Saint Thomas não vai poder prosperar.

As palavras da filha eram as mesmas que Priscilla lhe havia repetido até cansar.

— Eu sei — admitiu ele com pudor. — E por isso sua irmã e você devem me substituir na instituição quando eu me aposentar. Acho que as duas vão trabalhar muito bem. Além do mais, Rose merece que eu lhe dê mais atenção do que lhe dei até agora.

Ao ouvi-lo, Lola olhou para ele. Significava muito para ela ouvir isso do pai. Ele não era uma pessoa fácil de se contentar nem de se convencer. E, examinando seu rosto, perguntou:

— O que aconteceu para que...?

Colin sorriu e sussurrou:

— Este ano foi muito complicado para todos nós. Cada complicação e cada desgosto me fizeram perceber como eu havia feito as coisas de um jeito errado ao longo da vida. E, quando consegui que Rose me desse outra oportunidade, pensei que era hora de mudar. Preciso tentar fazer as coisas melhor, porque, como Rose dizia, eu deveria me alegrar por receber o carinho dos meus filhos e parar de questionar suas decisões, gostando delas ou não. Há uma semana falei com Daryl por telefone, mas, fique tranquila, não discutimos. Comentei com ele o que queria fazer em relação ao colégio e ele acabou de me convencer de que vocês seriam as melhores substitutas para mim, e não Justin.

Lola sorriu e ele continuou:

— Mas, quando eu ia lhes contar hoje de manhã, tudo se complicou. Fui dar uma de esperto, como sempre, você achou que eu sabia de certas coisas e foi uma confusão.

— Papai...

— Filha, me dói saber que Justin é homossexual, mas me dói ainda mais saber que durante doze anos você foi casada com ele e não foi feliz. Tenho vergonha de recordar as vezes que lhe joguei na cara o fato de você não ter me dado um neto, e...

Lola não o deixou continuar. Abraçou-o e, emocionada, murmurou:

— Papai, isso é passado... Vamos esquecer.

Colin abraçou aquela filha que tanto se parecia com ele. Quando a afastou para olhar para ela, sussurrou com carinho:

— Você é uma fera desembestada como eu, mas de outra geração e na versão mulher.

Lola riu.

— Você me ama, eu te amo, e quero voltar a ser seu herói, como quando você era pequena. Se alguém tem que pedir perdão aqui, sou eu. Não lhe dei atenção suficiente para evitar a loucura que você fez se casando com Justin, mas, agora que sei muitas coisas e que as palavras dizem o que o coração às vezes cala, tenho que dizer que Dennis, o professor Alves, ama você, Lola. Ele te ama como um homem deve amar uma mulher.

Ao ouvir isso, ela não soube o que dizer. Falar de Dennis deixava-a arrasada.

Priscilla, que nesse instante voltava da cozinha com a avó e uma bandeja com chá, disse, emocionada:

— Lola, nós vimos umas fitas nas quais Dennis fala com Justin e confessa o amor que sente por você. Ele disse coisas lindas, maravilhosas.

— Olhos Fascinantes é seu homem — afirmou sua avó. — Eu já disse.

Confusa com o que estava ouvindo e sentindo, Lola respirou fundo e disse:

— Não quero falar sobre Dennis.

Colin e Priscilla se entreolharam. Lola sentenciou:

— Esse assunto está encerrado. Fui à casa dele, e ele não mora mais lá.

— O quê? — perguntou Priscilla.

— Isso mesmo — afirmou ela. — Foi embora, e isso só pode significar que ele não me amava tanto quanto vocês estão dizendo.

Surpreso, Colin disse:

— Mas, filha, quando ele falava de você a Justin, não dizia...

— Papai — interrompeu ela —, ele foi embora. Partiu, e não quero que volte.

— Lola, o que está dizendo?! — protestou Priscilla.

— O que sinto.

Diana, que havia permanecido impassível durante todo o tempo, interveio:

— Posso ir a minha casa pegar as cartas. Posso jogar e dizer se...

— Não, vovó — replicou Lola, fitando-a. — Não quero ler as cartas. Simplesmente não quero saber nada dele, porque as coisas já ficaram claras entre nós.

Então, Colin, levantando-se, tirou o celular do bolso e disse:

— Vou falar com ele. Não sei o que aconteceu entre vocês, mas, sem dúvida, pode ser resolvido. É uma loucura que...

Arrancando-lhe o celular das mãos, Lola sibilou:

— Papai, eu não sou criança. Amanhã faço trinta e três anos, e peço que me deixe resolver meus problemas como a adulta que sou. E digo o mesmo que disse a Priscilla: se não quiserem que eu desapareça da vida de vocês, é melhor que não entrem em contato com ele, porque, se eu souber que vocês, Rose, Aidan ou você, vovó, falaram com ele, juro que vou embora e nunca mais vão ouvir falar de mim.

— Lola... — murmurou Colin, assustado.

Passados alguns segundos nos quais não foram necessárias mais palavras, Lola devolveu o telefone ao pai com segurança e, olhando-o nos olhos, acrescentou:

— Justin e eu vamos nos divorciar; ele está em...

— Nova York, sua irmã já me disse.

A ouvir isso, Lola olhou para Priscilla e, rangendo os dentes, perguntou:
— O que mais Priscilla lhe disse?
Priscilla negou com a cabeça. Não havia lhe contado o que Lola imaginava. Ao saber disso, Lola relaxou, mas, então, sua avó interveio:
— Acho que seu pai deveria sa...
— Vovó! — interrompeu Priscilla.
A mulher assentiu:
— Tudo bem... Tudo bem...
Então Colin, olhando para as mulheres, fez sua cara de ranzinza e perguntou:
— Que foi? Sei que está acontecendo alguma coisa, e vocês vão me contar agora mesmo.
Mas Lola replicou, evitando responder:
— Papai, sejamos claros de uma vez por todas. Você vai permitir que Justin continue dando aula no Saint Thomas?
Ele suspirou, balançou a cabeça e, depois de alguns segundos de tensão, respondeu:
— Não sei.
— Pois eu preciso saber.
— Agora?
— Sim, agora.
Colin pensou e disse:
— Ele é um excelente professor, não tenho dúvida disso. Mas, mesmo que eu tentasse esquecer que ele se escondeu atrás de você durante todos esses anos, não posso perdoar o que ele fez com você.
— Eu penso como papai — afirmou Priscilla.
— Eu também — sussurrou Diana, ganhando um sorriso de Colin.
Ao ouvi-los, Lola ficou desesperada. Olhando para o pai, apontou:
— Papai, ele estava assustado. Ele tem mais medo de você e da maldita carta na qual seu pai fala de sua homossexualidade que do diabo. Mas, se fui capaz de perdoá-lo, apesar de estar furiosa com ele, vocês deveriam fazer o mesmo, porque Justin é da família. Ele sempre esteve conosco quando necessitamos, e nos ama, apesar de ter agido errado.
— A verdade é que ele não é um mau rapaz — disse Diana.
— Odeio ter que admitir, mas penso igual a Diana — confessou Colin, ganhando um sorrisinho dela.
Priscilla sorriu e, ironizando, sussurrou:
— Ora, ora, já estou vendo os dois passando as férias juntos.
— Não abuse, filha — suspirou Colin.

— Não abuse, inglesa — disse Diana, sorrindo.

Lola, que continuava pensando em como resolver o problema de Justin, prosseguiu:

— Não sei que decisão Justin tomará quando acabar o verão, mas, se lhe permitir ficar no Saint Thomas, ele continuará sendo o professor de física e química maravilhoso que sempre foi. E, se ele for embora, só espero que o apoiemos com carinho.

Todos sorriram e assentiram para demonstrar a Lola que estavam de acordo com ela. Então, olhando para a filha, Colin murmurou, orgulhoso:

— Você é a digna filha de Elora. Não poderia se parecer mais com ela, mesmo que quisesse.

Lola sorriu e olhou para a avó, pois entendia que as palavras dele poderiam feri-la. Porém, Diana confirmou, emocionada:

— Seu pai tem razão, irlandesa. Elora vive em você.

Emocionados, todos sorriram. Colin, que não estava disposto a chorar, disse:

— Se Justin quiser continuar dando aula no Saint Thomas, assim será. Mas, Lola, antes tenho que falar com ele. Como seu pai, exijo ter a possibilidade de fazê-lo.

Ela assentiu. Dando-se por vencida, afirmou:

— Perfeito, papai.

Aproximou-se dele, pegou-lhe as mãos e, depois de olhar para Priscilla e a avó, declarou:

— Tenho que lhe contar uma coisa que não sei se vai lhe agradar. Mas precisa me prometer que, gostando ou não, não vai dizer nada a ninguém.

Colin engoliu em seco. Não sabia mais o que mais esperar. Então, Lola começou a falar:

— Prepare-se, porque vem aí uma nova geração de Simmons. Eu vou ser mãe.

Ao ouvir isso, Colin se sentou. Afrouxou a gravata e, olhando para Lola, soltou uma gargalhada e disse:

— Benditas sejam suas feras desembestadas, minha menina. Benditas sejam!

No dia seguinte, Lola fez trinta e três anos. O sorriso não a abandonou enquanto comemorava com sua família, mas sentia o coração irremediavelmente partido.

Capítulo 79

Passou junho...

Passou julho...

Em meados de agosto, Justin voltou de Nova York transformado em um novo homem. O fato de ter passado dois meses vivendo com Henry o havia feito perceber o que realmente queria da vida. E, depois de conversar com Colin e entender o que o sogro lhe dissera, decidiu deixar o Saint Thomas e se mudar definitivamente para Nova York.

Antes de partir, seguros do que estavam fazendo, Lola e ele assinaram os papéis do divórcio. Dividiram o dinheiro que tinham na conta-corrente e Lola ficou com a casa onde viviam. Colin a havia comprado de presente de casamento para a filha. Justin não fez nenhuma objeção.

Dias depois, Lola o acompanhou ao aeroporto, mas não lhe contou da gravidez – ele saberia quando o resto do mundo soubesse. Deu-lhe um beijo no rosto e se despediu. Só queria que ele fosse feliz.

No fim de agosto, Lola já havia aprendido a viver sozinha. A barriga crescia e ela tentava curtir o verão em família. Porém, à noite, quando ia para a cama, na solidão do quarto punha os fones de ouvido, ligava o iPad e escutava Michael Bublé. Sentia necessidade de relembrar o que havia significado sua relação com Dennis.

Capítulo 80

Em Munique, Dennis estava jantando com os amigos no começo de setembro.

Fazia dois dias que havia chegado do Brasil. As férias com a família programadas para um mês haviam se transformado em dois. Feliz, ele ria com os amigos enquanto jantavam no restaurante do pai de Björn.

Quando o jantar acabou, os outros propuseram ir à Sensations beber alguma coisa, mas Dennis declinou. Não estava a fim. Ao sair do restaurante, o amigo Björn e Mel se despediram dele e foram embora.

Dennis ia caminhando em silêncio com Eric e Jud até o lugar onde haviam estacionado as motos, quando o alemão perguntou:

— O que achou do apartamento?

— Maravilhoso — afirmou Dennis. — Tem uma luz incrível, mas não sei se vou poder me permitir viver muitos meses nele.

— Por quê? — perguntou Judith, que caminhava de mãos dadas com o marido.

Dennis sorriu e, fitando-a, disse:

— Porque sou um simples professor de matemática e, embora ainda não tenha perguntado o valor do aluguel, receio que será caro demais para mim.

Judith e Eric se entreolharam e sorriram. Então, Eric afirmou:

— Calma, você vai poder pagar.

Dennis ia dizer algo quando Judith suspirou e disse:

— Sei que eu não devia falar nisso, mas sua repentina mudança de planos me deixou desconcertada. Lola me pareceu uma mulher encantadora, vocês pareciam tão bem quando a conhecemos que...

— Pequena — repreendeu-a Eric. — Não!

Eric lhe havia pedido mil vezes que não tocasse no assunto, mas, ignorando o marido, Jud olhou para Dennis e insistiu:

— Você tem certeza do que está fazendo?

Ele assentiu. Tentando não parar de sorrir, afirmou:

— Sim, Judith. Tenho certeza. — E, mudando de assunto, disse: — Quanto ao apartamento...

— Tudo bem — interrompeu ela. — O apartamento é meu e de Eric. Nós o compramos no ano passado como investimento e para ter um lugar para onde fugir e passar algumas noites sem as crianças.

— É de vocês?

— Sim — afirmou Eric, sorrindo ao ver a cara da mulher. — Mas agora é seu.

Sem saber o que dizer, o brasileiro olhou para eles. O apartamento ficava em uma das melhores ruas de Munique. Quando ia replicar, Judith disse:

— Dennis, antes que diga qualquer coisa, para nós é muito bom que você more nele. Assim, evitamos invasões.

Surpreso, ele disse:

— Mas vocês podem pedir um dinheirão por esse apartamento...

— Preferimos que você fique nele — disse Eric, abraçando a mulher.

Feliz, Dennis ia dizer algo quando Judith esclareceu:

— Como você deve ter visto, as caixas que chegaram de Londres estão todas na sala. É melhor você começar a arrumar tudo logo, porque as aulas começam daqui a seis dias.

— Eu sei — Dennis sorriu.

Chegaram perto das motos, montaram nelas, puseram o capacete e, depois de ligar a sua, Dennis olhou para os amigos e disse:

— Obrigado, meninos. Não sei o que eu faria sem vocês.

— Para isso servem os amigos, não é? — disse Jud com um sorriso.

Feliz, Dennis assentiu. E, então, depois de acenar para o amigo, Eric acrescentou:

— Amanhã passo às nove no apartamento para pegá-lo. Às dez temos o jogo de basquete.

Dennis assentiu. Eric, acelerando a moto, desapareceu com a mulher na garupa.

Com tranquilidade, Dennis pilotava por Munique. Adorava a cidade. Tinha bons amigos ali, um bom emprego... Porém, o sorriso desapareceu quando recordou quem não estava ali.

Depois de estacionar a moto na garagem do edifício, entrou no lindo e espaçoso apartamento e olhou as caixas que estavam a sua direita. Não estava com vontade de deitar, então tirou a jaqueta de couro, jogou-a sobre um lindo sofá branco e, depois de ler em uma caixa "coisas/quarto", soube qual era e a levou até o dormitório.

Uma vez lá, abriu-a. Ali estava o despertador. Pôs o alarme para as oito da manhã e o deixou no criado-mudo. Tinha um jogo de basquete com os amigos.

Voltou à caixa, tirou algumas cuecas, umas abotoaduras e vários livros. Dentre eles, separou o que havia começado a ler meses antes.

Ao ver uma camiseta de Lola, ficou parado durante alguns segundos, até que a pegou e, levando-a ao nariz, cheirou-a. De olhos fechados, aspirou o aroma que a peça ainda conservava. Quando os abriu de novo, transtornado, colocou-a de novo na caixa. Não era bom ter esse tipo de recordação por perto.

Depois dessa caixa, abriu mais duas, até que decidiu se deitar. Tinha que descansar.

Despiu-se, sentou-se na cama, pegou os óculos que havia deixado de manhã em cima do criado-mudo e, pegando o livro que fazia meses não lia, apoiou-o sobre as pernas.

Lola o havia dado de presente a ele. Mas, tirando-a da cabeça, colocou os óculos e decidiu ler. A leitura sempre o fazia relaxar. Porém, quando ia abrir o livro, soltou um palavrão e, jogando-o no chão, tirou os óculos, apagou a luz e se deitou para dormir. Não estava com humor para ler.

Na manhã seguinte, quando o despertador tocou, Dennis esticou o braço e o desligou. Passados alguns segundos, sentou-se na cama e logo se levantou.

Pegou umas toalhas, entrou no lindo banheiro e tomou uma chuveirada. Uma das coisas de que mais gostava era começar o dia com um banho. Saiu com uma toalha ao redor da cintura, pegou em sua mala uma calça jeans e uma camiseta básica cinza e, então, viu o livro no chão.

Ao se agachar para pegá-lo, viu a ponta de uma folha branca sobressaindo. Sem saber o que era, Dennis a puxou e leu:

Nossa história nunca foi normal. Nós nos conhecemos de um jeito estranho, nos apaixonamos em meio a confusões... e, embora você acredite que não há nada importante entre nós, há sim: estou grávida.

Eu ia lhe contar na festa, e também agora, na porta de sua casa, mas você não me deixou. Não me permitiu falar. E por isso optei por lhe contar dentro do seu banheiro, deste jeito tão pouco normal.

A propósito, eu adoraria gritar e ser tão desagradável como você está sendo comigo, mas penso em meu bebê e, como não quero fazê-lo sofrer nem lhe cau-

sar nenhum trauma, me contenho para não liberar a fera desembestada que você sabe que habita em mim e lhe dizer as barbaridades que você sabe que eu sei dizer.

Eu te amo. Sei que te decepcionei, mas, embora não pareça, nada é o que você acredita que seja. Espero sua reação.
Lola
P. S. Lembre-se, amor não é o que queremos sentir, e sim o que sentimos sem querer.

Dennis se sentou na cama. Tornou a ler a carta, sentindo que o coração ia sair do peito.

Depois de lê-la umas dez vezes, levantou-se, apavorado. Pensou que Lola a devia ter escrito quando lhe pedira que a deixasse ir ao banheiro, havia mais de dois meses e meio!

— Caralho! Caralho! Caralho!!!! — gritou, frustrado.

Andou pelo quarto e voltou a se sentar. Pegou o telefone. Tinha que ligar para ela. Mas, então, pensou melhor. Aquilo não era coisa para se falar por telefone.

Nesse instante, ouviu a campainha. Sem se importar por estar só com uma toalha ao redor da cintura, Dennis foi abrir. Ao vê-lo daquele jeito, Eric baixou a voz e disse:

— Se está com alguém, vou embora.

Mas, ao notar a expressão tensa em seu rosto, perguntou:

— Que foi?

Desorientado, Dennis entregou-lhe a carta que havia encontrado no livro. Enquanto Eric a lia, o brasileiro fechou a porta. Quando acabou de ler, entreolharam-se, e Eric perguntou:

— Lola está grávida?

Totalmente desconcertado, Dennis abriu os braços e respondeu:

— Parece que sim.

O amigo soltou um suspiro e murmurou:

— Só vou dizer que os malditos hormônios as deixam loucas.

— Caralho! Acabei de saber por essa carta!

— Quando a recebeu?

Desesperado, Dennis levou as mãos à cabeça.

— Lola deve tê-la enfiado há mais de dois meses e meio em meu livro.

— O quê?!

Dennis assentiu. Suspirando, Eric murmurou:

— Pois acho que ela deve estar com muita... muita raiva.

O brasileiro assentiu de novo. Nervoso, não parava de andar pela sala, até que Eric o olhou e disse:

— Vá se vestir enquanto eu preparo um café. Acho que você está precisando.

Sem dizer nada, Dennis entrou no quarto, pôs o jeans e a camiseta que havia separado antes e um tênis cinza. Voltou à sala e declarou, olhando para o amigo:

— Tentei esquecê-la. Tentei convencer a mim mesmo que Lola não serve para mim, mas não posso. Eu a amo. Preciso dela... E agora, isso!

Ao vê-lo tão desesperado, Eric lhe entregou um café. Tentando tranquilizá-lo, disse:

— O amor é complicado, ainda mais quando a cabeça diz uma coisa, e o coração outra. Nem preciso lhe contar os problemas que tive com Jud, porque acho que você já os conhece, mas, por ela, eu passaria de novo por todos eles, porque minha pequena é insubstituível em minha vida.

Dennis balançou a cabeça; sabia do que ele estava falando. Então, Eric o fitou e prosseguiu:

— Nunca lhe perguntei o que aconteceu entre vocês para que tudo fosse por água abaixo, mas, se quiser me contar, sou um bom ouvinte.

Desesperado, precisando falar com alguém sobre o que estava acontecendo, Dennis lhe contou tudo. Falou de Justin, de Jeremiah, de Beckett, da desconfiança... Quando acabou de falar, balançando a cabeça, Eric disse:

— Entendo sua reação. Eu teria reagido igual, mas garanto que também teria ido atrás desse tal de Beckett.

— Para quê?

— Para lhe dar uma surra por ter roubado minha mulher.

Dennis assentiu. Havia sido um idiota. Então, afastando o cabelo do rosto, pegou o celular e começou a procurar nos contatos.

— Acho que esse não é um assunto para falar pelo telefone, Dennis — recomendou seu amigo.

— Não vou ligar para ela, vou ligar para Justin. Preciso falar com ele.

Permanecendo ao lado de Dennis, Eric observava enquanto o amigo falava com o tal de Justin. Quando ouviu o brasileiro gritar e xingar, tentou acalmá-lo. Porém, foi impossível. Conforme falava com aquele sujeito, Dennis ia ficando mais e mais nervoso. Quando desligou, sibilou:

— Ao que parece, Beckett era Justin. E Lola e ele já não estão juntos.

— O quê?!

Fora de si, Dennis contou a Eric o que Justin lhe havia contado entre soluços.

— Você fez merda, amigo — disse Eric quando o brasileiro acabou de falar. — E uma das grandes.

— Eu sei... Eu sei...

Irritado, Dennis digitou o número de Priscilla. Precisava saber como estava Lola. Priscilla lhe explicou, muito nervosa, que a irmã estava bem, e lhe contou sobre Justin de novo – o que fez com que Dennis se sentisse um verdadeiro imbecil.

A cada segundo mais desesperado, depois de desligar o telefone, Dennis ficou batendo a cabeça nas paredes. Como havia sido tão tolo?

Ao vê-lo naquele estado, Eric disse:

— Se você a ama, não sei o que está fazendo aqui.

Dennis assentiu e, fitando-o, respondeu:

— Eric... Preciso de sua ajuda outra vez.

Uma hora depois, Dennis voltava para Londres no avião particular de Eric Zimmerman.

Capítulo 81

Quando Lola acordou de manhã, a náusea a fez correr para o banheiro.

Como todos os dias, depois de passar um tempo abraçando o vaso sanitário, voltou para a cama. Era o melhor lugar para se recompor.

Segundo seu médico, isso era normal. Mas, apesar de saber, Lola ficava aflita por vomitar todas as manhãs. Além disso, as aulas começariam dali a cinco dias, e essa noite tinha o jantar de abertura do ano letivo.

Quando sentiu a náusea passar, levantou-se e, ao olhar pela janela, viu que estava chovendo. Suspirou. Depois do verão, os dias chuvosos se tornariam cada vez mais frequentes. Mas não estava a fim de pensar em nada, então entrou de novo no banheiro e tomou um banho.

Meia hora depois, desceu à cozinha, preparou um copo de leite com biscoitos e, com verdadeiro apetite matinal, comeu tudo.

Seu corpo estava descontrolado. Uma hora vomitava, outra hora morria de fome. Sem dúvida, o bichinho que tinha dentro dela não sabia o que queria.

Acabou de tomar o café da manhã e, sem muita vontade de fazer nada de especial, foi até a sala e se largou no sofá. Pegou um livro e começou a ler. Então, ouviu a campainha.

Sem muito entusiasmo, levantou-se e caminhou para a porta. Quando a abriu, pestanejou. Diante dela estava Dennis, que, fitando-a, dizia:

— Por que você não me ligou, querida? Falei com seu pai, com Justin, com Priscilla, e eles me explicaram tudo.

Lola o observava atônita. A última coisa que esperava era encontrá-lo diante de sua porta. E, sem poder evitar, sentiu enjoo e vomitou em cima dele.

Sentindo o vômito em sua camiseta, Dennis suspirou, mas, fitando-a, preocupado, perguntou:

— Você está bem?

Lola suspirou e, limpando a boca, afirmou:

— Divinamente bem!

Então, o brasileiro, secando a água da chuva que escorria de seu rosto, declarou:

— Eu te amo... Fui um imbecil, morri de saudades.

— Não, não me ama. Se me amasse, não teria ido embora.

Ele suspirou. Aquilo não ia ser fácil.

— Se não vim antes — insistiu —, foi porque...

— Não me interessa saber por que não veio.

— Lola...

— Por favor, me esqueça — replicou ela.

E, pegando um pacote de lenços de papel do bolso da saia jeans, entregou-o a ele. Atônito, Dennis pegou vários lenços, que se encharcaram com a chuva, e tentou limpar o vômito. Perguntou:

— Posso entrar?

— Não.

— Está chovendo.

— Estou vendo, não sou cega.

— Por favor!

Apesar da pouca vontade de sorrir que tinha, Lola sorriu e disse:

— Não. E, agora, o que acha de ir embora, assim para de me incomodar e também de se molhar?

Mas observando a pequena curvatura da barriguinha de Lola, Dennis decidiu que não ia se dar por vencido. Desejava tocá-la. Desejava abraçá-la. Insistindo, prosseguiu:

— Querida, temos que...

Mas não pôde dizer mais nada. Como ele havia feito meses antes, Lola bateu a porta na cara dele, deixando-o totalmente desconcertado embaixo da chuva.

Lola fechou os olhos e bufou, apoiando a testa na porta. Estava com falta de ar; a surpresa de ver Dennis a deixara completamente aturdida. Então, a campainha tocou de novo. Depois de contar até dez, Lola abriu a porta de novo e, fitando-o, disse:

— Eu lhe devia essa.

Tentando não perder o controle, ele assentiu. Estava disposto a aceitar o que ela quisesse. Merecia que ela o tratasse como um idiota. E, então, ouviu-a dizer:

— Vá embora. Não preciso de você, ou melhor, nós não precisamos de você.

— Querida, o que está dizendo?

— É isso mesmo. Não precisamos de você. E não me chame de "querida".

Desesperado, ele a fitou. A frieza do olhar dela lhe doeu. Não devia ter sido fácil para ela acreditar que ele havia lido a carta e não tinha respondido. Dennis se odiava por isso. Fitando-a, acrescentou:

— Eu fui para Minorca, depois para o Brasil, e...

— Que ótimas férias! — disse ela com ironia.

Dennis não queria entrar no jogo dela. Insistiu com tato:

— Querida, voltei da casa de minha família há dois dias e, acredite, faz apenas cinco horas que vi sua carta, e já estou aqui.

Os olhos de Lola se encheram de lágrimas.

— Ah, que ótimo... Você veio pelo bebê, não por mim.

— Vim por você.

— Não. Veio pelo bebê — insistiu ela.

Dennis a fitava, desesperado.

— Querida... Eu vim por você. Eu te amo, preciso de você e, embora você não acredite, tenho que agradecer ao nosso bebê por me abrir os olhos e me fazer estar aqui. Mas eu vim por você. Só por você.

Lola se comoveu ao ouvir isso. Era o tipo de coisa que precisava ouvir. Mas não queria se deixar convencer. Sibilou, rangendo os dentes:

— Ouça, Dennis, não me venha com bobagens agora, porque juro que...

— Querida — interrompeu ele, tentando apaziguá-la —, pense no bebê, não libere a fera desembestada que há em você. Não é bom para você nem para ele. Foi o que você disse na carta.

Então, Lola franziu o cenho e disse:

— Seu imbecil!

E, sem mais, fechou a porta de novo na cara dele e gritou como havia meses não gritava, para que ele a ouvisse:

— Deixe-me em paz! Não quero que você me ame! Vá embora!

Porém, Dennis não se rendeu. Gritou enquanto a chuva caía incessante sobre ele:

— Não vou sair daqui enquanto você não me escutar. E acalme-se!

Angustiada, sem vontade de ouvi-lo, Lola foi para o banheiro e escovou os dentes. Odiava o gosto do vômito. Se ele quisesse ficar debaixo da chuva, que ficasse. Ela não pretendia abrir a porta.

Mas, depois de meia hora, olhou pela janela e, ao vê-lo ali parado debaixo da chuva, alguma coisa se remexeu dentro dela. E, então, se encaminhou de novo para a porta. Abriu-a e, contemplando-o, perguntou:

— O que ainda faz aí? Não vê que vai pegar uma pneumonia?
Dennis a olhou e, tirando a água da chuva do rosto, insistiu:
— Terá valido a pena se você me escutar.
Lola suspirou. Então, abriu um pouco mais a porta e disse:
— Entre.
Sem hesitar, ele entrou no hall. E, quando ela fechou a porta, murmurou:
— Obrigado.
Durante alguns segundos se observaram. Então, ele começou a falar:
— Querida... Eu me comportei como um idiota.
— Sim, como um verdadeiro imbecil — disse ela, afastando o olhar.
Dennis deu um passo na direção de Lola. Ela não se mexeu. Estendendo a mão para pegar a dela, ele a segurou com força e insistiu:
— Lola, olhe para mim.
Sem poder evitar, ela obedeceu. Dennis aproximou-se mais:
— Fique brava comigo, castigue-me, critique-me, mas, por favor, dê-me a oportunidade de amá-la como você merece.
Lola estava perdendo a sensatez ao notar a proximidade dele e escutar suas palavras.
Precisava daquele homem, amava-o. E ali estava ele, pedindo-lhe uma chance. Então, sem pensar duas vezes, jogou-se em seus braços e o beijou. Devorou aqueles lábios que tanta falta lhe haviam feito, que tanto havia desejado, e se deixou devorar.
Os beijos se intensificaram. Quando Dennis sentiu que ela tirava a jaqueta e depois a camiseta, deteve-se. Fitando-a, disse:
— Lola... Acho que...
— Cale-se! Meus hormônios falam por si.
Incapaz de não lhe dar o que ela queria, o brasileiro a encurralou contra a parede do hall e tornaram a se beijar com ardor, enquanto os dedos de Lola desabotoavam a calça dele.
Dennis estremeceu ao sentir as mãos dela em sua pele. Desde o último dia que a vira não se aproximara de mulher nenhuma em busca de sexo. Arfando pelo que Lola o fazia sentir, ele a levantou, ergueu-lhe a saia da jardineira jeans e, afastando a calcinha dela, pousou a ponta do pênis duro em seu sexo. E, antes que ele o fizesse, ela fez. Cravou-se nele, mexendo os quadris. Gemeram juntos.
Sem poder abandonar a boca de Lola, Dennis continuou beijando-a enquanto deliciosas ondas de prazer percorriam seu corpo. Usufruía do

que Lola estava lhe proporcionando. Nem em seus melhores sonhos poderia ter imaginado uma recepção como essa. A entrega dela superava todas as suas expectativas. Lola o beijava, o tocava e curtia a posse.

— Querida, não quero machucar o bebê — murmurou ele ao ver o ímpeto dela.

Lola, ao ouvi-lo, olhou para ele e fez que não com a cabeça. Querendo continuar, disse:

— Ele é pequeno demais para você machucá-lo. Fique tranquilo.

Dennis assentiu. Segurando em seus braços a mulher que adorava, entrava e saía dela sem parar, enquanto ambos arfavam e tremiam com cada investida, com cada toque, até que, inevitavelmente, depois de tanto tempo de abstinência, atingiram o clímax.

Em seguida, Lola pediu que a soltasse. Dennis lhe atendeu com extremo cuidado. Depois, vestiram-se em silêncio, até que ele foi pôr a camiseta manchada de vômito e, fitando-a, perguntou:

— Você poderia me arranjar uma camiseta limpa?

Ela assentiu e disse:

— Espere aqui, vou trazer uma.

Lola saiu e entrou no antigo quarto de Justin. Procurou algo no armário dele. Seu ex-marido não havia levado tudo. Pegando uma camiseta da mesma cor que a que havia sujado, ia sair quando viu sua imagem refletida no espelho. Estava acalorada, toda descabelada. Olhando-se, murmurou:

— Mas o que estou fazendo?

Durante alguns segundos observou seu reflexo. O mundo estava de pernas para o ar, e a única coisa que lhe ocorrera fora fazer o que havia feito. Quando voltou ao hall com a camiseta nas mãos, jogou-a em Dennis e disse:

— Vista-a e saia da minha casa.

Ele a fitava, boquiaberto.

— O quê?

Impassível, ela insistiu:

— Ponha a maldita camiseta e saia da minha casa.

— Lola, querida, eu disse que te amo, que preciso de você. E, depois do que aconteceu, pensei que...

— O que aconteceu — interrompeu ela — foi simplesmente uma rapidinha. Estou grávida, e meus hormônios estão enlouquecidos. Não procure outro significado para isso, porque não existe.

Dennis não se mexeu.

Como ela podia estar dizendo isso?

E, quando ela abriu a porta da rua e olhou para ele, ia falar, mas Lola repetiu:

— Pela terceira vez: ponha a camiseta, pegue sua jaqueta no chão e saia da minha casa. Não tem lugar para você na minha vida.

Atônito, furioso, Dennis jogou a camiseta limpa nas mãos dela. Pegou a jaqueta e a camiseta vomitada e saiu. Quando deu meia-volta para dizer algo, ela simplesmente fechou a porta. Não lhe interessava o que ele pudesse dizer.

Meia hora depois, Lola olhou de novo pela janela e viu o brasileiro novamente apoiado na porta, debaixo da chuva torrencial. Então, pegando o telefone, ligou para a irmã e gritou:

— Posso saber o que você disse a Dennis?!

Priscilla, que estava esperando sua ligação havia horas, respondeu:

— Lola, ele me ligou desesperado, e simplesmente lhe contei o que havia acontecido com Justin...

— Caralho! — exclamou Lola, fechando os olhos.

— Querida, relaxe, pense no bebê — advertiu Priscilla.

Lola assentiu. E, depois de bufar, disse:

— Faça o favor de vir a minha casa, você ou Aidan, e leve Dennis daqui. Ele está em minha porta encharcado e, se continuar ali, vai pegar uma pneumonia.

— Lola... Ele reagiu. Ele veio.

— Tarde demais.

— Lola...

— Levem-no daqui, e não voltem a me falar dele.

Sem mais, desligou. E, com uma frieza que nem ela mesma sabia que tinha, sentou-se no sofá para ver televisão, enquanto o cheiro de Dennis e de seu Loewe 7 a envolviam.

Capítulo 82

Naquela noite, às sete horas, tocaram a campainha na casa de Lola. Ela foi olhar pela janela. Era a irmã, que a tinha ido buscar para levá-la à festa de abertura do ano letivo, como todos os anos.

Horas antes, havia visto Aidan chegar de carro e, depois de falar durante mais de vinte minutos com Dennis debaixo da chuva, por fim conseguira levá-lo dali. O brasileiro entrou no carro de Aidan e, sentida, Lola o observou se afastar, enquanto o coração lhe recordava que havia agido mal. Muito mal.

Dennis havia voltado, havia gritado seu amor aos quatro ventos, fizera amor com ela e, ainda assim, Lola o havia expulsado de sua casa?

Sem sombra de dúvida, a gravidez a estava deixando louca.

Quando Lola abriu a porta e olhou para a irmã, Priscilla disse:

— Dennis ligou para Justin antes de ligar para mim em busca de explicações. Depois ligou para mim e para o papai.

— Para o papai?

— Sim — afirmou Priscilla. — O papai me ligou muito bravo.

— Caralho... — bufou Lola. E, fitando-a, perguntou: — Onde ele está?

— Quem?

— Como quem? Dennis!

Priscilla pegou as mãos de Lola e, com pesar, murmurou:

— Esteve na casa de Aidan. Lá, trocou de roupa e, depois, Aidan o acompanhou ao aeroporto. É um absurdo você ter transado com ele e depois ter lhe dado um pé na bunda. Você está louca?

Lola suspirou. Sem dúvida, o que havia feito não tinha nome. Mas, quando ia responder, a irmã prosseguiu:

— Aidan me contou que ele estava muito sentido porque você disse que não tinha lugar para ele em sua vida.

Lola balançou a cabeça, sentindo a decepção se apoderar dela.

Dennis havia ido embora de novo. Esperava que ele lutasse mais por ela, que insistisse mais. Mas, sem se permitir ficar sensível demais, sorriu com amargura e disse:

— Está vendo? Não devia me amar muito, se já foi embora.

Priscilla suspirou e, fitando-a, sussurrou:

— Não há quem a entenda, Lola.

— A culpa é dos meus hormônios descontrolados — disse Lola. E, encerrando o assunto, acrescentou: — Vamos, ou chegaremos tarde à festa do papai.

Em silêncio, junto com Priscilla e Aidan, Lola foi para a festa, no mesmo hotel de todos os anos. Sentia que o coração, até então adormecido, havia reagido. Ver Dennis de novo, beijá-lo e fazer amor com ele daquele jeito havia reacendido os sentimentos que Lola estivera tentando trancar dentro de si.

Entraram no hotel. Colin, ao ver as filhas e Aidan, que já havia se transformado em mais um membro da família, foi cumprimentá-los. Olhando para as meninas, comentou:

— Estão lindas, como sempre.

Nesse instante apareceram Diana e Rose. Lola perguntou, surpresa:

— Vovó, que está fazendo aqui?

A mulher, que vestia um terninho violeta combinando com o lenço na cabeça, olhou-a e respondeu:

— Colin me convidou.

Boquiaberta, Lola olhou para o pai, que afirmou:

— Selamos um acordo de paz por você.

Lola sorriu. Isso era inédito!

Passados alguns segundos, depois que todos se cumprimentaram e se beijaram, Colin murmurou:

— Dennis me ligou.

— Eu sei.

— Duas vezes. Hoje de manhã e há duas horas, antes de pegar um voo para Munique.

Mas o sorriso se apagou do rosto de Colin quando murmurou:

— Ele estava furioso. Não sei o que aconteceu de novo entre vocês, mas esse rapaz estava furioso de verdade.

— Papai... — bufou ela.

— Dennis te ama, Lola. Não seja teimosa.

A jovem suspirou. Olhando para o pai, murmurou com um fio de voz:

— Ele foi embora de novo. Não deve me amar muito.

Colin bufou, e, então, Diana sussurrou:

— Eu já soube o que aconteceu. Irlandesa, como permitiu que Olhos Fascinantes fosse embora outra vez?

— Vovó... — disse Lola.

— Na verdade, ele não foi muito contente — apontou Aidan.

Ao ouvi-los, Rose protestou:

— Querem deixar a menina? Ela já tem preocupação suficiente. — E, fitando-a, disse: — Faça o que tiver que fazer, meu bem, não dê ouvidos a ninguém.

Priscilla, ao ver a cara de desconcerto da irmã, interveio:

— Como me disse Aidan uma vez, você, e só você, deve ser dona de sua vida, e ninguém deve escolher por você. Entendido?

Com os sentimentos à flor da pele, Lola assentiu. Depois de escutar a todos, sentia que havia pisado na bola com Dennis. Mas, quando ia falar, o pai se aproximou, pegou-a pelo braço e disse:

— Vamos, o jantar vai começar.

Sentada à mesa presidencial junto com Colin, Rose, Aidan, Priscilla e Diana, Lola jantou em silêncio enquanto os observava rir. Estavam felizes. Haviam decidido ser felizes. Haviam resolvido seus problemas e ali estavam, ao passo que ela se sentia, mais uma vez, uma fracassada no amor. Sem dúvida, ser feliz no amor não era para ela.

Depois do jantar, passaram para o salão contíguo, onde os esperava uma orquestra, que, como sempre, foi bem recebida por todos os professores e seus acompanhantes.

Lola tentava aproveitar a festa, apesar do desânimo que sentia. Ainda não entendia o que havia feito aquela tarde. Havia gritado com Dennis, vomitara em cima dele, fizera amor com ele e, depois, expulsara-o de sua casa. Ora, estava louca?

Durante um tempo conversou com o professor Emerson e a mulher, enquanto ao seu lado Shonda sorria para o homem que a havia acompanhado à festa. Lola também reparou em Bruna, e, como sempre, não se surpreendeu ao vê-la flertando com um dos garçons. Evidentemente, algumas coisas nunca mudariam.

Nessa festa, Lola dançou menos que em outras, mas não pela gravidez, que era o assunto da noite. Ainda mais quando, ao perguntarem por Justin, ela, omitindo certos detalhes, explicava que haviam se divorciado e que ele estava morando em Nova York. Simplesmente não dançou porque não havia nada que a motivasse.

Rose, o pai e a avó passaram a noite dando-lhe atenção. Em nenhum momento a deixaram sozinha. Ela achou engraçado, mas não disse nada. Era reconfortante sentir-se cuidada, e Lola se apoiou neles, especialmente em Colin, que estava mais carinhoso que o normal.

Estava entretida em uma conversa sobre o novo ano letivo com o professor Emerson, o pai e outros professores, quando ouviu atrás de si:

— Professora Simmons, dança comigo a próxima?

Essa voz...

Santo Deus... Essa voz...

Lola sentiu todos os pelos do corpo se eriçarem. Os professores que estavam conversando com ela, ao ver de quem se tratava, cumprimentaram-no com afeto. A respiração de Lola se acelerou ao notar que Bruna arregalava os olhos e caminhava, sorrindo, diretamente para eles.

Devagar, muito devagar, Lola se virou e encontrou o inquietante olhar de Dennis, que, vestido com um belo terno escuro e uma camisa clara, olhava para ela enquanto cumprimentava os colegas.

Atônita, Lola olhou para o pai, Rose e a avó. Estavam sorrindo. Diana, aproximando-se, sussurrou:

— Olhos Fascinantes está aqui. Dê-lhe uma chance, irlandesa.

Lola pestanejou. E, ao ver que o pai a olhava com um sorrisinho mais que significativo, ia dizer algo quando ele declarou:

— Aproveito este momento para comunicar a todos que o professor Alves volta a integrar a nossa equipe. Este ano, ele estará outra vez conosco no Saint Thomas. — E, olhando para a filha aturdida, incentivou-a: — Ande, vá, você adora dançar.

Alucinada, sem palavras e sem poder acreditar, Lola pestanejou. Como assim, Dennis fazia parte da equipe?

Mas, quando achava que nada mais a poderia surpreender, o brasileiro se afastou dos outros, pegou-a pelo braço, puxou-a para si e, diante de todos, deu-lhe um leve beijo nos lábios e murmurou:

— Querida, estou aqui.

Os professores ficaram boquiabertos. Bruna, surpresa, grunhiu quando Priscilla, que estava ao seu lado, afirmou:

— Sim, Bruna, isso mesmo. Minha irmã tem muito bom gosto para homens. E pense bem onde vai pôr essas suas garrinhas a partir de agora, porque Lola não é de brincadeira.

Alheio a todo o alvoroço, Dennis guiava Lola com passo firme até a pista de dança. Uma vez ali, sem soltá-la, pegou-a pela cintura, puxou-a para si e, quando começou a tocar "You don't know me", a canção deles, murmurou:

— Eu não fui embora e, se me expulsar, vou voltar de novo, até que você me escute e seja sensata. Quanto a seus hormônios, Eric já havia me prevenido. E, fique tranquila, pode me usar quanto quiser.

Enfeitiçada por ele, pelo momento e pela canção, Lola perguntou:

— O que você pretende?

Ao ver a cara de desconcerto dela, Dennis a beijou com doçura e, quando os lábios se afastaram, respondeu:

— Beijá-la, mimá-la e dançar com você nossa canção.

Ela não sabia o que dizer. O coração estava a mil. Não esperava encontrar Dennis ali, e menos ainda que ele fizesse o que havia feito na frente de todos.

Ele pegou-lhe o queixo e, erguendo-o para que ela olhasse bem para ele, acrescentou:

— Também pretendo reconquistar minha mulher.

Lola o olhou. Como sempre, dançar aquela canção tão especial com ele tocava seu coração. Enquanto se movimentavam ao compasso da música, Dennis se concentrava nela, ignorando os olhares curiosos de todos os presentes. Murmurou:

— Ainda não me perdoou?

— Não sei o que você pretende — interrompeu ela.

— Já disse: reconquistá-la.

— Vá sonhando...

Ele sorriu. Sem se deixar assustar pelas palavras dela, afirmou:

— Você me ama. Eu te amo. Vamos ter um bebê.

— Eu vou ter um bebê.

— Tudo bem. Você vai ter um bebê, mas esse bebê é seu e meu, e eu cuidarei para que nada lhes falte.

Lola suspirou. Ciente de que ela não ia facilitar as coisas, ele murmurou:

— Seu pai e todos estão nos observando.

— E daí?

— Sorria e disfarce seu mal-estar por dançar comigo.

Ao ouvir isso, sem saber por quê, Lola sorriu. Era a mesma coisa que havia dito a ele na última vez que haviam dançado juntos.

Então, ao vê-la sorrir, Dennis declarou:

— Quanta falta senti desse lindo sorriso!

Lola parou de sorrir de repente e replicou:

— Estou muito brava com você.
— Eu sei, querida.
— Você foi embora.
— Eu sei, querida. Fui um imbecil.
— Não me deixou contar que eu estava grávida e...

Dennis a apertou contra si e, fechando os olhos, murmurou no ouvido dela:

— Enquanto eu viver, não vou me perdoar por isso.

Sem poder lutar contra os próprios sentimentos, Lola se deixou apertar mais contra o corpo dele enquanto dançavam.

— Eu te amo... Te amo... Te amo... — sussurrou ele no ouvido dela —, porque eu gosto até do que não gosto em você. Por favor, perdoe-me, meu amor — suplicou.

— Dennis...

— Você é minha vida, meu refúgio, meu lar — insistiu ele. — Amo o nosso bebê e, se você não tivesse sido tão teimosa e tivesse me escutado, nada disso teria acontecido. Como você disse na carta, nós nos conhecemos de um jeito estranho, nos apaixonamos em meio a confusões, mas aqui estamos, e estou disposto a fazê-la feliz porque preciso vê-la feliz e eu escolho amá-la. Você é a mulher da minha vida e, como um dia disse a bruxa da sua avó, eu lhe entreguei meu coração. Agora, só preciso que você diga que me ama e que me perdoa.

Lola olhou para ele. Dennis estava fazendo e dizendo tudo que ela precisava ouvir. Não precisava reconquistá-la, porque ela nunca deixara de se sentir conquistada por ele. Mas cravou seus olhos verdes nos dele quando a canção acabou, e murmurou:

— Desejo que você seja muito feliz.

O largo sorriso de Dennis se apagou do rosto. Desapareceu. Não podia acontecer o que ele achava que estava acontecendo. Outra vez, não. Havia entregado o coração e a vida à mulher que estava diante dele, fitando-o com aqueles olhos verdes.

E, quando achava que teria que inventar algo novo antes que sua vida se transformasse em um inferno, ela sorriu e afirmou:

— Mas que seja feliz só comigo, porque te perdoo.

Ao ouvir isso, Dennis sorriu. Aproximando a boca dos lábios que tanto desejava, ia beijá-la quando ela se afastou e perguntou, brincando:

— O que está fazendo? Primeiro convide-me para sair.

Riram. Então, Lola, sem se importar com os olhares que os seguiam, beijou-o. E, liberando a fera desembestada que habitava nela, deu um pulo e se enroscou no pescoço do brasileiro, que rapidamente a segurou forte pela cintura, enquanto todo mundo ao redor aplaudia.

Beijando o homem que ela adorava, que queria, que amava, a jovem se deixou levar. Ficaram para trás os problemas, os dissabores, os desgostos. Tudo havia acabado. Tudo estava resolvido, e ela estava mais que disposta a ser feliz ao lado de Dennis.

Quando o beijo apaixonado chegou ao fim, ainda nos braços do amor de sua vida, Lola sorriu, no centro da pista de dança, vendo a avó e o pai aplaudirem, felizes. Com carinho, dirigiu um sorriso àquela mulher que tanto amava, e, então, recordou o que ela havia dito: que o amor não é o que queremos sentir, e sim o que sentimos sem querer.

Sorriu. Mais uma vez, sua avó bruxa tinha razão.

Epílogo

Londres, dois anos depois

— Papai, por favor, deixe Elora tranquila no carrinho para que ela durma — repreendeu-o Lola ao vê-lo ao lado de sua filha.
Colin sorriu. A netinha havia se tornado o centro de sua vida. Aquela bonequinha morena de olhos verdes como os da mãe e os seus havia roubado seu coração, assim como haviam feito seus filhos quando nasceram. Olhando para a filha, disse:
— É que ela está me pedindo para tirá-la do carrinho.
— Papai! — Lola riu.
— Irmãzinha — disse Daryl, zombando —, vamos ter que trocar o nome Smurf Ranzinza para Smurf Babão. Pelo amor de Deus, que grude com essa menina!
— É que minha pequena é uma preciosidade, como a mãe — disse Dennis, entregando-lhes umas taças.
Lola sorriu. Fazia dias que haviam voltado do Brasil. Foram visitar a família dele e lhes apresentar Elora.
Durante os dias que passaram lá, Lola havia curtido não só a linda família de Dennis, mas também maravilhosas noites de samba, lambada e muita paixão.
Estava pensando nisso, absorta, quando mãos fortes a abraçaram pela cintura.
— Já está no mundo da Lola — brincou Dennis.
Feliz, ela o beijou.
Desde o dia em que haviam se dado uma nova oportunidade, nunca mais se afastaram um do outro. Eram felizes. Ainda mais quando, depois de Elora nascer, certa noite ele a surpreendera com um lindo anel e fizeram uma cerimônia íntima na banheira de casa. Não precisavam assinar nenhum papel para saber que eram marido e mulher. Só isso era suficiente.

Estavam sorrindo quando Aidan e Priscilla, com sua enorme barriga, se aproximaram. Fitando-os, disse:

— Ai, meu Deus... Gabriel não para de chutar minha bexiga.

Aidan sorriu. Beijando a linda aliança que ela usava no dedo, disse:

— Isso significa que nosso filho quer ser jogador de futebol.

Todos sorriram. Então, Rose e Diana saíram da cozinha com bandejas nas mãos, olharam para todos e disseram em uníssono:

— Vamos comer!

A grande família de Colin Gabriel Simmons se dirigia à mesa quando tocaram a campainha. Lola comentou:

— Deve ser Carol.

E, sorrindo, disse enquanto dava um beijo em Dennis:

— Pontualidade não é com ela.

Foi até a porta. Assim que a abriu, mostrando uma garrafa de vinho, a amiga disse, com um sorriso:

— Estou muito atrasada?

Lola sorriu. Pegando-a pela mão, respondeu:

— Sim, mas é normal.

Riram e se dirigiram à sala. Carol cumprimentou as pessoas que conhecia. Ao chegar a Daryl, Lola o apresentou a ela. A jovem o cumprimentou com um sorriso, mas, ao ver a pequena Elora no colo do orgulhoso avô, esqueceu-se do rapaz, correu para ela, pegou-a no colo e começou a fazer gracinhas. A menina era uma delícia.

Enquanto observava Priscilla e Carol brincarem com a neta, Daryl se aproximou de Dennis e murmurou:

— Bonita a amiga de Lola. Ela é comissária de bordo?

Dennis assentiu e sussurrou, achando graça, ao ver como ele a olhava:

— Segundo sua irmã, ela já tem pilotos de sobra.

— Desculpe, mas eu sou comandante.

Ambos soltaram uma gargalhada. Lola, que o ouvira, aproximou-se do irmão e, olhando-o nos olhos, advertiu:

— Fique longe de Carol se não quiser que eu lhe quebre as pernas e lhe arranque os olhos, entendeu?

Daryl sorriu. E, afastando-se dela, brincou:

— Pelo amor de Deus, a fera desembestada voltou.

Dennis, surpreso, perguntou, olhando para a mulher:

— Por que isso?

Ela sorriu, abraçou o brasileiro e sussurrou:

— Eu adoraria que Carol amansasse o comandante.

Dennis a fitou sem acreditar.

— Mas você acabou de dizer a Daryl que...

Entendendo a jogada da mulher, sorriu e murmurou:

— Você é má. Muito má.

Alegre, Lola o beijou e, esquecendo o irmão, murmurou:

— Falei com Rose e papai. Hoje à noite eles vão levar Elora para a casa deles, e pensei que você e eu podíamos ir à Essence para nos divertir. Morro de vontade de ver você me oferecendo a outro homem e de me oferecerem a você, enquanto diz em português para mim "não deixe de me olhar". O que acha da ideia?

Dennis sorriu. Curtir o sexo e as fantasias sexuais com sua mulher era uma das coisas de que mais gostava na vida. Então assentiu e, passando os lábios pelos dela, murmurou em português, daquele jeito que sabia que a deixava louca:

— Delícia.

Leia também os outros títulos da autora
publicados pelo selo Essência

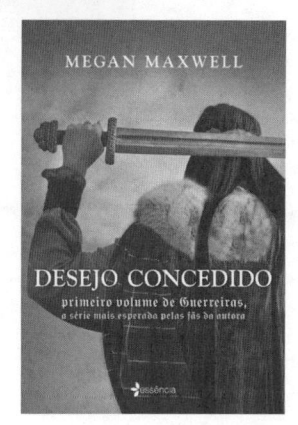

Este livro foi composto em Adobe Garamond Pro e impresso pela
Intergraf para a Editora Planeta do Brasil em abril de 2017.